POLARIS

ULRIKE
SCHWEIKERT

DIE
CHARITÉ

HOFFNUNG UND SCHICKSAL

ROMAN

ROWOHLT POLARIS

Originalausgabe
Veröffentlicht im Rowohlt Taschenbuch Verlag,
Reinbek bei Hamburg, Juli 2018
Copyright © 2018 by Rowohlt Verlag GmbH,
Reinbek bei Hamburg
Redaktion Heike Brillmann-Ede
Umschlaggestaltung HAUPTMANN & KOMPANIE
Werbeagentur, Zürich
Umschlagabbildungen Stephen Mulcahey,
Ebru Sidar/Trevillion Images;
Innenseite vorne: akg-images,
Innenseite hinten: Peter Palm, Berlin
Satz aus der Quadraat, InDesign,
bei Pinkuin Satz und Datentechnik, Berlin
Druck und Bindung CPI books GmbH, Leck, Germany
ISBN 978 3 499 27451 0

Für Alexandra Strauss
und in Liebe für meinen Mann
Peter Speemann

Prolog

Gnadenlos brannte die heiße Augustsonne 1831 auf Berlin herab. Sie spiegelte sich in der braunen Flut des träge hin und her schwappenden Spreekanals, dessen übler Geruch sich heute wie eine Wolke ausbreitete, die vertäuten Lastkähne einhüllte und durch die Häuser am Ufer waberte. Johannes Christian Mater stand an der Reling seines Kahns und kniff die Augen zusammen. Ein Stück weiter näherte sich eine Frau dem Kanal und leerte schwungvoll den stinkenden Inhalt eines Abtrittseimers ins Wasser. Sie hob grüßend die Hand, ehe sie wieder unter der niederen Tür des Hauses verschwand, in dem sie mit wer weiß wie vielen Kindern, Verwandten und fremden Schlafgängern hauste.

Hans stöhnte und wischte sich mit seinem schmutzigen Ärmel den Schweiß von der Stirn. Er war bereits vor einer Woche mit seiner Fracht aus Nienburg an der Saale eingetroffen und hatte fünfhundert Zentner Salz am Schiffbauerdamm abgeladen, doch seine Fracht war noch nicht bereit gewesen. Jetzt endlich war Kahn M92 mit Kiefernholz beladen, konnte aber immer noch nicht auslaufen. Ein betrunkener Schiffer hatte am Morgen mit seinem Torfkahn eines der Schleusentore aus den Angeln gerissen. Das konnte dauern! Es blieb Hans nichts anderes übrig, als sich einen Platz am Ufer nahe der Jungfernbrücke zu suchen und abzuwarten.

Der Tag verrann. Seine Mutter tauchte aus der Kajüte auf und goss Waschwasser aus einer Schüssel in den Kanal.

«Ich habe Durst», sagte Hans. «Ich geh mal rüber in den Nussbaum.»

Seine Mutter verzog zwar das Gesicht angesichts des Kneipennamens, nickte jedoch und verzichtete auf den Hinweis, nicht zu viel zu trinken. Heute würden sie eh nicht mehr auslaufen.

Hans steckte einen kleinen Beutel mit Münzen in die Hosentasche und machte sich auf den Weg. Auf der Gasse stieß er fast mit einer Frau zusammen, die es sichtlich eilig hatte. Hans sprang zur Seite.

«Entschuldigung», murmelte er.

Der Frau rutschte ihre schwere Tasche aus der Hand, sodass sie auf die mit Unrat bedeckte Straße fiel. Hans bückte sich und hob die längliche, abgewetzte Ledertasche auf. Nun erst erkannte er die Frau.

«Gott zum Gruß, Martha.» Er reichte ihr die Tasche. «Lass mich raten: Bald gibt es hier noch ein hungriges Maul mehr zu stopfen.»

Die Hebamme nickte. «Du sagst es. Aber wolltest du nicht schon längst auf dem Weg nach Nienburg sein?»

Hans zog eine Grimasse. «Die Schleuse ist kaputt. Ich liege fest.»

Martha sagte einige mitfühlende Worte, doch es war klar, dass sie mit ihren Gedanken bereits woanders war. Sie hob grüßend die Hand und schritt auf eines der Häuser zu, das wie betrunken an seinem Nachbarn lehnte.

Es gab kaum einen Ort in Berlin, an dem die Häuser so eng beieinanderstanden und so viele Menschen in winzigen Räumen miteinander hausten wie hier am Spreekanal. Aller Unrat wurde in den Kanal geleert, da die Senkgruben schon seit langem überfüllt waren. Fliegenschwärme kreisten in der flimmernden Luft.

Hans setzte seinen Weg fort. Er trank in der nächsten Kneipe ein Bier, das den brennenden Durst ein wenig stillen sollte, bis er sein eigentliches Ziel erreicht haben würde. In seinem Bauch rumorte es, als er weiterging.

«Gottfried, ich brauch einen Kräuterschnaps», rief er dem Wirt des Nussbaums zu und ließ sich auf einen Hocker fallen.

Aus dem einen wurden fünf, doch seine Eingeweide wollten keine Ruhe geben. In einer Ecke saß einer der Stammgäste der Destille mit einer Flasche billigem Fusel.

«Juppheidi, juppheida, Schnaps ist gut für die Cholera», sang er laut.

Der Wirt stöhnte. «Is ja gut!», schimpfte er. «Hör endlich auf damit, du vertreibst mir noch meine Gäste.»

«Du wirst keine Gäste mehr haben, wenn sich die Cholera alle geholt hat», lallte der Säufer.

Hans und Gottfried tauschten Blicke. «Ich kann's nicht mehr hören», sagte der Wirt leise. «Jeder redet nur noch von der Cholera, und auch die Zeitungen sind voll davon. Mein Gott, der flotte Otto bringt einen gestandenen Mann nicht gleich um!»

Hans wiegte den Kopf. «Die Cholera, die da aus dem Osten kommt, scheint was anderes zu sein. Ich hab gelesen, in Indien sind neuntausend Mann einer Garnison einfach so innerhalb von ein paar Tagen abgekratzt.»

Der Wirt hatte auch davon gehört, weigerte sich aber, es den Schwarzsehern gleichzutun. «Berlin ist sicher», behauptete er. «Wir haben unseren Gesundheitsdirektor Rust, der die Cholera schon an der Grenze zu Preußen aufhält.»

Hans lachte. Die Schnäpse wallten warm in seinem Bauch auf und ab. «Du meinst, die Cholera bittet an der Grenze höflich um ein Visum?»

Gottfried fiel in sein Lachen ein. «Quatsch, das nicht, aber die Grenze nach Osten ist seit Wochen gesperrt. Die Armee lässt keine Maus durch, und jeder Mann muss erst mal zwanzig Tage in Quarantäne, ehe er nach Preußen einreisen darf. Jeder Brief wird in Chlor geräuchert, es kommen weder Getreide noch Obst, noch Pelze mehr von Russland zu uns rein.»

«Und dennoch ist die Cholera in Danzig ausgebrochen, hab ich gehört», wagte Hans zu widersprechen.

Gottfried brummte nur und kehrte zu seinem Platz hinter dem Tresen zurück, um zwei Neuankömmlingen einzuschenken.

Hans erhob sich. In seinem Kopf drehte es sich, und er musste sich erst einige Augenblicke festhalten, ehe er unsicher auf die Tür zuschwankte. «Wir seh'n uns, Gottfried. Halt die Ohren steif!», rief er dem Wirt zum Abschied zu, ehe er auf die Straße hinaustrat.

Die stinkende, schwüle Luft drohte, ihm den Magen umzudrehen. Hans atmete tief durch, straffte den Rücken und ging weiter, doch in seinen Eingeweiden wühlte es so wild, als würden hundert Schlangen einen Tanz aufführen. Hans presste sich die Hände gegen den Leib. Er hatte die Jungfernbrücke fast erreicht, da versagten seine Kräfte. Er sank auf die Knie. In schmerzhaften Wellen schoss es aus ihm heraus: Schnaps, Bier, Kartoffeln und was er sonst noch an diesem Tag zu sich genommen hatte. Alles schien gleichzeitig aus allen Körperöffnungen nach draußen zu drängen. Bebend kauerte er vor der Brücke, seine Sinne drohten ihm zu schwinden. Da drang eine Stimme wie durch einen Nebel in sein Bewusstsein.

«Hans, beim Herrn im Himmel, was ist mit dir?»

Trübe hob er den Blick. Noch immer von Krämpfen geschüttelt, sah er die Hebamme an. «Der Schnaps hat nicht geholfen.»

«Du hast zu viel getrunken. Das hat man dann halt», behauptete Martha, doch selbst Hans hörte die Skepsis in ihrer Stimme.

Die resolute Frau packte den Schiffer unter dem Arm und schleifte ihn zum Liegeplatz seines Kahns. Hans' Mutter kam ihnen schon entgegen und half, den Sohn in die Kajüte zu schleppen.

«Was sollen wir tun?», fragte Frau Mater ängstlich. «So was habe ich noch nie erlebt.»

Martha schüttelte ratlos den Kopf. «Ich auch nicht. Ich denke, es ist besser, einen richtigen Arzt zu holen. Ich beeile mich!», versprach sie und kletterte die engen Stufen zum Deck hinauf.

I. BUCH

KAPITEL I

Cholera

Martha eilte durch die Stadt. An zwei Türen klopfte sie vergeblich, die Ärzte waren nicht daheim. Wohin sollte sie sich wenden? Vielleicht würde sich der junge Dr. Calow dem armen Schiffer annehmen. Sie war sich nicht sicher, aber sie würde es versuchen. Im Laufschritt bog sie in die Charlottenstraße ein und eilte am Gendarmenmarkt mit den beiden prächtigen Kirchen vorbei. Vor dem Haus mit der Nummer 12 standen zwei Männer. Der eine war noch sehr jung, schlank und groß gewachsen, doch sein dünnes blondes Haar wirkte schütter, und sein Rock war abgetragen.

Der andere war etwas kleiner. Ein äußerst gutaussehender Mann, vielleicht Ende dreißig mit kräftigem Haar und dunklen Brauen. Sein Blick war aufmerksam und kraftvoll. Der grüne Frack mit den goldenen Knöpfen saß ausgezeichnet und war von guter Qualität. Martha kannte sich aus. Sie half nicht nur den Frauen in den Quartieren am Spreekanal bei der Geburt ihrer Kinder. Als Stadthebamme hatte sie sich den Ruf erworben, auch bei schwierigen Lagen Rat zu wissen, und wurde daher nicht selten in die prächtigen Häuser der Friedrichstadt gerufen.

Der Unterschied konnte nicht größer sein. Sie dachte an die hohen, hellen Räume, die von einem Heer von Bediensteten sauber gehalten wurden. Die schwangere Bürgersfrau bekam eine für ihren Zustand ausgewählte Diät serviert und bekam ganz sicher keine vorzeitigen Wehen, nur weil sie zu schwere Wassereimer geschleppt oder Feuerholz gehackt hatte. Ihr Kind wurde mit sauberem Wasser gewaschen und in frisch duftende Tücher gewickelt, während die Frauen am Kanal ihre Kinder auf schmutzigen Binsen gebaren und froh sein konnten, wenn sie selbst genug zu essen hatten, um ihr Kind zu nähren. Es wunderte Martha nicht, dass dort viele Säuglinge kaum ein paar Tage überlebten. An solch einem Ort geboren zu werden, war kein guter Start ins Leben.

Martha stand immer wieder fassungslos vor dem Elend. Warum nur war die Welt so ungerecht? Gab es denn gar keine Möglichkeit, das zu ändern? Hatten die armen Menschen nicht auch ein Recht zu leben?

Ihre Gedanken kehrten zu dem kranken Schiffer zurück. Sie fixierte die beiden Männer. Der jüngere war Dr. Hans Calow, den anderen erkannte sie nur an dem feurigen Gespann vor seiner Kutsche, das ein Diener im Zaum hielt. Über diese beiden Rappen sprach ganz Berlin – und über ihren Herrn, den zweiten dirigierenden Chirurgen der Charité, Dr. Johann Friedrich Dieffenbach.

«Dr. Calow», brach Martha jetzt in das Gespräch der beiden Männer ein. «Bitte, entschuldigen Sie, aber es handelt sich um einen Notfall.»

Die beiden Ärzte wandten sich ihr zu. Sie schienen ihr für die rüde Unterbrechung ihrer Unterhaltung nicht zu zürnen. Im Gegenteil, Dieffenbach betrachtete sie aufmerksam.

«Das ist Madame Vogelsang, unsere hervorragende Stadthebamme», stellte Calow Martha vor. «Was gibt es denn? Eine schwierige Geburt, nehme ich an.»

Sie schüttelte den Kopf und begann, von Hans Mater zu berichten.

«Ich denke, mit Kohlepulver und Opiumtropfen sollte das schnell behoben sein», schlug Calow vor. «Wir haben diesen Sommer ungewöhnlich viele Fälle von Brechdurchfall.»

Martha schüttelte den Kopf. «Ich glaube, dieser Fall ist anders.»

Auf der anderen Straßenseite sprangen zwei Jungen in kurzen

Hosen und fleckigen Hemden vorbei und sangen: «Juppheidi, juppheida, Schnaps ist gut für die Cholera.» Das Spottlied war in diesen Tagen in aller Munde.

Martha spürte, wie sie erschauderte. Dr. Dieffenbach hob die dichten Brauen.

«Glauben Sie, es ist die Cholera? Ich wurde in den vergangenen Tagen zu vielen Patienten gerufen, die glaubten, an dieser Krankheit zu leiden, doch es war stets harmlos.»

Martha hob die Schultern. «Ich weiß nicht, aber eines kann ich Ihnen versichern, ich habe in meinem Leben schon viele Menschen mit Durchfall und Erbrechen erlebt, aber so etwas habe ich noch nie gesehen. Bitte, Dr. Calow, kommen Sie mit mir. Ich habe es der Mutter versprochen.»

«Wenn es so dringend ist, dann sollten wir besser meinen Wagen nehmen», schlug Dieffenbach vor.

Martha sah ihn erstaunt an. «Danke», stieß sie aus, ehe sie hinter Dr. Calow in die Kutsche kletterte. Dieffenbach stieg selbst auf den Kutschbock und schwang die Peitsche. Die Rappen zogen mit einem Ruck an. Der Diener, der die stürmischen Rösser offensichtlich gewohnt war, sprang rechtzeitig zur Seite und dann mit einem riesigen Satz auf den Wagen.

∾

Es war brütend heiß an diesem Nachtmittag, als Elisabeth das Haus ihrer Schwester erreichte. Es war ein altes, schmales Gebäude, das jedoch in besserem Zustand war als die Häuser gegenüber, die mit der Rückseite an den Kanal grenzten. Doch selbst wenn Maria und ihr Mann den Luxus einer eigenen kleinen Wohnung genossen, war die Gegend alles andere als das, was man sich für das gesunde Gedeihen einer jungen Familie vorstellte. Elisabeths und Marias Eltern waren, wie so viele Leute vom Land, nach Berlin gezogen, nachdem Napoleon besiegt und die Menschen in Preußen nach den Reformen der Minister von Stein und von Hardenberg endlich frei waren, dort zu leben, wo sie wollten. Sie hofften auf Arbeit und ein besseres Leben, doch auch sie mussten erfahren, dass es in den neuen Fabriken zwar Arbeit gab, der Lohn aber nicht reichte, um ein besseres Leben zu führen als auf dem Land.

Berlin brachte der Familie kein Glück. Ihre Mutter brach sich das Genick auf einer Kellertreppe, der jüngere Bruder starb an Typhus und der Vater im vergangenen Jahr an der Seuche der Schwindsucht, die die Lungen der Fabrikarbeiter verzehrte, bis sie Blut husteten und unter Qualen starben.

Elisabeth schob die Haustür auf, stieg die enge Treppe einen Stock höher und blieb vor der geschlossenen Wohnungstür stehen. Es war dunkel und heiß im Treppenhaus, und es roch nach Zwiebeln und ungeleerten Nachttöpfen.

Sie zögerte. Warum war sie gekommen? Das letzte Mal, als sie ihre um vier Jahre ältere Schwester gesehen hatte, waren sie im Streit auseinandergegangen. Elisabeth hatte ihren Schwager von Anfang an nicht gemocht, doch Maria hatte nicht auf sie hören wollen und sich mit diesem liederlichen Kerl eingelassen, der sie ins Unglück stürzte, davon war die Jüngere überzeugt. Hubert hatte sein Glück zuerst bei Elisabeth versucht und dann, als er bei ihr keinen Erfolg hatte, sich der Schwester zugewandt, die seinen plumpen Annäherungsversuchen allzu bereitwillig nachgegeben hatte. Das Ergebnis konnte man seit Monaten deutlich unter ihrem Busen wachsen sehen!

Elisabeth schnaubte voller Abscheu, als Huberts Bild vor ihr aufstieg. Er sah nicht schlecht aus, das musste sie ihm lassen, doch sie hielt ihn für verschlagen, er war schwach von Charakter und leider auch voller Jähzorn, vor allem, wenn er dem Ruf des Branntweins nachgab. Sie hatte sich mehr als ein Mal erbittert mit ihm gestritten, doch ihre Forderung, Maria mit mehr Respekt und Zartgefühl zu behandeln, verhallte ungehört. Er sei der Mann im Haus, und sein Weib habe ihm zu gehorchen!

«Pah!»

Niemals würde Elisabeth in diese Falle tappen und sich von einem Mann beherrschen lassen, das schwor sie sich. Sie war jetzt neunzehn, und der Vater hatte vor seinem Tod noch versucht, sie mit einem der Nachbarburschen zu verheiraten, doch sie hatte sich standhaft geweigert.

Nun aber war sie hier, um nach Maria zu sehen und Frieden mit ihr zu schließen. Sie hatten nur noch einander. Wenigstens die beiden Schwestern mussten zusammenhalten. Und sie musste ihrer Schwester etwas sagen. Etwas, das Elisabeth sehr wichtig war.

Sie holte tief Luft, klopfte und trat ein. Die Wohnung war klein und bestand aus einer winzigen Küche, die sich zum Hauptraum öffnete, mit einem Tisch, drei Stühlen und einem Canapé in verblichen graugrüner Farbe, das unter dem einzigen Fenster stand. Ein geschlossener Vorhang verbarg die Nische mit dem Bett. Die Schwangere saß auf dem Sofa, die Arme um ihren hervorquellenden Bauch gelegt.

«Du kommst spät», begrüßte Maria ihre Schwester unwirsch.

Elisabeth stemmte die Arme in die Taille und runzelte die Stirn. Sie fühlte Unmut in sich aufsteigen. Nein, sie würde sich nicht entschuldigen. Sie hatte versprochen, heute zu kommen, und hier war sie. «War Martha schon da?», erkundigte sie sich stattdessen.

«Ja», stieß Maria hervor.

«Und? Ist alles in Ordnung?»

«Ja», sagte Maria noch einmal, «in ein paar Tagen ist es so weit.»

Doch dann stürzten ihr Tränen in die Augen und rannen über ihre Wangen. Sie wischte sie nicht ab, sondern ließ sie ungehindert in den ergrauten Kragen ihres Kleides tropfen. Elisabeths Unmut schmolz. Sie eilte zu ihr, ließ sich neben Maria auf das durchgesessene Polster sinken und legte den Arm um sie.

«Warum weinst du dann?»

Maria schluchzte, dann griff sie nach dem Saum ihres Kleides und wischte sich energisch über das Gesicht.

«Er ist es nicht wert, dass ich um ihn heule.»

«Wer? Hubert?», erkundigte sich Elisabeth vorsichtig.

«Ja, Hubert!», stieß Maria erbost aus. «Wie viele Ehemänner habe ich denn? Hatte ich», endete sie lahm.

«Hatte? Er hat dich doch nicht etwa sitzenlassen jetzt vor der Geburt eures Kindes?» Schon wieder ballte sich der Groll in ihr zusammen. Das sähe diesem Nichtsnutz ähnlich!

«In gewisser Weise schon», antwortete Maria, und ihr standen schon wieder Tränen in den Augen. «Früher haben sich die Soldaten von Napoleons Männern totschießen lassen. Mein Mann braucht dazu keinen Feind. Er schafft es ganz alleine, sich in die Luft zu sprengen.»

Sie zog einen zerknitterten Brief aus ihrer Rocktasche und reichte ihn Elisabeth. Es war ein Schreiben aus dem Kriegsministerium, in dem der Unfall, der zum Tod des braven Soldaten geführt habe, bedauert wurde.

«Was soll denn jetzt aus uns werden?», klagte Maria. «Mit dem Wurm kann ich keine Arbeit finden, und ich muss doch die Miete bezahlen, sonst landen wir auf der Straße.»

«Sie werden dir keine Rente bezahlen», vermutete Elisabeth. «Er hätte als einfacher Rekrut nicht heiraten dürfen.»

Maria nickte, dann sah sie ihre Schwester plötzlich eindringlich an. «Du könntest zu uns ziehen», schlug sie vor. «Das Bett ist breit genug. Ja! Wir suchen uns eine Arbeit und teilen uns die Zeit mit dem Kleinen, dann reicht es für uns alle.»

Elisabeth erhob sich vom Sofa und strich ihr einfaches graues Kleid glatt. «Das geht leider nicht», sagte sie. «Ich habe eine Entscheidung getroffen.»

«Was für eine Entscheidung?», erkundigte sich Maria, aber Elisabeth hörte an ihrer Stimme, dass sie mit ihren Gedanken woanders war.

Sie richtete sich auf und reckte herausfordernd das Kinn. «Ich habe eine Arbeit angenommen», sagte sie. «Ich werde nicht viel Zeit haben, um mich um dich und das Kind zu kümmern. Es tut mir leid, aber ich verspreche dir, jeden Taler, den ich übrig habe, für euch aufzuheben.»

Maria sah sie erstaunt an. «Was für eine Arbeit?»

«Ich bin jetzt Krankenwärterin in der Charité», antwortete Elisabeth.

«Wärterin?», echote Maria. «Was verdienst du da denn?»

«Zwölf Taler», sagte Elisabeth leise und senkte beschämt den Kopf.

«Zwölf Taler?», wiederholte Maria und lachte schrill. «Ich nehme an, nicht im Monat, oder?»

Elisabeth schüttelte stumm den Kopf.

«Zwölf Taler im Jahr», höhnte Maria. «Das ist zum Leben zu wenig und zum Sterben zu viel.»

«Ich wohne dort umsonst und bekomme freie Kost», fügte Elisabeth rasch hinzu, wobei sie verschwieg, dass dies kein Abendbrot beinhaltete.

«Wärterin!», wiederholte Maria fassungslos. «Wenn das unsere Eltern wüssten. Sie hätten sich was Besseres für dich gewünscht.»

«Was denn? Einen Säufer und Schläger als Ehemann, der mich schwanger zurücklässt?»

Maria schluchzte wieder. «Das ist gemein. Er ist ja nicht absichtlich gestorben.»

«Das nicht, aber selbst wenn er noch leben würde, wollte ich nicht mit dir tauschen. Besser, ich gebe meine Kraft kranken Menschen, die meine Hilfe brauchen, als so einem Mann!»

Maria lief rot an. «Er war kein Heiliger», war alles, was sie über ihren verstorbenen Mann zu sagen wusste.

«Nein, bei Gott nicht», legte Elisabeth nach.

«Dein Entschluss steht also fest?», versuchte Maria es noch einmal. «Du willst es dir nicht noch einmal überlegen und lieber bei mir – bei uns – bleiben?»

«Nein, ich habe einen Vertrag unterschrieben, und den werde ich erfüllen!», sagte sie fest, obgleich sie innerlich schwankte. Sie war mit dem festen Vorsatz gekommen, ihr Leben in eine andere Richtung zu lenken und von nun an den Kranken zu widmen, doch auf einmal kam sie sich stur und lieblos vor.

«Was denkst du denn, was für eine Arbeit wir finden könnten?» Elisabeth hielt dem bohrenden Blick ihrer Schwester stand.

Maria senkte als Erste den Blick. Sie wuchtete sich vom Sofa hoch und watschelte auf ihren geschwollenen Füßen zu dem Bord, das an der Wand über dem alten, eisernen Ofen hing.

«Ich habe noch Kräuterschnaps», sagte sie. «Willst du einen mit mir trinken?»

Elisabeth trat zu ihr und nahm zwei Gläser. «Ja, gern. Ich denke, in der Charité werde ich nicht so schnell wieder einen bekommen», sagte sie versöhnlich und setzte sich auf einen der Hocker. Maria gesellte sich zu ihr und schenkte die Gläser randvoll.

«Auf das Leben, was es auch noch bringen mag», sagte sie und leerte ihr Glas mit einem Zug.

«Ich komme dich besuchen, wann immer ich ein paar Stunden frei habe», versprach Elisabeth.

«Das wird nicht allzu oft sein», vermutete Maria.

«Nein», stimmte ihr Elisabeth zu und schenkte noch einmal nach. «Aber Martha wird da sein, wenn es losgeht, um sich um dich und das Kind zu kümmern.»

Sie leerte ihren Beutel und ließ einige Taler auf den Tisch fallen. «Das ist der Rest von Vaters Ersparnissen. Ich bringe dir mehr, sobald ich mein erstes Geld erhalte.»

Maria brummte nur und legte ihre Hand auf die der Schwester.

«Ich wünsche dir, dass du mit deiner Entscheidung glücklich wirst. Vielleicht lernst du einen netten Mann kennen, der dich heiratet.» Elisabeth lachte verächtlich. «Ganz bestimmt nicht, denn ich habe nicht vor, mich heiraten zu lassen. Ich werde mein Leben selbst bestimmen und mich mit meiner eigenen Hände Arbeit ernähren, das schwöre ich dir.»

Maria schüttelte nur stumm den Kopf.

⌒

Es dämmerte bereits, als die Kutsche mit den beiden Rappen am Kanalufer hielt. Martha sprang als Erste aus dem Wagen, die beiden Ärzte folgten ihr über die Planke auf das Schiff. Frau Mater kam ihnen entgegen. Sie war blass. Martha griff nach ihrem Arm, doch sie sagte nichts. Ihr fielen keine tröstenden Worte ein.

«Es geht ihm gar nicht gut», sagte Hans' Mutter mit einem Schluchzen in der Stimme und führte die Ärzte und Martha unter Deck. Die dunklen Schiffsplanken glänzten feucht, doch obgleich Frau Mater gründlich gewischt hatte, stank es durchdringend nach Erbrochenem und Durchfall.

«Leidet er noch immer unter diesen starken Krämpfen?», erkundigte sich Dr. Dieffenbach.

Hans' Mutter verneinte und zeigte auf den Leidenden, der völlig ruhig in seiner Koje lag.

Dr. Calow bückte sich, um unter der niederen Kajütendecke ans Bett treten zu können. Er schlug die Wolldecke beiseite. «Können wir mehr Licht haben?», bat er.

Martha nahm die Lampe vom Tisch und hielt sie so, dass der Lichtschein über das Gesicht des Kranken huschte. Es war ihr, als blickte sie in das Gesicht eines Toten. Das konnte kein normaler Brechdurchfall sein! Was auch immer im Körper des Schiffers wütete, es war seinen zerstörerischen Weg schon weit gegangen.

«Haben Sie so etwas schon einmal gesehen?», fragte Calow leise. Dr. Dieffenbach schüttelte den Kopf. Seine Miene war ernst und bestätigte Marthas Verdacht. Sie hatte nicht übertrieben.

Der Arzt zog ein Notizbuch hervor und begann zu schreiben: *Gesichtsfarbe des Patienten fahles Aschgrün, Hände noch blasser, Augäpfel tief in die Höhlen eingesunken. Hornhaut getrübt, der Blick ist starr. Das Gesicht wirkt ausgezehrt.*

Calow ergriff die schlaffe Hand. «Der Puls ist kaum zu spüren. Er ist ein wenig eilig.» Er öffnete den verschmierten Kittel des Schiffers und blickte auf die Brust, die sich kaum merklich hob und senkte. Dieffenbach notierte weiter.

«Ist das ein Krankheitsbild, das Ihnen vertraut ist?», wollte Calow wissen.

Der zweite dirigierende Chirurg der Charité schüttelte den Kopf. «Ich fürchte, wir müssen das Schlimmste annehmen.»

Es war Martha, die das schreckliche Wort aussprach: «Cholera.»

Die beiden Ärzte widersprachen nicht.

«Was können wir tun?», wollte Calow wissen.

«Sie kennen sicher Geheimrat Rusts Sechzehn-Punkte-Plan für Cholerafälle, den er vorsorglich erlassen hat», sagte Dr. Dieffenbach und rollte gleichzeitig mit den Augen.

«Danach müssten wir ihn jetzt zur Ader lassen. Mindestens ein Pfund Blut sollten wir ihm abzapfen», erwiderte Calow. «Halten Sie das in seinem Zustand für sinnvoll?»

«Sie vielleicht?», konterte Dieffenbach. «Es scheint, als habe dieser Mann jetzt schon kein Blut mehr in seinen Adern. Und er braucht auch nichts mehr, um den Magen oder Darm zu beruhigen.»

«Es scheint mir eher, als müsse man den ganzen Körper zum Leben anregen», stimmte ihm Calow zu.

Dr. Dieffenbach nickte. «Sie sagen es. Frau Mater, eine Scheuerbürste!»

Die Schifferfrau eilte davon, während der Arzt eine Flasche

mit Kampferspiritus öffnete. Martha schob die Ärmel hoch, endlich gab es etwas zu tun. Endlich würden sie den Kampf gegen den unsichtbaren Feind im Körper des Mannes aufnehmen. Es war immer besser, etwas zu tun, statt dazusitzen und zuzusehen, wie ein Leben verging.

Sie half, den Schiffer zu entkleiden, der nur noch apathisch vor sich hinstarrte und sich nicht rührte. Dann rieb Dr. Calow seinen Körper mit dem Spiritus ein und bearbeitete die marmorblasse Haut mit der Scheuerbürste. Hans reagierte nicht.

«Hier!»

Frau Mater reichte der Hebamme eine zweite Bürste, und Martha tat es dem Arzt gleich. Sie konnte nicht sagen, ob ihm die Behandlung guttat oder ihn quälte. Die Haut blieb trotz der Borsten blass, doch schien er ein wenig kräftiger zu atmen.

«Frau Mater, wir brauchen heißes und kaltes Wasser!», rief Dieffenbach und nahm ihr die Bürste ab.

Martha ging mit der Schifferin und brachte Eimer um Eimer Wasser, während die Männer den Kranken abwechselnd mit kalten und heißen Tüchern abrieben.

«Ich habe keinen Zweifel», sagte Dieffenbach leise. «Der Fall muss gemeldet werden. Machen Sie hier weiter. Madame Vogelsang, würden Sie dem Kollegen Calow bitte helfen?»

Martha nickte. «Und wenn es die ganze Nacht dauert!», versprach sie.

«Gut, dann fahre ich zu Professor Rust. Trotz aller Vorsichtsmaßnahmen hat es die Cholera nach Berlin geschafft. Der Fall muss General von Thile gemeldet werden. Er wird den Ausnahmezustand ausrufen.»

Martha schloss die Augen. Sie fürchtete sich vor der Erkenntnis, was dies für sie und alle anderen Berliner bedeuten würde.

Quarantäne, Ausnahmezustand, ein stetig anschwellendes Heer von Kranken, denen keiner helfen konnte, und dann von Toten, die man irgendwo hastig verscharren würde. Würde es erneut vor allem die Armen am Kanal und in den engen Mietskasernen in den Vorstädten treffen? Die Kinder, die Alten und Schwachen? Natürlich! Wie immer. Daran zweifelte sie nicht.

Eine Welle aus Elend, Schmerzen und Tod war im Begriff, über Berlin hinwegzurollen, und sie würde nichts tun können, außer das Schicksal zu beklagen.

∼

Dieffenbach trieb seine Rappen durch die abendlichen Straßen, bis er das Haus in der Wilhelmstraße erreichte, in dem der Geheime Obermedizinalrat Professor Johann Nepomuk Rust wohnte, seines Zeichens nicht nur medizinischer Direktor der Charité und damit Dieffenbachs Vorgesetzter. Er war außerdem Direktor des Gesundheitswesens und somit für die Vorsichtsmaßnahmen verantwortlich, die an den östlichen Grenzen Preußens und rund um die Stadt getroffen worden waren.

Das Haus war hell erleuchtet, und Dieffenbach vernahm Musik. Der Direktor hatte Gäste, doch der Fall war zu wichtig, um darauf Rücksicht nehmen zu können.

Der Kontrast zu dem alten Kahn und seinen Bewohnern, von wo er gerade kam, hätte kaum größer sein können. Vor allem die Luft war hier in der Friedrichstadt viel besser und ließ die Erinnerung an den schrecklichen Gestank in der engen, niederen Kajüte verblassen. Er rief sich dennoch alle Einzelheiten der Erkrankung in Erinnerung. War er zum richtigen Schluss gekommen? War es wirklich die gefährliche asiatische Cholera, die den Schiffer niedergeworfen hatte?

Dies war nicht die erste Seuche, die er erlebte. Dieffenbach dachte mit Grauen an das, was ihnen allen bevorstand. Und doch war das Leid auch eine Herausforderung an seine Fähigkeiten als

Arzt. Es stachelte seinen Ehrgeiz und seinen Forscherdrang an. Dieses Mal würde er nicht ruhen. Er würde seine Forschungen weitertreiben und ein Mittel finden, den Menschen zu helfen. Sie würden diese Pest aus Berlin verjagen!

Wann?

Nach wie vielen Opfern?

Er wusste keine Antwort. Zweifel quälten ihn. Hatten nicht schon klügere Köpfe alles versucht und waren gescheitert? Waren die Ärzte den Ursachen der vielen verschiedenen Seuchen und ihrer Heilung in den vergangenen Jahrzehnten auch nur einen Schritt näher gekommen?

«Folgen Sie mir bitte, Herr Dr. Dieffenbach», forderte ihn ein Bediensteter höflich auf, nachdem der Arzt den Türklopfer betätigt hatte.

Dieffenbach ließ sich ins Haus führen. Gewaltige Akkorde, die aus einem Konzertflügel aufstiegen, hüllten ihn ein. Er ließ den Blick über die Zuhörer schweifen, bis er den Hausherrn entdeckte. Rust saß in einem Sessel, in dem seine kleine, korpulente Gestalt fast versank, und nickte mit dem Kopf im Takt. Sein Blick war irgendwo gegen die Decke gerichtet. Der Obermedizinalrat liebte die Musik. So manch aufsteigender Komponist hatte schon an diesem Flügel gesessen, und selbst Paganini hatte diesen Salon mit seiner Geigenmusik erfüllt. Hier trafen Wissenschaftler und Musiker zusammen und natürlich diejenigen, die in der Politik und beim Militär etwas zu sagen hatten.

Für solch einen Abend würde seine Frau Johanna vermutlich ihr Seelenheil geben, kam es Dieffenbach in den Sinn, ehe er Johanna ebenso wie die herrliche Musik rüde aus seinen Gedanken verbannte. Er war nicht zum Vergnügen hier!

Er zögerte, dann trat er an den Sessel, beugte sich vor und flüsterte dem Geheimrat die schreckliche Botschaft ins Ohr.

Rust zuckte zusammen, griff nach der Brille mit den dicken

Gläsern und schob sie sich auf die Nase. Aus seinen vom Star getrübten Augen starrte er den unwillkommenen Besucher an.

«Sind Sie ganz sicher?», fragte er leise.

Dieffenbach nickte.

Rust erhob sich und verließ leicht hinkend hinter Dieffenbach den Salon. Er schloss mit der Tür die brausenden Klavierklänge aus. «Lebt der Mann noch?»

«Als ich ihn verlassen habe, ja, doch er glich eher einem Toten.»

Rust legte grübelnd die Stirn in Falten. Einige Momente schwieg er. Dieffenbach konnte sich vorstellen, wie er die möglichen Folgen abwog. Die trüben Augen richteten sich auf seinen zweiten dirigierenden Arzt.

«Fahren Sie zurück und sehen Sie zu, dass der Mann überlebt!»

«Und was werden Sie tun?», wagte der Jüngere zu fragen.

«Ich werde abwarten. Heute Nacht können wir nichts mehr machen.»

Dieffenbach versuchte, sich seinen Unmut nicht anmerken zu lassen. «Verzeihen Sie, Professor Rust, aber sollten wir nicht Sorge dafür tragen, dass keine anderen Personen angesteckt werden?»

Rust kniff die Augen zusammen. «Ah, Sie glauben also auch, dass die Seuche von Mensch zu Mensch übertragen wird und nicht die Folge eines Miasmas ist, das mit seinen giftigen Dämpfen aus dem Kanal aufsteigt, wie viele sagen.»

Dieffenbach stimmte ihm zu. «Gerade deshalb müssen wir dafür sorgen, dass die Menschen, die in den vergangenen Stunden mit dem Schiffer Kontakt hatten, von anderen Menschen ferngehalten werden», drängte er.

«Wir müssen erst einmal sicher sein, dass es sich wirklich um diese asiatische Cholera handelt, ehe wir die Pferde scheu machen und ganz Berlin in Aufruhr versetzen. Was, wenn es ein falscher Alarm ist? Was soll ich dann dem König sagen?»

«Wollen Sie ihm stattdessen erklären, wie sich die Seuche ausbreiten konnte, weil Sie zu spät Maßnahmen ergriffen haben?», konterte Dieffenbach und spürte, dass er zu weit gegangen war. Die Stimme des alten Geheimrats klang eisig.

«Fahren Sie zurück und bringen Sie den Schiffer, ganz gleich, ob er noch lebt oder tot ist, ins Pockenhaus der Charité. Wer sich auf dem Schiff befindet, wird dortbleiben oder ebenfalls mit ins Pockenhaus kommen. Ich schicke einen Schutzmann, der den Kahn bewacht. Und nun muss ich mich wieder um meine Gäste kümmern. Gute Nacht!»

Dieffenbach verbeugte sich kühl vor seinem Vorgesetzten und ließ sich seine Empörung nicht anmerken. Man musste jetzt handeln! Jede Verzögerung konnte sich fatal für die ganze Stadt auswirken, doch es war nicht an ihm, das zu entscheiden. Zornig sah er Rust nach, dann wandte er sich auf dem Absatz um und machte sich auf die Rückfahrt zum Kanal.

Kahn M92 lag dunkel und still im trägen Wasser. Keiner konnte ahnen, welch Drama sich unter Deck abspielte.

∽

Martha und Dr. Calow waren schweißgebadet, doch es wollte ihnen nicht gelingen, die Lebensgeister des kranken Schiffers wieder zu wecken. Seine Haut war von der Farbe und Kälte wie Marmor, sein Atem eisig, der Puls wurde immer schwächer.

Calow gab Frau Mater die Schüssel mit dem kalt gewordenen Wasser.

«Das ist das letzte Stadium», sagte er zu Martha, als die Mutter des Kranken außer Hörweite war. «Ich habe darüber gelesen. Wenn der Puls erlischt, gibt es keine Rettung mehr.»

Martha betrachtete den jungen Schiffer voller Mitgefühl. Sie war kein Arzt, doch auch ohne Medizin studiert zu haben, sah sie, dass der Tod nach dem Elenden griff.

Da richtete sich Hans Mater unvermittelt in seiner Koje auf. Martha zuckte zusammen. «Durst», flüsterte er mit tonloser Stimme.

Ehe sie ihm den Becher mit Kamillentee reichen konnte, schwang er die Beine über den Rand des Bettes und erhob sich schwankend.

«Ein Wunder!», flüsterte Martha. Sie spürte, wie ihr Herz freudig klopfte. Konnte es wirklich wahr sein? Bestand noch Hoffnung?

Doch da fiel der Schiffer dem Arzt in die Arme, der ihn in sein Bett zurückschob. Draußen waren schnelle Schritte zu hören. Die Tür schwang auf, und mit wehend grünem Frack trat Dr. Dieffenbach über die Schwelle.

«Wie sieht es aus?»

Er betrachtete den Kranken, der nun auf der Seite lag. Seine Beine zuckten immer wieder, seine Finger bewegten sich. Calow legte ihm die Hand auf den Leib.

«Er scheint nicht mehr ganz so kalt zu sein.»

«Dann ist er gerettet?», wollte Martha wissen.

Einige Minuten betrachteten sie den zuckenden Körper. Dieffenbach runzelte die Stirn, dann kniete er sich neben die Koje und legte seine Finger an Hans Maters Hals.

«Nichts!», sagte er. Sein Ohr näherte sich Mund und Nase. Er schüttelte den Kopf. «Kein Atem, kein Puls. Er ist tot!»

«Wie kann das sein?», rief Martha. «Sehen Sie nicht seine Hände? Sie bewegen sich doch!»

Die Ärzte nickten, dennoch blieben sie bei ihrer Einschätzung. «Die Cholera ist eine tückische Krankheit. Die Lebenden sehen aus wie Tote, und die Toten scheinen zu leben.»

«Nein!», schrie Frau Mater, die gerade mit einer Schüssel voll heißem Wasser hereinkam. Die Schüssel fiel zu Boden, das Wasser spritzte über die Bohlen. Sie wollte zu ihrem toten Sohn, doch Dieffenbach stellte sich ihr in den Weg.

«Nehmen Sie von hier aus Abschied», sagte er. «Wir wissen nicht, ob nicht von seinem Körper noch immer die Gefahr der Ansteckung ausgeht.»

Calow stieß ein abwehrendes Geräusch aus. «Lassen Sie eine trauernde Mutter Abschied nehmen! Das ist doch absurd. Das Choleragift verbreitet sich durch üble Miasmen, die sich hier irgendwo am Kanal sammeln.»

Das klang einleuchtend und wäre eine Erklärung, warum Seuchen ausgerechnet hier am Kanal in den Häusern der Armen immer am stärksten wüteten, dachte Martha.

Dieffenbach blieb hart. «Das glauben Sie? Und diese Miasmen sind einfach so von Indien nach Russland und dann nach Berlin gewabert?»

Die beiden Ärzte starrten einander an.

Dieffenbach wandte den Blick als Erster ab. «Wir müssen Ihren Sohn mitnehmen», sagte er sanft. «Er wird in der Charité seziert.»

«Lassen Sie mich zu meinem Sohn», bat Frau Mater. «Ich muss bei ihm bleiben und ihn für sein Grab richten. Er muss nach Hause gebracht werden.»

Das Leid der Mutter dauerte sie. Martha trat neben die Schifferin und umarmte sie. «Frau Mater, das ist nicht möglich. Aber ich verspreche Ihnen, ich werde bei Hans bleiben, bis er seine letzte Ruhe in der Erde finden kann.» Dann wandte sie ihren Blick trotzig in Dieffenbachs Richtung, fest entschlossen, ihr Versprechen zu halten und sich nicht wegschicken zu lassen.

«Na gut», gab dieser schließlich nach. «Frau Vogelsang kommt mit und wird der Sektion beiwohnen.»

Unter Tränen dankte Frau Mater der Hebamme und sah zu, wie die Männer ihren toten Sohn in seine Decke wickelten und von Bord trugen. Sie umarmte Martha an seiner statt und blieb verloren an der Reling stehen, während die Kutsche mit dem Toten, den Ärzten und der Hebamme davonrollte.

KAPITEL 2

Krankenwärterin Elisabeth

Es war gegen Mitternacht, als Dieffenbach in der Friedrichstadt in die Jägerstraße einbog, wo er mit seiner Frau Johanna in einer großzügigen Wohnung im ersten Stock lebte. Er hatte die Treppe noch nicht hinter sich gebracht, da riss sie bereits die Tür auf. Er brauchte sie nicht anzusehen, um zu wissen, dass ihre Stimmung auf Sturm stand. Die Luft schien wie vor der Entladung eines Gewitters zu flirren.

Dieffenbach ahnte, was gleich kommen würde, und wäre dem Streit gern ausgewichen. Er fühlte sich müde und ausgelaugt und wollte nichts mehr, als sich noch eine Stunde in sein ruhiges Studierzimmer zurückzuziehen, um über diesen Fall nachzudenken. Außerdem wollte er seinem Freund Dr. Georg Friedrich Stromeyer nach Hannover schreiben, der ihm von seiner faszinierenden Operation der Durchschneidung einer Achillessehne berichtet hatte. Zudem ließ der Hunger seinen Magen rumoren. Nur kurz in der Küche vorbeigehen, ein Stück Brot und Käse nehmen und dann die Tür hinter sich schließen.

Doch Johanna verstellte ihm den Weg und blitzte ihn zornig an. «Weißt du, wie spät es ist? Und komm mir nun nicht wieder mit irgendwelchen wichtigen Patienten. Es geht bei dir immer nur um Patienten. Und was ist mit mir? Bin ich nur deine Frau und damit unwichtig?»

«Johanna, es tut mir leid. Es war wirklich ein wichtiger Fall – nicht für mich, für ganz Berlin.»

Johanna wischte diesen Einwand mit einer Handbewegung

weg. «Ich habe dir gesagt, dass dies ein bedeutsamer Abend für uns wird.»

«Für dich», wagte er zu widersprechen.

«Für uns», beharrte sie. «Wir haben geschätzte Gäste!»

«Devrient ist da», vermutete Dieffenbach und unterdrückte einen Seufzer. Er kannte die Vorliebe seiner Frau für den Schauspieler, doch seine Abneigung gegen diesen hatte nichts mit Eifersucht zu tun. Dabei war Johanna ganz sicher eine Frau, über deren Treue ein Ehemann sich Gedanken machen sollte. Sie hatte ihren ersten Gatten nicht nur mit Dieffenbach betrogen. Seltsam. Die Zeit, in der er in Bezug auf Johanna so etwas wie Eifersucht empfunden hatte, war irgendwann verflogen.

«Ja, Ludwig ist hier und hat unseren Gästen eine sehr interessante Lesung gehalten», sagte sie mit aggressivem Unterton. «Nur auf meinen Gatten mussten sie wieder einmal verzichten. Unser geschätzter Minister von Humboldt wartet übrigens ungeduldig auf dich!»

«Ehemaliger Minister», korrigierte Dieffenbach.

Johanna machte eine wegwerfende Handbewegung. Das war nicht der springende Punkt!

Obgleich auch Wilhelm von Humboldt zu den verflossenen Liebhabern seiner Frau zählte, mochte ihn Dieffenbach und war gern der Hausarzt der Familie. Ihm hatte er es unter anderem zu verdanken, dass er sich diese teure Wohnung und seine Pferde leisten konnte. Wilhelm von Humboldt wurde nicht müde, ein Loblied auf den Arzt seiner Wahl zu singen und ihm so gut betuchte Patienten für seine Privatpraxis zu verschaffen.

Für einen Moment huschten Erinnerungen an ihre ärmliche erste Wohnung durch Dieffenbachs Geist. An nicht enden wollende Tage mit Patienten, die kaum einen Groschen bezahlen konnten. An Studenten auf Paukböden, denen er abgetrennte Nasenspitzen wieder angenäht oder blutende Schmisse verbunden hatte. Doch obgleich Johanna auch damals schon davon geträumt hatte, einen berühmten Salon in Berlin zu führen so wie Henriette Herz, beispielsweise, oder Rahel Varnhagen, war sie zufriedener gewesen, voller Hoffnung und Zukunftspläne. Und es hatte noch Liebe zwischen ihnen gegeben.

Jetzt verfügte sie über eine großzügige Wohnung und musste nicht mehr sparen. Sie konnte einladen, wen sie wollte, doch ihr Dilemma war, dass die Leute, die zu Besuch kamen, den begnadeten Arzt treffen wollten, der sich allerdings nichts mehr ersehnte, als von seiner Frau ein wenig umsorgt zu werden, um ansonsten in seinem Studierzimmer seine Ruhe zu genießen und an seinen Artikeln oder Büchern zu arbeiten.

War das denn zu viel verlangt?

Dieffenbach sah Johanna an. Das Licht, das schräg über ihr Gesicht fiel, meißelte gnadenlos jede Falte in ihre erschlaffende Haut. Niemand hätte sie je als gutaussehend oder gar schön bezeichnet. Es waren ihre geistreiche Art und ihre anregende Konversation, die Männer anzogen – wenn sie nicht gerade in solch einer Stimmung war wie an diesem Abend. Er hatte sich nie daran gestört, dass seine Frau neun Jahre älter war als er selbst, und obwohl man ihr heute ihre fast fünfzig Jahre ansah, waren es nicht diese Äußerlichkeiten, die sie entzweiten. Dieffenbach sah in diesem Moment nicht seine Liebe, für die er alle Konventionen gebrochen hatte, die sich für ihn hatte scheiden lassen und die mit ihm durch die Welt gereist war, bis er endlich in Berlin praktizieren durfte. Die er gegen alle Widerstände geheiratet hatte.

Er sah nur eine verbitterte Frau.

«Ich werde hineingehen und von Humboldt begrüßen», sagte er und schob sich an ihr vorbei.

༄

Es war noch früh am Morgen, dennoch waberte die Luft stickig durch die Räume des Pockenhauses, ein kleines Gebäude außerhalb der Zollmauer, die das Gelände der königlichen Charité auf der Nord- und der Ostseite umgab. Statt im normalen Totenhaus der Charité innerhalb der Mauer hatte man die Leiche hierhergebracht, und nun lag der tote Hans Mater auf dem Tisch in der Mitte des Raumes.

Martha zog sich in eine Ecke zurück, wo sie keinem im Weg stand und dennoch das Geschehen verfolgen konnte. Sie war fest entschlossen, den Schwur, den sie Frau Mater gegeben hatte, nicht zu brechen und bis zum Ende an der Seite ihres Sohnes zu bleiben. Bisher hatte noch keiner der anwesenden Ärzte versucht, sie hinauszuschicken.

Es wunderte sie nicht, dass Dr. Dieffenbach und Dr. Calow anwesend waren. Außerdem war da noch ein Arzt um die fünfzig in Uniform, den sie nicht kannte. Neben ihm stand ein kleiner, rundlicher Mann im schwarzen Rock mit einer dicken Brille auf der Nase – das musste Geheimrat Professor Rust sein. Obwohl es schon so früh am Morgen unerträglich heiß war, trug er einen dicken, abgetragenen schwarzen Gehrock und eine eng geschlossene Halsbinde, die in eine andere Zeit zu gehören schien.

Die Tür wurde aufgestoßen. Außer Atem stürmte ein junger Mann in Uniform herein. Seine Wangen glühten rot, das Haar stand ihm nach allen Seiten.

Ein hübscher Junge, dachte Martha. Groß, blond und mit wundervoll blauen Augen. Sie schätzte ihn auf dreiundzwanzig oder vierundzwanzig Jahre. *So viel junges, ungestümes Leben in einem Raum des Todes.* Zum ersten Mal an diesem Tag lächelte sie.

Der junge Mann verbeugte sich und blickte dann hilfesuchend in die Runde, bis sein Blick an den beiden Männern im Hintergrund hängenblieb.

«Professor Rust, Direktor Kluge, ich bin der Pépin Alexander

Heydecker, im dritten Jahr der Medizinisch-Chirurgischen Akademie für das Militär und ab dieser Woche als Unterchirurg an die Charité abkommandiert. Ich habe vorhin beim Frühstück von einem Kameraden erfahren, dass Sie hier heute Morgen einen Choleratoten sezieren, und da dachte ich mir, es sei wichtig zu wissen, mit was genau wir es zu tun haben. Ich meine, was auf alle Ärzte in Berlin zukommt, sollte sich der Verdacht bestätigen.»

Er sah um Zustimmung heischend von einem zum andern. «Ich bitte Sie, mich an der Sektion teilhaben zu lassen. Ist der Tote wirklich ein Opfer der asiatischen Cholera?»

«Ein wissbegieriger junger Mann», sagte Direktor Kluge und lächelte. «So wie wir es uns bei unseren Schülern der Pépinière wünschen. Nun, dann treten Sie näher und sagen Sie uns, was Sie sehen.»

Martha überlegte, was sie über die Pépinière wusste. Sie waren vorhin erst an den Gebäuden des Friedrich-Wilhelm-Instituts, wie es seit zwei Jahrzehnten hieß, vorbeigefahren, ein Gebäudekomplex, der sich auf einem dreieckigen Gelände am Südufer der Spree direkt vor der Weidendammer Brücke entlang der Friedrichstraße erstreckte. Die Eleven erhielten hier eine kostenfreie Ausbildung zum Arzt oder Chirurgen, wenn sie bereit waren, acht Jahre Militärdienst zu leisten. Es gab allerdings auch die Möglichkeit, die Ausbildung selbst zu bezahlen, doch Martha hatte gehört, dass dies die Familien die stattliche Summe von mehr als einhundert Taler pro Semester kostete. Neben den jungen Pépins sah man dort auch häufig altgediente Regimentschirurgen und Feldscher, die sich zum höheren medizinischen Dienst weiterbilden lassen konnten. Sie arbeiteten in dieser Zeit als Pensionschirurgen an der Charité, was bedeutete, dass ihr Sold weiterbezahlt wurde.

Martha richtete ihre Aufmerksamkeit wieder der Leiche und den Ärzten rund um den Seziertisch zu. Direktor Kluge gab Dieffenbach und Calow ein Zeichen.

«Meine Herren, beginnen Sie.»

Dieffenbach griff zum Messer und setzte zwei diagonale Schnitte von den Schlüsselbeinen her, die sich über dem Brustbein trafen. Von dort zog er die Klinge gerade bis zum Schambein. Entschlossen öffnete er die Brust und die Bauchhöhle.

«Nun, mein junger Heydecker, was sehen Sie?», forderte der alte Rust den Pépin auf. «Was fällt Ihnen auf?»

«Es ist seltsam. Seine Blutgefäße. Sie sind wie ausgetrocknet. Nirgends auch nur ein wenig Blut zu sehen.»

Calow schnitt die großen Arterien auf und schüttelte den Kopf.

«So etwas habe ich noch nie gesehen», bestätigte Dieffenbach. «Sehen Sie, die Wände sind so hell, als wäre dort niemals Blut geflossen.»

«Die Wände der Venen dagegen sind verklebt», vermeldete Calow. «Eine teigige schwarzrote Masse.»

Martha rückte ein Stück näher, um besser sehen zu können. Auch der Magen des verstorbenen Schiffers war ausgebleicht, die inneren Darmwände waren dagegen entzündlich geschwollen.

Die Ärzte hatten offensichtlich die Protokolle vieler sezierter Opfer gelesen, denn sie waren sich einig: «Die asiatische Cholera hat Hans Mater dahingerafft.»

Aus dem aufgeschnittenen Herzen schöpfte Dr. Calow noch einen Rest dunkel geronnenes Blut und reichte den Becher Professor Rust. Der kniff die Brauen zusammen und drehte das Gefäß hin und her.

«Wenn man das Choleragift aus diesem Blut extrahieren könnte», sagte Dieffenbach. «Wenn man nur wüsste, wie es übertragen wird.»

«Und durch wen er es aufgenommen hat», bestätigte Professor Rust. «Doch ich fürchte, das werden wir schneller erfahren, als uns lieb ist. Er wird nicht das einzige Opfer bleiben.»

«Es gibt keinen einzigen Beweis, dass die Cholera von einem

Menschen zum anderen übertragen wird», mischte sich Calow ein. «Sie würden in seinem Blut kein Choleragift finden. Gehen Sie zum Spreekanal! Dort wabert das Miasma über dem Wasser und kann sich jeden greifen, der ihm zu nahe kommt.»

Dieffenbach ergriff die Partei des Geheimrats und betonte, dass – trotz der ergriffenen Maßnahmen an der Grenze – Menschen die Krankheit nach Berlin gebracht hätten und von ihnen auch die Gefahr der Ansteckung ausgehe.

Martha hatte das Gefühl, dass dieser Streit schon lange die Geister unter den Ärzten schied. Was ihn so erbittert werden ließ, war vermutlich die Tatsache, dass keine der beiden Parteien ihre These beweisen konnte.

Dr. Calow nahm Professor Rust den Becher mit dem geronnenen Blut ab. «Der Schiffer hätte sich doch sicher daran erinnert, wenn er mit einem Cholerakranken in Berührung gekommen wäre», beharrte er. «Er hat nichts darüber gesagt!»

«Wir wissen nicht, wie lange vor den ersten Symptomen und wie lange nach dem Tod das Gift im Körper wirksam ist», gab Rust zu bedenken.

Calow wies mit dem Finger auf die Leiche des Schiffers, dessen Körper Dieffenbach nun mit groben Stichen zunähte.

«In diesem Körper gibt es kein Choleragift. Das werde ich Ihnen beweisen!» Noch ehe jemand begriff, was er vorhatte, setzte er den Becher an die Lippen und schluckte das Blut des Toten herunter.

Martha stieß einen Schrei aus, während Dieffenbach die Nadel fallen ließ und dem jungen Kollegen den Becher entriss, aber es war schon zu spät.

«Sie sind ein Narr!», rief Rust und schüttelte den Kopf. «Gehen Sie hin und sterben Sie und denken Sie darüber nach, wie viele Menschen Sie bis dahin anstecken und mit in den Tod nehmen.»

«Er muss in Quarantäne», stieß Dieffenbach hervor. «Das können Sie nicht verantworten.»

«Ich werde mich nur um Cholerakranke kümmern», versprach Calow. «Sie werden schon sehen, dass mir dieses Blut nichts anhaben kann.» Er verbeugte sich und verließ den Raum. Die anderen starrten ihm nach.

«Er war so ein vielversprechender junger Arzt», sagte Dieffenbach, als sei der Kollege bereits tot.

೧෴෴

Ein wenig mulmig fühlte sich Elisabeth schon, als sie das Tor durchschritt und auf den großen, dreiflügeligen Bau zuging, der ihr von nun an Arbeitsstätte und Heim sein sollte.

Sie waren zu dritt, die heute ihren Dienst als Krankenwärter beginnen würden. Elisabeth, Linda und Joseph. Elisabeth war mit ihren neunzehn Jahren die Jüngste der drei. Linda war ein paar Jahre älter, und Joseph, ein Witwer, ging auf die vierzig zu. Nachdem er seine Arbeit in der Druckerei verloren hatte und dann auch noch sein einziger Sohn an der Halsbräune oder Diphtherie, wie die feinen Ärzte es nannten, gestorben war, blieb ihm nichts anderes übrig, als diese Arbeit anzunehmen, um nicht als Bettler auf der Straße zu enden.

Eine kleine Gruppe kam ihnen entgegen und ließ Joseph verstummen. Sie alle trugen die gleiche graublaue Kleidung. Die Männer Kittel über Hosen aus dem gleichen Material, die Frauen bis zu den Knöcheln reichende Kleider, die aber ebenso formlos und verwaschen aussahen.

«Kommt mit, man wartet schon auf euch», sagte eine der Wärterinnen.

Unter dem Eingang erwartete sie Generalstabsarzt von Wiebel, der sich den neuen Wärtern vorstellte und sie mit ernster Miene begrüßte. Ein Stück abseits standen drei junge Männer in schmucken Uniformen, die die Neuankömmlinge ungeniert musterten.

Eine Frau im gleichen graublauen Kleid wie die anderen Wärterinnen, die allerdings eine frische weiße Schürze umgebunden hatte, reichte dem Stabsarzt ein Brett, auf dem ein Blatt Papier befestigt war. Ein Mann, der ähnlich wie die Wärter gekleidet war, stand mit einem weiteren Arzt im Hintergrund.

«Joseph Müller, Elisabeth Bergmann und Linda Schmiederer», las der Stabsarzt vor.

Sie traten einer nach dem anderen vor und reichten dem Arzt die Hand.

Als Linda vortrat, hörte Elisabeth die jungen Männer hinter sich kichern. «Was für eine Frau. Ein Albtraum! Die erschreckt die Kranken ja zu Tode, wenn sie zur Tür reinkommt.»

Zorn stieg in Elisabeth hoch. Ja, Linda war ganz sicher nicht hübsch oder auch nur ansehnlich zu nennen. Sie war klein und dick, und ihr rotwangiges Gesicht wurde von Pockennarben entstellt, aber das gab diesen jungen Schnöseln nicht das Recht, so über sie zu reden!

«Die andere sieht dagegen ganz knusprig aus», antwortete ein anderer. «Die würde ich nicht aus meinem Bett schubsen.»

Nun wandte sich Elisabeth um und sah die drei jungen Männer scharf an. Sie wusste nicht, welcher von ihnen gesprochen hatte. Der Mittlere hatte wenigstens den Anstand zu erröten.

Er war groß und blond und hatte die tiefblausten Augen, die sie je gesehen hatte. Er starrte zurück, dann senkte er den Blick. Elisabeth sah die beiden anderen streng an, die erneut leise kicherten, ehe ihr Blick noch einmal zu dem schönen Gesicht mit den blauen Augen zurückkehrte.

Auch der Stabsarzt richtete seine Aufmerksamkeit auf die jungen Männer in ihren blau-roten Uniformen. Er winkte den Mittleren zu sich.

«Heydecker, ich weiß, dass Sie bei den klinischen Übungen schon an manchem Krankenbett der Charité gestanden haben, aber in gewisser Weise ist das heute auch Ihr erster Tag. Also werden Sie sich den neuen Wärtern bei einem Rundgang anschließen. Professor Wolff von der Inneren wird Sie durch alle Abteilungen führen. Dann wird man Ihnen Ihre Zimmer zuweisen.»

Dann stellte er noch das Ehepaar Rother vor, das als Hauseltern in der Charité lebte und die Befehlsgewalt über alle Wärterinnen und Wärter hatte.

«Lassen Sie Ihre Taschen hier in der Halle», sagte die Hausmutter barsch. «Sie können Ihre Sachen später in Ihre Kammer hinaufbringen.»

Elisabeth versuchte, sich nicht einschüchtern zu lassen, sondern wandte sich dem Arzt zu, der an von Wiebels Seite trat. Auch er trug Uniform.

«Mein Name ist Professor Eduard Wolff. Ich leite die Deutsche Klinik, wie hier alle die Innere Abteilung der Charité nennen, weil ich meine Vorlesungen in Deutsch halte.» Sein Blick richtete sich auf die jungen Männer. «Da die meisten meiner Pépins kein Latein gelernt haben.» Dann forderte er die Gruppe auf, ihm zu folgen, die langen, düsteren Gänge entlang. «Dort hinten am Ende des Südostflügels befinden sich die beiden Krankensäle der Inneren Abteilung der Universität, mit denen Sie nichts zu tun haben werden. Kollege Bartels hält seinen Unterricht übrigens stets in Latein, weshalb wir sie die Lateinische Klinik nennen.»

Professor Wolff führte die beiden neuen Wärterinnen, den Wärter und den jungen Subchirurgen Heydecker zu seinen Krankensälen, in denen die Patienten mit fiebrigen Krankheiten, Atembeschwerden und Geschwüren aller Art lagen. Das Hausmeisterehepaar folgte ihnen mit einigem Abstand.

Weiter ging es in die Chirurgie, die Rust und Dieffenbach betreuten, daneben lagen die Patienten mit Augenkrankheiten von Professor Jüngken.

Elisabeth fiel auf, dass die Betten eng gedrängt nebeneinanderstanden, doch immerhin schien jeder Patient ein eigenes Bett zu haben. Sie waren alle mit den gleichen hellgrauen Laken und Bezügen bedeckt, und auch die Patienten steckten in grauen Kitteln, die die Charité ihnen gab.

«Alle eigenen Kleider und Gegenstände müssen abgegeben werden und werden bis zur Entlassung von Inspektor Hansmann verwahrt», betonte die Hausmutter. «Sehen Sie sich vor. Die Patienten sind um Täuschungen nicht verlegen, um die unmöglichsten Dinge hereinzuschmuggeln!»

Elisabeth ließ den Blick schweifen. Sosehr sich offensichtlich Mühe gegeben wurde, Ordnung und Sauberkeit in den Krankensälen zu halten, so schrecklich war der Gestank. Sie hatte bisher nirgends Bäder entdeckt. An diesen letzten heißen Augusttagen stank es in allen Sälen nach Schweiß und Exkrementen. In der Chirurgischen Abteilung kam ein unerträglicher Dunst aus Eiter und faulendem Fleisch hinzu, der einem den Atem nahm.

Elisabeth beobachtete, wie einer der Assistenzärzte einen Verband vom Bein eines Patienten löste. Der Gestank erhob sich wie eine Wolke von der gelb verfärbten Wunde, deren Ränder eine schwärzliche Farbe angenommen hatten. Ein Wärter reichte dem Doktor Wasser, mit dem er die Wunde auswusch, ehe er sie neu verband. Ein Schwarm Fliegen erhob sich aus einem der Eimer, in die die Patienten ihre Notdurft verrichteten, und ließ sich auf dem mit Eiter durchtränkten Verband nieder.

In diesem Moment betrat eine Frau den Saal und schwenkte einen Topf, aus dem aromatischer Rauch aufstieg.

«Der Rauch reinigt die Luft vom Gift der Krankheiten, die von den Körpern als eine Art Miasma aufsteigen», erklärte Professor Wolff. «Wir wollen verhindern, dass es von einem Patienten zum anderen gelangt und weitere Krankheiten oder gar den gefürchteten Wundbrand hervorruft. Die Räucherfrau geht täglich durch alle Säle.»

Sie besichtigten noch den Operationssaal, in dessen Mitte ein großer Tisch stand und dessen Rückenteil und Beinteile in verschiedenen Lagen fixiert werden konnten. Daneben stand ein Wagen mit diversen Instrumenten, die die Phantasie eines empfindsamen Wesens in Schrecken versetzen mochten. Im Halbrund erhoben sich einige Sitzreihen, von denen aus angehende Ärzte oder Kollegen einer Operation zusehen konnten.

Elisabeth überlief ein Schauder. Die Vorstellung, vor so vielen Leuten auf diesem Tisch festgehalten zu werden, während der Chirurg mit einem scharfen Messer ins Fleisch schnitt oder gar mit einer Säge ein Bein abtrennte, verursachte ihr Übelkeit. Sie war sich nicht sicher, ob sie hoffen sollte, bei Operationen anwesend sein zu dürfen. Andererseits verspürte sie ein Kribbeln der Aufregung, und vielleicht auch unangebrachte Neugier.

«Im Wachzimmer hier nebenan werden die, die eine Operation überstanden haben, versorgt und überwacht, bis sie in ihren Krankensaal zurückverlegt werden», erklärte Professor Wolff. «Hierher verlegen wir aber auch die Sterbenden, für die wir nichts mehr tun können – außer abzuwarten, bis ihr Leiden endgültig vorbei ist.»

Er trat ein und wandte sich an einen Mann im Gewand der Wärter. «Wen haben Sie da, Camille?», erkundigte sich Professor Wolff mit einem Stirnrunzeln und zeigte auf ein Bett, in dem eine Gestalt unter dem Laken zu erahnen war.

Der Wärter hob die Schultern. «Ein Landstreicher vermutlich. Ist heute in den frühen Morgenstunden reingekommen, aber wir wussten nicht, in welchen Saal wir ihn legen sollten. Der Nachtpförtner wollte es nicht entscheiden, und Inspektor Hansmann war noch nicht da.»

«Hat noch keiner der Ärzte ihn begutachtet?»

Camille schüttelte den Kopf. «Die meisten Herren Doktoren sind noch in der Stadt mit ihren eigenen Patienten beschäftigt. Sie kommen vielleicht am Nachmittag. Ich denke, es könnte etwas für

Ihre Abteilung sein, Professor Wolff.» Der Wärter trat ans Bett und schlug die Decke zurück. «Oh!» Mit einem Ausruf wich Camille zurück.

Professor Wolff beugte sich über den Mann und tastete nach seinem Hals. «Er ist tot, Camille!», rief er dann, was Elisabeth selbst aus dieser Entfernung sehen konnte. Die Haut war so bleich, dass man keinen einzigen Tropfen Blut mehr in diesem Leib vermutete. Wolff starrte den Leichnam an. «Laufen Sie, Camille. Holen Sie Professor Rust und Dr. Dieffenbach, wenn einer der Herren schon im Haus ist.»

Elisabeth spürte, wie ein Ärmel sie streifte. Sie sah an der blauen Uniformjacke hinauf zu dem jungen Militärchirurgen, der sich neugierig nach vorne schob.

«Noch ein Choleratoter», murmelte er.

Elisabeth sah ihn streng an. «In Berlin gibt es keine Cholera.»

Alexander Heydecker widersprach. «Doch, seit gestern Nacht gibt es sie. Das werden Professor Rust und Dr. Dieffenbach bestätigen. Und auch, dass dieser Mann ebenfalls an der Cholera gestorben ist.»

Elisabeths Neugierde war geweckt. Woher konnte ausgerechnet dieser junge Subchirurg das wissen, wenn nicht einmal der Leiter der Inneren Abteilung davon erfahren hatte? Sie hätte ihn gerne gefragt, traute sich aber nicht, ihn anzusprechen. Es wunderte sie sowieso, dass sich der Professor überhaupt die Mühe machte, die Neuen durchs Haus zu führen. Sie waren nur Wärter, die weit unter den Ärzten standen.

Professor Wolff drängte die Neuankömmlinge aus dem Raum. «Kommen Sie. Gehen wir nach oben.»

Im Treppenhaus trafen sie auf zwei Ärzte, die beide wichtig aussahen, fand Elisabeth. Vielleicht lag es an ihrer geraden Haltung oder ihrem ernsten Gesichtsausdruck. Der eine trug einen blauen Uniformrock mit den langen Schößen und den goldenen Knöpfen, der andere war in Zivil. Als sich Professor Wolff mit seiner Gruppe näherte, unterbrachen sie ihre Unterhaltung und sahen den Chirurgen fragend an.

«Ich führe unseren Subchirurgen Heydecker und die neuen Wärter durchs Haus», erklärte er bereitwillig und stellte dann den Neuen den Direktor der Charité vor. «Direktor Karl Alexander Kluge war wie Sie, Heydecker, einst ein Pépin und ist heute nicht nur Leiter der Abteilung für Syphilis- und Krätzekranke und unserer Gebärstation. Er ist der erste Arzt der ganzen Charité.»

Elisabeth betrachtete ihn neugierig. Er war ein großer Mann um die fünfzig mit einem ovalen Gesicht und hellbraunem Haar. Wangen und Kinn waren sorgsam rasiert, sein Gesichtsausdruck war offen und freundlich. Im Gegensatz zu manch anderem heute bedachte er alle mit einem Lächeln. Der Mann an seiner Seite war kleiner und schmaler, hatte eine hohe Stirn und dünnes Haar, obgleich er vermutlich erst Mitte dreißig war. Er war ebenfalls glatt rasiert. Seine Augen waren von einem hellen Grau, doch sein Blick hatte eine gewisse Schärfe, die in die Tiefe der Seele zu dringen schien.

«Gestatten: Professor Dr. Karl Wilhelm Ideler, Leiter der Psychiatrischen Abteilung, oder Irrenanstalt, wie die meisten sie nennen», nahm er Professor Wolff die Vorstellung ab.

«Zu Ihnen wollten wir gerade», sagte Wolff. «Ich denke, Wärterin Elisabeth und Wärterin Linda werden bei Ihnen oder in Direktor Kluges Abteilung anfangen.»

Ideler lächelte nun auch. «Am besten, ich nehme Ihnen Ihre Truppe jetzt ab und bringe sie in den oberen Stock hoch, dann können Sie zu Ihren Patienten zurückkehren.»

Professor Wolff verabschiedete sich. Die anderen stiegen die Treppe zu den Sälen im zweiten Stock hinauf. Dr. Ideler zeigte ihnen den Saal mit den Melancholikern, die stumm und starr in ihren Betten lagen, den Raum mit Tobsüchtigen, die von zwei grimmig dreinschauenden Wärtern bewacht wurden, und einige kleine Zimmer, in denen sich zahlende Patienten kurieren lassen konnten. Dann übergab er die Gruppe Direktor Kluge, der sie im dritten Stock in den Saal mit krätzigen Weibern und einen Raum mit anderen Haut- oder Geschlechtskrankheiten führte. Dort saßen einige Frauen auf den Betten, am Boden oder auf Hockern und zupften die Fäden aus in Streifen gerissener Baumwolle und aus Leinenstoffen. Ein großer Haufen alter Stoffe lag vor ihnen auf dem Boden, während die aufgerauten Fasern in Körben gesammelt wurden.

«Die Frauen zupfen Scharpie für unsere Wundverbände, die die Chirurgen nach ihren Operationen benötigen», erklärte Kluge. «Wir müssen sie beschäftigen, sonst gibt es hier Gezänk und Geschrei. Die Frauen vom großen Saal drüben lassen wir auch im Garten beim Jäten helfen, aber diese hier dürfen nicht hinaus.»

Die Frauen kicherten und stießen sich gegenseitig in die Seite. Einige obszöne Bemerkungen flogen hin und her. Eine schöne Frau mit langem schwarzen Haar warf den Kopf in den Nacken und lachte dröhnend.

Jetzt erst sah Elisabeth, dass einige der Frauen Ketten an ihren Fußknöcheln trugen, an denen schwere Holzklötze befestigt waren. Fragend sah sie den Arzt an.

«Einige Patientinnen sind aus den Zuchthäusern, andere haben hier in der Charité gegen Ordnung und Disziplin verstoßen. Sie alle kommen von der Straße, wo sie ihr Brot mit Diebereien oder Hurerei verdient haben.»

«He, Doktor», rief eine Frau mit strohig gelbem Haar. «Wir hab'n ehrlich unsre Schenkel verkauft! Und wenn das Essen nicht so mies wär und wir auch mal 'nen Schnaps kriegten, müsst'n wir uns nicht mit unsren Körpern bei den Wärtern verdingen.» Sie zog ihren Kittel nach oben, bis er ihre Scham enthüllte. Und nicht nur das. Ihre Oberschenkel waren von eitrigen Geschwüren bedeckt. «Aber nicht einmal das wird uns erlaubt», fügte sie kichernd hinzu.

Elisabeth sah die vereiterten Krater – und schwankte zwischen Mitleid und Abscheu. Linda wandte sich mit Entsetzen ab, während Joseph mit weit aufgerissenen Augen auf die entblößten Schenkel starrte.

Der junge Heydecker machte ein paar schnelle Schritte auf die Frau zu und zog den Saum ihres Kittels über ihre Knie herunter. Sie feixte und lächelte ihn an, wobei sie ihr lückenhaftes Gebiss entblößte.

«Na, Sie sind ja mal 'n hübsches Schnittchen. Mit wem hab ich denn die Ehre?»

«Unterchirurg Heydecker», sagte er steif.

Sie lachte hell. «Ah, Sie sind einer von den süßen Pépins. Ich freu mich schon auf Sie!»

Elisabeth sah es ihm an, dass die Freude nicht auf Gegenseitigkeit beruhte, dennoch ließ der angehende Arzt keine Abscheu sehen. Eher Interesse.

Schließlich beendete Direktor Kluge die Visite und forderte alle zum Gehen auf. «Wir werden nun noch einen Blick in den Saal der Syphiliskranken werfen. Die Quecksilberkur ist für alle Seiten unangenehm, doch bedenken Sie, es gibt bislang keine andere Therapie, um diese Geißel loszuwerden.»

Er führte sie noch ein Stockwerk höher bis unter das Dach und öffnete eine Tür, die nur außen eine Klinke hatte.

Hatte der Operationssaal Elisabeths Phantasie erschreckt, so brauchte man hier keine Vorstellungskraft, um zu erschrecken. Direktor Kluge musterte die neuen Wärter und den jungen Akademieabsolventen. Elisabeth versuchte, eine neutrale Miene zu wahren und nicht vor dem schrecklichen Gestank und den elenden Gestalten zurückzuweichen.

«Gut, ich würde sagen, wenn Sie sich in Ihrer Kammer eingerichtet haben, dann melden Sie sich bei mir. Wärterin Elisabeth und Subchirurg Heydecker können gleich in meiner Abteilung anfangen. Wärterin Linda, Sie helfen bei den krätzigen Weibern und in der Gefangenenstube. Wärter Joseph, Sie melden sich bei Dr. Ideler.»

Kluge ließ den Blick über die Gesichter schweifen und klatschte in die Hände. «Gut, Hausmutter Rother wird Sie nun zu Ihren Kammern führen. Wir sind räumlich in der Charité leider schon wieder sehr beengt, obgleich die Flügel erst vor dreißig Jahren neu gebaut und um eine Etage aufgestockt wurden. Auch sind die bedürftigen alten Hospitalier aus dem Erdgeschoss ins Neue Hospital an der Inselbrücke verlegt worden, so haben wir Platz für neue Krankensäle gewonnen. Dennoch benötigen wir mehr Räume. Zum Glück haben unser verehrter König Friedrich Wilhelm und seine Minister eingesehen, wie dringend Berlin ein größeres Krankenspital braucht. Die Bauarbeiten sind auf der Nordseite vor der Zollmauer bereits im Gange, und ich denke, dass unsere Abteilungen in wenigen Jahren dort bessere Bedingungen finden werden. Bis dahin müssen wir alle mit den Umständen auskommen, die sich uns bieten.»

Während sich Joseph und der junge Heydecker auf die Suche nach dem Hausvater machten, führte seine Frau die beiden Wärterinnen zu einer winzigen Kammer unterm Dach, in der vier Betten standen. Das kleine Dachfenster war geschlossen und sah so aus, als sei es schon länger nicht geöffnet worden. Eine kleine Truhe würde für die eigenen Habseligkeiten reichen müssen, aber viel hatte Elisabeth eh nicht mitgebracht. Immerhin war die Stube sauber, und zwei der Betten waren frisch bezogen. Vielleicht war es gut, wenn sie abends über die Eindrücke ihres Tages sprechen konnten und nicht alleine mit ihren Gedanken in einer Kammer lagen, sagte sie sich.

Eine Wärterin, groß und von kräftiger Gestalt, die sich als Christina vorstellte und ebenfalls in dieser Kammer schlief, brachte einen Stapel Schürzen und für jede von ihnen zwei der graublauen

Charitékleider. Die weißen Schürzen würden sicher nicht lange so blütenrein bleiben, wenn sie erst einmal mit ihrer Arbeit begonnen hätten, vermutete Elisabeth.

KAPITEL 3

Ausnahmezustand

Dieffenbach traf Professor Rust im Wachzimmer an, der Geheimrat hatte sich tief über den Toten gebeugt. Als er sich aufrichtete, blinzelte er hinter den Brillengläsern, die seine milchigen Augen seltsam verzerrten. Er trug den gleichen dicken Gehrock wie am Vortag, doch die Halsbinde war weiß und schien frisch.

«Kein Zweifel», sagte er.

«Wir haben die Cholera in der Charité», murmelte Dieffenbach entsetzt.

Professor Rust schüttelte den Kopf. «Der Mann war ein Landstreicher, den einige Fabrikarbeiter der Nachtschicht am Kanal gefunden haben. Sie dachten, er sei betrunken, und haben ihn heute in den frühen Morgenstunden gebracht. Er war wohl schon im letzten Stadium, als er hier ankam, denn Camille hat nichts von Erbrechen oder Durchfall berichtet. Ein Glück, dass der Pförtner nicht wusste, auf welche Station er ihn bringen lassen sollte.»

Dieffenbach nickte. «Wir müssen das Pockenhaus draußen vor der Mauer für Cholerakranke herrichten und einige der Wärter dorthin verlegen», schlug er vor. «Wo zwei Fälle sind, gibt es bald schon mehr. Viel mehr! Es war eine gute Entscheidung, den Schiffer draußen vor der Mauer zu sezieren statt in unserem Totenhaus so nah am Gebäude mit den Krankensälen.»

Rust nickte und zog das Laken über den Toten. «Sie haben recht, ich lasse diesen Toten ebenfalls ins Pockenhaus hinausbringen.» Er wandte sich an Camille. Der Wärter salutierte scherzhaft und trollte sich, um eine Bahre und zwei Träger aufzutreiben.

«Haben Sie in Erfahrung bringen können, wo unser Schiffer sich angesteckt haben könnte?»

«Wenn es nicht doch das Miasma war», antwortete Professor Rust sarkastisch.

Dieffenbach machte eine abwehrende Handbewegung. «Daran glaube ich nicht.»

«Nein, ich auch nicht», stimmte ihm Rust zu. «Unser Kahn M92 lag einige Tage an der Mühldammbrücke neben einem Schiff, das aus Zerpenschleuse am Finowkanal kam.»

Der Jüngere runzelte die Stirn. «Gab es da nicht einige Fälle?»

Rust nickte. «Vor acht Tagen wurde der erste Cholerafall von der Polizei registriert.»

In diesem Moment wurde die Tür aufgestoßen. Atemlos stürzte Herrmann Reich herein, einer von Dieffenbachs geschätzten Assistenten, die ihm bei Operationen zur Hand gingen.

«Wir haben einen Toten im Haus an der Schleuse Nr. 5», rief er. «Ein Schuhmachermeister namens Radack. Verdacht auf Cholera.»

Rust ließ sich mit einem Seufzer auf einen Hocker sinken. «Lassen Sie ihn herbringen. Ich fürchte, jetzt können wir das Unvermeidliche nicht länger hinauszögern. Meine Kutsche soll vorfahren. Ich werde General von Thile aufsuchen.»

«Was wird er tun?», erkundigte sich der Assistent bang.

«Unser Stadtkommandant wird Berlin in ein riesiges Quarantänelager verwandeln», prophezeite der alte Professor. «Und unser Pockenhaus wird schon bald aus allen Nähten platzen. Wir sollten beizeiten andere geeignete Häuser suchen, die als Choleraspitäler dienen können.»

☙

Die düstere Prophezeiung des Geheimrats sollte sich nur allzu schnell bewahrheiten. Als sich Martha am Nachmittag zu Elisabeths Schwester Maria aufmachte, stieß sie auf unerwartete Widerstände. Sie gesellte sich zu einer Gruppe von Leuten, die aufgeregt miteinander tuschelten. Nachbarn, die den Tod eines der Ihren zu beklagen hatten.

«Schuhmachermeister Radack hat es erwischt», sagte eine junge Frau und schauderte.

Vor dem Haus an der Schleuse war die Zivilschutzkommission angetreten. Die Männer trugen grüne Wachstuchmäntel. Einige schlugen Plakate an Hauswänden und Bäumen an, andere rollten Räucherfässer gefüllt mit Chlor über die Straße. Zwei weitere Männer in schwarzen Mänteln trugen einen ebenfalls mit Wachstuch ausgeschlagenen Sarg ins Haus, um den Schuster zu holen.

Martha trat näher und betrachtete eines der Plakate. Es kündigte an, dass Schulen, Theater, Wirtshäuser und andere Orte der Versammlung geschlossen bleiben würden. Die Arbeiter der Fabriken mussten Gesundheitszeugnisse vorlegen, um eingelassen zu werden. Mit einer blechern scheppernden Glocke zogen die Männer der Cholerawache in verschiedene Richtungen davon, um die Menschen zu warnen.

Die Schüler jubelten. Einige Jungen liefen singend hinter dem Leichenwagen her. Schulfrei, das war doch was! Vergeblich versuchten die Männer, sie zu verscheuchen.

Und nicht nur die Straßenjungen gaben ihrer Neugier nach. Wie Martha aus Erfahrung wusste, neigte der Berliner dazu, alles, was das Einerlei des Alltags unterbrach und für ein wenig Aufregung sorgte, zu genießen, selbst wenn es sich heute statt um eine bunte Parade um die Cholera handelte. Zu Fuß oder mit dem Kremser strömten die Menschen zum Spreekanal und reckten die Hälse, bis das Militär eintraf und sie zurückdrängte.

Martha konnte nur den Kopf schütteln. Noch wussten die Ärzte zu wenig über diese heimtückische Krankheit. Jeder würde besser daran tun, daheimzubleiben!

Während die Grünbetuchten die Werkstatt mit Chlornebel ausräucherten, stieg Martha die Treppe des gegenüberliegenden Hauses hinauf, um nach Maria und ihrem Ungeborenen zu sehen. Sie war erleichtert, die werdende Mutter wohlauf zu finden. Besorgt warf Maria einen Blick durch das Fenster, das zur Straße zeigte. «Was machen die da? Sie ziehen in der Mitte der Straße ein Seil. Und jetzt schleppen sie zwei Räucherfässer ins Haus. Da, ich sehe Anna, die Frau des Schusters, und ihre beiden Kinder. Die Choleraknechte schieben sie ins Haus zurück und vernageln die Tür!»

Martha trat neben sie und folgte ihrem Blick. «Die ganze Familie muss in Quarantäne», erklärte sie.

«Und wer wird sich um sie kümmern? Wer wird ihnen zu essen bringen?», wollte Maria wissen.

«Ich werde die Schutzmänner fragen», versprach Martha, ehe sie sich daranmachte, die Schwangere zu untersuchen. «Noch ein paar Tage», sagte sie. «Zögere nicht, mich zu rufen, wenn die Wehen einsetzen, wobei es beim ersten Kind meist ein wenig länger dauert. Aber ich weiß nicht, ob unter diesen Umständen deine Nachbarinnen bereit sind, dir beizustehen.»

Maria schauderte es. «Er wird nicht der Letzte sein, den sie in ein Wachstuch einwickeln.»

Martha nickte. «Ich habe gehört, dass sie vor dem Frankfurter Tor bereits damit beginnen, einen Palisadenzaun aufzurichten, um einen Cholerafriedhof anzulegen. Außerdem sollen schnell mehrere Spitäler für Cholerakranke in der Stadt eingerichtet werden. Das Pockenhaus vor den Toren der Charité wird nicht lange reichen.»

«Das fürchte ich auch», stimmte ihr Maria zu. Dann verabschiedete sie sich von Martha und dankte für ihre Fürsorge.

Die Hebamme stieg die Treppe hinunter und hielt, wie versprochen, einen der Choleraknechte an, um sich nach dem Wohl der Schusterfamilie zu erkundigen.

«Die Bewohner werden zwanzig Tage in ihre Zimmer eingeschlossen», gab er bereitwillig Auskunft. «Türen und Fenster werden vernagelt. Zweimal am Tag kommt der Zivilschutzdiener. Dort, auf diese Bank vor dem kleinen Fenster, das noch offen ist, stellen die Bewohner einen Eimer mit ihrer Bestellung und dem nötigen Geld. Der Schutzdiener nimmt alles, wirft die Münzen in eine Schüssel mit Essig und räuchert das Papier in Chlorgas. Dann werden die Lebensmittel besorgt und in den Eimer gelegt. Erst wenn sich der Schutzmann zurückgezogen hat, dürfen die Bewohner den Eimer reinholen.»

Martha dankte und verabschiedete sich. Schon jetzt roch es rund um den Kanal durchdringend nach Chlorgas, was kaum besser war als der Gestank der Bewohner selbst und vor allem der Gerber, die sich hier angesiedelt hatten. Doch das war es nicht, was ihr in diesem Moment Kopfzerbrechen bereitete. Sie dachte an die armen Menschen, die fast drei Wochen in ihren winzigen Kammern eingesperrt darauf warten mussten, ob die Seuche auch nach ihnen greifen und sie den Choleratod sterben würden. Was, wenn sie kein Geld mehr hatten, um die Schutzdiener zu bezahlen? Würde man sie dann verhungern lassen? Der Gedanke war zu schrecklich. Martha zog ein wenig den Kopf ein und eilte rasch nach Hause.

Als Johann Friedrich Dieffenbach den letzten seiner Privatpatienten für diesen Tag zur Haustür begleitete, sprach ihn ein ihm unbekannter Diener in roter Livree an. Der Mann verbeugte sich tief. Dieffenbach erkannte das Wappen an den Aufschlägen des Dienerrocks, daher überraschte es ihn nicht, als der Mann ihn bat, ihm so schnell wie möglich zum Palais des Grafen von Bredow zu folgen.

Der Arzt verzichtete darauf zu fragen, was dem Grafen denn fehle. Vermutlich hätte das eine lange Aufzählung von Symptomen zur Folge gehabt, die in den Augen des vermeintlich Kranken alle potenziell tödlich sein konnten. Doch zu Dieffenbachs Überraschung erklärte der Diener: «Gräfin Ludovica bittet um Ihren Rat.»

Dieffenbach hatte die Gräfin bisher nur wenige Male von weitem gesehen. Im Gegensatz zu ihrem Gatten Gottfried war sie eine eher zurückhaltende Person, die sich nicht aufdrängte.

«Handelt es sich um einen Notfall? Hatte die Gräfin einen Unfall?», erkundigte sich Dieffenbach. Wenn er operieren musste, sollte er lieber seinen Helfer, den zivilen Wundarzt Hildebrand, mitnehmen.

Der Diener schüttelte den Kopf. «Ich verfüge nicht über detaillierte Informationen, aber ich denke, die Herrin wünscht einen Rat bezüglich des bald zu erwartenden Erben. Darf ich Sie bitten, mich zur gräflichen Kutsche zu begleiten?»

Dieffenbach holte seine Tasche, dann folgte er dem Diener, der ihn mit einer prächtigen Kutsche auf kurzem Weg zum Palais brachte, das unweit der Universität lag und das Villenensemble an der Prachtallee Unter den Linden bereicherte.

Man führte den Arzt in die hohe Halle, von der aus eine geteilte Treppe in weitem Schwung zu beiden Seiten in die Beletage hinaufführte. Marmor schimmerte im Licht der gläsernen Lüster, das sich über die feine weiße Haut nackter griechischer Statuen ergoss.

Die Arzttasche in der Hand, stieg Dieffenbach die Treppe hinauf und wurde in den großen Salon geführt, wo ihn die Gräfin bereits erwartete. Das Licht der Kerzen schmeichelte ihrer reinen Haut. Er wusste, dass sie vor ihrer Hochzeit als Schönheit in den Berliner Ballsälen gefeiert worden war, doch in diesem Augenblick nahm er ihr feines, ebenmäßiges Gesicht zum ersten Mal bewusst wahr. Ihre Augen waren von einem schimmernden dunklen Grün, mit denen sie ihn jetzt direkt ansah. Ein kluger, fordernder Blick, der ihn gefangen nahm.

«Gräfin Ludovica», presste er hervor und verstummte sogleich. Er senkte die Lider und sah an ihrem feinen, mit Rüschen verzierten Seidenkleid herab, das sich unter ihrer Brust wölbte. Wie von einem Magneten angezogen, trat er dann vor und berührte die ihm entgegengestreckte Hand. Doch ehe er sich verbeugen und einen Kuss andeuten konnte, rief ihn eine Stimme.

«Doktor Dieffenbach! Herr Doktor, da sind Sie ja endlich! Sie glauben nicht, wie schrecklich schlecht es mir heute geht. Sehen Sie, ich bin ganz blass, meine Zunge ist belegt, und mein Urin sieht auch nicht normal aus. Es zwickt mich hier in der Seite, und es gehen ganz fürchterliche Winde ab. Dieser ganze Wirbel um den Erben schlägt mir auf den Magen! Ich konnte heute kaum etwas zu mir nehmen.»

Dieffenbach richtete sich auf. Für einen Moment traf sich sein Blick noch einmal mit dem Blick aus den wunderschönen grünen Augen der Gräfin. *Wie saftiges Moos im Frühling,* dachte er ganz unprofessionell. Die Haut ihres Gesichts war so zart und ohne Makel, die Wangen waren leicht gerötet. Die rötlich blonden Locken hatte sie in einer Frisur arrangiert, die vermutlich bewusst ein wenig nachlässig wirkte und einigen Strähnen freien Lauf ließ. Sie war wirklich eine außergewöhnliche Schönheit, perfekt wie eine griechische Statue, wie ein Gemälde. Eine Göttin!

Er sah, wie es um ihre Lippen zuckte. «Ich fürchte, Sie müssen sich zuerst um die Leiden des Grafen kümmern. Die Schwangerschaft setzt ihm körperlich arg zu.»

Dieffenbach lächelte ein wenig schief zurück. «Wir wollen natürlich nicht, dass der Herr Graf leiden muss. Ich bitte um einen Moment Geduld, Gräfin Ludovica, ich bin gleich wieder bei Ihnen.»

Es war ihm, als könne er seinen Blick nie wieder von diesem Gesicht lösen, doch das ungeduldige Räuspern in seinem Rücken brach den Bann. Er wandte sich um und sah dem Grafen in sein wie immer gerötetes Gesicht.

«Wollen wir nicht in Ihr Schlafgemach hinaufgehen? Dort kann ich Sie in Ruhe untersuchen», schlug Dieffenbach widerstrebend vor.

Noch ehe sie die Tür zu dem viel zu üppig dekorierten Gemach hinter sich geschlossen hatten, öffnete der Graf bereits die Knöpfe seines Fracks und zog das Hemd über seinem hervorquellenden Bauch hoch.

«Sebastian!», rief er mit einem Stöhnen nach seinem Kammerdiener. Der war sofort zur Stelle und half seinem Herrn auf das brokatbezogene Ruhebett, das neben einem Toilettentisch stand. Er zog ihm die Schuhe und die Hose aus und rückte ein Kissen unter seinem Kopf zurecht.

«Hol die Fläschchen, die ich abgefüllt habe», wies er seinen Diener an.

Der beeilte sich und kam mit einem Tablett verkorkter Fläschchen zurück, die jeweils unterschiedlich hoch mit einer gelblichen Flüssigkeit gefüllt waren.

«Das ist alles, was ich heute an Urin abgeben konnte», klagte der Patient. «Das ist nicht normal. Und sehen Sie sich nur die Farbe der letzten Probe an!»

Dieffenbach bemühte sich um einen freundlichen Ausdruck und versuchte, an das üppige Honorar zu denken, welches er stets von dem hypochondrischen Grafen einstrich. Er mimte Interesse und entkorkte das letzte Fläschchen. Er roch daran, steckte den Finger hinein und betupfte seine Zunge.

«Wie ich Ihnen bereits das letzte Mal sagte, ist Ihr Urin ein wenig zu trüb und hat einen süßlichen Geschmack. Sie sollten sich bemühen, die Diät einzuhalten, die ich Ihnen empfohlen habe.»

Trotz der Beteuerung des Grafen glaubte Dieffenbach keinen Augenblick daran, dass dieser heute kaum etwas zu sich genommen hatte.

«Weniger Rotwein», forderte der Arzt. «Sie stehen unmittelbar vor einem Gichtanfall, wenn Sie sich nicht mäßigen.» Das war zwar übertrieben, doch die Drohung schenkte ihm Genugtuung, und gesünder wäre es für den übergewichtigen Adelsmann ganz sicher. Es freute ihn, dass die Wangen des Grafen ein wenig bleicher wurden.

«Ein Gichtanfall, sagen Sie? Ich wusste es, und an alldem ist nur Ludovica schuld.»

«Wie das?»

«Diese Schwangerschaft», stöhnte der Graf. «Da warte ich fünf Jahre vergeblich auf einen Erben, und jetzt ist sie so verändert, lacht kaum mehr, zieht sich immer öfter in ihr Gemach zurück und ist launisch, das kann ich Ihnen versichern! Und dann weiß ich noch nicht einmal sicher, ob es ein Junge wird.»

«Das alles ist bei einer Schwangerschaft völlig normal.»

«Aber sie kümmert sich nicht mehr so wie früher um mich. Ich habe das Gefühl, sie hört mir nicht einmal zu, wenn ich ihr meine Leiden schildere.»

«Vielleicht leidet die Gräfin in ihrem Zustand ebenfalls unter Beschwerden», wagte Dieffenbach anzumerken.

«Wirklich?», erkundigte sich der Graf überrascht. «Schwangerschaften sind doch das Natürlichste der Welt.»

«Richtig, und dennoch sind sie für die Frauen beschwerlich», versuchte es der Arzt noch einmal, doch damit war das Thema für den Grafen beendet, und er wandte sich wieder den eigenen Beschwerden zu.

Also holte Dieffenbach die dicke Klistierspritze aus seiner Tasche und begann, einen Einlauf vorzubereiten. Ein paar Schröpfköpfe, ein wenig Aderlass und einige teure Pulver, das würde dem Grafen sicher Erleichterung verschaffen.

Und richtig: Der Patient grunzte zufrieden und wies den Kammerdiener an, den Arzt reichlich zu entlohnen. Dann endlich entließ er ihn, damit er nach der schwangeren Frau Gemahlin sehen konnte.

∽

Ludovica hatte den beiden Männern nachgesehen und es sich dann in einem der Sessel so bequem gemacht, wie das in ihrem jetzigen Zustand möglich war. Irgendetwas drückte immer. Dieses vermaledeite Korsett, das sich nicht mehr vollständig schließen ließ, würde noch ihr Tod sein! Sie konnte kaum mehr etwas zu sich nehmen, ohne dass es ihr übel wurde, und sie ertrug die Anwesenheit ihres Mannes nur noch wenige Minuten am Tag, ehe sie am liebsten schreiend aus dem Zimmer rennen würde – was in ihrem Zustand allerdings nicht mehr möglich war. Vielleicht hing ihre Ungeduld auch nicht nur mit der fortgeschrittenen Schwangerschaft zusammen, wie sie sich manches Mal heimlich eingestand.

Geduldig wartete sie, bis sie endlich Schritte auf der Treppe hörte. Das war weder das Huschen der Diener noch der schwerfällige Gang ihres Gatten. Ludovica erhob sich, und schon trat Dr. Dieffenbach in den Salon.

«Der Graf wird eine Weile schlafen», sagte er ernst, doch sie hatte das Gefühl, er würde ein Lachen unterdrücken. «Ihr aufmerksamer Diener, Gräfin Ludovica. Was bedrückt Sie?»

«Außer meinem Gatten?», entfuhr es ihr, und sie merkte, wie sich ihre Wangen röteten. «Das hätte ich wohl nicht sagen sollen.»

«Sie dürfen in meiner Gegenwart alles sagen», entgegnete Dieffenbach aufmunternd. «Ich bin Ihr Arzt und dem Schweigen verpflichtet wie ein Priester.»

Er sah sie dabei so intensiv an, dass es auf ihrem Rücken zu kribbeln begann. Was für sanfte braune Augen er hatte! Die Gesichtskontur jedoch war durchaus von männlicher Schärfe und seine Nase geradezu adelig. Das Haar war sorgsam geschnitten, dennoch legte es sich an der Seite in eigenwillige Locken, die keiner Linie folgen wollten. Er strahlte wohltuende Ruhe und Sicherheit aus, trotzdem fiel ihr ihre Bitte nicht leicht. Selbst wenn er ein Arzt war, so war er doch auch ein Mann, was sich stärker in ihr Bewusstsein drängte, als ihr lieb sein konnte.

«Ich möchte, dass Sie mich untersuchen, ob mit dem Kind alles in Ordnung ist.»

«Gibt es denn Anlass zur Sorge? Sie haben doch sicher eine Hebamme.»

«Ich weiß es nicht. Sie hat sich das letzte Mal seltsam verhalten und mir vorgeschwindelt, sie würde keine Zeit haben, um mir bei der Entbindung beizustehen.»

Dieffenbach ging nicht darauf ein. Er wartete, bis die Gräfin nach ihrer Zofe geklingelt hatte, und begleitete sie dann in ihren Salon einen Stock höher, von wo aus man in ihr Schlafgemach und weiter ins Ankleidezimmer gelangte.

Diese Räume hatte Ludovica selbst einrichten lassen und jeden noch so kleinen Gegenstand von eigener Hand arrangiert, sodass sie mit der Gesamtwirkung sehr zufrieden war. Dieffenbach ließ den Blick schweifen. Ob auch er erkannte, wie stimmig und geschmackvoll dieser Raum im Gegensatz zum großen Salon war, konnte Ludovica nicht sagen.

Er stellte seine Tasche neben dem Canapé ab und öffnete sie. «Ich würde Sie jetzt gerne untersuchen», sagte er und räusperte sich. Sein Blick huschte unstet umher.

Ludovica trat vor ihn. «Gut», sagte sie und hob ein wenig ihr Kleid und die beiden Unterröcke über dem Gestell des Reifrocks.

Dieffenbach ging in die Knie. Sie spürte seine Hände an den Innenseiten ihrer Schenkel, wie sie sich langsam höher tasteten, bis sie ihre Scham erreichten. Er drückte erst ihren Bauch, wobei es nicht leicht war, unter das Korsett zu kommen, und fuhr dann mit den Fingern zwischen die Schamlippen. Ludovica presste die Lippen zusammen. Sie war von der Hebamme einige Male untersucht worden, doch ihr Griff war grob und schmerzhaft gewesen. Die Hände des Chirurgen taten ihr nicht weh. Sie konnte sich nicht erinnern, überhaupt jemals so sanft und rücksichtsvoll berührt worden zu sein. Sie schloss die Augen. Ihre Zofe trat zu ihr und legte den Arm um ihre Mitte, wobei Cornelia den Arzt feindselig anstarrte.

«Es tut mir leid, Gräfin, dass ich Ihnen diese Unannehmlichkeiten bereiten muss», entschuldigte sich Dieffenbach.

Ludovica antwortete nicht. Sie versuchte, an etwas anderes zu denken als an die Hände, die ihr Innerstes untersuchten. Schließlich zogen sich diese zurück, und der Arzt erhob sich. Respektvoll trat er einige Schritte zurück.

«Und?», drängte Ludovica. «Es ist doch alles in Ordnung, nicht wahr?»

Er antwortete nicht sofort, seine Miene war unbeweglich. Sie konnte nicht darin lesen, oder war da so etwas wie Mitleid in seinen Augen? Der Schreck fuhr ihr durch alle Glieder.

«Etwas beunruhigt Sie, nicht wahr?» Sie hörte selbst, wie ihre Stimme bebte.

Er zögerte, ehe er ihr antwortete, doch er gab ihr nicht die erhoffte Erlösung. «Ja, verehrte Gräfin. Ich will nicht, dass Sie sich sorgen, aber es ist nicht leicht, sich bei einer Untersuchung nur auf sein Gefühl zu verlassen. Sehen Sie, die Schwangeren, die wir in der Charité aufnehmen, entstammen keiner guten Gesellschaft, ja, es sind oft liederliche Weiber oder einfache Soldatenfrauen, aber wir können sie ganz mit allen unseren Sinnen untersuchen, was zu einer besseren Diagnose zum Besten für Mutter und Kind führt.»

Ludovica sah ihn an, und dieses Mal hielt er ihrem Blick stand. Die grünen Augen versanken in den sanften braunen ihres Gegenübers. «Ich verstehe, was Sie meinen. Und ich akzeptiere nicht, dass eine Soldatenfrau eine bessere Behandlung bekommt als eine Gräfin. Folgen Sie mir!»

Sie ging voran in ihr Schlafgemach und wies Cornelia an, sie von ihrem Kleid und den Unterröcken zu befreien. Dann ließ sie sich den Reifrock aufschnüren und das Korsett lösen, das durch ihren dicken Bauch nur noch unter der Brust geschlossen werden konnte. Sie legte sich auf das Bett und schloss die Augen. Sie konnte ihn nicht hören, dennoch spürte sie, wie er näher trat. Sacht strichen seine Hände über ihren gerundeten Bauch und verharrten dann auf ihren knabenhaften Hüften.

«Sie sind sehr schmal gebaut, Gräfin, und das Kind ist sehr gut entwickelt», sagte er nach einer Weile, und es hörte sich an, als müsse er ein Seufzen unterdrücken.

Ludovica öffnete die Augen. «Zu schmal?», wollte sie wissen.

Er wiegte den Kopf. «Ich weiß es nicht sicher, aber es könnte eine schwere Geburt werden», sagte er ernst, und sie war ihm dankbar, dass er im Gegensatz zu ihrer Hebamme ehrlich zu ihr war.

«Schwer oder gefährlich?», bohrte sie weiter.

«Vielleicht beides», gab er zu.

Draußen war ein Geräusch zu hören. Cornelia machte ein zirpendes Geräusch und lief zur Tür des Salons.

«Oh, Herr Graf, Sie sind schon wieder auf den Beinen», hörte Ludovica sie rufen. «Die Gräfin fühlt sich nicht wohl und hat sich zu Bett begeben. Der Herr Doktor hat die Untersuchung beendet und ist bereit zu gehen.»

Ludovica musste Dieffenbach nicht sagen, dass es besser wäre, sogleich zu gehen. Er nickte ihr zu, griff nach seiner Tasche und hatte die Tür zum Salon bereits geschlossen, ehe der Graf die Zofe beiseitegeschoben hatte. Ludovica schlüpfte unter die Daunendecke und zog sie sich bis zum Kinn. Er würde wiederkommen müssen, um mit ihr über die Geburt zu sprechen. Darüber, wie schwer diese würde und für wen von beiden es gefährlich werden würde.

ᘯ

Es war Sonntag. Draußen läuteten die Glocken, während es langsam dunkel wurde. Elisabeth und die anderen Wärterinnen, die mit ihr die Kammer teilten, hatten ihre Arbeit für heute beendet.

Sie zogen ihre fleckigen Schürzen aus und legten sie in den Waschkorb, den eine Magd später in die Wäscherei bringen würde. Während sich Linda und Christina erschöpft auf ihren Betten ausstreckten, verließ Elisabeth noch einmal die Kammer. Sie packte einige Dinge, die am Mittagstisch übrig geblieben waren, in einen kleinen Korb und stieg leise die Treppe hinunter. Ohne den Pförtner am Eingang zum Hospitalgebäude eines Blickes zu würdigen, schritt sie an ihm vorbei. Er döste hinter seinem Empfangstisch vor sich hin und hielt sie nicht auf. Elisabeth beeilte sich, das Tor zur Luisenstraße zu passieren. Sie war nicht die Einzige, die zu dieser Zeit hinein- oder hinauswollte, also ließ man sie ohne Fragen passieren.

Elisabeth folgte der Luisenstraße nach Süden, überquerte die Spree und bog dann rechts auf die breite Allee ab, die auf den Dom und das Schloss zuführte. Es bereitete ihr Vergnügen, Unter den Linden entlangzuspazieren und sich die Gespanne und bequemen Kutschen der noblen und reichen Bürger anzusehen. Viele der Palais waren hell erleuchtet. Elegant gekleidete Menschen entstiegen ihren Kutschen und ließen sich von Dienern ins Innere begleiten.

Vor dem ehemaligen Palais des Prinzen Heinrich blieb sie einige Momente stehen. Seit zwanzig Jahren beherbergte das prächtige Gebäude die Friedrich-Wilhelms-Universität, wie sie zu Ehren des Königs genannt wurde. Elisabeth war erst wenige Tage Wärterin in der Charité, doch ihr Interesse an der Arbeit der Ärzte wuchs mit jeder Arbeitsstunde. Hier hatten einige der zivilen Ärzte studiert, und manch altgedienter Arzt der Charité lehrte hier als Professor. Sie versuchte, sich vorzustellen, wie es wohl wäre, mit anderen jungen Menschen eine Universität zu besuchen. In Vorlesungen den Vorträgen der Professoren zu lauschen, bei praktischen Übungen oder sogar bei der Sektion von Leichen alles über den Körper des Menschen zu lernen. Ihre Hände umfassten die Eisenstangen des hohen Zauns. Diese Sehnsucht, mehr über die Welt zu erfahren, hatte sie schon ihr ganzes Leben lang gespürt. Dieser Wunsch, den sie mit niemandem teilen konnte, überfiel sie mit schmerzhafter Macht. Die Welt war so groß und barg so viele Geheimnisse. Wie wenig davon hatte sie in ihren kurzen Jahren in der Volksschule erfahren dürfen. Wenn nicht Pfarrer Lober ihr erlaubt hätte, in seinen Büchern zu lesen, wäre sie noch immer so unwissend wie all die anderen Frauen aus ärmlichem Haus. Wie gerne hätte sie Latein und Griechisch gelernt, um auch all die anderen Bücher zu studieren, die sie nicht lesen konnte, doch ihr Vater hatte kein Interesse, sie länger als notwendig in die Schule zu schicken. Und dem Pfarrer hatte die Zeit gefehlt, sie weiter zu unterrichten.

Sie erinnerte sich an die Zeichnungen von menschlichen Körpern und ihren inneren Organen, an großformatige Bücher voller Bilder von Pflanzen und fremdartigen Tieren. Und an Geschichten von Reisen in ferne Länder. Eines der Bücher war damals noch ganz neu gewesen. Der Autor war Alexander von Humboldt, der Bruder des früheren Ministers. Jahrelang war er durch Südamerika gereist ... Was gäbe sie dafür, allein dieses Buch zu besitzen und jeden Abend darin lesen zu können!

Elisabeth unterdrückte einen Seufzer und löste die Hände von den Eisenstangen.

Es war müßig, sich Gedanken darüber zu machen. Frauen durften nicht studieren. Der Weg, den sie gewählt hatte, war der einzige, der ihr offenstand, um etwas Sinnvolles zu bewirken! Sie konnte den Menschen helfen, die das Schicksal mit Krankheit und Leid geschlagen hatte. Deshalb nahm sie sich vor, den Gesprächen der Ärzte lauschen, wann immer möglich, um noch mehr über den Körper und seine Krankheiten erfahren. Gleichzeitig versuchte sie, nicht daran zu denken, worin ihre Arbeit bislang bestanden hatte. Sie war nur eine Wärterin, die die Kranken ruhig in ihren Betten halten sollte. Sie putzte und leerte Abtrittseimer, sie schrubbte Böden, füllte Matratzen mit frischem Stroh und trug Wassereimer und Essen durch die Gänge.

Elisabeth mahnte sich zur Geduld. Bald würde sie andere Aufgaben übernehmen. Bald würde sie wirklich helfen und den Ärzten zur Hand gehen dürfen. Das hoffte sie zumindest. Sie wollte ein kleines, aber wichtiges Rädchen im großen Gefüge der Charité sein und nicht nur eine Frau, die Kinder gebären und ihrem Ehemann gehorchen musste. Nein, sie würde nicht wie ihre Schwester enden. Sie würde ihre Freiheit niemals aufgeben!

Sie riss ihren Blick von dem ehrfurchtgebietenden Bau der Universität los und machte sich auf den Weg. An der Brücke bog sie rechts ab und schritt am Kanal entlang, auf dessen anderer Seite sich das Schloss des Königs erhob. Es waren nur wenige Lichter zu sehen. Wahrscheinlich hatte sich jetzt, nachdem die Cholera in Berlin ausgebrochen war, der König mit seiner Familie nach Charlottenburg begeben. In Sicherheit gebracht, denn dort konnte man jeden Besucher überprüfen und war weit weg von kranken Menschen und dem üblen Miasma des stinkenden Kanals.

Ja, der König und seine Familie konnten es sich leisten, vor der Gefahr dieser schrecklichen Seuche davonzulaufen, und – so was sprach sich schnell herum – auch so manche adelige Familie hatte sich in diesen Tagen vermutlich auf irgendeinen Landsitz außerhalb der Stadt zurückgezogen. Der normale Bürger und Arbeiter hatte dagegen keine Wahl, ganz zu schweigen von den Armen, die am Kanal oder in den Mietskasernen am Rande der Stadt hausten. Sie alle mussten in den giftigen Schwaden, die aus dem Wasser aufstiegen, ausharren. Ihnen blieb nichts anderes übrig, als zu hoffen und zu beten, doch Elisabeth kam es so vor, als würde Gott den Stimmen der Armen kein Gehör schenken. Und der König und seine Minister taten das schon gar nicht. Das war nicht gerecht!

Mit Bitterkeit im Herzen überquerte sie die Brücke – und blieb dann wie angewurzelt stehen. Die Gasse an der Schleuse wirkte wie ausgestorben.

Plötzlich wurde ihr bewusst, wie nah dieser Gedanke an der

Wahrheit lag. Mehrere Häuser waren abgesperrt, Fenster und Türen mit Brettern vernagelt. Vom anderen Ende der Gasse näherten sich zwei Männer in grünen Wachstuchmänteln, die Masken vorm Gesicht trugen. Das Scheppern der Glocke ging Elisabeth durch Mark und Bein. Sie wartete, bis sich die Wächter genähert hatten. «Fräulein», sprach einer der beiden sie mit dumpf klingender Stimme an. «Sie sollten nicht hier sein. Nehmen Sie eine andere Straße. Wir hatten heute siebzehn neue Cholerafälle. Zwei in dem Haus dort drüben leben noch, alle anderen wurden schon abgeholt.»

Elisabeth hob zitternd die Hand und deutete auf das Haus gegenüber der abgesperrten Schuhmacherwerkstatt. «Meine Schwester wohnt dort. Ich muss zu ihr. Ich habe ihr etwas zu essen mitgebracht.»

Der Wächter schüttelte den Kopf. «Das geht nicht. Eine alte Frau oben unterm Dach ist heute gestorben. Das Haus steht unter Quarantäne. Da kommt keiner mehr rein oder raus. Wenn Sie Ihren Korb dalassen wollen, können wir ihn räuchern und Ihrer Schwester morgen übergeben», bot er an.

«Sie verstehen nicht», drängte Elisabeth. «Meine Schwester ist schwanger. Das Kind kann jeden Moment kommen.»

Die Männer blieben hart. «Wir können keine Ausnahmen machen. Die Lage ist ernst. Gehen Sie und beten Sie für all diese Menschen hier. Das ist das Einzige, was Sie noch tun können.»

KAPITEL 4

Quarantäne

E in stürmisches Klopfen rief Martha zur Wohnungstür. «Verdammt, wer will denn jetzt wieder was», schimpfte eine männliche Stimme aus der Kammer. «Sicher wieder eines deiner Weiber.»

Martha hielt inne. «Ja, gut möglich. Du kannst von Glück sagen, dass meine Arbeit gefragt ist und ich Geld nach Hause bringe, damit unser Sohn nicht verhungert.»

Eine Gestalt kam aus der Kammer. Der Mann war groß, vierschrötig und hatte ein aufgedunsenes rotes Gesicht, das verriet, wo er die meisten Stunden des Tages verbrachte. «Ich kann nichts dafür, dass sie mich gefeuert haben», behauptete er.

«Ach nein?», erwiderte Martha spitz. «Hat es etwa nichts damit zu tun, dass du den Vormann geschlagen hast?»

«Der hat mich blöd angequatscht», verteidigte sich Ottfried. Er gähnte und kehrte zu seinem Bett zurück. Das Gestell knarrte, als er sich auf die Matratze fallen ließ. Martha öffnete derweil die Wohnungstür.

«Elisabeth, was ist? Du bist ja ganz aufgelöst. Setz dich erst mal.» Sie deutete auf die Holzbank unter dem Fenster, auf der einige aus bunten Stoffresten genähte Kissen lagen. Elisabeth durchquerte den sauber gescheuerten Raum und ließ sich nieder. Die Tür, die zur Schlafkammer führte, öffnete sich mit einem Knarren. Eine kleine Gestalt lugte durch den Spalt.

«August, warum schläfst du denn nicht?», stieß Martha mit einem Seufzer aus.

Der kleine Junge, der kaum älter als zwei Jahre sein konnte, tappte auf seine Mutter zu und schlang seine Arme um ihre Mitte. Sie bückte sich, hob ihn hoch und setzte sich dann mit dem Kind zu Elisabeth auf die Bank. «Das ist mein August», sagte sie stolz.

«Ein hübscher Junge», bestätigte Elisabeth.

Ja, das war er, mit rosiger Haut, wohlgenährt und hellen Locken um seinen Kinderkopf. Doch der Blick aus den grauen Augen schien an Elisabeth vorbeizugehen. Mit dem rechten Auge konnte er sein Gegenüber wohl sehen, doch das linke hing im inneren Augenwinkel fest.

«Was ist mit seinem Auge?», wollte Elisabeth wissen.

«Mein armer Kleiner», sagte Martha und liebkoste ihren Sohn. «Ich fürchte, das hat er von mir.

«Oh!», rief Elisabeth aus. Es fiel ihr erst jetzt auf, dass auch eines von Marthas Augen ein wenig an ihr vorbeizielte, wenn auch nicht so deutlich wie bei dem Kleinen.

Martha war sich bewusst, dass sie eher eine Person innerer Schönheit war. Keiner hätte ihr Äußeres je auch nur ansehnlich genannt. Obgleich sie noch keine vierzig Jahre zählte, war ihr dunkelbraunes dünnes Haar von grauen Strähnen durchzogen. Ihre Haut wurde bereits schlaff, und um ihre Augen hatte sich ein Kranz von Falten eingegraben. Sie war klein gewachsen und eher mager, und doch war sie stark und gab niemals auf, was vielleicht wichtiger war als äußere Schönheit, tröstete sie sich manches Mal.

Elisabeth fasste sich ein Herz und klagte der Hebamme ihr Leid. Wie sollte es mit ihrer Schwester weitergehen, wenn sie in diesem Haus eingesperrt blieb? Wie sollte sie ihr Kind zur Welt bringen? «Wir müssen sie in die Charité bringen, ob sie nun will oder nicht!», beharrte sie.

Martha betrachtete die hübsche Wärterin in ihrem verwaschenen Kleid mit dem nachlässig aufgesteckten kastanienbraunen Haar. «Ich kann versuchen, etwas zu erreichen, aber ich weiß nicht, ob die jemanden aus der Quarantäne rauslassen – und wenn, dann sicher nur, um Maria in das Choleraspital zu verlegen. So heißt das Pockenhaus draußen vor der Zollmauer nun. Aber ich fürchte, das würde ihre Lage und die des Kindes noch mehr gefährden.» Elisabeth rang verzweifelt die Hände. «Was kann ich nur tun?» Martha setzte August ab und legte Elisabeth ihren Arm um die Schulter. «Du gehst jetzt zurück, wo du hingehörst! Darfst du die Charité am Abend überhaupt verlassen?» Elisabeths Blick war Antwort genug. «Ich gehe zu Maria, und ich schwöre dir, ganz gleich, was passiert, ich werde dafür sorgen, dass sie ihr Kind nicht alleine bekommen muss.»

«Ist denn jetzt endlich Ruh! Kann man nicht mal in seinem eigenen Haus schlafen?» Polternd kam Ottfried in die Wohnstube, der Kittel voller Flecken, die Hose schmuddelig. Der kleine Junge hielt sich die Hände vors Gesicht, damit er seinen Vater nicht sehen konnte, und fing an zu greinen.

«Und jetzt flennt auch noch das verdammte Kind.» Er hob die Hand, als wolle er den Jungen ohrfeigen, aber Martha fuhr dazwischen und fing sie ab. Der Schlag war so heftig, dass sie wankte, aber sie richtete sich sofort wieder auf und blitzte Ottfried zornig an. «Du wirst meinen Sohn nie wieder schlagen!»

«Deinen Sohn», höhnte Ottfried. «Hab's ja immer gewusst. Untergeschoben haste mir das Balg.»

«Nein», verteidigte sich Martha, «aber im Gegensatz zu dir liebe ich ihn, und ich will, dass er zu einem guten Menschen heranwächst, ohne ständig Angst vor Schlägen zu haben.»

Ottfried deutete mit seiner riesigen Hand auf den zarten Jungen. «Er sieht mir nicht ähnlich und dir auch nicht, alte Fledermaus», beschimpfte er Martha. «Dein Getue geht mir echt auf'n Senkel. Ich frag mich, warum ich so was Hässliches wie dich überhaupt ertrage.»

Martha fragte sich dagegen, wie sie sich mit diesem groben

Klotz hatte einlassen können. Auch sie war einmal jung gewesen und voller Träume. Auch sie hatte sich nach Liebe gesehnt, doch vermutlich war sie wirklich zu unansehnlich gewesen, als dass sich einer der jungen Männer, für die sie geschwärmt hatte, auch nur nach ihr umgesehen hätte. Doch dann, als ihre Jugend bereits dahingegangen war, war Ottfried aufgetaucht. Ein ehemaliger Kleinbauer aus Pommern, der in einer Dachkammer im Nachbarhaus Unterschlupf gefunden hatte, während er bei den Manufakturen und Fabriken, die rund um Berlin aus dem Boden schossen, nach Arbeit suchte. Er war der erste Mann gewesen, der Martha ein paar freundliche Worte widmete.

Eigentlich war sie längst aus dem Alter raus gewesen, in dem Mädchen sich naiv dem Ersten hingaben, der ihnen schmeichelte, und durch ihre Arbeit wusste sie ganz genau, wie schnell sich ein Mädchen ins Unglück stürzen konnte. Aber die Macht des Fleisches war zu groß gewesen, und so hatte Martha wider besseres Wissen nachgegeben.

Ihr erstes Kind hatte sie abgetrieben, doch als sie das zweite Mal schwanger wurde, brachte sie es nicht übers Herz, noch ein Leben in sich abzutöten. Und so wurde August geboren und zu ihrem größten Schatz.

Ottfried war von Anfang an nicht gerade begeistert gewesen, dennoch suchten sie sich eine gemeinsame Bleibe und waren so etwas wie eine Familie. Wenn nur der Alkohol nicht gewesen wäre, dem er seit der Geburt des Kindes immer mehr verfiel. Er brachte seine schlimmsten Seiten zutage. Die guten schienen dagegen irgendwo tief verschüttet zu sein.

Jetzt schlüpfte Ottfried in ein Hemd und ging zur Tür.

«Wo willst du hin?», erkundigte sich Martha. «Ich muss noch mal weg, und jemand muss nach August sehen.»

Er grinste hämisch. «Dein Pech. Hab ihn eh nie gewollt. Kümmere dich gefälligst selber drum.»

«Wo gehst du hin?», fragte Martha noch einmal. «Du solltest nicht noch mehr trinken.»

«Wer sagt, dass ich was trinken gehe? Vielleicht steht mir der Sinn nach was ganz anderm? Du bist nämlich nicht die einzige Frau in Berlin. Lulu, die Schwester vom Rübenbäck drüben in der Stallstraße, macht gern die Beine breit für mich. Übrigens schon seit dem Frühjahr», fügte er gehässig hinzu und riss die Tür auf.

«Ach ja? Dann kannst du sie ja fragen, ob du nicht gleich bei ihr einziehen kannst!», schleuderte ihm Martha hinterher.

«Das sollte ich wirklich tun!», stieß er drohend aus, ehe die Tür zuschlug. August hörte auf zu wimmern und verkroch sich in den Röcken seiner Mutter.

«Meinst du, es ist ihm ernst damit?», fragte Elisabeth, sichtlich fassungslos.

Martha hob die Schultern. «Ich weiß es nicht, aber vielleicht sind wir beide ohne ihn besser dran.»

Elisabeth wies die Hebamme darauf hin, dass August noch sehr klein war. «Du würdest Schwierigkeiten mit deiner Arbeit bekommen. Du kannst ihn doch nicht immer mitnehmen, und alleine lassen geht auch nicht.»

Martha seufzte. «Ottfried wird sich schon wieder einkriegen», redete sie sich selbst Mut zu. «August ist sein Sohn, und das weiß er auch. Und du gehst jetzt zurück zur Charité. Marsch!», befahl sie streng.

Elisabeth strich über die blonden Locken des Jungen, dann verabschiedete sie sich und machte sich auf den Rückweg.

༼ༀ༽

Die Geburt zog sich hin. Es war Mittag, als die Wickelfrau Alexander atemlos anhielt, um ihn zur bevorstehenden Geburt hinzuzuholen.

«Es geht los!», keuchte sie.

«Wie heißt die Patientin?», wollte Alexander wissen.

«Anna, sechzehn Jahre alt. Sie ist die Tochter von Fassbinder Ruchert. Sie wurde vor sechs Wochen in die Charité gebracht. Vielleicht wollte ihre Familie mit ihrer Schande nichts zu tun haben.»

«Sie ist wohl ledig», vermutete Alexander.

«Ja, und nicht nur das. Sie hat offene Geschwüre an der Scham.»

«Syphilis?», fragte Alexander.

Die Wickelfrau zuckte mit den Schultern. «Bin ich Arzt? Aber ich denk schon. Das kommt davon, wenn man sündigt.»

Alexander brummte nur. Er wollte kein Urteil über die junge Frau abgeben, die nun in den Wehen lag.

«Nun komm'n Sie schon», drängte die Wickelfrau. «Es ist mir verboten, bei 'ner Geburt selbst Hand anzulegen. Ich darf mich nur um die Schwangeren und nachher um die Neugeborenen kümmern. Wenn's nach mir ging, bräucht'n wir für die Geburt nur 'ne Hebamme.»

Das abfällige Schnauben der Wickelfrau sagte Alexander deutlich, was diese von der Kunst der Ärzte bei einer Geburt hielt.

«Männer haben bei einer Geburt nix verloren», murmelte sie leise.

Alexander beschloss, es zu überhören. Hier in der Charité hatten nun mal, anders als bei Hausgeburten, die Ärzte das Sagen, und zu seiner Ausbildung gehörte die Geburtshilfe wie alle anderen Abteilungen dazu. Deshalb folgte er der Wickelfrau in das Geburtszimmer. Das junge Mädchen keuchte und schrie, verfluchte den Vater, der sie im Stich gelassen, und die ganze Welt, die ihr dieses Schicksal aufgebürdet hatte. Die Hebamme versicherte Alexander, dass dies völlig normal sei.

Zweimal tauchte Dr. Dieffenbach auf und bedachte ihn mit ein paar Ratschlägen und einem aufmunternden Schulterklopfen. Dann gesellte sich noch einer der Stabsärzte zu ihnen, blieb aber mit vor der Brust verschränkten Armen an der Tür stehen.

Die Hebamme war erfahren und gab klare Anweisungen, obwohl das vermutlich Alexanders Aufgabe gewesen wäre. Die werdende Mutter presste, schrie und hechelte im Wechsel, bis Alexander zum ersten Mal in seinem Leben ein neugeborenes Kind in seinen Händen hielt. Er fühlte sich überwältigt. Der kleine Junge war noch von Blut verschmiert, aber er krähte laut, war kräftig und gesund.

«Geben Sie schon her», forderte die Hebamme und nahm ihm das Kind ab, um es an die Wickelfrau weiterzureichen.

Der Mutter ging es den Umständen entsprechend ebenfalls gut. Sie war erschöpft, das war normal, doch vermutlich beschäftigte sie bereits die Frage, wie es mit ihr und ihrem Kind nach der Schonfrist in der Charité weitergehen sollte. Alexander legte seine Hand auf ihren Arm. Ihre Blicke trafen sich. Anscheinend waren ihm seine Gedanken im Gesicht abzulesen.

«Sie können nix dafür, Herr Doktor», sagte sie und seufzte tief.

Er verabschiedete sich und versprach, im Laufe des nächsten Tages nach ihr und dem Kind zu sehen. Dann machte er sich zu seiner Kammer auf, die er nun das nächste Jahr über bewohnen würde. Als er am Hauptportal vorbeikam, schob sich gerade eine schmale Gestalt durch die einen Spalt weit geöffnete Tür. Der Pförtner lag vorgebeugt über dem Tresen und schnarchte.

Ein Patient mitten in der Nacht? Alexander stutzte. Er wollte gerade den Pförtner wecken, als er die Frau in ihrem graublauen Charitékleid erkannte.

«Wärterin Elisabeth, wo kommen Sie zu dieser Stunde her?», hielt er sie an.

Der Pförtner grunzte, schlief aber weiter.

Sie zuckte zusammen. Sicher hatte sie gehofft, unbemerkt zu ihrer Kammer gelangen zu können. Als sie sich gefangen hatte, richtete sie sich auf und wandte sich dem jungen Pépin zu. Er sah, wie es hinter ihrer Stirn arbeitete. Sie war dabei, eine harmlose

Ausrede zu erfinden; dass sie ihm die Wahrheit sagen würde, damit rechnete er nicht.

«Ich konnte nicht schlafen. Es waren zu viele neue Eindrücke», behauptete sie. «Daher bin ich ein wenig im Garten umherspaziert. Das Gemüse drüben an der Mauer gedeiht prächtig!»

Alexander erwiderte ihren Blick. Die kühlen grauen Augen starrten ihn selbstbewusst an. Es gefiel ihm, dass sie sich nicht so leicht einschüchtern ließ. Andererseits ärgerte ihn ihr mangelnder Respekt. Er war immerhin angehender Arzt und stand somit weit über ihr. Sie war nur eine Wärterin!

Als hätte sie seinen letzten Gedanken gehört, zog sie ablehnend die Brauen zusammen. «Darf ich nun hochgehen, oder hat der Herr Subchirurg noch irgendwelche Anweisungen?»

«Nein, natürlich nicht», stotterte er und ärgerte sich, dass sie ihn aus dem Konzept brachte.

Elisabeth straffte die Schultern und ging an ihm vorbei, ohne ihn eines Blickes zu würdigen.

«Schade», rief er ihr hinterher, «ich hatte gehofft, Sie seien ehrlich zu mir.»

Elisabeth hielt inne.

«Hatten Sie ein heimliches Stelldichein mit einem Verehrer?»

Nun wandte sie sich doch um. Ihr Blick war so eisig, dass es ihn fröstelte. «Das geht Sie nichts an!»

Ganz gleich, wo sie gewesen war, sie hatte gegen die Regeln der Charité verstoßen. Aber hatte er das Recht, sie zu rügen? Als Wärterin unterstand sie der Hausmutter. Musste er sie melden? Andererseits hatte sie wohl keinem Patienten geschadet oder sich sonst etwas Schlimmes zuschulden kommen lassen. Alexander beschloss, den Rückzug anzutreten.

«Entschuldigen Sie, Wärterin Elisabeth, ich wollte Ihnen nicht zu nahe treten. Ich wünsche Ihnen eine erholsame Nacht.» Er nickte ihr zu und wandte sich zum Gehen.

Dieses Mal war sie es, die ihn zurückhielt. «Ich war bei meiner Schwester», erklärte sie. «Oder besser gesagt, ich habe versucht, zu ihr zu gelangen. Sie steht kurz vor der Niederkunft, aber die Wächter lassen keinen mehr ins Haus.»

Alexander fuhr herum. «Cholera?», stieß er hervor.

Elisabeth nickte. «Sie selbst ist nicht krank, aber vielleicht wird sie es noch, wenn man sie weiterhin in diesem Haus einsperrt.»

«Das tut mir leid», sagte Alexander ehrlich. «Aber ich fürchte, da kann man nichts tun.»

«Ja, in die Charité können wir sie erst holen, wenn es zu spät ist für sie und das Kind.»

Abrupt wandte sich Elisabeth ab und ging davon. Alexander sah ihr nach. Trotz der plumpen Schuhe schien sie zu schweben. Er konnte den Blick nicht abwenden, bis das graue Kleid mit den Schatten des dunklen Ganges verschmolz.

Dieffenbach hatte damit gerechnet, die Gräfin in den nächsten Tagen wiederzusehen, doch er wäre nicht auf den Gedanken gekommen, ihre prächtige Kutsche vor dem Portal der Charité vorfahren zu sehen. Er eilte auf sie zu und berührte die schmalen Finger, die in einem Handschuh aus zarter Spitze steckten.

«Dr. Dieffenbach. Ich wollte ungestört mit Ihnen sprechen», sagte Ludovica.

Das war eine Erklärung, warum sie ihn nicht ins gräfliche Palais bestellt hatte, aber keine dafür, warum sie statt in seine Praxis in die Charité gekommen war. Dies war kein Ort für eine zarte Person wie sie! Gräfin Ludovica lachte auf, als er ihr seine Bedenken gestand.

«Sie halten mich für zimperlich, ja? Nein, streiten Sie es nicht ab. Ich versichere Ihnen, ich bin nicht so empfindsam, wie Sie meinen. Ich möchte, dass Sie mir den Ort Ihres Wirkens zeigen. Sie sagten mir, dass Sie hier in der Charité Schwangere untersuchen und für sie sorgen. Bitte führen Sie mich herum. Ich möchte sehen, was die Medizin heutzutage vermag. Und dann sagen Sie, welche Möglichkeiten Sie mir bieten, sollte es zum Schlimmsten kommen.»

Darüber sprachen sie ein wenig später in dem etwas vollgestellten und dennoch für eine Gräfin am ehesten angemessen eingerichteten Büro von Direktor Kluge, der die Geschicke der Charité leitete.

«Sie können offen mit mir sprechen», forderte Gräfin Ludovica Dieffenbach auf. Sie nippte höflich an ihrem Kaffee. «Sie haben Bedenken!», erinnerte sie.

Dieffenbach räusperte sich. Es fiel ihm schwer, seinen Blick von dem schönen Gesicht zu lösen, dessen Augen ihn so klug ansahen. Auch ihre Fragen, die sie während des Rundgangs gestellt hatte, sprachen nicht nur von Interesse, sondern auch von Intelligenz. Es hatte ihn erstaunt zu hören, welche medizinischen Veröffentlichungen sie bereits gelesen hatte.

«Wie ich Ihnen schon sagte, ist Ihr Becken sehr schmal gebaut, aber der Kopf des Kindes scheint mir sogar noch ein wenig größer als bei den meisten Babys, deren Geburt ich begleitet habe.»

Die Gräfin schluckte, sah ihn aber noch immer aufmerksam an. «Sie fürchten, der Kopf des Kindes ist zu groß für meine Hüften?»

«Es könnte zumindest sehr schwierig und schmerzhaft werden – und lange dauern. Das Kind könnte stecken bleiben, die Wehen könnten irgendwann versiegen. Dabei könnte die Nabelschnur gequetscht werden, sodass die Versorgung des Kindes unterbrochen wird.»

Ludovica holte tief Luft. «Was würde dann passieren?»

Dieffenbachs Hand näherte sich der ihren. «Dann würde das

Kind nicht überleben, und wir müssten es – äh – mit unseren Instrumenten herausholen.»

«Sie würden es in Stücken holen müssen», sagte sie kaum hörbar.

Ihre Fingerspitzen berührten sich. Rasch zog die Gräfin ihre Hand zurück und verschränkte sie mit der anderen vor ihrem gewölbten Bauch.

Er hätte so gern etwas Tröstliches gesagt oder etwas Aufmunterndes getan, aber ihm fiel nichts ein. Die Lage war ernst! Und sie wusste es.

«Und wenn dem Grafen nichts wichtiger ist als sein Erbe?», erkundigte sie sich mit fester Stimme.

«Dann gäbe es die Möglichkeit eines Kaiserschnitts», sagte Dieffenbach.

Sie schwiegen beide einige Augenblicke. «Ich habe darüber gelesen», ergriff sie erneut das Wort. «Die Chancen, dass das Kind überlebt, stehen gut, nicht wahr?»

Er nickte und überlegte, wie er es ihr sagen sollte, aber da fuhr die Gräfin bereits fort.

«Hat jemals eine der Mütter überlebt?»

«Aber ja», rief Dieffenbach. «Den ersten Erfolg an der Charité hatte Dr. Henckel bereits vor siebzig Jahren. Er hat bewiesen, dass der Mittelschnitt statt der seitlichen Schnittführung von Vorteil ist – äh, Verzeihung, ich möchte die verehrte Gräfin nicht mit Details langweilen.»

Sie lächelte matt. «Geht es nicht um *mein* Leben? Denken Sie, dass mich das langweilt?»

Er schüttelte den Kopf. «Aber vielleicht erschreckt es Sie?»

Sie überlegte. «Ja, die Tatsache, dass ich mein Kind vermutlich nicht auf natürliche Weise zur Welt bringen kann, erschreckt mich, aber ich will wissen, wie Sie mein Leben zu retten gedenken.»

Wie mutig sie war! Wie unglaublich tapfer und beherrscht. Seine Hochachtung vor dieser wunderschönen Frau stieg noch mehr. Er lächelte, auch wenn es ihm schwerfiel, und begann, einige Details auszuführen.

«Henckel verzichtete auf eine Naht, die Gebärmutter zog sich von selbst zusammen. Die Wunde wurde nur mit einem großen Heftpflaster auf der Bauchdecke verschlossen und regelmäßig mit einer Lösung aus Heilkräutern und Rosenhonig gespült.»

«Und die Mutter hat den Kaiserschnitt überlebt?», versicherte sich die Gräfin noch einmal.

Dieffenbach spürte, wie er rot wurde. «Nun ja, das eigentlich schon, oder zumindest hätte sie überlebt. Ich meine, sie starb nicht an dem vorgenommenen Kaiserschnitt. Die Wundheilung verlief nach Wunsch, aber dann bekam sie Krämpfe und Brechanfälle, die – nun ja, ihre Gedärme nach außen quellen ließen. Oh, Verzeihung!»

Die Gräfin wurde sehr blass. Er sprang auf und ergriff ihre Hand. Ihre Finger umfassten die seinen.

«Es war ein altes Leiden, das die Wunde der Baroness hatte aufbrechen lassen. Mit dem Kaiserschnitt selbst hatten diese Brechanfälle nichts zu tun. Ohne diese hätte sie also überlebt.»

Ludovica fasste sich wieder und ließ ihn los. «Dann ist es ja gut, dass ich Ihnen versichern kann, dass ich nicht an unerklärlichen Brechanfällen leide», erwiderte sie matt.

Es klopfte an der Tür. Unterchirurg Heydecker trat ein, verbeugte sich und entschuldigte sich für die Störung. «Herr Dr. Dieffenbach, Dr. Calow bittet Sie, rasch zu kommen. Er hat drei neue Fälle von Cholera hereinbekommen, die noch ganz am Anfang zu stehen scheinen. Er denkt, diese Patienten seien geeignet, die Transfusion, die Sie vorgeschlagen haben, zu versuchen.»

Dieffenbach sah die Gräfin fragend an. Diese erhob sich und reichte ihm die Hand. «Gehen Sie zu Ihren Patienten und retten Sie Leben», sagte sie mit einem warmen Klang in der Stimme.

«Ich komme zu Ihnen, sobald ich meine Pflichten hier erledigt habe», versprach er, dann eilte er mit dem jungen Heydecker davon.

~

Während Dieffenbach und Calow vergeblich um das Leben der Cholerakranken kämpften, machte sich Elisabeth zu dem gefürchteten Saal der Syphilisweiber auf. Direktor Kluge, der auch Leiter der Gebärstation war, und Unterchirurg Heydecker hatten offensichtlich den gleichen Weg. Elisabeth öffnete den beiden Männern die Tür zu dem Raum unter dem Dach, welcher der Salivation vorbehalten war. Ein unbeschreiblicher Gestank schlug ihr entgegen. Sie versuchte, sich nichts anmerken zu lassen, obgleich ihr bereits flau im Magen war. Die Betten standen dicht an dicht. Es war düster in dem langgezogenen Raum. Die kleinen, quadratischen Fenster waren verhängt, sodass nicht der kleinste Lufthauch die üblen Ausdünstungen der Patientinnen verwehte. Die schräge, niedere Decke verstärkte das bedrückende Gefühl.

Die Frauen sahen alle elend aus. Ihre Gesichter wirkten ausgemergelt, manche hatten Geschwüre im Gesicht. Welche Auswüchse des venerischen Gifts sie unter ihren Kitteln verbargen, wollte sich Elisabeth gar nicht erst vorstellen. Ein paar der Frauen litten unter Muskelzuckungen. Am hinteren Ende erbrach sich eine unter Stöhnen in eine Schüssel. Eine andere riss ihren Kittel hoch und setzte sich schnell auf den Eimer neben ihrem Bett.

Heydecker stellte Fragen, die der Direktor bereitwillig beantwortete. Neugierig blieb Elisabeth neben den Männern stehen und spitzte die Ohren.

«Durchfälle sind übliche Begleiterscheinungen der Behandlung», sagte Kluge über die seine Worte begleitenden Geräusche hinweg.

Der Gestank wurde, wenn das überhaupt möglich war, noch schlimmer.

«Das venerische Gift führt zu Hautausschlägen, vor allem an intimen Stellen der Frauen», fuhr er fort, wobei er lächelte, als würde er das Elend weder sehen noch riechen. «Die Lymphknoten schwellen an, es gibt eiternde Geschwüre, die aber unter der Behandlung mit Quecksilber vollständig abheilen. Natürlich ist es wichtig, auch das Innere des Körpers von allem Gift zu befreien, daher die Abführ- und Schweißkuren. Wir fangen mit *Resina Jalapae* an, um die Gedärme zu reinigen, dann erfolgt über mehrere Wochen täglich eine Gabe *Mercurius dulcis*. Das Quecksilber regt den Speichelfluss an. Wenn es nicht schnell genug wirkt, haben wir zusätzlich die Möglichkeit, metallisches Quecksilber, in Fett verrührt, beispielsweise auf den Fußrücken aufzustreichen.»

Elisabeth atmete langsam und sah sich die elenden Frauen an. Die meisten hatten Schüsseln vor sich, in die sie den übelriechenden, zähen Schleim spien.

Zwei Frauen traten durch die noch offene Tür, durch die wenigstens im Moment ein wenig frische Luft hereindrang. Die eine trug das graue Kleid der Wärterinnen, die andere den Kittel der Patientinnen. Sie hatte ein Neugeborenes auf dem Arm, das fest schlief.

«Wärterin Friedgard? Wen haben wir denn da?», erkundigte sich der Direktor.

«Anna, Neuzugang, frisch entbunden», sagte die Wärterin und fuhr dann in barschem Ton fort: «Da, geh da rüber und leg dich in das freie Bett.»

Entsetzt starrte die junge Frau, die nicht älter als siebzehn Jahre alt sein konnte, auf das Elend.

«Wird's bald!», herrschte sie die Wärterin an und gab ihr einen Stoß. «Hättest ja früher drüber nachdenken können, was du treibst.»

Anna wankte mit ihrem Kind zu dem schmutzigen Bett und

ließ sich auf die durchgelegene Strohmatratze sinken. Einige der Frauen lachten und öffneten ihre fast zahnlosen Münder, obgleich vermutlich keine von ihnen das dreißigste Lebensjahr bereits erreicht hatte.

«Seht euch diese Unschuld an», rief eine und kicherte. «Lass mich raten, er hat nicht mal dafür bezahlt!»

«So dumm war ich am Anfang auch», mischte sich eine andere ein.

Elisabeth wurde klar, dass die meisten Frauen hier Dirnen waren, die ihren Körper an Männer verkauft hatten und auf diese Weise das venerische Miasma aufgenommen haben mussten.

«Wir fangen sogleich mit der Behandlung an», wandte sich Kluge an Alexander Heydecker. «Ich gebe Ihnen das Pulver, das Sie nach dem Abendessen einnehmen soll.» Dann sagte er zu Elisabeth: «Die Patientin bekommt eine schleimfördernde Diät, das heißt Hafergrütze, Gerstensuppe und reichlich gewärmtes Bier. Sorgen Sie dafür, dass sie alles zu sich nimmt, und bringen Sie ihr einen Eimer. Das Abführmittel wird rasch wirken.»

Elisabeth nickte. «Soll ich das Bett frisch beziehen und die Matratze nachfüllen?»

Der Arzt nickte ein wenig abwesend und war schon dabei, die Geschwüre einer anderen Patientin zu untersuchen. «Es geht voran!», rief er erfreut.

«Ja, mach das», beantwortete Friedgard Elisabeths Frage. «Außerdem kannst du alle Eimer leeren. Wie? Sehe ich da ein Naserümpfen? Ist sich das junge Fräulein etwa zu fein?»

«Ich übernehme alle Arbeiten zum Wohle der Patienten», gab Elisabeth zurück. «Ich will ihnen Erleichterung in ihrem schweren Los verschaffen.»

«Na, dann viel Spaß. Das Geschmeiß wird dir auf der Nase rumtanzen», prophezeite Friedgard. «Die muss man mit harter Hand anfassen!»

«Vielleicht wären Mitgefühl und Fürsorge auch ein Weg», entgegnete Elisabeth scharf.

«Sie können nachher das Abendessen für alle bringen», unterbrach Direktor Kluge den Streit.

Elisabeth und Friedgard starrten einander an, bis sich die Ältere abwandte. «Du hältst dich keine Woche», sagte sie. «Sie werden wie die Bluthunde über dich herfallen, diese Weiber, die hier nur das kriegen, was sie verdienen!»

Damit rauschte sie hinaus, während Kluge so tat, als habe er nichts mitbekommen.

Elisabeth machte sich zu Frau Rother auf, um die Hausmutter um frische Bettwäsche und ein wenig Stroh für die Matratzen zu bitten. Dann leerte sie alle Eimer in den Schacht, der zur Sickergrube führte. Unten im Erdgeschoss füllte sie einen großen Wassereimer, um rund um die Betten alles aufzuwischen, was nicht den Weg in Eimer oder Schüsseln gefunden hatte. Die Fenster zu öffnen war streng verboten. Die Hitze war gewünscht als Teil der Therapie, doch Elisabeth ließ es sich nicht nehmen, noch einmal frisches Wasser und einige Lappen zu holen, um wenigstens die schweißnassen Gesichter abzuwaschen. Anschließend trug sie warmes Bier, Grütze und Suppe herauf und half den Schwachen, wenigstens ein paar Löffel voll zu sich zu nehmen. Dann half sie dem Subchirurgen Heydecker, die von Kluge verordneten Medikamente zu verteilen.

Einige der Frauen versuchten, sich zu weigern, und es kostete Elisabeth einige Mühe, sie zu überzeugen, ihre Rationen zu schlucken. Immer wieder drohte Streit aufzuflammen. Es war nicht einfach, die Gemüter zu beschwichtigen, doch die junge Wärterin gab sich alle Mühe. Die rüden Reden der Frauen störten sie, aber sie wusste auch, dass so manche ein schweres Leben auf der Straße geführt hatte – und das sicher nicht freiwillig. Sie wollte nicht so sein wie Friedgard und die anderen Wärterinnen, die sie bisher kennengelernt hatte. Oft führten sie sich auf wie Feldwebel in einer Kaserne, zumindest stellte sich Elisabeth den Ton dort so vor. Sie taten so, als wären alle Kranken an ihrem Schicksal selbst schuld und als müssten sie der Charité auf Knien danken, dass die Ärzte sich ihrer Leiden annahmen.

Elisabeth empfand dagegen Mitleid mit den Frauen, die sicher nicht ganz unschuldig an ihrem Zustand waren, aber hatten sie denn wirklich eine Wahl gehabt? Eine Chance auf ein anderes, besseres Leben? Gab es für diese Menschen einen Ausweg aus dem Elend? Sie wusste es nicht. Sie war nur froh, dass sie für sich einen anderen Weg gefunden hatte.

Um die Mittagszeit trafen sich alle Wärter mit dem Ehepaar Rother zu einem schnellen Mahl im großen Speiseraum. Dann scheuchte die Hausmutter ihre Schützlinge zurück in die Krankensäle. Am Ende des Tages hatte Elisabeth das Gefühl, ihre Füße würden brennen und ihr Rücken müsse brechen, doch als sie Direktor Kluge noch einmal begegnete, hielt dieser sie an.

«Wärterin Elisabeth, auf ein Wort. Die Patientinnen der Salivationsstube sind heute ungewöhnlich friedlich. So ruhig geht es dort sonst nicht zu. Kein Gekeife, kein Gezänk. Ich habe den Eindruck, Sie haben einen guten Einfluss auf unsere Kranken.»

Elisabeth errötete vor Stolz. Sie dankte dem Direktor und schleppte sich dann hinauf in ihr Bett. Sie zog gerade noch die fleckige Schürze aus, dann sank sie zurück, schloss die Augen und war auch schon eingeschlafen.

KAPITEL 5

Geburtswehen

M artha ging langsam durch die dunkle Gasse. Sie verbarg sich im Schatten der Häuser, um nicht gesehen zu werden. Sobald einer der Wächter auftauchte, blieb sie stehen und rührte sich nicht vom Fleck, bis die Männer sie ungesehen passiert hatten. So gelangte sie endlich unbemerkt in den Hinterhof. Sie hatte bereits am Vortag das Brett vor dem Fenster gelockert, das in die Werkstatt des Kärrners führte.

Martha lauschte. Es war alles ruhig. Dann hörte sie gedämpft aus einer der Dachkammern eine Frau klagen. Rasch schob Martha das Fass unters Fenster. Sie ließ ihre Tasche durch die Öffnung fallen und kletterte hinterher in die Werkstatt. Aufmerksam lauschte sie, doch niemand schien ihr Eindringen bemerkt zu haben.

Sie fuhr zusammen, als sie den Schrei aus dem ersten Stock vernahm, doch ihr wurde schnell klar, dass das keiner der Wächter sein konnte. Diese Art Schreie kannte sie. Sie war gerade noch rechtzeitig gekommen. Nun aber schnell!

Schluchzend sank ihr Maria in die Arme, als Martha in die Stube trat.

«Wie gut, dass du da bist! Ich hatte solche Angst, dass ich alles ganz alleine überstehen muss. Die oben kotzt sich die Seele aus dem Leib. Ich will ihr nicht zu nahe kommen. Nachher krepiere ich auch noch an der Cholera, und was wird dann aus dem armen Wurm?»

Eine neue Wehe erfasste ihren Körper. Martha half ihr, gegen den Schmerz zu atmen, und führte sie, als der Krampf abebbte, zum Sofa. Sie holte Wasser und wusch Maria den Schweiß von der

Stirn. Dann half sie ihr aus dem Kleid und hüllte sie stattdessen in einen alten Kittel, der durch das Blut keinen Schaden nehmen würde.

«Ich wärme dir erst mal die Suppe auf, die ich mitgebracht habe», schlug sie vor. Doch die Wehen kamen bereits in so kurzen Abständen, dass sie einige Male zwischen dem Herd und der Gebärenden hin und her laufen musste. Die Hebamme erhitzte Wasser, suchte Tücher zusammen und polsterte einen Korb aus, der später ein Bettchen für das Kind werden würde.

Zwischendurch untersuchte sie den Fortgang der bevorstehenden Geburt. «Der Muttermund ist bereits so weit geöffnet», zeigte sie mit den Fingern an. «Da es dein erstes Kind ist, dürfte es in wenigen Stunden geschafft sein.»

«Stunden», stöhnte Maria unter dem Schmerz einer Wehe.

Martha nickte. «Es ist hart, ich habe es am eigenen Leib erfahren, aber wir Frauen müssen da eben durch. Komm, weiter, atmen, atmen! Wenn du richtig mitmachst, ist es leichter für dich.»

Und dann ging es doch schneller, als Martha gedacht hatte. Das Kind drängte nach draußen. Maria ließ sich breitbeinig in die Hocke sinken, die Arme am Tisch und auf einer Stuhllehne abgestützt. Martha hielt sie von hinten und zählte die Atemzüge vor. «Pressen! Pressen!» Blut und Kot vermischten sich mit dem Stroh, das sie ausgebreitet hatte, dann kniete sie sich vor Maria hin. «Du hast es gleich. Ich fühle schon seinen Kopf! Pressen!»

Aber plötzlich stockte die Geburt. Maria schrie vor Schmerzen, die Hebamme drückte und zog, doch es ging nicht weiter. Irgendetwas schien den Körper des Kindes festzuhalten. Martha fürchtete schon, Maria könnte ohnmächtig werden, da glitt das Kind plötzlich in ihre Hände und begann sofort zu schreien, während Maria entkräftet zu Boden sackte.

«Ich bin gleich wieder bei dir», versicherte Martha.

Sie beeilte sich, das Kind abzuwaschen und in sein Körbchen

zu betten. Als sie sich zu Maria umwandte, spürte sie, wie sie selbst ganz blass wurde. Der Schreck griff mit eisiger Hand nach ihr.

Die junge Mutter lag zusammengekauert im rot glänzenden Stroh, während zwischen ihren Beinen das Blut geradezu hervorsprudelte. Ein Stück Plazenta klebte an ihrem Oberschenkel. Das war es gewesen, deshalb war es nicht weitergegangen. Das kleine Mädchen hatte auf seinem Weg nach draußen einen Teil der Plazenta abgerissen, und nun floss das Blut unaufhaltsam. Martha griff in die klaffende Scham und löste den Rest des Mutterkuchens, aber die Blutung war nicht mehr zu stoppen. Sie versuchte, Maria einen Kräutertrank einzuflößen, der das Zusammenziehen der Gebärmutter beschleunigen sollte, aber Maria konnte kaum mehr schlucken.

«Maria, deine Tochter braucht dich!», stieß Martha hervor, während sie die Sterbende umklammerte. Sie konnte nichts tun. So etwas passierte nicht häufig, doch es war nicht das erste Mal, dass eine Mutter unter ihren Händen verblutete. Allerdings war sie noch nie alleine mit diesem Problem gewesen. Ein keuchender Atemzug und noch einer, dann wurde es still. Auch der Herzschlag unter ihren Händen verstummte.

Martha weinte um das Leben der jungen Frau, deren Blick starr geworden war. Sie war nicht einmal fünfundzwanzig Jahre alt geworden. Sanft schloss sie ihr die Augen und legte sie zurück in das blutige Stroh.

Was um alles in der Welt sollte sie jetzt tun? Sie durfte den Wächtern draußen nicht Bescheid geben, man würde das Neugeborene sofort in Quarantäne stecken, was gewiss einem Todesurteil gleichkäme. Und vermutlich würde man die Hebamme ebenfalls mit all den kranken Bewohnern des Hauses einschließen. Nein, die einzige Möglichkeit, die Martha sah, war, das Haus auf demselben heimlichen Weg zu verlassen, den sie gekommen war.

Sie wusch die Tote, legte sie aufs Bett und deckte sie mit einem

Leinentuch zu. Das kleine Mädchen band sie sich auf den Rücken und hoffte, dass es nicht zum falschen Zeitpunkt schreien würde. Dann zog sie sich so leise und verstohlen zurück, wie sie gekommen war.

∽

Es war wieder einmal spät, als Dieffenbach nach Hause kam. Er wollte das Haus in der Jägerstraße gerade betreten, als ihm ein Mann entgegentrat. Ein gutaussehender Mann mit lichtbraunem Haar, schmalem Gesicht und glatt rasierten Wangen und Kinn. Die beiden starrten einander an.

«Heinrich? Bist du das? Guter Freund, ich wusste gar nicht, dass du in Berlin bist», rief Dieffenbach aus.

Heinrich Heine verbeugte sich und schüttelte ihm die Hand.

«Wenn das nicht unser berühmter Doktor Dieffenbach ist, der Schrecken aller streunenden Hunde und Katzen!»

Sie lächelten einander an. «Das waren wilde Zeiten in Bonn. Du hast also tatsächlich deine verbotene Leidenschaft der Tierquälerei zum Beruf gemacht – nein, du hast dich gar auf Menschen verlegt. Und die Berliner sind voll des Lobes über den großen Doktor, der so geschickt mit dem Messer umgehen kann. Wie ich höre, läuft deine Praxis gut, und du bist gar zum Direktor der Chirurgie in der Charité aufgestiegen?»

Dieffenbach grinste und schüttelte den Kopf. «Nur zum zweiten dirigierenden Chirurgen», stellte er bescheiden richtig.

«Aber eine sehr schöne Wohnung hast du und noch prächtigere Pferde!» Heine deutete auf das Gespann, das ein Stallknecht gerade wegführte.

«Das ist meine Schwäche», gab Dieffenbach zu. «Die Pferde sind mein Luxus und meine Freude, die ich mir leiste.»

«Zu anderen Freuden fehlt dir offensichtlich die Zeit», stellte

Heine fest. «Wir haben Stunden auf dich gewartet. Unser geschätzter Exminister von Humboldt war auch da und ein paar andere. Johanna versicherte uns immer wieder, du würdest ihren Salon nicht versäumen. Nun ja, es war dennoch kurzweilig, und nun habe ich dich ja noch getroffen. Wie schön!»

«Bleibst du etwa in Berlin? Auch von dir hört man in letzter Zeit immer mehr.»

Heine schüttelte den Kopf. «Nein, Preußen ist nicht der rechte Ort für mich, die Zensur lässt mir keine Luft. Seit den Beschlüssen von Karlsbad muss man zu genau darauf achten, was man sagt und schreibt. Ich werde meine Zelte in Paris aufschlagen. Besuch mich dort, wenn deine Patienten dich einmal weglassen. Aber lass die Finger von Hunden und Katzen.» Tadelnd hob er den Zeigefinger. «Dieses Geschrei! Es hat mich Tag und Nacht verfolgt. Die armen Tiere. Ihnen einfach die Schwänze abzuschneiden, um sie einem anderen Tier wieder anzunähen!»

«Ich habe es dir doch schon damals erklärt», verteidigte sich Dieffenbach. «Es ist wichtig, an Tieren zu lernen, ehe man das Messer für einen Menschen in die Hand nimmt. Und ich habe sie nie mehr als nötig leiden lassen! Ich habe damals so vieles gelernt, was heute meinen Patienten zugutekommt.»

Heine reichte ihm die Hand. «Also gut, ich will dir glauben. Alles zum Wohle der Kreatur, sei es nun Mensch oder Tier!»

«Willst du nicht noch einmal mit hinaufkommen?»

Aber der Dichter winkte ab. «Es ist spät. Vielleicht irgendwann in Paris.»

Die beiden Männer umarmten sich und schieden dann voneinander. Dieffenbach stieg die Treppe hinauf und ging direkt in den Salon, wo Johanna am Fenster in einem Sessel saß und in die Nacht hinausstarrte. Sie rührte sich nicht. In diesem Moment wäre es ihm lieber gewesen, sie hätte ihn angeschrien. Stattdessen schwieg sie, doch er sah, dass ihre Wangen nass von Tränen waren.

Das Mädchen räumte die letzten Gläser in die Küche und schloss dann diskret die Tür.

Dieffenbach trat vor und räusperte sich, doch Johanna reagierte nicht. «Es tut mir leid», sagte er leise. «Ich habe Heinrich unten getroffen. Ich hätte mich gerne länger mit ihm unterhalten.»

«Ich dachte mir, dass du ihn sehen willst, wenn er schon mal in Berlin ist», antwortete sie. «Von Humboldt war auch da. Er will dich demnächst in deiner Praxis aufsuchen. Dort trifft er dich wenigstens an», fügte sie ein wenig bitter hinzu.

«Es tut mir leid», wiederholte er und meinte es auch so.

«Ist das denn so schwierig, dienstags früher nach Hause zu kommen? Wie soll ich mir einen Salon aufbauen, wenn du nie dabei bist? Die Leute wollen dich sehen und mit dir sprechen. Einmal in der Woche! Ist das wirklich zu viel verlangt?»

Er setzte sich ihr gegenüber. «Die Cholera wütet in Berlin. Es mussten bereits vier zusätzliche Hospitäler aufgemacht werden. Bisher haben nur wenige an der Cholera Erkrankte überlebt. Jeder Tag bringt neue Tote, und nun sind nicht mehr nur die Leute am Kanal betroffen. Überall in der Stadt gibt es weitere Fälle, vor allem in den Mietshäusern, wo sich die Menschen unter furchtbaren Umständen zusammendrängen. Du kannst dir das Elend nicht vorstellen!»

Johanna sah ihn müde an. «Das war schon immer so, nicht wahr? Jeder kranke Bettler ist dir wichtiger als deine eigene Familie. Du merkst vermutlich nicht einmal, wenn du mit deiner offenen Kritik so manchen Minister vor den Kopf stößt.»

«Das ist mir egal! Wie kann man Menschen unter solchen Bedingungen dahinvegetieren lassen? Die meisten haben nicht einmal ein eigenes Bett. So finde ich Kinder und Geschwister im Bett eines Sterbenden vor! Kein Bett, kein Essen. Im Kessel oft nur ein wenig dünner Brei für den ganzen Tag. Kein Wunder, dass diese Menschen wie die Fliegen sterben.»

«Es gab schon immer arme und kranke Menschen. Die Cholera kommt, und sie wird auch wieder gehen.» Johanna winkte mit einer müden Geste ab. «Hier in der Friedrichstadt und Unter den Linden gibt es keinen einzigen Fall. Wir leben zurückhaltend, halten Diät, essen Ingwer und befeuchten die Räume mit Essig.»

Entsetzt sah Dieffenbach seine Frau an. War sie wirklich so wenig berührt? «Johanna! Wir leben so, weil *wir* es uns leisten können. Weißt du denn nicht, dass der Stadtkommandant die Quarantäne über die Stadt verhängt hat? Dass alle Versammlungen verboten sind? Und trotzdem hast du deinen Salon abgehalten.»

Sie seufzte. «Ja, aber wozu? Die Gäste werden meinen Versprechungen nicht mehr glauben. Sie werden meiner Einladung nicht mehr folgen.»

«Warum nur ist dir das so wichtig?», entgegnete Dieffenbach mit einem Stöhnen.

Ihr Gesicht rötete sich. «Wenn es nach dir ginge, dann wäre ich nur ein Hausmütterchen, das dir am Abend deine Pantoffeln und dein Essen bringt. Wir sind in Berlin! Es gibt so viele interessante Gesellschaften, die wir besuchen könnten, Theater, Bälle und vieles mehr.»

«Für so etwas habe ich keine Zeit. Ich muss an meinem Buch weiterarbeiten. Ich bin mit dem nächsten Teil meiner *Chirurgischen Erfahrungen* bereits im Verzug. Und außerdem habe ich meinem Freund und Kollegen Dr. Stromeyer aus Hannover versprochen, ihm einen Artikel über die letzten Bruchoperationen zu schicken.»

Sie sahen einander an. Es war Johanna, die aussprach, was sie beide dachten.

«Wie hast du dich verändert. Wir passen nicht mehr zusammen. Du bist nicht mehr der, für den ich meinen Mann und die Kinder verlassen habe.»

Er griff nach ihrer Hand. «Es tut mir leid, dass ich deine Erwartungen nicht erfüllen kann.»

Vielleicht wäre es besser, wenn sie sich trennen würden. Dieffenbach wagte nicht, den Gedanken auszusprechen. Was würde eine zweite Scheidung für Johanna bedeuten? Er sah ihren tiefen Kummer und spürte selbst den Schmerz, der sein Herz ergriff. Er konnte fühlen, dass diese Nacht den Anfang vom Ende seiner Ehe bedeutete.

∽

Mit einem Schrei fuhr Gräfin Ludovica von ihrem Ruhebett auf, auf dem sie sich erst vor einigen Minuten erschöpft niedergelassen hatte. Ihre Zofe eilte sogleich an ihre Seite. Cornelia war eher unauffällig mit ihrem runden Gesicht und doch schlau genug, um sich mit einem etwas einfältigen Lächeln geschickt den Annäherungsversuchen des Grafen zu entziehen. Ludovica hatte schnell begriffen, dass hinter der Fassade ein kluger Verstand wohnte. Außerdem war Cornelia ihrer Herrin treu ergeben und bereit, auch die unerfreulichsten Kämpfe gegen den Herrn auszufechten.

«Herrin, was ist mit Ihnen? Ist Ihnen nicht gut? Kann ich etwas für Sie tun?»

Ludovica umschlang ihren Leib. «Können das die ersten Wehen sein?», fragte sie verunsichert.

Die Zofe betrachtete sie mitfühlend. «Heiner soll auf alle Fälle Dr. Dieffenbach und eine Hebamme holen.»

«Sie wissen, dass sich meine Hebamme davongemacht hat», erinnerte sie die Gräfin.

«Es gibt in Berlin nicht nur die eine», widersprach Cornelia. «Die Stadthebamme Vogelsang hat einen sehr guten Ruf. Sie hat auch einige schwierige Geburten in der Friedrichstadt zu einem guten Ende gebracht.»

Ludovica spürte, wie sich ihr Leib erneut schmerzhaft zusammenzog.

«Das sind Wehen», bestätigte Cornelia, die mit ihren vierzig Jahren genug Lebenserfahrung und auch schon die eine oder andere Geburt miterlebt hatte, selbst wenn sie ledig war und kinderlos. Obgleich Dieffenbach kaum zwanzig Minuten später eintraf, kam es Ludovica wie eine Ewigkeit vor. Die Hebamme aufzuspüren erwies sich dagegen als ein schwierigeres Unterfangen. Cornelia schickte noch einen zweiten Diener los, um Martha Vogelsang herbeizuholen.

Der Graf kam hemdsärmelig und ohne Schuhe die Treppe herauf und platzte in den Salon seiner Gattin.

«Was ist hier los? Ah, Dieffenbach, gut, dass Sie da sind. Es gibt da einige Dinge, die Sie für mich tun können. Mein Stuhlgang war heute gar nicht befriedigend, und ich habe diesen stechenden Schmerz im Kopf. Schon seit dem Morgen. Ich habe nicht gut geschlafen. Ich war draußen in Charlottenburg. Mir blieb gar nichts anderes übrig, als mit dem Prinzen zu trinken. Ludovica ist mal wieder mit einer Ausrede daheimgeblieben», fügte er mit einer Miene der Enttäuschung hinzu.

Seine Frau stöhnte und warf dem Arzt einen hilfesuchenden Blick zu. Der verstand nicht nur, er handelte auch und drängte den Hausherrn aus dem Zimmer.

«Graf von Bredow, die Geburt des Kindes steht unmittelbar bevor. Das ist kein Anblick für Ihre schwachen Nerven. Es ist besser, Sie ziehen sich zurück und nehmen dieses stärkende Tonikum.»

Er drückte dem Grafen eine kleine Flasche in die Hand und schloss mit Nachdruck die Tür. Dann trat er an Ludovicas Lager und ergriff ihre Hand. Cornelia hatte ihre Herrin bereits von all den engen Kleidungsstücken befreit. Nun hüllten sie nur noch ein Nachtkleid und ein einfacher Hausmantel ein. Der Doktor untersuchte sie, doch seine Miene versprach nichts Gutes. Die Wehen kamen immer häufiger, und Ludovica hatte das Gefühl, ihr Leib, ihr Herz und ihr Kopf müssten bersten. Obgleich sie versuchte, ruhig zu bleiben, schrie sie immer wieder auf, und dann rannen ihr auch noch Tränen über die Wangen, die Cornelia rasch mit einem Tüchlein wegtupfte.

«Es tut mir so leid», flüsterte sie. «Ich möchte stark sein und Ihnen keinen Kummer bereiten.»

Der Druck um ihre Hände verstärkte sich. «Schreien Sie Ihren Schmerz heraus, Gräfin! Und atmen Sie mit dem Schmerz, das macht es leichter. Sie dürfen sich auf keinen Fall noch mehr verspannen oder gar die Luft anhalten.» Er wandte sich zu der Zofe um. «Haben Sie die Hebamme verständigt?»

«Ich habe es versucht, aber keiner weiß, wo sie ist. Ich hoffe, die Diener finden sie bald.»

Minuten dehnten sich zu Stunden, Stunden schienen mit der Ewigkeit zu verschmelzen. Die Schmerzen wurden immer stärker, die Abstände kürzer, und Ludovica spürte, wie ihre Kräfte nachließen. Sie schrie jetzt, ob sie wollte oder nicht. Sie konnte Dieffenbachs Gesicht nur noch durch einen Schleier wahrnehmen. Nur ungern ließ sie seine Hände los, als er den Fortgang der Geburt noch einmal untersuchte. Ein zweiter Mann kam in ihren Salon, den die Gräfin von irgendwoher kannte. Sie hörte, wie ihn der Arzt leise begrüßte.

«Hildebrand, gut, dass Sie da sind!», sagte er zu seinem Wundarzt. «Es könnte sein, dass wir operieren müssen.»

Ludovica richtete sich mühsam auf und blickte in die sorgenvollen Gesichter. «Kaiserschnitt?», stöhnte sie. Sie sah den Ernst der Lage in seiner Miene.

«Das Kind steckt fest. Es wird ersticken, wenn es nicht weitergeht.»

Dieffenbach beugte sich zu ihr herunter und streckte ihr erneut seine Hände entgegen, doch sie schlang in ihrer Verzweiflung die Arme um ihn und presste sich gegen seinen Leib.

«Gibt es keine Möglichkeit, unser beider Leben zu retten?»

Er drückte sie sanft. Es war tröstlich, seine Wärme zu spüren. Seine Hände, die sanft ihren Rücken streichelten, sein warmer Atem auf ihrer Wange, der seine leisen Worte begleitete. «Es ist Ihre Entscheidung, Gräfin. Wir können das Kind holen, aber nicht lebendig. Oder wir versuchen den Kaiserschnitt, dann wird es leben. Das ist gefährlich für Sie, doch wenn alles so verläuft, wie ich hoffe, dann werden Sie und Ihr Kind die Operation überstehen.» Zu ihrem Bedauern ließ er sie los und trat einen Schritt zurück. «Es ist Ihre Entscheidung. Wagen wir den Kaiserschnitt?»

Im gleichen Moment wurde die Tür aufgerissen, und Graf von Bredow stand im Zimmer. Hinter ihm trat die Hebamme Martha Vogelsang ein. Sie hatte zwei große Taschen bei sich. Die eine trug sie ins benachbarte Zimmer und schloss die Tür, bevor sie zurückkehrte.

«Kaiserschnitt?», rief der Graf und sah entsetzt in die Runde. «Ludovica könnte dabei sterben!»

Er wählte wie so oft den ungünstigsten Zeitpunkt für seinen Auftritt. «Was haben Sie vor, Doktor? Sie sollen lediglich meinen Erben zur Welt bringen, nicht meine Gattin aufschneiden und umbringen!» Er ließ Dieffenbach nicht zu Wort kommen. «Das werde ich auf keinen Fall dulden. Kinder werden von Hebammen zur Welt gebracht.»

Ludovica stemmte sich hoch und sagte laut: «Ich habe Dr. Dieffenbach die Erlaubnis gegeben, den Kaiserschnitt durchzuführen.»

Von Bredow heulte auf. «Das kannst du nicht! Du bist meine Frau, und das ist mein Erbe. Ich bestimme, wie er zur Welt kommt.»

«Wir wissen noch nicht, ob es ein Knabe ist», warf Dieffenbach ein, doch der Graf ließ sich nicht ablenken.

«Keiner wird meine Gattin aufschneiden. Sie verlassen sofort mein Haus! Gehen Sie, oder muss ich meine Diener rufen, um Sie hinauswerfen zu lassen?»

Dieffenbach versuchte, dem Grafen die Lage zu erklären, vergebens. Er steigerte sich wieder einmal in einen seiner Wutanfälle, die seine Frau nur allzu gut kannte. Die nächste Wehe ließ sie umso lauter aufschreien. Ihr Schmerz mischte sich mit Zorn, doch sie konnte minutenlang nicht sprechen. Ohnmächtig sah sie zu, wie Dr. Dieffenbach seine Tasche packte und mit Hildebrand den Salon verließ.

Dann wurde es schwarz um sie. Wie von ferne vernahm sie die Stimme der Hebamme, ehe sie in bodenlose Schwärze fiel, wo es keinen Schmerz mehr gab und auch keinen polternden Ehemann.

∽

Dieffenbach fand keine Ruhe. Es war früh am Morgen, und er hatte die Nacht über kein Auge zugetan, doch er konnte sich nicht ins Bett legen und schlafen. Er musste ständig an Gräfin Ludovica denken. Was würde die Hebamme tun? Würde es ihr gelingen, den feststeckenden Säugling zu befreien und unversehrt auf die Welt zu bringen? Konnte ihr etwas gelingen, das er nicht schaffte?

Einerseits wünschte er der Gräfin dieses Glück, andererseits konnte er sich das nicht vorstellen. Auch Martha Vogelsang konnte nicht zaubern, und das wäre neben einer Operation vermutlich die einzige Lösung gewesen, um Mutter und Kind zu retten.

Er schritt in seinem Arbeitszimmer auf und ab, setzte sich an den Schreibtisch, formulierte einige Sätze an Stromeyer, dann nahm er seine Wanderung wieder auf. Ein weiterer Grund, warum er nicht zu Bett ging, war Johanna. Er fürchtete, sie zu wecken, und wollte im Moment kein Gespräch über ihre Ehe. Sie war es gewesen, die das Wort Trennung als Erste ausgesprochen hatte. Der Gedanke löste ein Gefühl der Erleichterung in ihm aus, wofür er sich zutiefst schämte.

Dieffenbach sah auf die Uhr. Um neun würde der Wagen vorfahren, und er würde sich zu seinen Patientenbesuchen aufmachen.

Wie jeden Tag. Hildebrand würde ihn begleiten, die anstehenden Operationen vorbereiten und ihm assistieren. Sie waren ein eingespieltes Team. Sie hätten auch einen Kaiserschnitt erfolgreich durchführen können. Im Geist spielte Dieffenbach die Operation durch. Er sah das Messer, das genau unterhalb des Nabels ansetzte und dann die Bauchdecke in einem geraden Schnitt in der Mitte teilte. Er stimmte Henckel in seiner Einschätzung zu. Ein seitlicher Schnitt war wesentlich gefährlicher, da er zu viele Blutgefäße durchtrennte. Mit einer Schere durchschnitt er im Geist die Sehne zwischen den geraden Bauchmuskeln. Dann ein beherzter Schnitt durch das Bauchfell. Er schob die Hand mit dem Messer in die Wunde, bis er die Gebärmutter wie eine reife Frucht unter seinen Fingern spürte. Behutsam schob er den Dünndarm zur Seite, ehe er die muskulöse Wand der Gebärmutter und die Eihülle öffnete. Er tastete nach dem Kind. Es bewegte sich. Mit einem glücklichen Lächeln zog er den Säugling ans Licht.

«Ludovica, Sie haben es geschafft!», verkündete er in seinen Gedanken und legte ihr das Kind in die Arme. Sie küsste ihn daraufhin voller Freude, dass ihm ganz schwindelig wurde vor Glück.

Doch dann verwehte der Traum, und die Wirklichkeit holte ihn ein: Ludovica war allein mit der Vogelsang und einer Zofe, die von Geburten wenig Ahnung hatte. Was, wenn Kind und Mutter starben? Wenn Martha zu lange wartete, würde die Gräfin ein schmerzhafter, elendiger Tod ereilen.

Dieffenbach schlüpfte in seine Jacke. Es war kurz nach acht Uhr. Er musste zum Palais Bredow zurückkehren, und wenn er sich mit Gewalt Zugang zum Salon der Gräfin verschaffte! Wie er das anstellen wollte, darüber dachte er nicht weiter nach. Er schickte lediglich den Diener los, die Kutsche zu holen, und packte noch ein paar vielleicht hilfreiche Utensilien in seine Tasche.

∽

Martha war keine Freundin von blutigen Schnitten bei Geburten, doch in diesem Fall wäre ein Kaiserschnitt vielleicht wirklich die Rettung gewesen, vor allem, wenn ein so umsichtiger Chirurg wie Dr. Dieffenbach ihn durchgeführt hätte.

Aber der Graf hatte entschieden und Martha in eine unglückliche Lage gebracht. Schwankend hatte von Bredow den Salon verlassen, nachdem er den Arzt davongejagt hatte. Zwei Diener schafften den Betrunkenen in sein Schlafgemach. Danach war von ihm nichts mehr zu sehen und zu hören, was Martha sehr entgegenkam.

«Cornelia, kommen Sie bitte her. Können Sie mir helfen?»

Die Zofe der Gräfin war eine vernünftige Person, die nicht gleich hysterisch zu werden drohte. So konnte sie arbeiten. Dennoch war Martha verzweifelt. Die Kräfte der Gräfin schwanden mit jeder Minute, aber das Kind steckte weiterhin fest. Martha holte Ludovica mit einer ordentlichen Portion Riechsalz aus ihrer Ohnmacht und trieb sie an, wieder zu pressen. Von außen versuchte die Hebamme, das Kind weiterzuschieben, doch der Kopf kam nicht voran.

Der Schmerz war zu viel. Die Gräfin verlor erneut das Bewusstsein. Martha versuchte es nun anders. Sie mühte sich, das Kind zurückzuschieben. Vielleicht gelang es ihr, es zu drehen. Wenn sie die Beine zu fassen bekam und mit einer Schlinge zusammenband, vielleicht konnte sie es dann herausziehen.

Sie mühte sich, bis ihr der Schweiß die Schläfen herabrann, dann gab sie es auf. Ihr wurde klar, dass das Kind nicht mehr zu retten war.

«Cornelia, bitte verlassen Sie jetzt den Salon. Sie können im Moment weder mir noch der Gräfin helfen. Legen Sie sich eine Stunde hin. Sie sind ja völlig erschöpft.»

Die Zofe betrachtete Martha mit einem eigentümlichen Gesichtsausdruck. «Sie werden doch nichts tun, was meiner Herrin schadet, nicht wahr?»

Martha versprach es.

«Und Sie klingeln sofort, wenn ich helfen kann!»

«Versprochen!»

Martha atmete erleichtert auf, als Cornelia die Tür hinter sich geschlossen hatte. Nun, nachdem das Stöhnen der Gräfin verstummt war, konnte sie das schwache Greinen aus dem Nebenzimmer hören, wo der mit einem Leinentuch abgedeckte Korb stand, den sie in der zweiten Tasche mitgebracht hatte. Martha eilte nach nebenan und fütterte das kleine Mädchen mit verdünnter Ziegenmilch. Damit hatte sie recht gute Erfahrung bei Säuglingen gemacht, die nicht gleich eine Amme fanden. Die Kleine trank gierig und schlief wieder ein. Noch hatte sie ihr nicht einmal einen Namen gegeben. Martha fürchtete, wenn sie das täte, würde sie sich dazu hinreißen lassen, das fremde Kind zu behalten. Seine Mutter war tot, seine Tante war jetzt Wärterin in der Charité und konnte kein Kind aufziehen. Und ihre eigene Lage war auch nicht gerade rosig. Ottfried war tatsächlich zu seiner Geliebten gezogen und machte keine Anstalten, zu ihr und seinem Sohn zurückzukehren. Wie oft würde sie August ihrer Nachbarin zumuten können? Noch ein Kind, das war ganz unmöglich. Sie würde die Kleine im Waisenhaus abgeben müssen. Ihr Herz blutete. Armes Ding. So etwas hatte kein Kind verdient.

Drüben im Salon war es erschreckend still. Martha lief nach nebenan. Die Gräfin lag in tiefer Ohnmacht. Die Wehen hatten aufgehört. Das Kind in ihrem Leib war tot.

Wenn sie jetzt nichts unternahm, würde auch die Gräfin sterben. Martha hasste das, was sie tun musste, aber sie hatte keine andere Wahl. Aus ihrer Tasche nahm sie zwei eiserne Haken, ein Messer und eine kräftige Schere, mit der man Geflügel zerteilen konnte. Dann begann sie ihr blutiges Handwerk.

Zum Glück schlief der Graf noch seinen Rausch aus. Sie wollte sich lieber nicht vorstellen, was passieren könnte, wenn er in diesem Augenblick hereinkommen würde.

Schließlich beendete Martha ihre zerstörerische Arbeit. Sie wickelte die Überreste des Säuglings in ein Wachstuch und versteckte sie in ihrer Tasche. Da blitzte ein Gedanke in ihrem Kopf auf.

Die Gräfin begann sich zu regen. Sie stöhnte und öffnete die Augen. «Martha, mein Kind! Ich will mein Kind», stieß sie hervor. Jetzt musste sie sich entscheiden! Martha ergriff die ihr entgegengestreckten Hände. «Es ist vorbei», sagte sie tonlos.

«Mein Kind?», flehte die Gräfin. «Bitte, geben Sie mir mein Kind!»

War das ein Wink des Schicksals? Kannte der mächtige, strafende Gott doch ein Erbarmen?

Martha hatte sich entschieden. «Ich bringe Ihnen Ihre Tochter!», sagte sie und ging rasch nach nebenan. «Es ist ein Wunder, Sie haben ein gesundes Mädchen.»

«Das wird dem Graf nicht gefallen», sagte Ludovica mit dem kleinen Wesen an ihrer Brust. Tränen des Glücks rannen über ihre Wangen, ob Sohn oder Tochter ... Das Kind war da! Sie herzte den Säugling, während Martha sie wusch. Dann klingelte sie nach der Zofe, um der Gräfin in frische Kleider zu helfen.

Zusammen mit Cornelia stürzte Dieffenbach in das Schlafgemach. Er sah Ludovica, dann das Kind.

«Das ist nicht möglich! Ein Wunder! Ich kann es nicht glauben!» Er beglückwünschte die Mutter und untersuchte rasch ihren Schoß, ehe der Graf aufwachen und ihn wieder verjagen konnte. «Ich bin so erleichtert, dass ich falschlag», versicherte er der Gräfin, die trotz aller Strapazen glücklich strahlte. Als ihr endlich die Augen zufielen, nahm er das Kind und reichte es Martha.

«Was haben Sie getan?», fragte er leise, als die Zofe mit dem kleinen Mädchen ins Schlafzimmer ging, um es in die prächtige Wiege zu betten, die seit Wochen auf den gräflichen Erben wartete.

«Meine Arbeit!» Martha versuchte, seinem inquisitorischen Blick standzuhalten.

«Das ist nicht möglich», beharrte er. «Ich weiß nicht, was hier vor sich geht, aber das ist kein göttliches Wunder!» Er deutete auf einen verräterisch blutigen Haken, der noch auf dem rot durchtränkten Laken lag.

Trotzig verschränkte Martha die Arme vor der Brust. «Ich habe einer Mutter zu ihrem Kind und einem Kind zu einer Mutter verholfen. Ich wüsste nicht, was daran falsch sein sollte.»

«Geben Sie mir Ihre Tasche!», forderte Dieffenbach. «Was ist in diesem Tuch?»

Martha gab sich geschlagen. «Sie wissen es», sagte sie widerstrebend. «Das Becken war zu eng. Es steckte zu lange fest.»

Dieffenbach blinzelte verwirrt. «Aber was ist das dann für ein Kind?»

Die Hebamme erzählte kurz, was sich am frühen Abend zugetragen hatte.

«Und dieses Kind haben Sie der Gräfin einfach an die Brust gelegt?» Er sah sie fassungslos an.

«Es braucht eine Mutter», verteidigte sich Martha. «Wollen Sie es lieber in ein Waisenhaus geben? Gut, dann wecken Sie die Gräfin und sagen Sie ihr, dass das nicht ihre Tochter ist und die Leiche ihres Sohnes hier in meiner Tasche steckt.»

«Das kann ich nicht. Das würde ihr das Herz brechen.»

«Ich werde es ihr auch nicht sagen», schwor Martha. «Und ich denke, es wäre auch nicht ratsam, es dem Grafen erklären zu müssen.»

Dieffenbach stöhnte. «Aber das dürfen wir nicht. Es verstößt gegen unseren Eid, den wir den Menschen gegeben haben.»

Martha zuckte mit den Schultern. «Ich habe lediglich geschworen, zum Wohle von Müttern und Kindern zu handeln. Und genau das tue ich. Also, wenn Sie mich nun meine Arbeit machen ließen, Herr Doktor!»

Er gab auf. «Tun Sie, was Sie nicht lassen können. Jetzt ist das Unheil schon angerichtet.»

Martha ging nicht auf seinen Vorwurf ein. «Ich gebe Ihnen einen Rat», fuhr sie stattdessen fort. «Ich denke, es wäre für alle Seiten besser, wenn der Graf Sie nicht hier anträfe, wenn er aufwacht.»

Dieffenbach schüttelte den Kopf. «Ich hoffe, das holt uns nicht irgendwann wieder ein», sagte er düster, ehe er den Rückzug antrat.

KAPITEL 6

Dr. Hans Calow

I n Gedanken noch bei der jungen Mutter mit ihrem kleinen Jungen in der Salivationsstube, machte sich Elisabeth mit einem Korb besudelter Schürzen und Krankenkittel zur Wäscherei auf, nachdem sich Friedgard weigerte, schon wieder die Treppen hinunterzusteigen und zum Waschhaus rüberzugehen.

«Die Patienten bekommen frische Kittel, wenn ihre Kur vorbei ist», keifte sie. «Das war schon immer so!»

«Das kann Wochen dauern», widersprach Elisabeth, «und du kannst sie nicht in ihrem eigenen Erbrochenen liegen lassen.»

«Dann müssen sie eben besser aufpassen und ihre Schüsseln benutzen», konterte Friedgard und ließ Elisabeth einfach stehen.

Also hatte Elisabeth eben selbst entschieden, bezog Annas Bett, der das Malheur passiert war, und gab ihr einen frischen Kittel. Und wenn sie schon einmal dabei war, wechselte sie auch ihre verschmutzte Schürze und versorgte einige andere Patientinnen ebenfalls mit frischen Nachtkitteln. Unter der Tür stieß sie beinahe mit Direktor Kluge zusammen, in dessen Kielwasser Subchirurg Heydecker und einige Pépins in die Krankenstube strömten. Der Professor begann seine Runde, kontrollierte den Verlauf der Heilung und wies seine Studenten auf diverse Veränderungen der Geschwüre hin.

«Das hier werden wir schneiden müssen», sagte er über den Kopf einer jungen Frau von nicht einmal zwanzig Jahren hinweg zu den jungen Männern, die sich neugierig vorbeugten, um das riesige, von gelbem Eiter gefüllte Geschwür an ihrer Scham zu betrachten. Ein blasiger roter Rand hatte sich darum gebildet.

Die Frau wandte den Kopf zur Seite. Elisabeth bemerkte die Qual in ihrem Blick, als ein Zupfen an ihrem Ärmel ihre Aufmerksamkeit forderte.

«Wärterin Friedgard hat sich über Sie beschwert», sagte Alexander Heydecker leise.

«Ach ja?», erwiderte Elisabeth kampflustig. «Was missfällt ihr denn?»

«Sie würden sich über die Regeln hinwegsetzen, seien arrogant und würden Befehle verweigern», zählte Alexander auf.

«Ich wüsste nicht, dass ich Friedgard unterstellt wäre», gab Elisabeth zurück. Sie hielt ihm den Korb mit der stinkenden Wäsche unter die Nase. «Soll ich Direktor Kluge fragen, ob er lieber in Erbrochenem herumwühlt, wenn er zur Visite kommt?»

Sie schien den jungen Subchirurgen aus dem Konzept gebracht zu haben, denn er öffnete nur tonlos den Mund.

«Also, wenn es keine weiteren Beschwerden gibt, dann würde ich jetzt meinen Korb ins Waschhaus bringen.»

Er machte eine auffordernde Handbewegung und ließ sie wortlos gehen.

Elisabeth stieg die Treppe hinunter. Sie grübelte darüber nach, auf welche Weise die Quecksilberkur den Frauen gegen die Syphilis half. Das Gift, das diese scheußlichen Geschwüre hervorrief, musste aus dem Körper entfernt werden. Dazu die Abführkuren und das Quecksilber, das den verdorbenen Speichel ununterbrochen zum Fließen brachte. Aber war das Heilmittel nicht auch ein Gift, das in größeren Mengen den ganzen Körper tötete? Führte nicht gar dieses Heilmittel zu neuen Leiden? Die Krämpfe, die Muskelzuckungen, der Verlust der Zähne – trat nicht all das erst dann auf, wenn zu viel Quecksilber verabreicht wurde? So jedenfalls hatte eine der Patientinnen erzählt, die bereits drei Monate in der Stube zubrachte.

Andererseits, so überlegte Elisabeth, musste man dies vielleicht in Kauf nehmen, um den größeren Feind zu besiegen. Die Geschwüre heilten meist nach einigen Wochen ab, und die Patientinnen konnten als geheilt entlassen werden.

Sie wartete in der Wäscherei, bis man ihr den Korb mit frischer Wäsche gefüllt hatte, dann machte sie sich auf den Rückweg. Als sie sich gerade dem Portal näherte, fiel ein Schatten auf sie. Abrupt hielt sie inne. Sie hob den Blick zu einem großen jungen Mann mit blondem Haar, das ihm schweißnass am Kopf klebte. Auch auf der Stirn stand ihm der Schweiß, und er atmete stoßweise. Vermutlich ein neuer Patient, dachte Elisabeth, obgleich der Mann ihr bekannt vorkam. Hatte sie ihn nicht schon einmal mit Dr. Dieffenbach zusammen gesehen?

«Wenn Sie in der Charité aufgenommen werden möchten, müssen Sie dort reingehen und sich beim Pförtner melden. Einer der Ärzte wird Sie untersuchen und der richtigen Abteilung zuweisen. Oder möchten Sie zur Poliklinik? Der Eingang ist dort drüben.»

Der Mann schwankte. Elisabeth stellte ihren Korb ab und fing ihn gerade noch, als er zu straucheln drohte.

«Ich suche Dr. Dieffenbach», sagte er keuchend. «Ich habe gute Nachrichten. Ich habe einen Tischlergesellen gerettet. Die ganze Nacht habe ich ihn im Wechsel gewaschen und frottiert, und nun scheint er die Cholera überstanden zu haben!»

Elisabeth runzelte fragend die Stirn.

«Calow», stieß der Mann hervor. «Ich bin Dr. Calow. Im Pockenhaus ist Dieffenbach nicht. Da habe ich schon nachgesehen.»

«Dann wird er gerade operieren», vermutete Elisabeth. «Vielleicht hat man die Patientin aus der Salivationsstube schon in den Operationssaal gebracht.»

Wieder taumelte der Doktor. Elisabeth schob ihren Arm unter seinen.

«Geht es Ihnen nicht gut?», erkundigte sie sich vorsichtig, obgleich das offensichtlich war.

Er lächelte gequält. «Ich habe in den vergangenen Tagen nicht viel geschlafen. Zu viele Cholerafälle. Jeden Tag werden es mehr. Ich bin ununterbrochen unterwegs, doch meist komme ich zu spät. Sie sterben wie die Fliegen. Der Friedhof vor dem Frankfurter Tor wird bald nicht mehr reichen.»

Schreckliche Bilder huschten durch Elisabeths Geist. Aus vielen Abteilungen der Charité wurden Tote weggetragen. Sie wollte sich nicht vorstellen, wie furchtbar es da im Pockenhaus zuging. So viele Leben!

«Ich helfe Ihnen», bot sie an. Sie ließ ihren Korb stehen und begleitete den Doktor hinein. Verstohlen betrachtete sie ihn von der Seite. Es schien ihm mehr zu fehlen als nur ein wenig Schlaf. Sie konnte nur hoffen, dass sie sich irrte. Langsam führte sie den Schwankenden zum Operationssaal am Ende der Chirurgischen Abteilung.

Dieffenbach hatte gerade eine Blasenoperation beendet und erfolgreich einen großen Stein entfernt. Der Patient wurde von Camille und einem anderen Wärter ins Wachzimmer gebracht, wo man ihn noch einige Stunden beobachten würde, ehe er in den Saal von Dr. Wolffs Deutscher Klinik zurückkehren konnte. Wärterin Friedgard und Subchirurg Heydecker hoben gerade die Patientin aus der Salivationsstube auf den eben erst frei gewordenen Operationstisch. Zuschauer verteilten sich in den aufsteigenden Rängen und suchten sich Plätze mit möglichst guter Sicht auf das Geschehen unten. Neben den Uniformen der Pépins entdeckte Elisabeth die dunklen Jacken der Universitätsstudenten, aber auch einige ältere Ärzte in Zivil, die vermutlich aus anderen Städten oder Ländern kamen und zu Studienzwecken die Charité besuchten. Mit Interesse starrten sie alle auf die Patientin herab, die die zahllosen Blicke mit Panik in den Augen erwiderte. Direktor Kluge verkündete, dass Subchirurg Heydecker das Geschwür unter seiner Aufsicht schneiden würde. Elisabeth bemerkte, dass der angehende Arzt nun ähnlich ängstlich dreinblickte wie seine Patientin auf dem Operationstisch. Sie hätte gerne gesehen, wie er sich unter den Augen so vieler Zuschauer schlug. Da eilte Dieffenbach auf sie zu und drehte Calow ins Licht.

«Was sind Sie doch für ein Narr», sagte Dieffenbach. «Jetzt werden Sie Ihren Eigensinn vermutlich mit dem Leben bezahlen.»

«Ich bin nur müde», behauptete Calow. «Ich habe keine Cholera.»

Elisabeth konnte in Dieffenbachs Gesicht lesen, dass er nicht daran glaubte.

«Kommen Sie», sagte er sanft. «Ich fahre Sie nach Hause, und dann sehen wir, was wir für Sie tun können. Sie sind noch ganz am Anfang der Erkrankung. Wir haben eine Chance, dass Sie es überstehen.»

Elisabeth trat zurück, doch Dieffenbach bat sie, ihm zu helfen. Er ließ seine Kutsche bringen, und gemeinsam verfrachteten sie Dr. Calow, der sich nicht mehr auf den Beinen halten konnte, auf die Rückbank.

«Ich wünsche Ihnen alles Gute», sagte Elisabeth leise. «Ich werde für Sie beten.» Sie sah Dr. Dieffenbach an, was er davon hielt. Er vertraute offensichtlich mehr auf die Medizin und die Kunst der Ärzte denn auf die Gnade Gottes.

Martha verließ das Palais Bredow. Der Gräfin ging es erstaunlich gut. Sie strahlte glücklich, obgleich sie natürlich noch schwach war und unter Schmerzen litt. Das kleine Mädchen jedoch erwies sich als kräftig und gesund. Und eine rotwangige Amme vom Land war bereits im Palais eingezogen.

Auch der Graf freute sich – Mutter und Kind waren wohlauf, und die Karaffe Rotwein tröstete darüber hinweg, dass das Kind nur ein Mädchen war.

Alles schien perfekt, dennoch haderte Martha mit sich. Sie konnte sich noch so oft einreden, dass sie ihren Eid nicht verletzt hatte, schuldig hatte sie sich auf alle Fälle gemacht. Für das Mädchen war es sicher ein Segen, als Komtess von Bredow aufzuwachsen statt drunten am Kanal bei einer armen Witwe oder gar im Waisenhaus. Trotzdem quälte Martha der Gedanke, ob man es dem Kind irgendwann ansehen würde, dass es nicht nobel geboren war. Von Bredow würde mit Sicherheit toben, sollte er je von dem Betrug erfahren, und sie würde dann vermutlich den Rest ihrer Tage in einem Gefängnis verbringen.

Was würde dann mit August geschehen? Es war für ihn so schon schwierig genug. Ständig musste sie weg und ihren Kleinen irgendwelchen Nachbarinnen überlassen, die ihn mehr oder weniger gnädig für ein paar Stunden aufnahmen. So durfte es nicht weitergehen.

Sie merkte, dass sie ihre Schritte unbewusst in Richtung Charité lenkte. Wollte sie Elisabeth von dem Kind berichten? Nein! Aber sie musste der jungen Wärterin vom Tod ihrer Schwester erzählen. Es war kein leichter Gang. Wieder einmal musste sie die Nachricht vom Tod eines geliebten Menschen überbringen und die Trauer des Hinterbliebenen miterleiden.

Martha war es, als würde jedes Mal auch ein Stück von ihr selbst sterben, ganz gleich, ob sie sich am Tod einer Frau oder eines Kindes schuldig fühlte. Es war, als würde ihre Seele Stück für Stück verdorren. Was würde passieren, wenn sie eines Tages aufgebraucht wäre? Würde sie dann auch sterben oder als seelenloses Wesen weiterleben? Wie wäre es, nichts mehr zu empfinden? Keinen Schmerz. Keine Trauer. Keine Freude. War solch ein Leben noch lebenswert?

Sie sehnte sich nach einem Leben ohne Leid. Einem Leben mit ihrem Sohn. Für ihn wollte sie da sein, ihn in Sicherheit wissen. Weg von der Straße und ihrem Elend, das so oft das Schlechteste in den Menschen zum Vorschein brachte.

Als sie nun das Tor durchschritt und den Blick zu dem dreiflügeligen Bau der Charité erhob, graute ihr vor der Begegnung mit Elisabeth. Sie wollte ihr keinen Schmerz zufügen. Und sich selbst auch nicht mehr.

∾

«Martha?»

Elisabeth eilte auf die kleine Gestalt der Hebamme zu, die wie verloren auf dem Weg stand.

«Martha, ich bin so froh, dich zu sehen. Ich komme hier im Moment nicht weg. Warst du bei Maria? Wie geht es ihr? Wann ist es endlich so weit?»

Sie verstummte, als sie die Traurigkeit in Marthas Augen erkannte.

«Was ist geschehen?»

Schon als die Hebamme nach ihren Händen griff, wusste sie, dass sie die schlimmste Nachricht zu erwarten hatte.

«Ich war rechtzeitig dort, ohne dass die Wächter mich entdeckten, aber es ging alles schief. Deine Schwester Maria ist tot, Elisabeth. Es tut mir unendlich leid.»

«Die Cholera?»

Für einen Moment zögerte Martha mit der Antwort, dann schüttelte sie den Kopf. «Nein, sie ist in meinen Armen verblutet. Der Mutterkuchen ist bei der Geburt gerissen. Ich konnte die Blutung nicht stillen. Es war niemand da, der mir hätte helfen können!»

Elisabeth sah die Tränen in dem eingefallenen, faltigen Gesicht.

Sie konnte der Hebamme keinen Vorwurf machen. Sicher hatte sie alles ihr Mögliche getan.

«Und das Kind?», fragte sie leise.

Martha senkte die Lider und sah zu Boden. «Ein Mädchen. Es tut mir so leid!»

Elisabeth standen nun ebenfalls Tränen in den Augen. «Dann bleibe ich von unserer Familie alleine zurück», sagte sie bedrückt. «Arme Maria! Du armes ungetauftes Kind! Ich verstehe Gottes Entscheidungen nicht. Wie kann Er nur immer wieder so grausam sein?»

«Wer weiß, ob Er sich überhaupt die Mühe macht, das Schicksal eines armen Menschen in Seine Hand zu nehmen.»

Sie schwiegen beide einige Augenblicke und dachten an die Toten. Elisabeth wischte sich über die nassen Augen.

«Wie bin ich froh, dass ich hier Arbeit gefunden habe. Nein, nicht nur das. Ich habe einen Platz, an dem ich leben kann, und die Aufgabe, anderen zu helfen.»

Martha umarmte die junge Frau. «Ja, das ist gut so. Die Charité ist jetzt dein Zuhause, und die Menschen hier sind deine Familie. Ich wünschte, ich könnte das auch von mir sagen», fügte sie traurig hinzu.

«Warum sollte das nicht gehen?», rief Elisabeth aus. «Dann könntest du mit August in der Charité wohnen. Hier wäre er sicher besser aufgehoben als dort draußen in den düsteren Gassen der Stadt.»

Martha hob den Blick. Etwas wie Erstaunen breitete sich in ihrer Miene aus. «Vielleicht hast du recht. Vielleicht ist es an der Zeit, etwas Neues zu wagen.»

Elisabeth lächelte. «In der Entbindungsstation werden sie dich mit Freuden nehmen.»

Doch Martha schüttelte den Kopf. «Nein. Ich werde keine Frau mehr unter meinen Händen sterben sehen.»

Elisabeth war verwirrt. «Dann geh doch zu Dr. Barez in die Kinderstation. Ja, tu das! Ich habe gehört, die armen Würmchen sterben wie die Fliegen. Sie brauchen deine erfahrenen Hände.» Mit einem entsetzten Gesichtsausdruck wich Martha zurück. «Nein, nicht auch noch sterbende Kinder! Das ertrage ich nicht.» Elisabeth fühlte Mitleid in sich aufsteigen. Was war nur mit der selbstbewussten, resoluten Hebamme geschehen? War es, weil Augusts Vater sie endgültig verlassen hatte, oder hatte Marias Tod sie derart aus der Bahn geworfen? Hatte die Hebamme die ganze Wahrheit erzählt? Oder hatte Maria sterben müssen, weil Martha einen Fehler gemacht hatte?

Sie sah in Marthas Gesicht. Ihre Verzweiflung rührte sie. Selbst wenn ihr ein Fehler unterlaufen war, sie hatte sicher ihr Möglichstes getan, und jetzt ließ es sich nicht mehr ändern. Sie konnte ihr keine Vorwürfe machen. Sie musste sich eher fragen, ob ihr selbst nicht die neue Arbeit wichtiger gewesen war als die Notlage ihrer Schwester. Hätte sie nicht doch bei der Geburt helfen müssen?

Elisabeth umarmte Martha. «Mach dir keine Vorwürfe. Unser aller Leben liegt in Gottes Hand, und keiner kann sagen, wie lange es währt. Gerade in diesen Tagen hat man das Gefühl, Berlin gleicht mehr einem Totenhaus.»

Sie sahen einander still an, bis Elisabeth sich von Martha löste. «Was willst du tun? Willst du auch als Wärterin arbeiten? Ich muss dich warnen, die meisten hier sind schrecklich rohe Weiber. Ich höre sie in den Gängen und beim Essen reden. Viele stammen aus der Gosse, aus den Gefängnissen, von der Straße. Wer sonst würde sich auch für so wenig Geld auf eine Arbeit einlassen, die alles von einem fordert und keine Pause gönnt, bis man irgendwann erschöpft zusammenbricht.»

Martha bedachte sie mit einem seltsamen Blick. «Ist dir deine Begeisterung für den Dienst an den Patienten bereits verlorengegangen? Bereust du deinen Entschluss?»

Elisabeth wehrte ab. «Nein, das nicht. Die Anstrengung schreckt mich nicht und auch nicht die anderen Wärterinnen. Ich bin aus einem anderen Grund manchmal tief enttäuscht. Ich würde so gern so viel lernen, aber uns Wärtern erklärt man nichts. Würde ich nicht mitunter den Gesprächen der Professoren mit den Assistenzärzten lauschen, wüsste ich rein gar nichts über die Krankheiten und ihre Behandlung. Wir sollen ja nur auf die Patienten aufpassen, ihnen Essen bringen, den Dreck wegschaffen. Alles andere geht uns nichts an.» Sie schaute Martha an und war selbst ganz erstaunt über all die Gedanken, die auf einmal aus ihr hervorsprudelten. «Ich habe immer das Gefühl, gar nichts zu wissen – dabei können selbst die Ärzte oft nur wenig für die Patienten tun. Es sterben ja nicht nur die Cholerapatienten. Auch in der Chirurgischen Abteilung werden oft nur wenige Tage nach den Operationen die Toten fortgetragen.»

Martha nickte wissend. «Wundbrand», sagte sie. «Dagegen sind die Ärzte machtlos.»

«Es ist schrecklich», gab Elisabeth zu. «Bald wird man im Totenhaus mehr Helfer brauchen als in den Krankensälen.»

«Meinst du wirklich?» Martha sah sie interessiert an. «Vielleicht sollte ich mich um diejenigen kümmern, die die Hölle bereits hinter sich haben. Vielleicht ist ja im Totenhaus mein Platz.»

Elisabeth konnte es nicht fassen. «Was? Das meinst du nicht im Ernst. Du bist eine angesehene Hebamme mit so viel Erfahrung, dass du selbst zu den Bürgern und Adeligen Unter den Linden gerufen wirst.»

Sie sah, wie Martha schauderte. «Das ist jetzt vorbei.»

Martha wandte sich ab und eilte davon. Verwundert blickte ihr Elisabeth hinterher. Die unterschiedlichsten Gefühle wallten in ihr auf. Trauer um ihre Schwester und das verlorene Kind, aber sie war auch irritiert. Hatte sie das gerade richtig verstanden, Martha wollte sich nur noch um die Toten kümmern? Das kam ihr seltsam vor.

Vielleicht war der Hebamme doch ein unverzeihlicher Fehler unterlaufen. Würde ihr Martha jemals die Wahrheit sagen?

༄

Elisabeth sah Dr. Dieffenbach erst am Mittag des übernächsten Tages wieder. Sie wartete, bis er sein Gespräch mit Professor Rust beendet hatte und der Leiter der Chirurgie langsam davongeschlurft war, ehe sie es wagte, ihn anzusprechen.

«Verzeihen Sie, Herr Dr. Dieffenbach. Wie geht es Dr. Calow?»

Er sah sie aus rot unterlaufenen Augen an. Er schien in den vergangenen Tagen nicht viel Schlaf bekommen zu haben.

«Wie wir befürchtet haben. Er hat es trotz aller Bemühungen nicht geschafft. Weder die ärztliche Kunst noch Ihre Gebete konnten ihn retten. Er ist ein Opfer der Cholera und seines leichtsinnigen Selbstversuchs geworden.»

Natürlich hatte der dramatische Gipfel des Miasmastreits bei der Sektion des ersten Choleratoten in der Charité die Runde gemacht. So wusste Elisabeth, worauf der Arzt anspielte.

«Das tut mir sehr leid. Ist es denn jetzt bewiesen, dass die Cholera von Mensch zu Mensch übertragen wird?», wollte sie wissen.

«Mir war es immer klar, doch manche Zweifler wollen die Beweise nicht sehen.»

Elisabeth ahnte, dass Dr. Dieffenbach in Eile war, dennoch wagte sie es einzuwerfen: «Die Fälle treten doch sehr gehäuft unten am Kanal auf. In der Nähe des schmutzigen Wassers.»

«Ja, das ist richtig. Dort leben die Leute zusammengedrängt in ihrem Schmutz und haben oft nicht mal ein eigenes Bett», erklärte er und ging mit überraschender Geduld auf ihre Bemerkung ein. «So geht die Krankheit von einem zum anderen. In den Mietskasernen draußen in der Alexanderstraße und in der Gartenstraße sterben die Menschen wie die Fliegen.»

Nachdenklich kaute Elisabeth auf ihrer Unterlippe. «Aber in der Friedrichstadt und Unter den Linden gibt es keine Cholerafälle, nicht wahr?»

«Bis auf Dr. Calow gestern.»

«Was schützt dann diese Menschen?»

«Wenn wir das wüssten», sagte Dr. Dieffenbach mit einem Seufzer, «wären wir auf der Suche nach dem Choleragift einen Schritt weiter. Wir konnten kein Gift aus dem Blut der Toten extrahieren. Ich selbst habe Versuche an Tieren durchgeführt, habe ihnen das Blut kranker Tiere injiziert – dennoch blieben sie von der Cholera verschont.»

«Wenn es nicht das Blut der Menschen ist, das das Gift überträgt, was dann?»

Dieffenbach zuckte mit den Schultern. «Noch wissen wir es nicht, aber wir werden es herausfinden. Der Darm der Toten ist stets stark entzündet. Vielleicht bringt uns das weiter.»

Plötzlich schien ihm aufzugehen, dass er nicht mit einem wissbegierigen jungen Arzt oder einem Studenten sprach, sondern mit einer Frau, die auf der Leiter der Hierarchie in der Charité ganz unten stand. Er straffte die Schultern und trat einen Schritt zurück.

«Verzeihen Sie, wenn ich Sie von Ihrer Arbeit abgehalten habe», sagte er steif, wandte sich ab und ging davon.

Elisabeth schlug die Augen nieder. Ja, sie war nur eine Wärterin, und trotzdem war sie dankbar für seine Zeit. Also schluckte sie ihren Ärger herunter und machte sich auf den Weg die Treppe hinauf zu ihren Patienten, wie sie diese im Geiste bereits nannte. Anna und Hannes, ihren kleinen Sohn. Der Junge trank nicht mehr richtig und schrie viel. Er schien Bauchschmerzen zu haben und wurde manches Mal von Krämpfen geschüttelt. Außerdem litt er unter Durchfall. Elisabeth überlegte, ob das Syphilisgift nicht nur über den stinkenden Speichel, sondern auch über die Muttermilch ausgetrieben wurde. Und was passierte mit dem Quecksilber, das die junge Mutter täglich schluckte? Vielleicht sollte sie dem Jungen zusätzlich Ziegenmilch geben.

Sie betrat die Salivationsstube und begann mechanisch, die Eimer einzusammeln und im Abtrittsschacht zu entleeren. *Entzündete Gedärme*, dachte sie, während ihr der Kotgestank fast den Atem nahm. Er erinnerte sie an den Dunst, der stets über dem Kanal waberte.

Wenn das Choleragift nicht im Blut zu finden war, wo dann? Vielleicht in den Ausscheidungen der Menschen. War das der Unterschied zwischen denjenigen, die am Kanal wohnten, und denen, die in der Friedrichstadt lebten? Lag es an den überquellenden Abtrittsgruben und dem verseuchten Kanal?

Die Cholera breitete sich vor allem unter den Armen aus. Wie eine Seuche, das war nicht zu übersehen. Die Armen litten aber auch unter Hunger, und ihre Körper waren schwächer als die der Bürger und Adeligen. Wie gern hätte sie ihre Gedanken mit einem Arzt wie Dr. Dieffenbach geteilt. Oder wenigstens mit einem der angehenden Ärzte. Doch sie kannte keinen der Pépins gut genug, um ihn anzusprechen, und ahnte, dass die Männer eh keinen Wert auf ihre Ansichten legen würden.

Im Totenhaus, einem kleinen Nebengebäude innerhalb der Mauer und etwas nordwestlich des dreiflügeligen Krankenhausbaus der Charité gelegen, brannte noch Licht. Dr. Dieffenbach öffnete die Tür zu dem kargen Sektionsraum und ließ seine Begleiterin eintreten. Die beiden Männer, die am Sektionstisch standen, warfen den Besuchern erstaunte Blicke zu. Vor allem der Frau, die ihrer Meinung nach hier nichts zu suchen hatte.

«Lassen Sie sich nicht bei Ihrer Arbeit stören», forderte Dieffenbach sie auf.

Etwas lustlos griff der frischgebackene Arzt der Inneren Medizin, dessen Name ihm im Moment nicht einfiel, zum Messer und schlitzte den Toten auf, der vor ihm auf dem Tisch lag. Scheinbar willkürlich entnahm er das eine oder andere Organ, das ihm ungewöhnlich erschien. «Sehen Sie diese Knoten hier? Und dort an der Leber ist noch ein Geschwür.»

Der Subchirurg in der Uniform der Medizinisch-Chirurgischen Akademie des Militärs, der an der anderen Seite des Tisches stand, half dem Arzt und notierte ab und zu etwas auf einem Stück Papier, das dann in einem Karton mit vielen anderen Aufzeichnungen verschwinden würde, die niemals wieder jemand zur Hand nahm, wie Dieffenbach argwöhnte.

Vor allem die führenden Ärzte, die bei Professor Bartels arbeiteten, vermieden es, selbst Sektionen durchzuführen, und delegierten derlei unliebsame Aufgaben gern an ihre Assistenzärzte, die dieser Arbeit mit wenig Engagement nachkamen. Stattdessen philosophierte man lieber über den Sitz der geheimnisvollen Lebenskraft und den Ausgleich der Körpersäfte. Professor Bartels leitete die Innere Abteilung der Universitätsklinik, die in den Räumen der Charité untergebracht war. Er war zudem ein glühender Anhänger des tierischen Magnetismus, einer Idee, die seit der Entdeckung der organischen und anorganischen Magnetfelder wilde Blüten trieb. Man glaubte, dass der Arzt oder ein Medium magnetische Kraft besaß. Durch Handauflegen oder indem man diese Kräfte auf einen Gegenstand übertrug, konnte man einen oder sogar mehrere Patienten auf einmal heilen. Außer Syphilis oder Krätze gab es offenbar kein Leiden mehr, dem man mit diesem Hokuspokus nicht begegnen konnte. Dieffenbach schnaubte innerlich. Es gab so viele Leichtgläubige. Selbst der ehemalige Staatsminister Wilhelm von Humboldt zählte sich zu den Anhängern.

Plötzlich erinnerte er sich wieder an den eigentlichen Grund seines Besuches im Totenhaus. Er sah kurz zu Martha Vogelsang, die ihn begleitete. Aufmerksam, so schien es, beobachtete sie das Ende dieser Sektion: Die beiden Männer stopften die Organe zurück in die Leibeshöhle und verschlossen den Körper mit ein paar Stichen.

«Fertig», sagte der Arzt sichtlich erleichtert. «Die nächste Leiche kann jemand anderes übernehmen. Die Frau ist nach der Geburt ihres Kindes gestorben. Das ist nicht unser Fall.»

In diesem Augenblick öffnete sich die Tür, und Professor Rust kam herein. Umständlich schob er seine dicke Brille zurecht, dann grüßte er und trat auf Dieffenbach zu. «Was wollten Sie mir zeigen?»

«Es muss sich etwas ändern!» Dieffenbach schaute seinen Vorgesetzten an und deutete anklagend auf die malträtierte Leiche. «Die genauen Kenntnisse der Anatomie sind eine unentbehrliche Grundlage für jeden Arzt – auch für die Ärzte der Inneren Medizin!», fügte er mit erhobener Stimme hinzu, doch die Angesprochenen taten so, als würden sie ihm nicht zuhören.

Professor Rust nickte zustimmend. «Sie haben recht, lieber Dieffenbach. Wir brauchen mehr Präparate für unsere Pépins. Aber sollen wir die Verantwortung wirklich in die Hände einer Hebamme legen? Ich weiß nicht, Herr Kollege.» Er warf Martha einen kurzen Blick zu, die bescheiden im Hintergrund stand. Anscheinend war er von den Plänen seines zweiten dirigierenden Chirurgen nicht überzeugt.

«Sie kennt sich zumindest mit der weiblichen Anatomie besser aus als gewisse Kollegen», antwortete Dieffenbach verstimmt. Er hatte Rust schon zweimal die Angelegenheit Vogelsang vorgetragen. «Natürlich muss sie erst unterwiesen werden, trotzdem glaube ich, dass sie uns eine große Hilfe sein kann. Die Sektionen müssen systematischer durchgeführt und die Ergebnisse übersichtlich aufgeschrieben werden, um aus ihnen zu lernen. Warum sollte das nicht eine ehemalige Hebamme mit bestem Leumund schaffen?»

«Vielleicht sollte man vor allem über eine Prosektur nachdenken», schlug Professor Rust vor.

«Das wäre bestimmt eine gute Lösung», stimmte ihm Dieffenbach zu. «Aber wie ich das Kuratorium und die Minister kenne, kann so etwas dauern. Bis es so weit ist, kann sich Frau Vogelsang nützlich machen.»

Er drehte sich zu der Hebamme um, die das Gespräch der Ärzte mit sichtlichem Interesse verfolgte, dann sagte er: «Ich würde Sie gerne selbst unterweisen, aber ich werde anderswo gebraucht. Die Zahl der Cholerakranken steigt täglich, es sind bereits Hunderte Fälle gemeldet, von denen die meisten tödlich verlaufen. Wir müssen weiter nach Ursache und Möglichkeiten zur Heilung forschen, wir dürfen nicht aufgeben.» Dann wandte er sich noch einmal direkt an Rust und fuhr fort: «Ihr Einverständnis vorausgesetzt, verehrter Herr Professor, beauftrage ich einen der Chirurgen, der sich bei Sektionen als geschickt erwiesen hat. Er soll Frau Vogelsang zeigen, wie man Präparate herstellt.»

«Es war Ihre Idee. Machen Sie das, wie Sie es für richtig halten. Ich werde Direktor Kluge wegen der Prosektur ansprechen.»

Rust nickte und verabschiedete sich, während Martha, leicht verlegen, Dr. Dieffenbach dankte. Dann fasste sie sich ein Herz, trat an den zweiten Tisch und zog das Tuch von der darunterliegenden Leiche ein Stück herunter. Sie sah in das wächserne Gesicht einer jungen Frau. Die Augen waren geschlossen, doch es schien so, als könne man noch immer die Qual ihres frühen Todes in ihrem Gesicht ablesen.

⁂

Seit dem Ausbruch der Cholera in Berlin trafen sich die Mitglieder der Medizinisch-Chirurgischen Gesellschaft statt einmal pro Woche jeden Abend, um über den Stand der Ausbreitung und die verschiedenen Erscheinungsformen der Krankheit zu sprechen. Der frühere Direktor der Charité und Dekan der Universität Christoph Wilhelm Hufeland hatte die Gesellschaft ins Leben gerufen. Auch Dieffenbach nahm an den Versammlungen teil, selbst an Tagen wie diesen, an denen er von einer Cholerastation zur nächsten geeilt war. Er trieb seine Rappen an. Vor dem Abend musste er sich noch schnell umziehen ...

Aber auch heute war wieder nur viel geredet und getrunken worden, während man einer Lösung so fern war wie zu Beginn der Choleraepidemie. Ein Heilmittel war nicht in Sicht, und trotz der strengen Quarantänemaßnahmen flammten in den verschiedenen Stadtvierteln immer neue Herde auf, die viel zu schnell um sich griffen. Jeder Tag war zu kurz, jedes Kopfzerbrechen schien aussichtslos. Dieffenbach dachte an die fünf Cholerahäuser, die voll belegt waren, weshalb die meisten Kranken in ihren engen Wohnquartieren verblieben. Es war kaum möglich, ihnen ein eigenes Bett zu geben. Die Übertragung der Krankheit von Mensch zu Mensch schien unaufhaltsam.

Und doch: Zwar dauerte es noch einige Wochen, ehe die Zahl der Neuerkrankten und der Toten zurückging, aber dann ebbte die Epidemie zum Ende des Herbstes ganz ab. So rätselhaft sie begonnen hatte, so unerklärlich war den Ärzten ihr Verschwinden.

Einer der letzten Erkrankten, zu denen Dieffenbach gerufen wurde, war Georg Wilhelm Friedrich Hegel. Er wohnte in einer weitläufigen Wohnung am Kupfergraben. Dieffenbach kannte einige seiner Schriften und war von Hegels Naturphilosophie angetan. Am 14. November 1831 verstarb der große Philosoph, wobei sich Dieffenbach nicht sicher war, ob wirklich die Cholera schuld daran war. In jedem Fall konnte er dem berühmten Patienten nicht mehr helfen. Der Tod hatte einmal mehr gesiegt.

KAPITEL 7

Krankenpflegeschule

Warum nur muss ich immer an ihn denken? Johann Friedrich Dieffenbach. Er ist ein schöner Mann, unbestritten, aber ist das der Grund? Nein. Es gibt auch andere schöne Gesichter.

Er ist G.s Arzt, daher sehen wir ihn häufig. Doch, er ist mir noch mehr. Er ist auch der Arzt meines Vertrauens, selbst wenn er meiner geliebten Amalie Friedericke letztendlich nicht auf die Welt geholfen hat. Der Kaiserschnitt ist mir erspart geblieben, dennoch empfinde ich dieses unerschütterliche Vertrauen, dass er es geschafft hätte.

Immer wieder ertappe ich mich bei der Hoffnung, G. könnte nach ihm rufen, und ich könnte ihn wiedersehen und würde Gelegenheit haben, mich in Ruhe mit ihm zu unterhalten. Ob ich noch einmal zur Charité fahren soll? Wäre das nicht zu aufdringlich? Ich könnte ihn in seiner Praxis aufsuchen. Mit einem eingebildeten Zipperlein, das er sofort durchschauen würde … Oh nein! Ich müsste vor Scham im Boden versinken. Nein, er darf nicht glauben, ich wäre wie G.

Also bleibt mir nichts anderes übrig, als mich in Geduld zu üben und abzuwarten, bis das Schicksal uns wieder zusammenführt.

Es war an einem Frühlingstag 1832, als Ludovica mit ihrem Mann nach Charlottenburg hinausfuhr. Der Graf war zwar ein paar Jahre älter als der Kronprinz, doch dieser schien einen Narren an Gottfried gefressen zu haben und lud ihn daher häufig zu sich ein. Ludovica konnte weder mit ihm noch mit seinem Vater, Friedrich

Wilhelm III., etwas anfangen, aber sie war mit der Kronprinzessin Elisabeth Ludovika seit ihrer Jugend befreundet. Beide stammten sie aus Bayern. Und obgleich sie seit Elisabeths Heirat auf das vertraute Du verzichten mussten, war das Gefühl der Verbundenheit geblieben. Ludovica freute sich jedes Mal, die Prinzessin zu sehen. Eine Frau, mit der sie kluge Gespräche führen konnte und die sich über die Politik des Königs und seiner Minister mehr Gedanken machte, als es einer Kronprinzessin zustand. Gerade deshalb schätzte die Gräfin diese Begegnungen im Sommersitz des Kronprinzen, dem Charlottenburger Schloss. Die Freundinnen scheuten sich nicht, so manche politische Entscheidung kritisch zu beurteilen, wobei sie ihre Meinung natürlich nur äußerten, wenn sie unter sich waren. Außerdem tat es ihnen gut, sich auch ihre Geheimnisse anvertrauen zu können – und manchmal von Bayern zu träumen.

An diesem Nachmittag trat Ludovica alleine die Heimfahrt an. Gottfried und der Prinz hatten andere Pläne, und Elisabeth musste sich für eine Wohltätigkeitsveranstaltung umkleiden lassen. Als die Kutsche das Brandenburger Tor passierte, kam ihr eine Idee.

«Heiner!», rief sie den Kutscher an. «Fahren Sie mich zur Charité!»

Der Kutscher maß seine Herrin mit einem fragenden Blick, nickte dann und ließ die Pferde in die Luisenstraße einbiegen.

Sie hatte Glück und wurde von Dr. Dieffenbach empfangen, der gerade seine Visite in den großen Krankensälen beendet hatte. Zwei Wärterinnen gingen an ihnen vorbei. Sie schimpften mit derben Worten über ihre Patientinnen.

Dieffenbach sah die Gräfin Entschuldigung heischend an. «Es tut mir leid, dass Sie solch unflätige Äußerungen hören mussten.»

Ludovica blickte den beiden Frauen nach. «Ich hoffe, solche Pflegerinnen sind hier die Ausnahme.»

Der Arzt schüttelte bedauernd den Kopf. «Leider nein. Die Wärter stammen aus den untersten Schichten Berlins. Es sind Bedürftige, Dirnen, ehemalige Strafgefangene. Sie können meist nicht einmal lesen und schreiben und haben auch keinerlei Ausbildung zur Pflege genossen. Ihre Aufgabe besteht darin, die Kranken zu beaufsichtigen, für Essen und die körperliche Pflege zu sorgen und das Krankenhaus sauber zu halten. Und die meisten Ärzte meinen, dass dies genüge.»

Die Gräfin sah ihn aufmerksam an. «Sie aber nicht, nicht wahr?» Er schüttelte den Kopf. «Nein, denn viele der Wärter schaden den Kranken mehr, als dass sie ihnen helfen. Oft sind sie grob und faul, und manche bestehlen oder erpressen die Patienten gar. Jedes Jahr sind wir gezwungen, Dutzende zu entlassen, und daher ständig auf der Suche nach geeigneteren Kandidaten, doch der Lohn ist niedrig und die Arbeit hart. Ich würde mir Pfleger wünschen, die besser arbeiten und gehorsamer die Anweisungen der Ärzte befolgen. Die wissen, auf was es bei der Pflege ankommt, und sich mit Eifer und Freundlichkeit um die Patienten kümmern.»

Gräfin Ludovica nickte. «Das würde man den Leidenden wünschen», sagte sie. «Vielleicht müsste man hierzu grundsätzlich etwas verändern.»

∿

Einige Tage später wurde Dieffenbach ins Palais von Bredow gerufen. Erfreut stellte er fest, dass nicht der Graf seiner Hilfe bedurfte. Die kleine Amalie Friedericke fieberte, und Gräfin Ludovica war zutiefst besorgt. Das Kind hatte glühend rote Wangen und schrie, obwohl die Kinderfrau sie unermüdlich im Zimmer umhertrug.

Der Arzt verschrieb dem Kind ein Pulver, das den Schmerz und das Fieber dämpfen würde, und beruhigte die Mutter. «Die ersten Zähne brechen durch. Das ist schmerzhaft, aber völlig harmlos. Sie müssen sich nicht sorgen.»

Ludovica lächelte ihn an. Erleichterung war ihr anzusehen. Sie drückte das kleine Mädchen noch einmal an sich, ehe sie es der Kinderfrau zurückgab und mit Dieffenbach das Zimmer verließ. Sie führte ihn in den Salon und ließ nach Kaffee und Makronen läuten.

«Ich habe über unser Gespräch in der Charité nachgedacht», sagte die Gräfin, als er an seinem Kaffee nippte.

Dieffenbach sah sie fragend an.

«Die Wärter, mit denen Sie nicht zufrieden sind. Ich denke, ein Problem besteht darin, dass die Frauen und Männer keine Ausbildung erhalten. Sie wissen nicht, was von ihnen erwartet wird, und sie haben vermutlich keine Ahnung, wie man einen Kranken richtig pflegt.»

«Da haben Sie recht», pflichtete ihr Dieffenbach bei, der noch nicht wusste, worauf die Gräfin hinauswollte.

«Außerdem stellen Sie die falschen Personen ein. Menschen aus den untersten Schichten haben ein schweres Leben und wohl eher keine Vorstellung von einem liebevollen Umgang mit Patienten.»

Wieder nickte er. «Das ist alles richtig, aber wie könnte man diesem Missstand Abhilfe schaffen? Ab und zu finden wir jemanden, der wirklich geeignet ist. Im Moment haben wir da eine Wärterin, die im Sommer vergangenen Jahres angefangen hat, die so ist, wie wir es uns wünschen. Wärterin Elisabeth ist fleißig und freundlich und hat einen hellen Kopf, den sie auch einsetzt – was, wenn sie auch mal widerspricht, allerdings nicht allen Ärzten gefällt», gab er zu. «Direktor Kluge jedenfalls, in dessen Abteilung sie arbeitet, ist sehr zufrieden mit ihr. Auch sie stammt aus armen Verhältnissen, aber sie hat die Schule besucht und ist an allem interessiert. So stelle ich mir Pflegekräfte vor, mit denen ein Arzt zusammenarbeiten kann!»

«Dann müssen Sie Ihre Wärter sorgfältiger aussuchen und sie dann entsprechend formen», überlegte Ludovica.

Dieffenbach sah sie aufmerksam an.

«Sie müssen ihnen beibringen, was Sie von ihnen erwarten. Schicken Sie sie in eine Schule, in der sie lernen, wie man Kranke pflegt und wie man den Ärzten ihre Arbeit erleichtern kann.»

«Sie haben recht!», rief Dieffenbach. «Das wäre tatsächlich eine großartige Sache. Wir brauchen eine Schule, um das Pflegepersonal auszubilden, damit es weiß, wie Patienten zu behandeln sind. Sie müssten dann nicht nur für Sauberkeit sorgen. Sie sollten lernen, wie man Verbände anlegt, und erkennen, wann sie einen Arzt hinzuholen müssen.» Voller Begeisterung lächelte er sie an. «Wir müssten Kurse anbieten, in denen wir den Anwärtern alles Nötige beibringen. Jemand müsste sie unterrichten. Am besten nach einem Handbuch. Ja, ein Buch. Ich könnte so etwas schreiben.»

Er redete sich immer weiter in seine Begeisterung hinein, doch dann erlosch sein Lächeln. «Wir würden ein Budget benötigen, aber Sie wissen vielleicht, dass das Geld in der Charité von jeher knapp ist.»

«Sprechen Sie mit Direktor Kluge», schlug Ludovica vor.

«Ja, bei unserem Direktor werde ich offene Türen einrennen. Er ärgert sich schon lange über viele unfähige Wärter. Aber ich vermute, dass Minister von Stein und auch das Kriegsministerium mitreden wollen. Und dann ist es immer das Gleiche: Es geht ums Geld.»

«Ja, alles dreht sich ums Geld», wiederholte die Gräfin und griff nach ihrer Tasse. Sie tranken eine Weile schweigend und aßen Makronen, während es hinter der weißen Stirn der Gräfin arbeitete. «Sprechen Sie mit Direktor Kluge», sagte sie schließlich, «und dann kommen Sie wieder und berichten mir, was er von diesen Plänen hält.»

Aufmunternd sah sie ihn an, dann erhob sie sich. «Ich darf Sie nicht länger aufhalten», sagte sie widerstrebend. Die Stunden waren nur so verflogen, und sie hatte jede Minute in seiner Gegenwart genossen. «Ich habe schon viel zu viel Ihrer kostbaren Zeit in Anspruch genommen.»

Dieffenbach protestierte zwar, doch er erhob sich ebenfalls und reichte ihr die Hand zum Abschied. Ludovica lauschte, ob der Graf bereits zurück war. Nein, noch war alles ruhig. Sie wollte Dieffenbach eine weitere Begegnung mit ihrem Gatten ersparen.

«Auf ein baldiges Wiedersehen, Gräfin», sagte er mit warmer Stimme, die ihr Herz unruhig klopfen ließ.

∽

Dem Wunsch der Gräfin kam Dieffenbach gerne nach. Bereits zwei Tage später ließ er sich erneut im Palais von Bredow melden. Ludovica begrüßte ihn erfreut, doch bevor sie ihr Gespräch fortsetzten, sah er zuerst nach Amalie. Das Fieber war heruntergegangen, der erste Zahn war durchgebrochen. Sie konnte wieder schlafen, das Schreien hatte aufgehört. Ludovica gab dem Kind einen sanften Kuss auf die Wange, dann bat sie den Doktor in den Salon.

«Nun? Was sagt Direktor Kluge zu unseren Plänen?», erkundigte sie sich. Neugierde blitzte in ihren grünen Augen.

«Diese Schule scheint Ihnen ja richtig am Herzen zu liegen», stellte Dieffenbach fest.

Sie nickte. «Sie halten solch eine Schule für wichtig, und ich bin überzeugt, dass Sie mit Ihrer Forderung nach besseren Pflegekräften recht haben.»

Er beugte sich ein wenig nach vorn. «Direktor Kluge ist von der Idee sehr angetan, und ich bin gerne bereit, ein Handbuch für die Wärterausbildung zu schreiben. Ich habe auch schon mit einem engagierten Kollegen gesprochen. Dr. Carl Emil Gedike. Er würde den praktischen Unterricht übernehmen, wenn mir meine knappe Zeit es nicht gestattet, selbst anwesend zu sein. Allerdings teilt der Direktor meine Bedenken, was die Finanzierung angeht.»

«Dieses Projekt braucht finanzielle Unterstützung, das ist mir klar», sagte die Gräfin. Er nickte nur und sah sie aufmerksam an. «Wissen Sie, ich habe Geld in meine Ehe mit Graf Gottfried gebracht. Sehr viel Geld! Und ich bin mir ziemlich sicher, dass dieser Umstand der dringlichste Grund für ihn war, um meine Hand anzuhalten.» Sie unterband seinen Protest. «Das macht mir nichts aus, glauben Sie mir. Doch ich sehe es nicht ein, dass meine gesamte Mitgift in teure Jagdpferde, die er nicht reitet, oder mondäne Kutschen, in denen es ihm dennoch schlecht wird, verschleudert wird.»

«Und in Arzthonorare, die nicht nötig wären», gab Dieffenbach reumütig zu.

Ludovica lachte. «Ich gönne Ihnen jeden Gulden! Aber ich möchte auch etwas Sinnvolles mit dem Geld anfangen. Ich möchte Ihre Krankenwärterschule unterstützen.»

Sie erhob sich und verließ den Salon. Kurz darauf kam sie mit einem länglichen Formular in der Hand zurück.

«Ich stelle Ihnen einen Wechsel aus, mit dem Sie diese Schule gründen können. Ich werde nicht knausrig sein, das verspreche ich Ihnen.»

Dieffenbach griff nach ihrer Hand. «Dürfen Sie so viel Geld einfach verschenken? Wird der Graf nicht zornig werden?»

«Ich habe alle Vollmachten. Glauben Sie mir, er wird es nicht einmal bemerken. Allerdings habe ich nicht vor, dieses Engagement vor ihm zu verheimlichen, denn ich möchte noch mehr tun. Ich möchte mir noch andere Projekte suchen, mit denen ich Menschen unterstütze, die anderen helfen. Und ich möchte, dass Sie mich dabei beraten. Was ist sinnvoll? Wo wird meine Hilfe gebraucht? Bitte, sprechen Sie mit Direktor Kluge.» Sie erwiderte seinen Händedruck und lächelte ihn an. «Im Übrigen kenne ich Minister von Stein persönlich. Ich werde ihm gerne erzählen, wie sehr Sie für die Charité und für Ihre Patienten leben. Ich möchte daran teilhaben. Vielleicht wäre es möglich, dass ich irgendwann einmal zusammen mit den Pépins und Studenten bei einer Ihrer Operationen zusehe?»

«Vielleicht», sagte Dieffenbach vage.

«Ich will einfach nicht länger untätig in unserem Palais sitzen und mich bei Handarbeiten langweilen», stieß sie leidenschaftlich aus. «Wenn es meinem Stand und meinem Geschlecht erlaubt wäre, würde ich studieren. Ach, wie ich die Söhne der Bürger beneide! Ich liebe das Lesen, beschäftige mich auch mit medizinischen Fragen und merke immer wieder, wie wenig ich tatsächlich weiß. Dabei will ich *alles* wissen!», schloss sie mit einer großen Geste.

«Dass ich erkenne, was die Welt im Innersten zusammenhält», murmelte Dieffenbach.

Sie lächelte erneut. «Ja! Wie Faust, nur dass ich statt mit Mephisto mit der Charité einen Pakt schließen werde.»

༄

In diesen Tagen sah man die Kutsche mit dem Wappen von Bredow recht häufig in der Charité. Ludovica hatte sich geradezu in ihre Idee verbissen. Der Wechsel war ausgestellt, und sie hatte das befriedigende Gefühl, dass ihr Geld zum ersten Mal etwas richtig Gutes bewirken würde. Der Minister und der Direktor der Charité waren gerne bereit, die großzügige Zuwendung der Gräfin anzunehmen und Dr. Dieffenbach mit dem Aufbau einer Krankenwartschule zu betrauen. Dr. Carl Emil Gedike übernahm den Unterricht, während Dieffenbach in langen Nächten eine *Anleitung zur Krankenwartung* verfasste.

An diesem Nachmittag trafen sie sich nach seiner Visite und den Operationen in einer kalten, kahlen Kammer neben einem der Krankensäle, durch die bei Westwind der Gestank der Abtrittsgrube zog. Ludovica versuchte, sich nichts anmerken zu lassen.

Die Ärzte und Patienten mussten diese Bedingungen täglich aushalten, während sie daheim in ihrem gemütlichen Salon vor einem wärmenden Feuer saß. Wenn sie die Welt ein wenig besser machen wollte, musste sie sich auch den Schattenseiten stellen! Sie versuchte, die Schmerzensschreie auszublenden, die aus einem der benachbarten Säle drangen.

Dieffenbach hatte ihr Unwohlsein bemerkt und schlug vor, sich am nächsten Tag entweder im Büro von Direktor Kluge zu treffen oder in einem Kaffeehaus Unter den Linden. Ludovica hatte sich schon über viele gesellschaftliche Regeln hinweggesetzt, warum nicht auch einen Kaffee in aller Öffentlichkeit genießen? Das gräfliche Palais mieden sie, beiden war klar, dass, wann immer der Graf anwesend sein sollte, sie nicht zu ihrer Besprechung kommen würde.

Beherzt betrat Ludovica das elegante Café, wo sie mit Dieffenbach und dem jungen Dr. Gedike verabredet war. Sofort sprangen die beiden Ärzte auf und geleiteten sie an einen Tisch am Fenster, ein wenig abseits des normalen Kaffeehausbetriebes.

Die Stühle waren überraschend bequem, und der Kaffee roch noch aromatischer als im gräflichen Palais. Ludovica löffelte etwas Sahne in ihre Tasse, um das duftende Gebräu aufzuhellen. Dann zog sie ein leeres Notizbuch aus der Tasche, schraubte ein Tintenfässchen auf und nahm die Feder zur Hand. Fragend glitt ihr Blick zu den beiden Ärzten.

«Was sehen Sie in der Pflege, so wie sie heute ist, als das größte Problem an?»

Die Männer starrten sie an. Falls sie gedacht hatten, die Gräfin sähe sich nur als Spenderin und würde sich dann zurückziehen, um ihnen die Gestaltung der Schule allein zu überlassen, hatten sie sich getäuscht.

Ludovica wartete, bis Dr. Dieffenbach das Wort ergriff. Er schaute kurz zu Gedike, dann sagte er: «Ich weiß, dass sich bereits

Professor Idelers Vorgänger Horn darüber beschwert hatte, dass von einhundert Wärtern vielleicht fünf etwas taugten. Daran hat sich bis heute nichts geändert. Die meisten leisten nichts, ja, sie schaden oft nur. Wir entlassen jedes Jahr mehr als die Hälfte der Wärter, weil sie nicht mehr tragbar sind. Sie sind grob, halten sich nicht an die Anweisungen, sind faul, stehlen gar oder verschwinden irgendwann von selbst.»

Ludovica machte sich Notizen, während er sprach. «Sie sind ihren Aufgaben also nicht gewachsen, oder sie sind nicht bereit, diese zu erledigen», fasste sie zusammen. «Also fragen wir andersherum: Wie sehen die Aufgaben der Pflegenden aus?»

Wieder antwortete Dr. Dieffenbach, während der junge Gedike aufmerksam zuhörte. «Sie beginnen um halb fünf in der Früh und arbeiten bis neun am Abend. Jede Woche haben sie zwei Stunden Ausgang, wenn sie sich einen Vertreter suchen. Jeder zweite Sonntagnachmittag steht zur freien Verfügung. Der Lohn bei freier Kost und ohne Abendessen beträgt etwa zwölf Taler im Jahr.»

Ludovica runzelte die Stirn. Ihr war bewusst, dass sie wenig bis gar nichts von den täglichen Ausgaben für Haushalt und Essen wusste, trotzdem sagte sie: «Das ist vermutlich weniger, als selbst die Bedürftigen aus der Armenkasse erhalten. Da wundert es mich nicht, dass kein anständiger Bürger solch eine Arbeit übernehmen will. Wahrscheinlich werden Sie nur dann bessere Pflegekräfte bekommen, wenn Sie sie nicht nur gut ausbilden, sondern auch besser bezahlen.» Sie nahm noch einen Schluck Kaffee, dann wandte sie ihre Aufmerksamkeit erneut den beiden Ärzten zu. «Was denken Sie? Was muss so eine Tätigkeit einbringen, damit sie für anständige Bürger interessant ist?»

Diesmal war es Gedike, der antwortete: «Dreißig Taler vielleicht. Mit Kost, Zimmer und Kleidergeld summiert sich das dann bestimmt auf hundert Taler im Jahr.»

«Nun, dann wissen Sie, was zu tun ist», sagte die Gräfin. «Für den Anfang ist die Schule finanziert, dafür sorge ich. Aber für den Lohn der Pflegekräfte muss der Minister Geld auftreiben. Das kann nicht meine Aufgabe sein. Und auf Dauer muss sich der König die Pflege in seinem Krankenhaus etwas kosten lassen.»

Wenn ihre Direktheit und Klarsicht ihre Gesprächspartner in Erstaunen versetzte, so bemühten sich beide Herren, sich nichts davon anmerken zu lassen. Die Gräfin war ganz offensichtlich eine Frau mit Verstand und Prinzipien.

Dieffenbach war der Erste, der die Sprache wiederfand. «Ich werde mein Lehrbuch kostenlos zur Verfügung stellen. Und ich will auch keine Vergütung für meinen Posten an der Krankenwartschule», sagte er und erntete dafür ein warmes Lächeln der Gräfin. Für Dr. Gedike legten sie ein Salär von einhundertfünfzig Talern jährlich fest. Zusätzlich würde er seine eigene Praxis weiterführen.

«Nun müssen Sie nur noch die geeigneten Bewerber finden, die ernsthaftes Interesse an der Pflege kranker Menschen haben. Und festlegen, wie lange die Ausbildung dauern soll», schloss Ludovica.

Am 1. Juli 1832 wurde die Krankenwartschule aus der Taufe gehoben, der Dieffenbach als Direktor vorstand. Ein lang gehegter Traum war damit in Erfüllung gegangen.

Professor Rust hatte Dieffenbach an diesem Morgen in Professor Müllers Institut für Anatomie bestellt. Ein wenig verwundert folgte er der Aufforderung und fuhr zu dem düsteren Gebäude hinter der Alten Garnisonskirche. Das Wintersemester hatte begonnen, und die Studenten drängten sich in den Sitzreihen, die im Halbrund anstiegen. Verblüfft erkannte er, dass in der letzten Reihe neben der Totenfrau Martha Vogelsang, die regelmäßig Operationen und Anatomievorführungen besuchte, noch eine weitere Frau saß. Gräfin Ludovica! Er konnte es nicht fassen.

Ludovica lächelte zu ihm hinunter. Wusste sie etwas, das ihm entgangen war?

Mit gerunzelter Stirn betrachtete Dieffenbach den alten Professor, der das Leinentuch von einer Leiche zog. Mit einer ausladenden Geste präsentierte er den toten Körper, dann griff er nach dem langen Sektionsmesser und hielt es dem jüngeren Kollegen hin.

«Das wird in Zukunft zu Ihren Aufgaben gehören.»

Er wartete, bis Dieffenbach das Messer nahm, ehe er die Neuigkeit verkündete: «Meine Herren, hier steht Ihr neuer *Professor* Dieffenbach, der ab dem nächsten Semester eine Vorlesung in Akirurgie halten wird. Das Direktorium hat beschlossen, Herrn Dr. Dieffenbach zum außerordentlichen Professor zu ernennen. Natürlich ändert das nichts an den von ihnen gewohnten Lehrveranstaltungen, die Sie bei mir besuchen», fügte er hinzu. Ans Aufhören dachte Rust noch immer nicht, auch wenn der Blick trüber und der Gang immer schleppender wurde.

Die Anwesenden klatschten und jubelten begeistert. Dieffenbachs Ruf eines ausgezeichneten Operateurs hatte sich längst auch bei den Pépins und den Studenten der Universität herumgesprochen.

Rust zog ein Gesicht, als habe er in einen sauren Apfel gebissen. «Dann lasse ich Sie nun allein, ich habe anderes zu tun.» Etwas abrupt wandte er sich ab und schlurfte hinaus.

Dieffenbach sah die Stuhlreihen hoch. Ein kurzes Lächeln erschien auf seinen markanten Zügen. Mehr Zeit nahm er sich nicht angesichts der Ernennung, auf die er schon so lange gewartet hatte. Stattdessen widmete er sich der unbekannten Leiche. Er wusste nicht, woran der Mann gestorben war, er war keiner seiner Patienten gewesen. Auf diese Vorlesung hatte er sich nicht vorbereiten können, aber das bereitete ihm kein Kopfzerbrechen. Er würde wie bei jeder Sektion vorgehen. Selbst wenn er bereits ahnte, was die Todesursache sein könnte, war es doch immer wichtig, ohne Vorurteile und mit offenem Sinn die Untersuchung zu beginnen. Zu schnell konnte man etwas übersehen. Und so begann er mit dem großen Y-Schnitt, öffnete erst die Brust, dann die Bauchhöhle. Er würde jedes Organ untersuchen, das von seinem natürlichen Aussehen abwich, und dann würde er seine Erkenntnisse dem Auditorium erläutern – mit der ihm eigenen Besonnenheit und Leidenschaft.

∽

«Akirurgie?», wiederholte Martha und sah die Gräfin an ihrer Seite fragend an. Dieses Wort hatte sie noch nie gehört.

«Das bedeutet *Operationslehre* oder *operative Chirurgie.*»

Erstaunt musterte Martha die Gräfin. «So etwas wissen Sie?»

Ludovica lächelte. «Ja, ich lese alle medizinischen Zeitschriften, die in Berlin zu bekommen sind, und ich sage Ihnen, das sind eine Menge!»

Martha schüttelte den Kopf. «Wozu? Sie haben doch alles. Sie müssen nichts lernen, um Geld zu verdienen.»

Der traurige Blick passte nicht zu ihren Worten. «Sie haben recht, Martha. Für mich und mein Kind ist gesorgt. Alles, was ich tun muss, ist, mich angenehm zu verhalten und mich ansehnlich herauszuputzen. Ich muss mich nicht einmal um mein Kind kümmern! Auch das übernehmen andere für mich.»

Martha kniff die Augen zusammen. «Ihnen ist langweilig», stellte sie fest.

«Das passiert Ihnen nie, nicht wahr?»

Die Totenfrau überlegte, dann schüttelte sie den Kopf. «Nein, es ist eher so, dass ich nicht weiß, was ich zuerst tun soll. Ich dürfte zum Beispiel gar nicht hier sein. Im Leichenhaus der Charité warten noch zwei Tote auf mich, von denen ich Präparate anfertigen soll, aber ich denke, dass ich hier noch etwas lernen kann. Deswegen versuche ich, so regelmäßig zu kommen wie möglich. Außerdem durften Hebammen schon immer den Demonstrationen im Theatrum Anatomicum beiwohnen.»

«Ich beneide Sie!», stieß die Gräfin hervor.

Martha lachte ungläubig. Die Gräfin wusste nicht, wovon sie sprach, und dennoch schien sie es tatsächlich ernst zu meinen.

Dieffenbach ergriff das Wort. Die beiden Frauen schwiegen und konzentrierten sich auf seine Vorführung.

«Ich begrüße Sie alle herzlich und freue mich, Ihnen schon heute einen Vorgeschmack auf meine Vorlesung geben zu können.» Sein Blick huschte über die Zuhörenden hinweg, dann sprach er weiter: «Ich könnte mir vorstellen, neben der Akirurgie auch einen Kursus mit praktischen Übungen anzubieten, in dem Sie selbst das Skalpell in die Hand nehmen können und Schritt für Schritt an die Operationstechniken herangeführt werden.»

Einer der Studenten meldete sich. «Müssen wir dann trotzdem noch die Vorlesung von Professor Rust besuchen?»

Dieffenbach räusperte sich. «Ja, ich denke, sein Kursus bleibt weiterhin Voraussetzung für das Examen. Meine Übungen werden vermutlich nicht obligatorisch sein. Ich würde Ihnen aber trotzdem raten, zu den praktischen Übungen zu erscheinen. Gerade an der Universität ist die Ausbildung junger Ärzte zu theoretisch, denn auch Sie müssen lernen, mit Patienten umzugehen. Und Sie müssen die Anatomie am Menschen selbst erfahren, nicht nur aus Büchern.»

Dann begann er, die Leiche zu sezieren. Nach der Untersuchung des Herzens und der Lunge zerteilte er das Netz der Bauchhöhle und präparierte nacheinander die Milz und die Nieren samt Nebenniere und Harnleiter. Nachdem er diese Organe entfernt hatte, wandte er sich den Gedärmen zu.

Elisabeth traf Alexander Heydecker auf dem Weg hinauf zur Salivationsstube. Er lächelte sie so strahlend an, dass ihre Knie ganz weich wurden.

«Guten Morgen, Wärterin Elisabeth!»

Elisabeth blieb stehen und musterte ihn ein wenig verwirrt. «Ich wünsche Ihnen auch einen guten Morgen, Subchirurg Heydecker», erwiderte sie.

Sein Strahlen vertiefte sich. «Sie irren sich, Wärterin Elisabeth. Ich bin nicht mehr Subchirurg. Ich habe mein Examen bestanden. Professor Rust hat es mir mit seinen kniffeligen Fragen nicht leicht gemacht, doch ich habe es geschafft! Ich bin jetzt ein richtiger Arzt hier an der Charité!»

Sein Strahlen hatte etwas von der unbeschwerten Freude, die sonst nur Kindern eigen ist. Elisabeth wurde ganz warm ums Herz, als sie sein Lächeln erwiderte und ihm herzlich gratulierte.

«Dr. Heydecker! Ich freue mich für Sie.»

«Das mit dem Doktor stimmt noch nicht ganz», gab er zu. «Aber ich habe meine Dissertation fast fertig, und dann dürfen Sie mich wirklich Dr. Heydecker nennen.»

«Das schaffen Sie auch noch», sagte sie voller Zuversicht.

«Ja, bald ist es so weit, dass mein Vater wirklich stolz auf mich sein kann. Er ist selbst Arzt, müssen Sie wissen.»

Elisabeth spürte, wie wichtig ihm das war. «Das wird er», sagte sie warm.

«Leider kann meine Mutter das nicht mehr erleben», sagte Alexander. «Aber meine Schwester Emilie freut sich mit mir. Sie ist zwei Jahre jünger als ich und eine patente Person. Manches Mal erinnern Sie mich ein wenig an Emilie. Auch sie ist sehr wissbegierig und kritisch und hält mit ihrer Meinung nicht hinter dem Berg. Die Menschen sind ihr wichtig, und sie ist die Erste, die sich für die Schwachen und Benachteiligten einsetzt.»

Es war das erste Mal, dass Heydecker so persönlich mit ihr

sprach. Ein zartes Gefühl der Freude breitete sich in ihr aus. «Sie lieben Ihre Schwester sehr, nicht wahr?»

Alexander nickte. «Sie würden einander mögen.»

Oben an der Treppe erschien Direktor Kluge und beendete das Gespräch. Rasch eilten Elisabeth und Alexander zu ihren Patientinnen in der Salivationsstube.

..•..

KAPITEL 8

Skrofulose

Nach einem langen Tag mit zahlreichen Operationen machte sich Dieffenbach in die Jägerstraße auf. Es war ein nasskalter Tag im Februar 1833. Die große Wohnung war leer, das Hausmädchen hatte sich bereits zurückgezogen, Johanna war nicht da. Sie würde ihn nie wieder empfangen. Nicht mit einem Lächeln und auch nicht mit den gewohnten Vorwürfen. Vor ein paar Tagen war sie abgereist.

Die vergangenen beiden Jahre hatten sie sich fast nur noch gestritten, bis sie sich endlich ausgesprochen und für eine Trennung entschieden hatten.

Scheidung!

Dieffenbach schritt durch die verwaisten Zimmer. Johanna hatte nicht viel mitgenommen, trotzdem fiel ihm jede Kleinigkeit auf, die fehlte, und es wunderte ihn, wie sehr es ihn schmerzte. Ja, er hatte sie geliebt und begehrt. Sie war seine Mitstreiterin und seine Gefährtin gewesen. Wie hatte es nur so weit kommen können, dass sie einander nur noch quälten?

Er wollte nicht darüber nachdenken, was die Scheidung für ihn und sein Ansehen bei seinen Patienten bedeutete. Johanna hatte vor, in ihre Heimat zurückzukehren und sich um ihre halbwüchsigen Kinder zu kümmern, die seit ihrer zweiten Eheschließung in einem Internat untergebracht gewesen waren.

Er spürte, wie der Kloß im Hals größer wurde. Auch wenn seine Liebe zu ihr erloschen war, bedauerte er es, dass sie keinen gemeinsamen Weg mehr gefunden hatten.

Es klopfte an der Tür. Dieffenbach sah aus dem Fenster. Zu seiner Überraschung erkannte er die Kutsche des Grafen vor dem Haus. Er unterdrückte einen Fluch. Es gab in Berlin tatsächlich Wichtigeres zu tun, als einen hypochondrischen Grafen bei Laune zu halten! Mit diesem Gedanken öffnete er dem gräflichen Diener die Tür.

«Gräfin Ludovica bittet Sie, zu ihr zu kommen.»

Damit hatte er nicht gerechnet. «Fehlt ihr etwas? Ist etwas mit dem Kind?»

Der Kutscher überlegte. «Soweit ich informiert bin, befinden sich sowohl die Gräfin als auch die Komtess wohlauf.»

«Und der Graf?»

Dieffenbach glaubte ein Schmunzeln im Gesicht des Kutschers zu entdecken.

«Der Herr Graf weilt in Charlottenburg.»

Dieffenbach sah an seiner fleckigen grünen Frackjacke herab. Auch sein Hemd war schmutzig. Der Tag mit unzähligen Patienten war nicht spurlos an ihm vorübergegangen.

«Warten Sie hier», bat er. «Ich ziehe mich rasch um, dann können wir fahren.»

Ein seltsames Hochgefühl ergriff ihn. Fast tänzelnd verschwand er in seinem Schlafzimmer. Rasch schlüpfte er in einen frischen Anzug und schlang sich mit zitternden Fingern seine Halsbinde um den Kragen. Er spürte, wie sein Herz schneller schlug, als er die Treppe hinunterlief.

Gräfin Ludovica schritt ruhelos im Familienspeiseraum auf und ab. Der Raum war deutlich kleiner und ihrer Meinung nach geschmackvoller eingerichtet als der große Speisesaal, der für Abendgesellschaften gedacht war. Der Tisch bot gerade einmal zwölf Gedecken

Platz, und dennoch betrachtete Ludovica die beiden von diversem Besteck umrahmten silbernen Platzteller an den beiden Stirnseiten mit Missmut. Der Graf und sie speisten immer so, eine ganze Tischlänge zwischen sich. Doch heute gefiel ihr das Arrangement nicht.

«Theo, bitte legen Sie das zweite Gedeck hier drüben auf», bat sie den Butler.

Der ließ sich sein Erstaunen nicht anmerken. «Kommt der Herr heute noch aus Charlottenburg zurück?», erkundigte er sich.

«Nein, er wird mit dem Prinzen dinieren», erklärte Ludovica. «Ich erwarte Dr. Dieffenbach.»

Angesichts dieser Aussicht gelang es dem langjährigen Butler nicht mehr, einen neutralen Gesichtsausdruck zu wahren. Die Brauen schnellten für einen Moment nach oben, ehe er sich wieder im Griff hatte. «Er wird mit Ihnen speisen?»

«Ja, ich habe einige Dinge mit Professor Dieffenbach zu besprechen.»

Der Butler arrangierte das Gedeck wie gewünscht und verließ dann das Speisezimmer. Ludovica ärgerte sich ein wenig über sich selbst, dass sie sich zu einer Art Rechtfertigung hatte hinreißen lassen. Sie war dem Butler doch keine Erklärung schuldig! Theo hatte schon früher der Familie des Grafen gedient. Sie ahnte, wo seine Loyalität lag. Aber, so beruhigte sie sich, es war doch nichts dabei, wenn sie mit dem Arzt der Familie dinierte.

Endlich vernahm sie den Klang der Haustür und Schritte auf der Treppe. Der Lakai kam herein und kündigte Dr. Dieffenbach an.

Sie eilte auf ihn zu. Er stellte seine Tasche ab und ergriff die ihm entgegengestreckten Hände. «Ist etwas geschehen?», erkundigte er sich.

Ludovica spürte, wie sie rot wurde. Sie zog ihre Hände zurück. «Aber nein, mir geht es gut, und Amalie Friedericke gedeiht prächtig. Möchten Sie sie sehen?»

Er schien zu zögern, dann nickte er. Ludovica ließ die Kinderfrau mit dem Mädchen rufen, das den fremden Mann aus großen blauen Augen anstarrte.

Dieffenbach lächelte das Kind an. Und die Kleine, die in ihrem zweiten Lebensjahr stand, lächelte vertrauensvoll zurück.

«Sie ist gesund und entwickelt sich gut», bestätigte der Doktor.

«Oh ja, und sie ist so ein Sonnenschein», schwärmte Ludovica. «Sie ist mir die Freude meines Lebens.»

Die Kinderfrau nickte dem Besucher zu und nahm das Kind wieder auf den Arm, um es in sein Zimmer hinaufzutragen. Ludovica wartete, bis sich die beiden zurückgezogen hatten, ehe sie auf den Stuhl schräg neben dem ihren deutete und den Besucher bat, Platz zu nehmen. Einer der Diener war sofort zur Stelle und rückte den Polsterstuhl für ihn zurecht.

«Bitte erweisen Sie mir die Freude, mit mir zu speisen», sagte die Gräfin und spürte, wie ihre Wangen schon wieder heiß wurden.

«Geht es Ihnen wirklich gut?», drängte Dieffenbach mit so viel Mitgefühl, dass ihr fast die Tränen in die Augen stiegen.

«Aber ja. Ich sehe Sie nur vor mir, wie Sie den ganzen Tag von einem Patienten zum anderen eilen und Ihre eigene Gesundheit und die Bedürfnisse Ihres Körpers vernachlässigen. Daher bitte ich Sie, greifen Sie zu, essen Sie und ruhen Sie sich so lange aus, wie Sie wollen, ehe Sie zum nächsten Kranken fahren, der Ihrer Hilfe bedarf.»

Dieffenbach wirkte ein wenig verwirrt ob der ungewöhnlichen Einladung. Er schien über den wahren Grund nachzugrübeln und sagte dann plötzlich: «Sie haben davon gehört, dass meine Gattin Johanna abgereist ist, nicht wahr?»

«Nein, das wusste ich nicht», behauptete Ludovica. «Wann wird sie denn zurück erwartet?»

«Ich fürchte, überhaupt nicht. Sie hat Berlin für immer verlassen und ist in ihre Heimat zurückgekehrt.» Er hielt kurz inne, und als

Ludovica nichts darauf zu sagen wusste, fügte er hinzu: «Wir werden uns scheiden lassen.» Er senkte den Blick, als schäme er sich dafür.

«Oh.» Mehr wusste Ludovica nicht zu sagen. In ihren Kreisen war so etwas ganz und gar undenkbar. Eine Ehe wurde von beiden beteiligten Familien mit viel Sorgfalt geplant, um alte Adelsnamen mit Gütern, Geld oder Einfluss klug zu vereinen. Solch ein Arrangement war unauflösbar. Zuneigung oder gar Liebe waren unerheblich, damit musste sie Tag für Tag leben.

Eine Weile schwiegen sie und aßen ihre Suppe.

«Ihr Gatte ist heute Abend außer Haus?», erkundigte sich der Doktor vorsichtig.

Sie nickte mit Nachdruck und lächelte dann. «Er ist kein einfacher Patient, nicht wahr?»

Dieffenbach gab ihr recht. «Dennoch raubt mir ein Mann, der im Umgang schwierig ist, aber kein schlimmes Leiden hat, weniger Schlaf als ein umgänglicher Mann, dem meine ärztliche Kunst nicht helfen kann.»

«So wie den vielen Menschen, die die Cholera dahingerafft hat?»

«Ja», gab der Doktor zu. «Es ist ein hartes und meist vergebliches Unterfangen. Dennoch lohnte es sich, um jedes Leben zu kämpfen. Ein paar wenige haben überlebt, aber wir sind noch immer weit davon entfernt, die genaue Ursache oder gar eine wirksame Therapie gefunden zu haben.»

Der Diener erschien, räumte die leeren Teller ab und servierte den nächsten Gang. Eine Wildpastete, deren Zutaten der Graf noch kurz vor der Schonzeit draußen im Spreewald höchstselbst geschossen hatte – nachdem die Treiber ihm das Wild vor die Flinte gescheucht hatten, verriet Ludovica mit einem kaum merklichen Augenzwinkern.

«Ich wollte heute Abend mit Ihnen weder über meinen Gatten noch über die Cholera sprechen, die zum Glück vorüber ist», beendete sie das Thema.

«Das verstehe ich.»

Sie sprachen über die Krankenwartschule, die ihnen beiden am Herzen lag. Widerstrebend gab Dieffenbach zu, dass er zwar das Lehrbuch geschrieben hatte, darüber hinaus aber keine Zeit fand, die angehenden Wärter zu unterrichten. Diese Last lag seit Monaten allein auf Dr. Gedikes Schultern. Er gelobte Besserung, aber Ludovica hatte den Verdacht, dass sich das auch in Zukunft nicht ändern würde. Er hatte einfach zu viel in der Charité und mit seinen Privatpatienten zu tun.

«Außerdem wollte ich mit Ihnen *darüber* sprechen», fuhr sie fort und legte ein Buch auf den Tisch.

Die Brauen des Doktors schnellten nach oben, als er seinen Namen auf dem Umschlag sah. *Chirurgische Erfahrungen* von Johann Friedrich Dieffenbach. «Sie haben mein Buch gelesen?»

Ludovica nickte. «Ja, und einige andere Veröffentlichungen. Außerdem habe ich die *Rhinoplastik* von Professor von Graefe gelesen.»

Er nickte anerkennend. «Das ist nicht gerade leichte Lektüre.»

«Alle denken immer, eine Gräfin beschäftigte sich nur mit Stickmustern und Einrichtungskatalogen und natürlich mit der neuesten Mode. Ein Hut kann ein Leben verändern, wenn er richtig dekoriert ist», sagte sie ein wenig spöttisch. «So bin ich nicht und will es auch nicht sein.»

«Ich habe Sie immer für eine kluge Frau gehalten und kenne auch Ihr ungewöhnliches Interesse an medizinischen Belangen. Mit welcher Begeisterung Sie die Gründung der Krankenwartschule vorangetrieben haben! Diese Schriften sind jedoch für einen medizinischen Laien schwer zu verstehen und sicher unheimlich langweilig und trocken zu lesen.»

«Mag sein. Ich gebe zu, ich habe nicht alles verstanden, aber es weckt meine Neugier, die Geheimnisse des menschlichen Körpers zu enträtseln. Ich würde zu gerne Mitglied der Chirurgisch-Medizinischen Gesellschaft werden, auch wenn ich weiß, dass Frauen nicht willkommen sind.»

«Nun, es ist eine Vereinigung von Ärzten und Wissenschaftlern, die ihre Erfahrungen austauschen», verteidigte Dr. Dieffenbach die Exklusivität der Gesellschaft.

Ludovica legte den Kopf schief und lächelte ironisch. «Oder es ist eine wöchentliche Ausrede für Ehemänner, die gerne einen über den Durst trinken und mittwochs Etablissements aufsuchen, über die sie mit ihren Ehefrauen nicht einmal reden würden.»

«Das war nicht immer so», entfuhr es dem Gast bei so viel gräflicher Unverblümtheit. «Und ich höre nicht auf, mich dafür einzusetzen, dass diese Treffen wieder der Wissenschaft gewidmet werden. Es muss erneut zur Regel werden, dass die Mitglieder reihum Vorträge halten. Es muss einen Austausch der Erfahrungen geben, so wie im Herbst vor eineinhalb Jahren über die Cholera.»

«Über dieses Thema wollten wir beim Essen nicht sprechen», erinnerte ihn Ludovica. «Habe ich Ihnen überhaupt zu Ihrer Professur gratuliert?»

Dieffenbach winkte ab. «Es ist nur eine außerordentliche Professur ohne Dotationen. Ich halte lediglich eine Vorlesung zur Akirurgie in diesem Semester.»

«Dennoch kann man die Studenten beglückwünschen, dass sie solch einen Lehrer bekommen», bekräftigte Ludovica. Sie erhob ihr Glas. «Lassen Sie uns anstoßen – auf die Professur und auf Ihr neues Buch!»

Dr. Dieffenbach lächelte sie in einer Weise an, dass es ihr ganz warm wurde. «Finden Sie denn, *Chirurgische Erfahrungen* sind das richtige Thema bei einem Abendessen?»

«Ja, unbedingt. Plastische Chirurgie! Ich gebe zu, ich habe nicht gewusst, wie spannend sie ist. Aber seit ich Ihr Buch gelesen habe, beschäftige ich mich damit. Bitte, erklären Sie mir, warum Professor von Graefe die italienische Methode der Rhinoplastik bevorzugt, während Sie der indischen Methode zuneigen?»

Sie weidete sich an seiner Verblüffung, aber er ließ sich nicht lange bitten. Bei Dessert und Kaffee berichtete er von seinen Erfolgen und Misserfolgen angesichts seiner Versuche, einem Patienten eine neue Nase aufzubauen. Ludovica hörte aufmerksam zu und stellte immer wieder Fragen, die er mit einem Lächeln und einem Kopfnicken quittierte.

«Sie sind die klügste Frau, der ich je begegnet bin», behauptete er schließlich. «Wenn es Frauen möglich wäre, Medizin zu studieren, dann würden Sie eine gute und einfühlsame Ärztin abgeben.»

Ludovica spürte, dass seine Bewunderung echt war. Was für ein wundervoller Abend. Er war ein so kluger und interessanter Gesprächspartner. Sie konnte kaum glauben, was für Operationen ihm schon geglückt waren. Wie spannend er zu berichten wusste! Das war keine hohle Konversation, die sie so häufig langweilte, wenn sie mit dem Grafen dinierte. Und es gab auch kein Jammern oder Selbstgespräche über eigene Befindlichkeiten.

Dr. Dieffenbach erhob sich und trat hinter ihren Stuhl, um ihr beim Aufstehen behilflich zu sein.

«Danke», sagte sie – und war ihm plötzlich ganz nah. Er stand so dicht vor ihr, dass sie seinen Atem spürte. Er roch ein wenig nach Kaffee und Karamell. Sein Blick hielt den ihren fest. Warum trat er nicht zurück? Das war gegen jeden Anstand, und im gleichen Augenblick hoffte sie, er würde noch näher kommen!

Sie wusste nicht, wer von ihnen zuerst nach den Händen des anderen griff, doch ihre Finger umschlangen einander.

«Ich danke für das ausgezeichnete Dinner und den eindrucksvollen Abend», sagte er leise.

Sie hätte ihn in seine Schranken weisen oder zumindest zurückweichen sollen, stattdessen erwiderte sie den Druck seiner Hände.

Es war der Arzt, der zuerst zur Vernunft zurückkehrte, sie losließ und einen Schritt zurücktrat. In seinem Blick lag so etwas Zärtliches wie ein Kuss. Verwirrt senkte Ludovica die Lider.

«Ich danke Ihnen», sagte er noch einmal schlicht und schritt dann zur Tür, die aufgerissen wurde, ehe er die Hand zur Klinke erhob. Und Ludovica fragte sich einmal mehr, was die Bediensteten alles mitbekamen und wie treu sie ihrer Herrin tatsächlich ergeben waren.

«Die Kutsche des Grafen ist vorgefahren», meldete der Diener.

Ludovica brauchte eine Sekunde, ehe sie begriff. «Aber er bleibt doch heute Nacht in Charlottenburg», stieß sie aus.

Der Diener schüttelte den Kopf. «Der Herr fühlt sich nicht wohl. Er verlangt nach einem Arzt.»

Ludovica sah ihren Gast an. «Noch können Sie unbemerkt durch die Hintertür entkommen.»

Doch da war es schon zu spät. Der Graf betrat die Halle und entdeckte den Besucher auf der Treppe.

«Dieffenbach!», rief er. «Können Sie Gedanken lesen? Sie schickt der Himmel! Meine Leibschmerzen bringen mich um. Kommen Sie gleich mit hinauf in mein Gemach. Nur Sie können mir Erleichterung verschaffen.» Er schien sich nicht zu fragen, was der Arzt um diese Zeit im gräflichen Palais zu suchen hatte.

Noch nicht.

Ludovica zog sich hastig zurück, ehe ihr Mann auf unbequeme Fragen kommen konnte.

∽

Was ist ein Händedruck?

Nichts, könnte man sagen. Ein Ritual unter Menschen, das nichts zu bedeuten hat. Oder es bedeutet alles, wenn man sich nahesteht. Ein Versprechen unter Liebenden, Hoffnung auf Unbekanntes, Ahnung voller Verzückung.

Warum nur klopft mein Herz so köstlich, wie ich es nur aus Romanen ken-

ne, die ich eigentlich nicht lesen sollte? Nie hätte ich gedacht, solch Verwirrung zu spüren. *Dieses Flattern meines Herzens, diese Wärme in meinem Leib, die noch viel wunderbarer ist als die Liebe, die mich durchflutet, wenn ich meine süße Tochter in den Armen halte.*

Wie konnte so etwas geschehen? Nur eine zärtliche Berührung der Hände, und dennoch scheint mit diesem Moment ein neues Leben zu beginnen. Ich kann an nichts anderes mehr denken als an diesen feinen Mann. Seine schönen, edlen Züge, sein Blick so stark und doch voller Verständnis, seine Hände, die fein und geschickt ein Messer führen können, um Menschenleben zu retten. Seine Finger, die ich noch um die meinen geschlungen zu spüren glaube. Ich sehe sein Antlitz vor mir, wenn ich am Abend die Augen schließe, und es begrüßt mich, wenn ich erwache. Wann nur kann ich ihn wiedersehen? Wann seine geliebte Stimme hören? Ich möchte ihn zu mir rufen und ihm nahe sein, doch ich erlaube es mir nicht. Nein! Dieses verbotene Feuer darf nicht geschürt werden. Es ist zu gefährlich. Es würde uns beide vernichten.

෭ධ

«Ludovica?»

Sie vernahm seinen polternden Schritt draußen. Rasch klappte sie das Tagebuch zu und versteckte es unter ihren Fächern in der untersten Schublade. Sie erhob sich und eilte ihm entgegen.

«Was gibt es, Gottfried?»

Würde er ihr etwas ansehen? Waren ihre Wangen gerötet? Stand ihr der Verrat ins Gesicht geschrieben?

«Ich fühle mich nicht wohl», sagte der Graf kläglich und drückte sich die Handflächen gegen den Magen. «Die Pastete war schlecht. Ich werde diesen Koch hinauswerfen!»

Ludovica lächelte fast erleichtert. Nein, ein Mann wie Gottfried würde es nicht einmal bemerken, wenn es in großen Lettern auf ihrer Stirn geschrieben stünde.

Es bedurfte all ihrer Überredungskunst, den armen Koch zu

retten und Gottfried davon zu überzeugen, dass sein Unwohlsein nur seinem empfindlichen Magen geschuldet war und nicht der Unfähigkeit des Küchenchefs.

«Nimm die Magentropfen, die Dr. Dieffenbach dir verschrieben hat», riet Ludovica ihrem Mann, «und lege dich eine Weile hin, um neue Kräfte zu sammeln.»

«Ja, das sollte ich tun», gab er ihr recht.

∞

Elisabeth entfloh für einige Minuten der Hitze und dem Gestank des Salivationssaals. Sie war seit fast zehn Stunden auf den Beinen und sehnte sich nach einer Pause. Außerdem hatte sie Hunger. In der Küche stibitzte sie einen Kanten Brot und ein Stück Speck und machte sich dann in den Garten auf. Die Sonne stand schon tief, doch es war ein schöner Frühlingstag. Die Blätter an den Bäumen begannen sich bereits zu entfalten. Sie beobachtete einige Frauen, die auf dem Wiesenstreifen neben den Gemüsebeeten unter den strengen Anweisungen einer Wärterin mit Tornister auf dem Rücken in Zweierreihen auf und ab marschierten.

«Präsentiert das Gewehr!», hallte ihre Stimme durch den Garten.

Die Frauen nahmen die Stöcke, die sie über die Schultern gelegt hatten, herunter und nahmen Haltung an, als seien die Hölzer wirklich Gewehre.

Ein Kichern ließ Elisabeth herumfahren. Auf einem Holzpflock saß ein älterer Mann mit schütterem Haar, der die Szenerie beobachtete.

«Marschieren, marschieren, jeden Tag», sagte er mit einem seltsamen Singsang in der Stimme. Auf seinem Schoß saß ein blonder Junge von knapp vier Jahren, den Elisabeth inzwischen gut kannte.

«Guten Tag, August.»

Der Kleine grinste sie an. An und für sich war er ein hübscher Bursche mit seinem lockigen blonden Haar, und sicher hätte so mancher Fremde ihn mit einem freundlichen Lächeln bedacht, wenn sein Blick nicht jeden Betrachter irritiert hätte. Die starr nach innen gerichtete Pupille des linken Auges gab dem Kindergesicht etwas Unheimliches, das die Menschen unwillkürlich zurückweichen ließ. Elisabeth glaubte zwar nicht an den bösen Blick, der Säuglinge im Mutterleib schädigen oder andere böse Krankheiten hervorrufen konnte, aber diese Einsicht traf sicher nicht auf jeden ihrer Mitmenschen zu.

Der alte Mann jedenfalls schien sich am Schielen des Kindes nicht zu stören. Er lächelte den Kleinen an, der vertrauensvoll seine kleine Hand in die des Alten steckte.

Bisher hatte Elisabeth den Alten immer nur von weitem gesehen. Er war auf alle Fälle schon länger Patient, als sie hier in der Charité arbeitete.

Sie erschrak innerlich, als ihr Blick auf die verkrüppelte Hand fiel, die nur aus Narben zu bestehen schien. Die weiß und rot marmorierten Narben schlängelten sich bis zum Ellenbogen hinauf und verschwanden dann unter seinem Charitékittel, der ihn als einen der Patienten auswies.

«Möchten Sie sich setzen?», fragte der Alte höflich und rückte ein Stück zur Seite. Elisabeth ließ sich an seiner Seite nieder. Auch seine Wangen und der Hals trugen die Male schwerer Brandwunden.

«Ich bin einer von Dr. Idelers Irren», sagte er höflich. «Valentin Wiesinger», stellte er sich vor und reichte ihr die verkrüppelte Hand.

Elisabeth umfasste sie zart, um ihm keinen Schmerz zuzufügen. Er folgte ihrem Blick auf die Narben.

«Ein Inferno», sagte er mit rauer Stimme. «Das Jüngste Gericht auf Erden!»

Elisabeth wusste nicht, ob sie ihn danach fragen sollte, doch da fuhr er schon fort: «Er hätte dem Pfarrer keine Kerze bringen sollen, der Doktor, doch er war überzeugt, dass Pfarrer Bethmann eigentlich harmlos ist. Dennoch wurde er diese Nacht in den Dollkasten gesperrt. Wer sich nicht richtig benommen hat, kam in den Käfig. So waren die Regeln der Anstalt, und ich habe sie alle befolgt. Ich war Zuchtmeister, drüben in der Krausenstraße, bis der Doktor dem Pfarrer die Kerze gebracht hat. Das hätte er nicht tun sollen.» Der alte Mann starrte auf seine verunstalteten Hände und schüttelte den Kopf.

«Was ist passiert?»

«Ich weiß nicht. Vielleicht habe ich geschlafen, aber dann war da plötzlich überall Feuer. Die Flammen, sie können sprechen, wussten Sie das? Sie flüstern und brüllen und stürzen sich auf alles. Ich habe sie in dieser Nacht gehört. Sie waren so laut, dass man die Insassen kaum mehr verstehen konnte. Es waren mehr als einhundertfünfzig Männer und Frauen, die in ihren Zellen eingesperrt waren und nun die Arme durch die Gitter streckten und schrien, während die Flammen immer lauter fauchten und sie enger und enger umschlossen.»

«Oh Gott», stöhnte Elisabeth, die sich das Grauen gar nicht vorstellen wollte. «Was haben Sie getan?»

«Ich habe mit der Spitzhacke ein Loch in die Mauer geschlagen und habe die Flammen angeschrien. ‹Zurück!›, rief ich. Und da ließen sie mich passieren. Es war so heiß, so unglaublich heiß drinnen, aber ich habe alle Türen aufgemacht. Dann bin ich zu den Dollkästen. Die Gitter grinsten mich mit ihren roten Mündern an, aber ich habe die Riegel aufgerissen. Das Eisen wollte mich festhalten. Es klebte an meinen Händen, und überall waren die Flammen, die höhnisch lachten, doch ich riss mich los und lief hinter den anderen her. Ihre Kittel waren schwarz und rauchten. Manche hatten keine Haare mehr auf dem Kopf, aber sie sind alle entkommen.»

Elisabeth drückte vorsichtig seine Hände. «Sie sind ein Held, Zuchtmeister Wiesinger.»

«Ja, das ist er», bestätigte eine Stimme hinter ihnen. «Aber seit dieser Nacht auch ein Mann mit krankem Geist und verletzter Seele.» Elisabeth wandte sich um. Sie sah in das kluge Gesicht von Professor Ideler. Wie immer trug er einen schwarzen Frack und eine Halsbinde über seinem blütenweißen Hemd.

Der Professor, der ihr schon bei ihrer Einführungsrunde durch die Charité sympathisch gewesen war, fuhr fort: «Es war eine dramatische Nacht. Der Polizeipräsident wusste sich nicht anders zu helfen, als die geretteten Insassen der Anstalt in die Charité bringen zu lassen – vorübergehend!» Er lachte freudlos. «Das war vor mehr als dreißig Jahren, und hier sind sie noch immer. Die Raumnot ist seitdem noch schlimmer geworden. Deshalb sehen wir jedem Fortschritt unseres Neubaus mit großer Hoffnung entgegen. Bald werden wir mit der Psychiatrischen Klinik in das neue Gebäude umziehen können, in dem wir dann auch mehr Behandlungen durchführen können.»

Elisabeth blickte zu den Frauen hinüber, die noch immer exerzierten. Dann sah sie zu Professor Ideler hoch. «Warum machen sie das jeden Tag?»

«Geist und Seele sind nur schwer zu fassen. Wir können den Körper nicht aufschneiden, um die Seele zu extrahieren, und dennoch kann der Mensch auch an Geist und Seele Schaden nehmen und erkranken. Früher haben wir die Irren nur weggesperrt. Heute glauben wir, dass man auch diese Erkrankungen heilen kann, wenn man den *ver-rückten* Geist wieder in die richtige Bahn zurückbringt.»

Elisabeth blinzelte verwirrt. «Und dabei soll das Exerzieren helfen?»

Professor Ideler nickte. «Nicht nur das. Es ist nur ein kleiner Teil der täglichen Struktur und Routine, die wir unseren Patienten bieten.»

Sie sah ihn fragend an.

«Sehen Sie, Wärterin Elisabeth, der Mensch wird von Vernunft und von Leidenschaft geleitet. Bei vielen dieser Menschen hat die Leidenschaft die Vernunft verdrängt. Ihre Triebe sind in Unordnung geraten. Dieser Verlust von Besonnenheit treibt sie in den Irrsinn. Unsere Aufgabe ist es, durch erzieherische Maßnahmen ihre Moral wiederherzustellen. Mein Vorgänger – Professor Horn – hat sich allein auf die Wiederherstellung des Gemeinsinns beschränkt. Er war davon überzeugt, dass Gesundung durch einen strengen Tagesablauf und verschiedene andere Maßnahmen möglich wäre, und zögerte nicht, den verschütteten Geist über körperliche Irritation und Schmerz zu erreichen. Seiner Auffassung nach ist der Arzt wie ein liebender, aber gestrenger Vater, der auch zu schmerzhaften Züchtigungen greifen muss, um aus dem Kind einen guten Menschen zu formen. Auch heute unterwerfen wir unsere Patienten einem strengen Zeitplan und geben ihnen feste Aufgaben wie bei den Frauen das Exerzieren oder die Gartenarbeit an der frischen Luft. Alles muss einen festen Rahmen haben, um den verrückten Geist wieder in Ordnung zu bringen.»

Ideler machte eine Pause, als wollte er sich vergewissern, ob er die junge Wärterin nicht überforderte. Als er sah, wie aufmerksam sie ihm zuhörte, fuhr er fort: «Gleichzeitig bin ich der Meinung, dass dies nur der erste Schritt sein kann. Zu dem äußeren Zwang und der Gabe von Medikamenten muss die Einsicht des Patienten kommen. Er muss verstehen und Veränderung annehmen, um zu genesen und zu seiner alten Moral zurückzufinden. Ich setze deshalb zusätzlich auf Vorträge und andere geistige Beschäftigungen. Darin unterscheide ich mich von Professor Horn.»

Es war inzwischen kühl geworden, doch vor allem rief die Arbeit. Deshalb erhob sich Elisabeth und strich ihr Kleid glatt, dankbar dafür, dass der Professor sie nicht wie eine dumme Wärterin behandelte. Sie fühlte sich zu Tränen gerührt.

«Professor Ideler, ich danke Ihnen», sagte sie voller Inbrunst. «Ich möchte noch so vieles wissen und verstehen, und ich könnte Ihren Ausführungen stundenlang lauschen! Aber leider muss ich zurück zu meinen Patienten.»

«Dann haben Sie mehr Ausdauer und Interesse als viele meiner Studenten», sagte er mit seiner sanften Stimme. «Ich habe oft das Gefühl, ihre Gedanken schweifen nur allzu schnell ab, wenn ich etwas erkläre.» Er lächelte sie an. «Wir werden uns bald wiedersehen, Wärterin Elisabeth. Sie arbeiten von nun an in meiner Abteilung. Melden Sie sich morgen nach dem Frühstück bei mir, dann zeige ich Ihnen unsere interessanten Fälle.»

Elisabeth sah ihn verblüfft an. «Ich werde versetzt? Warum? Habe ich etwas falsch gemacht?»

Ideler schüttelte den Kopf. «Aber nein, ich denke ganz im Gegenteil. Sie haben einen guten Einfluss auf die Patientinnen, hat man mir berichtet. Und man erzählte mir, dass Sie eine streitbare Person sind, die gern ihre eigenen Vorstellungen in die Tat umsetzt.»

Kampflustig reckte Elisabeth das Kinn. «Nur zum Besten der Patienten», verteidigte sie sich.

Der Arzt lachte. «Ich sehe schon, es wird interessant, Sie in unserer Abteilung zu haben.»

Es war im April, als Dieffenbach zu einer Konsultation ins Haus der Familie Tondeau gerufen wurde. Die Familie bewohnte ein prachtvolles Stadthaus, von dem aus es nur wenige Schritte bis zur Allee Unter den Linden waren. Madame Tondeau hatte sich den Finger an einer Porzellanscherbe verletzt. An und für sich eine Kleinigkeit, für die es sich kaum lohnte, einen Chirurgen mit der Erfahrung Dieffenbachs zu rufen, doch er nähte den Schnitt mit zwei Stichen, wusch den Finger mit Weinessig und legte ein Stück Scharpie auf, das in eine Mischung aus Terpentin, Johanniskraut und Myrrhe eingelegt worden war. Darüber befestigte er einen Verband.

Madame Tondeau lächelte den Chirurgen an. «Ich danke Ihnen, dass Sie gekommen sind.

Dieffenbach versicherte ihr, dass er ihr und der Familie jederzeit gerne zu Diensten stehe.

Madame Tondeau nickte, aber sie schien mit ihren Gedanken woanders zu sein. Dann hob sie den Kopf und lauschte. «Hören Sie?»

Er überlegte kurz, was sie meinte, dann hörte er es auch: Aus einem der angrenzenden Zimmer drang Klaviermusik. Es waren die wiegenden Klänge eines Tanzliedes.

«Die Gouvernante unserer Tochter Elvira spielt sehr schön.»

Dieffenbach nickte ein wenig irritiert. In Gedanken war er bereits in der Charité und bei den Fällen, die heute zur Operation anstanden.

«Elvira ist eine anmutige Tänzerin», erklärte Madame Tondeau und öffnete die Tür zum Nebenzimmer einen Spalt weit.

Widerstrebend folgte ihr Dieffenbach, um einen kurzen Blick auf das Mädchen zu werfen, das offensichtlich der ganze Stolz der Mutter war. Hatte sich Johannas Auszug schon so weit herumgesprochen? Sie hatten in aller Stille die Scheidung eingereicht, doch vermutlich konnte man so etwas in Berlin nicht geheim halten. Versuchte die Mutter, sein Interesse auf die Tochter zu lenken?

An den Abenden, die Dieffenbach nun alleine daheim verbrachte, stieg in ihm durchaus der Wunsch nach einem weiblichen Wesen auf, das an seiner Seite lebte, ihn umsorgte und verstand und, ja, auch sein Bedürfnis nach Wärme und einem weiblichen Körper in seinem Bett befriedigte. Nur drängte sich, wenn er so dachte, ständig das Bild der Gräfin in seinen Kopf, das er energisch von sich wies. Es gab in Berlin sicher viele Frauen, die er haben konnte.

Gräfin Ludovica zählte nicht zu ihnen, selbst wenn sie seine Gefühle erwidern sollte.

Diese Gedanken bewegten ihn, als sein Blick auf eine zierlich schlanke Gestalt fiel, die sich anmutig zu den Klängen des Klaviers bewegte, die Arme so erhoben, als würde sie sich mit einem Partner im Tanz drehen.

Das Mädchen war offensichtlich noch jung. Vielleicht siebzehn oder achtzehn Jahre alt, schätzte er und wollte sich schon wieder abwenden, als er plötzlich erstarrte. Elvira beendete eine der Tanzfiguren und schwang zu ihnen herum. Sie erschrak, als sie ihre Mutter und den fremden Mann entdeckte. Ihre Hände fuhren in einem Reflex zu ihrem Gesicht hoch, um es zu bedecken, doch der Arzt hatte die schreckliche Zerstörung bereits gesehen.

Er fühlte Entsetzen, Bedauern, aber auch Interesse. In solch fortgeschrittenem Stadium war ihm diese zerstörerische Hautkrankheit noch nicht begegnet. Und ihm kam der Verdacht, nicht der Finger der Mutter könnte der wahre Grund für seinen Besuch im Hause Tondeau sein. Eine Ahnung stieg in ihm auf. «Sind Sie vielleicht mit Gräfin Ludovica von Bredow bekannt?», erkundigte er sich, während er langsam in den Salon trat. Die Musik brach ab, das Mädchen wich panisch in eine Ecke zurück.

Madame Tondeau nickte mit einem feinen Lächeln.

Dieffenbach trat auf das Mädchen zu und hob beruhigend die Hände. «Bitte, Mademoiselle, Sie müssen sich nicht schämen. Ich bin Arzt und kann Ihnen vielleicht helfen.»

«Mir kann niemand helfen!»

«Es ist mir schon mehr als ein Mal gelungen, eine Nase ganz neu aufzubauen. Ich habe Gaumenspalten und Hasenscharten operiert. Bitte, lassen Sie mich den Schaden betrachten, um ihn beurteilen zu können. Ich verspreche Ihnen, ich werde immer ehrlich zu Ihnen sein und Ihnen keine falschen Hoffnungen machen.»

Für einen Moment ließ das Mädchen die Hände sinken, und

Dieffenbach konnte einen Blick auf ihr Gesicht erhaschen. Er hatte schon viel in seinem Leben gesehen, Verwachsungen und schlimmste Wunden, doch bei diesem Anblick musste selbst er an sich halten, um nicht zusammenzuzucken. Was für eine Qual! Statt einer Nase gähnte in der Mitte ihres Gesichts ein Loch, durch das man bis in die Knochenhöhle blicken konnte. Umrahmt von wulstigen Narben, ging der Krater in die beiden fast senkrecht nach oben verwachsenen Oberlippenhälften über, die eine hässliche Hasenscharte bildeten. Außerdem hing das linke untere Augenlid weit herab. Darüber jedoch wölbten sich perfekte Brauen und eine schöne Stirn. Ihr Haar war dicht und lockig, die Figur zierlich, die Bewegungen voller Anmut. Was für eine Tragödie!

Das Mädchen wandte sich ab.

«Skrofulose», hauchte Dieffenbach. «Selten habe ich sie so zerstörerisch gesehen.»

«Es fing an, als Elvira vier war», berichtete die Mutter. «Der Ausschlag schritt rasch voran und fraß sich in ihr Gesicht. Keiner der Ärzte, die wir zu Rate zogen, konnte ihn aufhalten. Dann, als sie zehn war, hörte er plötzlich auf, aber Sie sehen ja, was er angerichtet hat! Elvira verlässt das Haus seit Jahren nicht mehr und verbirgt sich vor jedem Besucher. Nur ich und ihre Gouvernante dürfen sie sehen.»

Dieffenbach verbeugte sich tief in Richtung des Mädchens. «Es ist mir eine große Ehre, dass ich Ihr Geheimnis sehen durfte», sagte er. «Ich bitte Sie, Mademoiselle Elvira, lassen Sie mich Ihr Leiden genauer untersuchen. Ich denke, ich kann Ihnen helfen, aber so aus der Ferne kann ich noch nichts Genaues sagen. Wir würden mit Ihnen zusammen einen Plan erstellen, denn das wird nicht mit einer Operation zu richten sein. Aber Stück für Stück können wir es schaffen, wenn Sie den Mut und die Kraft dazu aufbringen.»

Das Mädchen schien einige Augenblicke über seine Worte nachzudenken. Dieffenbach spürte, wie ihre Mutter die Luft anhielt. Dann wandte sich Elvira plötzlich dem Arzt zu. Sie ließ ihre Hände sinken und kam sogar einige Schritte näher, um ihm das ganze Elend deutlicher vor Augen zu führen.

«Nein», sagte sie beherrscht und mit fester Stimme. «Nein, ich glaube Ihnen nicht. Sie denken vielleicht, dass Sie mir helfen könnten, aber das kann niemand. Ich bin verdammt und muss damit leben, bis der Schöpfer mich erlöst.»

Tränen schossen in ihre Augen. Sie wandte sich ab und lief aus dem Zimmer. Die Tür fiel krachend hinter ihr ins Schloss.

Dieffenbach wandte sich zu Madame Tondeau um. Sie zuckte hilflos mit den Schultern. «Ich habe so etwas befürchtet, aber ich werde mit ihr sprechen. Darf ich Sie benachrichtigen, wenn Elvira es sich anders überlegt?»

Er reichte ihr die Hand. «Jederzeit, Madame. Ich würde Ihrer Tochter sehr gerne helfen.»

«Wir übernehmen natürlich jedwede Kosten», versicherte sie.

«Natürlich», sagte Dieffenbach, «daran wird es nicht scheitern. Aber ich will Ihnen nichts vormachen. Wenn Elvira zustimmt, dann hat sie einen langen Leidensweg vor sich. Es wird schmerzhaft!»

«Sind die Leiden der Seele nicht schlimmer als die des Körpers?», entgegnete Madame Tondeau.

Er nickte. «Ja, so sehe ich das auch, dennoch müssen wir warten, bis Elvira den Mut findet zuzustimmen.»

KAPITEL 9

In der Irrenabteilung

I ch habe G. im Kinderzimmer angetroffen. Er saß auf dem Boden und spielte mit Amalie. Eineinhalb Jahre ist sie nun alt, und ich habe zuvor nicht ein Mal erlebt, dass er sie in seine Arme nahm oder auch nur nach ihr fragte. Doch nun saßen die beiden zusammen auf dem Boden und spielten mit ihren Puppen. Amalie lachte und strahlte ihren Vater an, und auch G. war in einer heiteren Stimmung, wie ich sie noch nie bei ihm erlebt habe. Das Bild ging mir zu Herzen. Es war ein seltenes Glück, eine traut vereinte Familie um mich zu haben. Nun kann ich hoffen, dass er am weiteren Leben seiner Tochter teilnimmt und sie in ihm einen Vater findet, der nicht nur ihr Erzeuger ist. Ein Gefühl des Glücks wohnt heute in meinem Herzen, und ich werde mich gern an dieses schöne Bild erinnern.

∾

Elisabeth meldete sich pünktlich bei Professor Ideler, der ihr die Station mit den Melancholikern, den Verwirrten, den Patienten mit epileptischen Anfällen und das Extrazimmer für die Tobsüchtigen zeigte. Es gab auch zwei kleine Kammern, in denen selbst zahlende Patienten, die hier Heilung suchten, untergebracht wurden. Alle anderen Patienten in den großen Sälen der Charité mussten für ihre Behandlung nicht aufkommen, erklärte der Professor.

«Die Charité ist von jeher ein Spital für arme Bürger und Soldaten, aber seit einigen Jahren gibt es Probleme. Mit Minister von Steins großer Städtereform ist zusammen mit anderen Verwaltungsaufgaben auch die Armenfürsorge auf die Stadt Berlin übergegangen. Die Charité ist aber nach wie vor dem König beziehungsweise seinen Ministern unterstellt. Und sowohl Kulturminister von Stein als auch das Kriegsministerium wollen ihren Einfluss auf unser Krankenhaus nicht verlieren, schließlich bilden wir hier die Ärzte des Militärs aus. So steht die Stadt Berlin nun vor dem Problem, für ihre armen Kranken in der Charité zahlen zu müssen.»

Elisabeth hörte staunend zu und saugte jedes Detail in sich auf. «Aber so kann das nicht funktionieren, oder?», wagte sie anzumerken.

Ideler nickte. «Das sehen Sie ganz richtig. Ich denke, die Stadt und die königlichen Minister werden sich noch eine Weile streiten und sich dann auf ein Kontingent einigen. Einhunderttausend freie Verpflegungstage für die bedürftigen Kranken der Stadt brauchen wir mindestens pro Jahr. Doch ich fürchte, bis die Entscheidung fällt, werden wir noch viel Geduld beweisen müssen.»

Sie näherten sich einem der Krankensäle, aus dem wüstes Geschrei drang. Professor Ideler öffnete die Tür. Eine Frau wand sich auf dem Boden. Elisabeth konnte ihr Gesicht nicht sehen, denn ihr langes Haar hatte sich gelöst und schlang sich um ihren Kopf. Die Patientin zuckte und brüllte aus Leibeskräften.

«Wir haben alles versucht», keuchte Wärterin Christina. Sie war um einen Kopf größer als Elisabeth, hatte Muskeln wie ein Lastenträger und drückte die Tobende fest zu Boden. «Ich hab sie geschlagen, bis die Rute gebrochen ist, doch sie tobt immer weiter.»

Entsetzt sah Elisabeth von der Wärterin zum Arzt.

«Zu schlagen ist nicht Ihre Aufgabe, das wissen Sie», mahnte der Professor. «Sie müssen mir sofort Bescheid geben, wenn sich solch ein Anfall ereignet.»

«Ach, da hilft nur noch der Sack», stieß die Wärterin keuchend hervor. «So hab'n wir die Irren auch schon beim Horn zur Ruhe gebracht.»

«Davon habe ich auch schon gehört. Professor Horn hat in einer seiner Vorlesungen davon gesprochen», mischte sich eine Stimme ein, die Elisabeth bekannt vorkam. Und richtig, Dr. Heydecker mit den blauen Augen gesellte sich zu ihnen. War er nun ebenfalls Professor Idelers Abteilung zugeteilt?

«Professor Horn hat bei Tobenden großartige Erfolge mit dem Sack gehabt. Die Dunkelheit machte sie zahm, so sagte er uns.» Elisabeth sah den jungen Mann mit gerunzelter Stirn an. Er schien ganz eifrig darauf bedacht, die arme Frau in diesen Sack zu stecken, nur um die Theorie des Arztes zu untermauern.

«Nein», entschied Ideler, «der Sack kommt bei uns nicht mehr zum Einsatz! Wir versuchen es noch einmal mit kalten Güssen, um ihr Gemüt zu kühlen. Wärterin Elisabeth, helfen Sie Wärterin Christina, die Patientin in die Bäder hinunterzubringen. Sie wird mit kaltem Wasser übergossen, bis sie sich beruhigt. Dr. Heydecker wird die Maßnahme überwachen.»

Das war leichter gesagt als getan. Erst als der junge Arzt ihnen half, schafften sie es, die schreiend um sich Schlagende in den Baderaum zu schaffen.

«Vor ein paar Jahren neu eingebaut», erklärte Christina, als sie den Raum erreichten. Die darin eingerichteten Brausebäder waren für Therapien gedacht. «Bis vor zehn Jahren hat es nur im Erdgeschoss fließendes Wasser gegeben und auch keine Abtritte in den oberen Stockwerken. Nur ganz unten gab es ein paar Wannen ohne Abfluss. Die war'n so schnell voll Schlamm, dass sie fix voller Frösche und Kröten waren.» Christina lachte dröhnend. «War dem König wohl zu teuer, überall Bäder einbauen zu lassen.»

«Dann kann man nur hoffen, dass in der neuen Charité oben an der Nordmauer nicht wieder so gespart wird», sagte Heydecker.

Es war ein schwieriges Unterfangen, die tobende Patientin in eine der Wannen zu bugsieren. Zum Glück schloss sich ihnen ein kräftiger Wärter an, der mit aufmüpfigen Patienten umzugehen wusste. Mit einem Ruck zog er der Kreischenden den Kittel über den Kopf, umschlang ihren Leib mit einem Klammergriff und verfrachtete sie in die mit Wasser gefüllte Wanne. Dabei bekamen alle ihren Teil des eiskalten Wassers ab.

Elisabeth fasste sich ein Herz und begann, auf die Frau einzureden. «Beruhigen Sie sich, dann dürfen Sie in Ihr Bett zurück. Bitte, es ist alles gut. Niemand will Ihnen Böses.»

«Die versteht das eh nicht», sagte Christina und kippte ihr den nächsten Eimer Wasser über den Kopf. Der Wärter half ihr.

«Es wird sie nur kurze Zeit beruhigen», prophezeite Dr. Heydecker. «Auch die Drehmaschine wirkt nicht lang. Für Professor Horn war in solchen Fällen der Sack das einzige Mittel, Tobende gefügig zu machen. Die Dunkelheit hat sie so nachhaltig beeindruckt, dass man später nur noch mit dem Sack drohen musste.»

«Sie würden die Patientin tatsächlich in Todesangst versetzen, nur um sie ruhigzustellen? Glauben Sie, das ist die richtige Methode, sie zu heilen?» Elisabeth stellte sich demonstrativ vor Heydecker und funkelte ihn an.

«Droht man nicht auch Kindern, um sie vom Quengeln abzuhalten? Sie müssen sich diese Irren wie Kinder vorstellen, die man züchtigen muss», entgegnete er.

Elisabeth zeigte auf die roten Striemen auf dem Rücken der Frau. «Das wurde ja wohl ausgiebig getan. Und was hat es gebracht?»

Heydecker blieb hartnäckig. «Die Reize waren eben nicht stark genug, um durch ihren Wahnsinn zu dringen.»

«Vielleicht wären Güte und Verständnis auch ein Weg», beharrte Elisabeth und wandte sich an Christina. «Wie heißt sie?»

«Hanna.»

Elisabeth umrundete die Wanne, ging in die Knie und sprach jetzt eindringlicher als zuvor auf die kläglich wimmernde Frau ein. «Hanna, sprechen Sie mit mir. Dann bringe ich Sie in Ihr Bett zurück.»

«Güte und Verständnis», echote Dr. Heydecker in spöttischem Ton. «Sie sind zu weich für diese Arbeit.»

Elisabeth richtete sich auf und stemmte die Hände in die Hüften. «Woher wollen Sie das wissen? Wie viele dieser Fälle haben Sie denn schon behandelt?»

Ihr Zorn schien ihn aus dem Konzept zu bringen. Vermutlich hatte es noch keine Wärterin gewagt, so mit ihm zu sprechen. Dann fing er sich wieder und antwortete überraschend ehrlich: «Ja, mir fehlt praktische Erfahrung, genau wie Ihnen, aber ich habe drei Jahre lang studiert und die Vorlesungen bei Professor Horn besucht, der diese Abteilung jahrelang geleitet hat.»

Kampflustig standen sie einander gegenüber, als sie plötzlich merkten, dass Professor Ideler nach unten gekommen war. Vielleicht hatte ihm das Ganze zu lange gedauert, und er wollte nach dem Rechten zu sehen. Jedenfalls rief er sie alle mit ruhiger, aber fester Stimme zur Ordnung.

«Wärterin Christina, Sie können die Patientin in die dunkle Kammer bringen. Überwachen Sie, ob sie im Bett liegen bleibt. Wenn nicht, muss sie in die Zwangsjacke. Aber ich denke, sie wird jetzt eine Weile ruhig bleiben.»

Christina senkte den Blick und brachte die inzwischen lammfromme Patientin wieder nach oben.

Als die beiden gegangen waren, drehte sich Ideler mit einem Ruck zu Elisabeth und Alexander um. «Und Sie beide hören auf zu streiten. Sie müssen hier zusammenarbeiten.»

Dann wandte er sich an den jungen Arzt. «Ich weiß nicht, was Ihnen Professor Horn bei seinen Vorlesungen erzählt hat. Er war stets engagiert und behandelte seine Patienten nach dem Stand der Medizin und seinen Erfahrungen. Viele wurden als geheilt entlassen, aber es gab auch Rückschläge, von denen er Ihnen sicher nicht berichtet hat.» Er sah den jungen Kollegen bedeutungsvoll an. «Mag sein, dass er die Tobenden mit dem Sack schneller ruhigstellen konnte, doch es war die Todesangst vor der Finsternis, die die Patienten zähmte. So etwas ist für das Herz nicht ungefährlich. Unsere Chirurgen haben immer wieder Fälle, bei denen Patienten sterben, noch ehe die Operation vollständig durchgeführt wurde. Angst und Schmerz lassen das Herz versagen.»

Er machte eine Pause und schien zu überlegen, ob er tatsächlich weiterreden sollte. «Sie wollen ja etwas lernen, daher erzähle ich Ihnen nun von einem Fall, der große Wellen geschlagen hat.»

Elisabeth und Alexander sahen ihn aufmerksam an.

«Am 1. September 1811 ließ Professor Horn eine tobende junge Frau in die Zwangsjacke und dann in den Sack sperren. Er selbst begab sich auf eine Ausfahrt. Der Wärterin, die gerade Dienst hatte, gab er die Anweisung, die Patientin erst rauszulassen, wenn sie sich beruhigt habe. Als er von seinem Ausflug zurückkehrte, war die Patientin tot!»

Elisabeth schlug sich die Hand vor den Mund, Alexander Heydecker versuchte sich an einer neutralen Miene.

«Sie ist in dem Sack elendig erstickt», vermutete Elisabeth.

Professor Ideler schüttelte den Kopf. «Das konnte nicht bewiesen werden, obgleich Geheimrat Kohlrausch, der den Professor angezeigt hatte, davon überzeugt war und die offizielle Todesursache *apoplexia post maniam* anzweifelte. Professor Horn musste sich vor Gericht verantworten.»

«Was bedeutet das?», fragte Elisabeth, noch immer ein wenig atemlos.

«Es bedeutet, dass die Patientin an einem Schlaganfall infolge eines manischen Anfalls gestorben sei. So jedenfalls lautete der offizielle Befund.»

«Sie ist nicht erstickt?», hakte Heydecker nach.

«Der Autopsiebefund besagte, ihr Tod sei durch Ersticken eingetreten, dennoch wurde Professor Horn freigesprochen, da er keine unsachgemäßen Mittel zur Behandlung von Tobsüchtigen angewandt hätte. Einige Jahre später gab er seinen Posten als Direktor der Psychiatrischen Abteilung auf, um sich ganz seinen Veröffentlichungen und der Lehre zu widmen.»

Elisabeth atmete tief durch. «Ich werde nach Fräulein Hanna sehen.»

«Bringen Sie ihr einen heißen Kräutersud aus Melisse, Hopfen und Baldrian. Vielleicht schläft sie dann ein», wies sie der Professor an.

Elisabeth nickte und verabschiedete sich, warf dem jungen Heydecker noch einen scharfen Blick zu und eilte dann die Treppe hinauf.

∽

Der Geheime Obermedizinalrat Rust verkündete, die heutige Bruchoperation ausnahmsweise selbst durchzuführen, da sein zweiter dirigierender Chirurg Dieffenbach wieder einmal im Tiermedizinischen Institut weile, um dort weitere Versuche zur Lüftung des Geheimnisses der Bluttransfusion durchzuführen.

Wenn man richtig hinhörte, so kam man zu dem Schluss, dass das nach Rusts Meinung reine Zeitverschwendung sei, doch er ließ Dieffenbach gewähren.

«Heute zeige ich den Studenten, wie das ein Mann meiner Erfahrung macht», hörte ihn Alexander sagen.

Neben ihm bezog Generalstabsarzt von Wiebel in seiner frischen blauen Uniform mit den schimmernden Knöpfen am Operationstisch Stellung. Außerdem war neben Alexander ein junger Subchirurg dabei. Seine und Alexanders Aufgabe bestand darin, den Patienten festzuhalten, während der Professor schnitt.

In den Stuhlreihen hatten Studenten der Universität Platz genommen und eifrig ihre Notizbücher gezückt. Zudem rückten einige junge Pépins in Uniform zusammen. Nun wurde der Patient hereingebracht, ein dicker Mann mit rot schimmernder Glatze, dessen Gesicht von Schweiß bedeckt war, was sicher nicht an der Temperatur im Saal lag. Die beiden Assistenten mühten sich, ihn auf den Tisch zu schieben, und legten dann seinen Bauch mit der deutlich hervorquellenden Geschwulst frei. Alexander ging ans Kopfende, um mit all seiner Körperkraft zu verhindern, dass sich der Patient aufrichtete.

Der Geheime Medizinalrat griff zum Messer und hob es gut sichtbar hoch. Der Patient stöhnte und wurde bleich. «Schauen Sie sich an, wie der alte Rust das macht», sagte der Professor sichtlich vergnügt ins Publikum. Dann positionierte er sich hinter dem gewaltigen Bauch. «Wir fangen an», verkündete er aufgeräumt.

Alexander umklammerte von oben den einen Arm des Patienten, der junge Subchirurg den anderen.

Der alte Rust schob seine dicke Brille ein wenig weiter auf die rot glänzende Nase. Er betastete die Geschwulst und setzte dann die Messerspitze an. Der Patient zuckte zusammen und stieß einen Schrei aus, obgleich das noch gar nicht weh tun konnte.

«Hier kann man den Bruchsack fühlen», erklärte der Chirurg und wandte den Blick Richtung Stuhlreihen. «Was genau ist eine sogenannte Hernie? Es hat sich an dieser Stelle in den Muskeln und Geweben der Bauchdecke ein Riss gebildet, durch den ein Stück des Darms nach außen drängt. Wird solch eine Darmschlinge eingeklemmt, führt das zu Beschwerden. Es gilt also, die Lücke zu erweitern, den Darm zurückzudrängen und die Schwachstelle zu verschließen.»

Er bewegte den Kopf hin und her, dann zurück und wieder vor, so als suche er den besten Punkt, von dem aus er das, was seine Hände taten, scharf sehen konnte.

«Von Wiebel, ziehen Sie die Haut straff», wies er an, dann fuhr er mit dem Messer tief in die Geschwulst.

«Nicht!», schrie von Wiebel und wich zurück, doch da war das

Unglück bereits geschehen. Ein Schwall an Verdautem und noch flüssigen Exkrementen schoss dem Geheimrat ins Gesicht.

«Die Darmschlinge ist durchschnitten», rief von Wiebel entsetzt, sodass auch dem letzten Studenten klarwerden musste, dass diese Operation gründlich danebengegangen war.

«Ein Tuch!», kommandierte Rust verärgert. Er griff sich selbst eines vom Verbandswagen und rieb sich über das Gesicht. Dann wandte er sich barsch an den Stabsarzt: «Machen Sie das fertig!» Ohne ein weiteres Wort verließ er den Saal.

Einige der Studenten hatten sich von ihren Sitzen erhoben, um das schaurige Finale sehen zu können. Während von Wiebel sich redlich mühte, den Schaden zu richten und den aufgeschnittenen Darm zu nähen, wurden die Schreie des Patienten immer schwächer.

«Das kann nichts mehr werden», hörte Alexander den abfälligen Kommentar eines der Studenten. «Ist der Dreck erst mal im Bauchraum, ist er hinüber.»

«Du kriegst einen Darm mit einer normalen Naht nicht mehr dicht», stimmte ihm ein anderer zu. «Wenn er Glück hat, stirbt er gleich, ansonsten verfault er regelrecht und geht elendig in ein paar Tagen drauf.»

ᖇᑌ

Dieffenbach genoss es, die Abendstunden oft bis nach Mitternacht in aller Ruhe in seinem Studierzimmer zuzubringen. Der Sommer strich dahin, die Scheidung war vollzogen. Er war wieder ein freier Mann. Dieffenbach horchte in sich hinein. Wollte er denn frei sein? Wollte er hier in dieser großen Wohnung alleine leben?

Um sein leibliches Wohl musste er sich keine Sorgen machen. Sein Hausmädchen war eine leidlich gute Köchin und versorgte ihn mit allem Nötigen, und dennoch fehlte ihm etwas. Es war ihm, als wäre es in diesem Haus kälter geworden, seit Johanna es verlassen hatte. Was vermisste er?

Nicht die Salons und die vielen Menschen, die für seine geschiedene Frau immer so wichtig gewesen waren. Es war eher die Gesellschaft eines einzigen, vertrauten Menschen, der ihm am Abend bei Tisch gegenübersaß, Interesse an seinen Fällen zeigte und mit ihm über seinen Tag sprechen wollte. Und ja, vielleicht auch Kinder, die er behütet aufwachsen sehen wollte.

Er versuchte, Ludovicas Bild aus seinem Kopf zu vertreiben. Sie konnte diese Sehnsucht nicht erfüllen, denn sie lebte gesellschaftlich auf einem anderen Stern. Und dennoch konnte er es kaum erwarten, sie wiederzusehen.

Aber würde ihm das auf Dauer genügen, dieses schöne Wesen aus der Ferne zu betrachten? Reichte ein Händedruck, um die Einsamkeit zu vertreiben? Die Magie eines einzigen Moments?

Dieffenbach schritt durch die Wohnung und betrachtete den leeren Stuhl im Esszimmer, auf dem Johanna stets gesessen hatte. Dann trat er an den Erker und strich über die Polsterlehne ihres Sessels. Die Sehnsucht brannte in seinem Innern. Jeder Mensch musste lieben und geliebt werden.

Vielleicht wurde es Zeit, seine Augen und sein Herz für andere Frauen zu öffnen.

Elisabeth saß bereits seit über einer Stunde auf der Bettkante einer neuen Patientin, die den Melancholikern zugeteilt worden war. Die Frau war abgemagert, die Wangen waren eingefallen, unter den Augen schimmerten dunkle Schatten. Ihr blondes Haar war stumpf geworden und hing wirr über den Rücken herab. Der Blick aus den blassblauen Augen war starr geradeaus gerichtet. Elisabeth sprach freundlich mit ihr, doch die Patientin ließ durch nichts erkennen, ob sie die Wärterin überhaupt hören konnte. Es war fast unheimlich, wie selten sie auch nur zwinkerte. Sie saß einfach mit geradem Rücken in ihrem Bett und regte nicht einen Finger. Essen und Trinken rührte sie nicht an. Mit viel Geduld fütterte Elisabeth die Patientin mit der seltsamen Krankheit, von der sie noch nie gehört hatte.

Die Frau hieß Magdalena Gruber, war zweiunddreißig Jahre alt und Mutter dreier Kinder, das letzte vor gerade einmal zwei Monaten geboren. Ihr Mann, ein kleiner Beamter des Königs, der für Minister von Stein arbeitete, hatte seine Frau in die Charité bringen lassen, nachdem er sich keinen anderen Rat mehr wusste.

«Sie hat sich schon nach der Geburt unseres Johannes seltsam verhalten. Sie wollte das Kind gar nicht sehen und überließ es stets der Amme. Sie saß nur in einem Sessel am Kamin und starrte vor sich hin.» So stand es im Krankenjournal, das am Bett der Patientin befestigt und laut Professor Ideler für alle seine Patienten sorgfältig zu führen war. «Manches Mal weinte sie lautlos», hatte Herr Gruber erzählt, «doch sie hat kaum mehr gesprochen und sich nicht mehr um die Führung des Haushalts gekümmert. Selbst für unsere Tochter Rosa hatte sie kein liebes Wort mehr übrig. Und jetzt ist alles noch viel schlimmer. Es ist, als wäre sie in tiefen Schlaf gefallen, obgleich ihre Augen offen sind. Ich weiß nicht, ob sie mich überhaupt hört, wenn ich mit ihr spreche.»

Es waren alle acht Betten belegt, doch so ein Fall wie Magdalena Gruber war ungewöhnlich, hatte Professor Ideler gesagt. Dennoch schien er zuversichtlich und hatte dem verzweifelten Ehemann und Familienvater Hoffnung gemacht, dass er seine Frau bald geheilt zurückbekommen würde.

Was in diesem Fall «bald» bedeutete, wagte Elisabeth nicht zu fragen, und auch Anton Gruber hatte nicht nachgehakt.

Elisabeth wusch Magdalena das Gesicht und die Hände, dann griff sie zu einer Bürste und zog diese so umsichtig wie möglich durch das verwirrte Haar. Dabei sprach sie mit leiser Stimme, stellte ab und zu auch eine Frage nach den Kindern, doch die Patientin blieb stumm.

Die Tür öffnete sich, und Dr. Heydecker trat ein, um die von Ideler angeordneten Abführ- und Brechmittel zu verabreichen. Die ein oder andere Patientin wehrte sich gegen die stinkenden Pasten, die entsetzlich schmecken mussten, aber der Doktor blieb hart und kontrollierte genau, dass keine ihre Medizin heimlich ausspuckte. Dann trat Heydecker zu Magdalena und zwang auch sie, die verordneten Mittel zu schlucken.

«Muss das sein?», fragte Elisabeth abwehrend.

«Das hat der Professor so entschieden», gab der junge Doktor zurück. «Ich führe seine Anweisungen aus. Die Frauen müssen begreifen, dass das alles zu ihrem Wohl geschieht!»

«Tut es das denn?»

Heydecker gab sich überzeugt. «Das ist der Stand der Wissenschaft. Das Verhältnis von Vernunft und Leidenschaft ist bei diesen Menschen verlorengegangen. Ihre Triebe sind in Unordnung. Diese Mittel führen dazu, dass ihre Besonnenheit wieder die Oberhand erhält. Wir müssen sie in einen Zustand versetzen, in dem sie über ihr Verhalten nachdenken können. Einsicht ist der Schlüssel, sagt Professor Ideler.»

Elisabeth sprang vom Bett auf und deutete anklagend auf Magdalenas Bettnachbarin Barbara, deren Zustand zwischen höchster Erregung und Teilnahmslosigkeit schwankte. Immer wieder behauptete sie, fremde Stimmen zu hören. Ein paarmal hatte Elisabeth Barbara zusammengekauert und verängstigt in einer Zimmerecke gefunden, panisch vor Furcht, jemand könne ihr etwas antun. Um ihre Erregung in den Griff zu bekommen, hatte Professor Ideler entschieden, ihr ein Haarseil anlegen zu lassen, dessen Sitz der junge Arzt gerade überprüfte.

«Glauben Sie wirklich, dass solch barbarische Prozeduren einen Menschen zurück zur Vernunft führen?»

Ein Haarseil wurde meist unterhalb des Nackens angelegt, wo der Patient nicht so einfach hinkam. Mit einer dicken Nadel zog man ein grobes Hanfseil durch eine Hautfalte. Das mit einer entzündungsfördernden Paste eingeriebene Seil wurde mehrmals täglich hin und her gezogen, um die Wunde weiter zu reizen, sodass sie möglichst viel Eiter produzierte. Die Schmerzen waren therapeutisch durchaus beabsichtigt. Bei Barbara war das Geschwür im Nacken nach zwei Wochen so groß, dass es, als Heydecker es aufstach, fast eine halbe Tasse Eiter vermischt mit schwärzlichen Blutklumpen absonderte. Die Patientin stöhnte herzzerreißend, als er das Seil durch die eiternde Wunde zog. Tränen rannen ihr die Wangen herab. Ihre Hände verkrampften sich, und sie zitterte am ganzen Körper.

Ohnmächtig sah Elisabeth zu.

«Ja, das muss sein», beharrte Heydecker. «Der starke körperliche Schmerz fördert die psychische Heilung. Professor Ideler erzielt bei vielen Patienten erstaunliche Fortschritte.»

Sie war nicht überzeugt. «Es muss doch andere Methoden geben, einen kranken Geist zu erreichen und zu heilen.»

Er schüttelte den Kopf. «Konzentrieren Sie sich lieber auf Ihre Arbeit, statt sich über Dinge Gedanken zu machen, die allein Sache der Ärzte sind.»

«Auch wenn ich nur eine Wärterin bin, verfüge ich durchaus über Geist!», konterte sie. «Und ich habe Augen im Kopf und ein Herz für das Leiden der Menschen.»

«Hier geht es aber nicht um Ihr mitleidiges Herz!» Heydecker musterte sie von oben bis unten. «Es geht um Wissenschaft und um Medizin, die wir zum Besten der Patienten einsetzen. Natürlich hilft nicht alles in jedem Fall, aber Sie müssen das große Ganze betrachten. Das Ergebnis zählt, auch wenn der Weg dahin manchmal steinig und voller Schmerzen ist. Das müssen Sie doch verstehen!»

Elisabeth starrte ihn zornig an. «Sie verdrehen die Dinge», behauptete sie.

Der junge Arzt zuckte mit den Schultern. «Ich soll die Patientin Magdalena Gruber zu ihrer Therapie bringen. Sie können mitkommen und mir helfen oder hierbleiben und die Eimer leeren.»

«Ich werde Sie und Frau Gruber begleiten», sagte Elisabeth und bemühte sich, seinen abfälligen Ton zu ignorieren. «Was haben Sie denn mit ihr vor?»

«Wir versuchen es erst mit kalten Güssen, und wenn das nicht hilft, kommt sie anschließend in die Drehmaschine. Wir wollen ihre Starre lösen, um wieder zu ihrem Verstand durchzudringen.»

Elisabeth half ihm, die Patientin ins Bad zu führen, wo sie in eine Wanne gesetzt wurde. Nichts ließ darauf schließen, dass Magdalena irgendetwas von ihrer Umgebung mitbekam. Sie zuckte nicht einmal, als die ersten Eimer mit eiskaltem Wasser über sie geleert wurden. Professor Ideler trat hinzu und sprach sie an, doch sie reagierte nicht.

«Machen Sie weiter!»

Irgendwann begannen ihre Lippen zu zittern, dann bebte ihr ganzer Körper und begann, sich bläulich zu verfärben. Elisabeth glaubte, ein leises Wimmern zu vernehmen, aber die Patientin saß noch immer so starr da wie zuvor.

Ideler erlöste sie, ehe sie erfror. Elisabeth durfte sie abtrocknen und ihr in den Krankenkittel helfen. Dann wurde sie zur Drehmaschine gebracht. Mit steifen Bewegungen schritt sie zwischen ihren beiden Begleitern, die sie in einen Raum führten, der fast völlig von einer seltsamen Konstruktion ausgefüllt wurde.

Zum ersten Mal sah Elisabeth das hölzerne Ungetüm: die Drehmaschine. Magdalena wurde mit dem Kopf nach außen in eine Art Wanne geschnallt. Aus deren Verlängerung, die fast bis zur anderen Wand reichte, ragte in der Mitte eine massive Holzsäule bis zur Decke. Sie sah fast ein wenig aus wie ein schmales Schiff mit einem sehr dicken Mast. Dann wurde das Gerät über einige Räder und Seilzüge in Bewegung gesetzt. Langsam begann sich die Maschine zu drehen und wurde immer schneller. Magdalena lag bewegungslos da. Bald drehte sich das Ganze so schnell, dass Elisabeth kaum mehr mit den Augen folgen konnte.

Sie sah Professor Ideler fragen an. «Was soll das bewirken?»

«Die Kraft, die durch den Schwung nach außen drückt, bringt das Blut in Wallung und sorgt dafür, dass der ganze Schädel besser durchblutet wird», erläuterte er. «Professor Horn hat die Maschine entwickelt. Es ist ein verbessertes Modell der Drehschleuder des englischen Arztes Joseph Mason Cox. Ihm gelang es, erstmals Fälle von Geistesgestörtheit damit zu heilen.»

Ideler hob die Hand, und der Wärter, der das Schwungrad bediente, trat zurück. Die Wanne wurde langsamer, dann blieb die Schleuder stehen. Als die junge Wärterin zu Magdalena trat, bewegten sich ihre Pupillen, ohne etwas zu fixieren. Das vormals Weiße um die Iris war nun blutunterlaufen. Wie Professor Ideler gesagt hatte, war das Blut in ihren Kopf gedrückt worden, eine weitere Wirkung war nicht erkennbar. Und als Elisabeth die Patientin in ihr Bett zurückbrachte, saß sie erneut reglos da und starrte vor sich hin. Elisabeth seufzte, aber sie musste gehen, ihre anderen Patienten warteten auf das Spätmahl, die Eimer waren zu leeren, die Waschschüsseln wieder aufzufüllen.

Es war schon spät, als sie endlich mit all ihren Pflichten fertig war. Trotz ihrer Müdigkeit ging sie noch einmal zu Magdalena. Sie nahm die noch immer eiskalten Hände in die ihren und sprach ein paar leise, aufmunternde Worte. Vielleicht hätte sie mit ihr beten sollen, doch es kam ihr kein Gebet über die Lippen. Sie redete sich ein, dass Gott ihre Bitten auch so verstehen und dieser armen Seele vielleicht helfen würde.

KAPITEL 10

Ein Missgeschick

Im September kam wieder die Zeit, in der jeder dachte, zu einer Abendgesellschaft einladen zu müssen. Selbst die Medizinervereinigungen, bei deren Treffen Ärzte und andere Männer der Wissenschaft sonst unter sich waren, fühlten sich nun bemüßigt, in ihren Vereinsräumen ein Dinner zu geben, an dem auch Ehefrauen teilnehmen durften. Statt wissenschaftlicher Vorträge und hochprozentigem Genuss gab es ein ausgewähltes Essen, Limonade, Kaffee und leichte Konversation. Nun ja, vielleicht auch Wein und später einen Cognac für die Herren.

Vermutlich wäre Dieffenbach an diesem Abend zu Hause geblieben, hätte nicht dieser begabte junge Arzt Heydecker ihn am Nachmittag noch einmal auf das bevorstehende Ereignis aufmerksam gemacht.

«Sie kommen doch, Herr Professor», drängte er. «Mein Vater will Sie unbedingt persönlich kennenlernen. Er hat alle Ihre Veröffentlichungen gelesen und würde gerne über den ein oder anderen Punkt mit Ihnen sprechen. Mein Vater war lange Jahre Stadt- und Kreisarzt von Bad Freienwalde», fügte er rasch hinzu.

So hatte Dieffenbach leichtfertig zugesagt und schloss sich nun der schon am frühen Abend heiter gelösten Gesellschaft an. Vielleicht war es ja an der Zeit zu feiern. Schließlich trug er seit dem letzten Jahr den Titel eines außerordentlichen Professors, seine Praxis lief gut, er hatte zahlungskräftige Kunden, und an der Charité konnte er seine Operationstechniken verfeinern. Warum sollte also nicht auch er in Feierlaune sein?

Erst am Tag zuvor hatte er einen jungen Mann erfolgreich operiert, der an einem Schiefhals gelitten hatte. Das Zauberwort war der subkutane Schnitt durch eine Sehne oder einen Muskel, die durch eine unnatürliche Verkürzung das Leiden des Patienten verursachten. Dank dieses minimalen Eingriffs war auch die Gefahr des Wundbrands viel geringer als gewöhnlich.

Alexander Heydecker stellte Dieffenbach seinem Vater vor, der interessiert der Operationsbeschreibung lauschte und viele kluge Fragen stellte, während sich sein Sohn unter die anderen jungen Ärzte mischte.

«Ich denke, mit dieser Art der Operation kann man noch ganz andere Wunder vollbringen», schwärmte Dieffenbach gerade, als sich ein Arzt in Uniform zu ihnen gesellte, etwa Mitte vierzig, hochgewachsen und gepflegt, der Dieffenbach durch seine runden Brillengläser überheblich musterte. Bereits mit Anfang zwanzig war er zum Professor an der 1810 gegründeten Universität zu Berlin ernannt worden – und gleich auch noch zum Direktor der damals neuen Chirurgischen Universitätsklinik.

«Ach ja?», wandte er sich an Dieffenbach. «Welche *Wunder* möchten Sie denn vollbringen?»

Steif machte Dieffenbach den alten Heydecker mit Professor Karl Ferdinand Graefe – seit ein paar Jahren *von* Graefe – bekannt und schluckte den aufkommenden Ärger hinunter. Stattdessen fuhr er enthusiastisch fort: «Ich bin überzeugt, dass man einen Klumpfuß auf diese Weise vollständig heilen kann. Oder denken Sie nur an die Möglichkeit, schweres Schielen zu beheben!»

Von Graefe lachte höhnisch. «Ach, glauben Sie? Dann hören Sie mir mal gut zu: Die einzige Methode, einen schweren Klumpfuß loszuwerden, ist seine Amputation!»

Dieffenbach ließ sich nicht provozieren. Er nickte Dr. Heydecker kurz zu, bevor er von Graefe in ruhigem Ton widersprach: «Nun, Herr Dr. Stromeyer, mein geschätzter Freund und Kollege in

Hannover, hat vor einigen Monaten eine Achillessehne erfolgreich durchtrennt.»

Von Graefe machte eine wegwerfende Handbewegung. «Sie sprechen von meinem Schüler Stromeyer? Ja, ich erinnere mich an ihn. Wie können Sie sich so sicher sein? Haben Sie den Patienten etwa selbst vor und nach der Operation gesehen?»

Dieffenbach schüttelte den Kopf.

«Wie können Sie dann behaupten, es habe funktioniert?»

«Glauben Sie etwa, Stromeyer verbreite in seinen Veröffentlichungen Märchen? Er ist ein hoch angesehener Wissenschaftler und Arzt, der überall Bewunderung erfährt!»

Von Graefe zuckte nur mit den Schultern, bevor er auf Dieffenbachs zweite mögliche Anwendung einging. «Und was das Schielen betrifft, so fragen Sie besser den Meister, der vor Ihnen steht. Würden Sie den verkürzten Muskel durchschneiden, würde der Augapfel unweigerlich auf die andere Seite gezogen werden, und Sie hätten gar nichts erreicht – außer, dass der Patient statt nach innen nach außen schielen würde, oder andersherum.»

«Haben Sie das jemals selbst ausprobiert?» Dieffenbach ließ nicht so schnell locker. Professor von Graefe, Chirurg und Augenspezialist, hatte sich auch auf dem Gebiet der Plastischen Chirurgie bereits einen Namen gemacht. Ein Fachgebiet, das Dieffenbach selbst mit leidenschaftlichem Interesse verfolgte.

Von Graefe lachte affektiert. «Nein, natürlich nicht. Ich heile meine Patienten und verstümmele sie nicht ohne Grund.» Dann wandte er sich ab, ohne eine weitere Reaktion abzuwarten, und stolzierte davon.

Dr. Heydecker senior räusperte sich verlegen und wechselte schnell das Thema.

«Darf ich Sie meiner Tochter vorstellen? Sie hat mich heute Abend an Stelle ihrer Mutter hierher begleitet. Meine Frau ist leider vor einigen Jahren verstorben.»

Dieffenbach murmelte etwas Mitfühlendes und ließ sich bereitwillig zu den Damen führen, die sich in einem Erker um ein Tablett mit Törtchen und kandierten Früchten geschart hatten.

Emilie Wilhelmine war eine hübsche junge Frau von dreiundzwanzig Jahren mit dichtem dunkelbraunem Haar, das zu einer modischen Frisur aufgesteckt war, und sanften braunen Augen. Ihr eher schlicht gehaltenes Kleid schmeichelte ihrer schlanken Figur. Lächelnd sah sie Dieffenbach an. Sie stellte kluge Fragen und war für ein junges Fräulein in medizinischen Fragen erstaunlich gut bewandert.

«Verzeihen Sie meine Neugier, Herr Dr. Dieffenbach, aber bei uns daheim wurden bei Tisch stets medizinische Themen besprochen, und ich habe Vater zuweilen in der Praxis geholfen.»

«Sie haben einen scharfen Verstand», lobte Dieffenbach und meinte es auch so.

Nachdem er noch einen letzten Cognac mit den Herren im Salon getrunken hatte, verabschiedete er sich. Der Abend war ereignisreicher gewesen, als er erwartet hatte. In dieser Nacht wollte er nicht an die Auseinandersetzung mit von Graefe denken. Die Gesellschaft von Fräulein Heydecker hatte ihm gutgetan. Und so war er nicht überrascht, als sich ab und zu ein anderes Gesicht vor das der Gräfin Ludovica schob. Das Fräulein Heydecker konnte nicht mit deren strahlender Schönheit konkurrieren, aber sie strahlte die behagliche Wärme eines Kaminfeuers aus, das Körper und Seele nach einem harten Tag wärmte. Dieffenbach überlegte, ob er die Bekanntschaft nicht vertiefen und der Familie bei Gelegenheit einen Besuch abstatten sollte.

✿

Alexander war verärgert. Im Stillen fluchte er vor sich hin. Was bildete sich diese Wärterin eigentlich ein? Ständig nörgelte sie an allem herum, statt demütig ihre Anweisungen zu empfangen und auszuführen. Sie war doch nur eine Frau, eine Wärterin, und sie musste einem Arzt gehorchen!

Ihr fein geschnittenes Gesicht tauchte vor seinem inneren Auge auf. Wie sie lächelte, wenn sie sich einer ihrer Patientinnen zuwandte. Wie sie mit warmer Stimme mit diesen Irren sprach und sich nicht aus der Ruhe bringen ließ, wenn diese sich widersetzten, unverständliches Zeug lallten oder herumsabberten. Dann wischte sie ihnen auch zum zehnten Mal den Mund ab und fütterte sie geduldig weiter.

Im Gegensatz zu den anderen Wärtern, die er kannte, war sie blitzgescheit, das musste er zugeben. Sie dachte mit, was der Kern des Übels war. Eigentlich hatte sie keine Ahnung, sie hatte nicht wie er Medizin studiert, aber sie wollte alles wissen. Und das gehörte sich nicht, oder?

Elisabeth!

Ihr Name klang durch seinen Geist. Er versuchte, sich wieder auf seinen Ärger zu konzentrieren. Andernfalls hätte er vor sich zugeben müssen, dass er sich heute einfach schlecht fühlte. Er hatte gestern zu viel Wein getrunken und war zu spät ins Bett gekommen. Nun rumorte sein Magen, und er sehnte sich nach seinem Bett, doch noch lagen mindestens fünf Stunden Arbeit vor ihm. Als Nächstes musste er nach den irren Frauen sehen und sich vermutlich erneut die Klagen der aufmüpfigen hübschen Wärterin anhören.

Nicht mehr lange! Er hatte sich in eine andere Abteilung versetzen lassen. Er wollte als Chirurg arbeiten und so geschickt und berühmt werden wie Dr. Dieffenbach!

Alexander versuchte, das in ihm aufsteigende Gefühl zu verscheuchen, das sich irgendwie nach Bedauern anfühlte. Nein! Lieber dachte er an die neuen Aufgaben, die ihn in der Chirurgie erwarteten.

Der Haken an der Sache war, dass noch immer der alte Rust das

Sagen hatte. Er war sicher nicht ohne Grund zum Geheimrat und zum Leibarzt des Königs ernannt worden, doch jetzt war er alt und seine große Zeit vorbei.

Nach dem Desaster bei Rusts letzter Operation, das sich natürlich in der ganzen Charité herumgesprochen hatte, konnte sich kein vernünftiger Mensch mehr freiwillig von ihm operieren lassen wollen. Aber wurden die Patienten wirklich gefragt? Mit seinen vom Star getrübten Augen sollte der Professor kein Messer mehr in die Hand nehmen! Warum übergab er nicht endlich an Dieffenbach? Der Doktor hatte mehr als eine außerordentliche Professur verdient und würde die Chirurgie der Charité mit seinen neuen Methoden voranbringen. Er war ein brillanter Arzt, von dem er selbst noch so viel zu erlernen hoffte!

Seine Gedanken wanderten zurück zu der Wärterin, als er um die Ecke bog und ihren Schritt oben auf der Treppe vernahm.

Seltsam.

Erkannte er sie schon am Klang ihrer Schritte? Alexander blieb am Fuß der Treppe stehen und hob den Blick. Ja, da kam sie, wie immer in Eile, die Treppe heruntergelaufen, die Arme um ein dickes Bündel Leinen geschlungen. Er sah das Tuch, das sich aus dem Bündel löste, und stieß einen warnenden Laut aus, aber da verfing es sich bereits in ihrem Rock und schlang sich um ihren Knöchel. Elisabeth strauchelte, ihr Fuß verfehlte die nächste Stufe. Sie ließ das Bündel Wäsche fallen und ruderte mit den Armen, um das Gleichgewicht wiederzufinden, aber da war es schon zu spät.

Noch in Gedanken bei Magdalena, die trotz weiterer Anwendungen in ihrer Starre gefangen war, war Elisabeth den Flur entlanggeeilt. Das Knäuel schmutziger Tücher musste in die Wäscherei gebracht werden, aber es war im oberen Stock wieder einmal kein Korb aufzutreiben gewesen. Also hatte sie die Leintücher zusammengewickelt, um sie schnell nach unten zu tragen. Noch auf den Treppenstufen sah sie Alexander Heydecker unten stehen. Ein Hauch von Zorn stieg in ihr auf. Warum weigerte er sich stets, ihr richtig zuzuhören? Warum hatte er kein Interesse, sich ihre Meinung zu den Patienten anzuhören? Natürlich, er hatte Medizin studiert. Aber sie verfügte über Menschenverstand, hatte viele Bücher gelesen und früher in der Familie oder bei Nachbarn an so manchem Krankenbett gesessen. Sie war weder dumm noch einfältig, doch er setzte sich auf sein hohes Ross und war oft nicht einmal bereit, ihr die Maßnahmen zu erklären, die angeblich so wohltuend für die Patienten waren.

Plötzlich griff etwas nach ihrem Knöchel, ihr Fuß verfehlte die nächste Stufe. Sie spürte, wie sie das Gleichgewicht verlor, ließ das Wäschebündel fallen, ruderte mit den Armen – zu spät! Sie berührte mit dem anderen Fuß noch die nächste Stufe, dann knickte sie seitlich weg und stürzte die Treppe hinunter.

Auf diese Weise war ihre Mutter ums Leben gekommen. Sie war mit einem Korb Kartoffeln die Kellertreppe hinuntergestürzt und hatte sich das Genick gebrochen. Sollte sie ihr auf die gleiche Weise folgen? Sollte sie tatsächlich so schnell nach ihrer Schwester ebenfalls den Tod finden?

Ihr Fall fand ein jähes Ende. Sie schlug nicht hart auf dem Boden auf, und sie brach sich auch nicht das Genick. Eine Gestalt kam ihr mit ein paar schnellen Sätzen entgegen, und sie prallte gegen eine männliche Brust. Zwei Arme fingen sie auf. Der Schwung drohte auch ihren Retter aus dem Gleichgewicht zu bringen, und für einen Moment fürchtete Elisabeth, sie würden nun beide zu Boden stürzen, doch dann stand er, seine Arme um sie geschlungen.

«Aua!» Der Schmerz loderte wie Feuer durch ihren Knöchel. Tränen schossen ihr in die Augen, das Treppenhaus begann sich zu drehen.

«Haben Sie sich verletzt?» Sie wurde stärker an die uniformierte Brust gedrückt. Der junge Arzt sah auf sie herab. Vielleicht war zuerst Verärgerung in seinem Blick gestanden, doch nun wurden die blauen Augen sanft.

«Elisabeth, was machen Sie denn?», fragte er. Sein Tonfall war eher besorgt als tadelnd. «Können Sie stehen?»

Er ließ sie langsam herunter, bis ihr linker Fuß die Treppenstufe berührte. Elisabeth vermied es, den schmerzenden rechten zu belasten.

«Ja, danke», sagte sie und sah mit einem Seufzer auf all die verschmutzten Leinentücher, die sich am Fuß der Treppe verteilt hatten. «Sie können mich jetzt loslassen.» Sie bedauerte fast, als er seine Arme tatsächlich von ihr löste.

Er sprang die Stufen hinunter und begann, die schmutzigen Tücher zusammenzusammeln.

«Entschuldigen Sie», stieß Elisabeth hervor. «Das müssen Sie nicht machen. Das ist nicht Ihre Aufgabe!»

Er hielt inne und sah sie aus seinen tiefblauen Augen besorgt an. «Ich weiß», sagte er und bedachte sie mit einem Lächeln. «Ist Ihr Fuß wirklich in Ordnung? Nur dann dürfen Sie mir helfen.»

Elisabeth belastete vorsichtig den rechten Fuß, aber der Schmerz war so stark, dass sie aufstöhnte und sich auf die Treppe sinken ließ.

Alexander war sogleich an ihrer Seite. «So schlimm?»

«Ich spiele Ihnen nichts vor, um Ihr Mitleid zu erregen», erwiderte sie scharf. Sie schämte sich der Tränen, die über ihre Wange rannen.

«Darf ich mir den Fuß ansehen?»

«Das ist nicht nötig», protestierte Elisabeth, der die Situation schrecklich peinlich war. Wie hatte sie nur so ungeschickt sein können? Was würde nun geschehen? Sie spürte, dass sie weder gehen noch ihre Arbeit erledigen konnte. Was würde Professor Ideler sagen und was Direktor Kluge? Würden sie sie wegschicken, wenn sie nicht mehr arbeiten konnte? Allein der Gedanke führte zu noch mehr Tränen.

«Bitte», sagte Alexander. «Ich sehe es mir an, und wenn Dr. Dieffenbach von seinen Patientenbesuchen zurückkommt, dann bitte ich ihn, Ihren Fuß noch einmal zu untersuchen.»

Elisabeth gab nach, streckte das Bein aus und zog ihren Rock ein Stück hoch. Umsichtig löste Dr. Heydecker die Schnürung ihres Schuhs. Sie zuckte zusammen, als er die Stiefelette von ihrem Fuß zog, aber sie biss die Zähne aufeinander, um nicht aufzuschreien. Er schob den Rocksaum bis zum Knie und rollte ihren feinen, weißen Strumpf herunter. Sie spürte, wie sich ihre Wangen röteten.

Ach was! Er war Arzt. Es gab nichts, für das sie sich schämen musste. Seine anderen Patientinnen sah er oft völlig entblößt und in entwürdigenden Situationen. Was machte es da aus, dass er ihren nackten Fuß betastete?

«Es schwillt um den Knöchel bereits an», vermeldete er. «Ich bewege nun das Fußgelenk. Tut das weh?»

«Ja», keuchte sie, doch zumindest ließ es sich bewegen. Sie hoffte, dass nichts gebrochen war. In ihrer Kindheit hatte sie viele Unfälle gesehen und viele Kinder und Erwachsene erlebt, die nach einem Bruch des Knöchels oder anderen Verletzungen nie wieder richtig laufen konnten.

Oh Gott, bitte nicht!, flehte sie stumm, während sie sich mit dem Ärmel über die Wangen wischte.

«Man muss Ihren Knöchel auf alle Fälle schienen», sagte der junge Arzt. «Ich denke, es ist das Beste, wenn ich Sie in die Chirurgische Abteilung rüberbringe. Dann kann ich eine Bandage anlegen, und später wird Dr. Dieffenbach nach Ihnen sehen.»

Er beugte sich zu ihr, schob den einen Arm unter ihre Schenkel und legte den anderen um ihre Taille.

«Sie können mich doch nicht tragen!», protestierte Elisabeth.

«Nein? Geht aber ganz leicht», feixte Alexander, als er sich erhob und die letzten Stufen mit ihr hinabstieg.

«Aber, aber ...»

«Nichts aber! Wie wäre es, wenn Sie mir nur ein Mal nicht widersprächen!»

Elisabeth gab nach. Es blieb ihr eh nichts anderes übrig, als sich in ihr Schicksal zu fügen und zu hoffen, dass sie bald wieder gehen und arbeiten könnte.

∽

«Wärterin Elisabeth, man hat mir von Ihrem Missgeschick berichtet», begrüßte sie Professor Dieffenbach, als er einige Stunden später zur Visite erschien. Er drehte erst die Runde durch den Frauensaal der äußeren Verletzungen und begutachtete den Fortschritt der Heilung der Wunden und Brüche, die er in den vergangenen Tagen operiert hatte. Sobald er einen der Verbände löste, wurde der durchdringende Gestank nach faulendem Fleisch und Eiter noch schlimmer. Elisabeth lag in ihrem Bett und wagte kaum, durch die Nase zu atmen. Noch immer hatte sie sich nicht ganz an die üblen Gerüche in der Charité gewöhnt. Der Arzt dagegen schien gegen den Gestank immun zu sein. Er beugte sich tief über die vereiterte Schulter- und Armwunde ihrer Bettnachbarin Ella. Luise, die Frau auf der anderen Seite ihres Bettes, hatte Elisabeth zugeflüstert, der eigene Ehemann habe Ella mit einer Axt angegriffen.

«Weil er sie mit dem Kohlenhändler erwischt hat», hatte sie mit einem verschwörerischen Grinsen hinzugefügt. «Den hab'n se nicht mehr zusammenflicken können. Der ist noch in der Nacht gestorben.»

«Und Ellas Mann?», hatte Elisabeth wissen wollen. «Wurde er denn verhaftet?»

Luise hatte mit den Achseln gezuckt. «Glaub ich nicht. Wenn er die beiden zusammen erwischt hat, darf er doch zuschlagen, oder nicht?»

Mit einer Axt? Für Elisabeth hatte sich diese Art der Selbstjustiz nicht richtig angehört. Jetzt sah sie zu Ella hinüber, die das Gesicht vor Schmerz zu einer Grimasse zusammenzog, während einer der Assistenzärzte ihre Wunde mit etwas auswusch, das scharf roch. Dann legte er unter Dieffenbachs Aufsicht einen neuen Verband an. Elisabeth hatte den Eindruck, Dr. Dieffenbach sei besorgt, doch er drückte der Patientin aufmunternd die Hand und sagte ein paar tröstende Worte, ehe er endlich zu ihr kam und den Verband löste, den Dr. Heydecker angelegt hatte. Er betastete ihren Knöchel und bewegte dann ihren Fuß in langsam kreisenden Bewegungen. Das tat schrecklich weh und trieb ihr noch einmal Tränen in die Augen, doch der Arzt blickte zufrieden drein.

«Ich behaupte, alle wichtigen Knochen sind noch heil», verkündete er.

«Es tut aber sehr weh», stieß Elisabeth hervor.

«Ja, ich vermute, dass die Bänder, die hier um den Knöchel verlaufen, gerissen sind», sagte Dieffenbach. «Das ist in der Tat sehr schmerzhaft, aber ich denke, in ein paar Wochen können Sie wieder gehen und ohne Probleme Ihre Arbeit erledigen.»

«In ein paar Wochen», echote Elisabeth entsetzt. «So lange kann ich hier aber nicht bleiben!»

Der Doktor sah sie irritiert an. «Warum nicht? Hier bekommen Sie die Pflege, die Sie brauchen.»

«Ich muss doch für meinen Lohn arbeiten. Ich habe keine Ersparnisse, mit denen ich eine Behandlung bezahlen könnte.»

«Das müssen Sie auch nicht. Sie sind Berlinerin, weshalb die Stadt für sie bezahlt. Machen Sie sich keine Sorgen.»

«Aber was geschieht, wenn ich so lange ausfalle? Ich brauche doch meine Arbeit als Wärterin.»

Dr. Dieffenbach lächelte sie aufmunternd an. «Sie sind eine außergewöhnlich tüchtige Wärterin. Der Direktor und auch Professor Ideler sind voll des Lobes. Sie haben eine beruhigende Wirkung auf die Patientinnen, sagen die Kollegen. Selbst auf die Tobsüchtigen und die streitsüchtigen Weiber von der Straße. Erstaunlich! Ich denke, Sie werden in Ihrer Abteilung vermisst werden, aber es hilft nichts, Sie müssen das Bett hüten, bis ich Ihnen gestatte, aufzustehen und Ihre Arbeit wiederaufzunehmen. Haben wir uns verstanden?»

Elisabeth wagte ein hoffnungsvolles Lächeln, als er sich verabschiedete und den Saal verließ, um sich den nächsten Kranken zuzuwenden.

～

Martha beobachtete aufmerksam, wie Dr. Dieffenbach mit schnellen, geraden Schnitten den Oberkörper der Leiche öffnete. Den dritten Schnitt überließ er ihr. Er stellte sich hinter sie und zeigte ihr, wie sie das Messer richtig halten musste, um bei den Organen eine saubere Schnittkante zu erreichen.

«Wenn Sie den Zeigefinger auf den Messerrücken legen, drücken Sie zu sehr auf die Kante», erklärte er. «Bei einem Leber- oder Nierenschnitt würden Sie das Gewebe quetschen, sodass man aus dem Schnitt nicht mehr viel herauslesen könnte. Sie müssen das Messer so halten, dass es eine Verlängerung Ihrer Hand ergibt, und das Gewebe dann locker aus dem Handgelenk heraus schneiden. Ziehen Sie es ohne viel Druck durch. Nur Mut! Wagen Sie einen kühnen Schnitt, Frau Vogelsang. Er wird uns mehr sagen können, als wenn Sie zaghaft sind und mehrmals ansetzen müssen.»

Martha versuchte, es dem Doktor gleichzutun, dennoch war sie beim ersten Mal nicht entschlossen genug. Dieffenbach verlor nicht die Geduld und ließ sie einige Übungsschnitte machen, bis er mit ihrer Technik zufrieden war. Dann zeigte er ihr, wie man ein Gelenk noch besser präparierte. Er erläuterte die Unterschiede von Trocken- und Feuchtpräparaten und zeigte, was am besten in welcher Flüssigkeit aufbewahrt wurde. Martha schwirrte der Kopf, aber sie war fest entschlossen, sich alles zu merken und den Doktor nicht zu enttäuschen. Sie wusste wohl, dass sie ihre Arbeit seiner Fürsprache verdankte. Allerdings fragte sie sich manchmal, ob es nicht auch ihr gemeinsames Geheimnis war, das ihn dazu bewogen hatte. Aber wäre sie überhaupt zur Charité gegangen, wenn es nicht geschehen wäre? Würde sie dann nicht weiter als Hebamme arbeiten?

Erneut konzentrierte sie sich auf die Knochen und Sehnen unter ihren Händen und löste Bänder und Muskeln vom Schultergelenk. Endlich war Dr. Dieffenbach mit ihr zufrieden. Er hängte seine schwarze Schürze an einen Nagel an der Wand und verabschiedete sich. Martha schob den Wagen mit der wieder zugenähten Leiche nach nebenan, löschte das Licht und trat in den Garten hinaus. Sie streckte sich ein wenig und genoss die Abendluft. Links von ihr ragten die Mauern des stetig wachsenden neuen Spitalgebäudes finster in den Himmel, während auf der rechten Seite der Schein unzähliger Lampen durch die regelmäßig angeordneten Fenster der Charité schimmerte, die ihr inzwischen so etwas wie ein Zuhause geworden war.

Martha atmete noch einmal durch, dann beeilte sie sich, um in ihre Kammer zu gelangen und nach ihrem Sohn zu sehen. Sie genoss jede Minute mit ihrem Kind, doch August war nicht da – wie so oft in letzter Zeit. Aber sie hatte eine Ahnung, wo sie den Jungen finden würde. Sie machte sich auf den Weg zu Professor Idelers Station, wo er auf dem Bett von Zuchtmeister Wiesinger saß. Der Alte erzählte dem Kind immer neue Geschichten, die es gierig in sich aufsog. Dass darin meist Feuer eine Rolle spielte, wunderte Martha nicht.

«Komm, es gibt Abendessen», sagte sie zu August.

Er lachte sie glücklich an, sprang vom Bett und schob seine Hand in ihre.

«Wärterin Elisabeth ist die Treppe hinuntergestürzt», berichtete Wiesinger. «Manche sagen, sie habe sich alle Knochen gebrochen, denn Dr. Heydecker hat sie rüber in die Äußere Abteilung getragen.»

Martha stieß einen Schrei aus. Davon war noch nichts zu ihr gedrungen.

«Aber ich glaube, das ist übertrieben, Frau Martha», versuchte Wiesinger, sie zu beruhigen. «Man sagt jedoch, dass sie nicht so schnell wiederkommen wird.»

«Ist sie denn operiert worden?»

Wiesinger zuckte mit den Achseln. «Da widersprechen sich die Gerüchte. Aber ich denke, sie ist in einem der Säle von Professor Rust.»

«Na, hoffentlich hat der nicht an ihr herumgepfuscht», stieß Martha voller Sorge aus, um gleich darauf ein wenig zu erröten. Es stand ihr nicht zu, so über den Leiter der Chirurgie zu sprechen.

Der Alte lachte glucksend. «Man munkelt, dass Rust schon so manchem Assistenten einen Finger abgeschnitten hat.»

«Das ist bestimmt übertrieben», widersprach Martha. Sie verabschiedete sich schnell von Wiesinger und machte sich dann mit August auf, um in der Äußeren Abteilung nach Elisabeth zu sehen.

«Wie schön, dass ihr kommt!», begrüßte die junge Wärterin ihre beiden Besucher und winkte sie zu sich.

«Die Gerüchteküche brodelt. Was hast du denn angestellt? So, wie du aussiehst, stehst du noch nicht mit einem Bein im Grab!»

Elisabeth zog eine Grimasse. «Nein, es ist nur der Knöchel, und Dr. Dieffenbach sagt, er ist nicht gebrochen.»

August kletterte auf ihr Bett, während seine Mutter die Decke lüftete und die Schiene mit dem Verband betrachtete.

«Dr. Dieffenbach hat sich deiner angenommen? Gott sei Dank!»

Dann fuhr sie deutlich leiser fort: «Ich habe schon befürchtet, du wärst bei Professor Rust unters Messer gekommen. Dann würdest du vermutlich jetzt bei Camille im Sterbezimmer liegen!»

Elisabeth nickte. «Ich habe auch schon Schlimmes über seine Operationen gehört. Der Star trübt sein Augenlicht. Offensichtlich sieht er trotz seiner Brille nicht mehr viel. Kannst du dir vorstellen, warum er nicht einfach abtritt und die Leitung der Chirurgie Dr. Dieffenbach überlässt? Er wäre doch ein würdiger Nachfolger.»

Martha lachte bitter. «Ruhm und Ehre, Geld und Macht! Wer verzichtet schon gern? Ich glaube nicht, dass er sich freiwillig zurückzieht. Wahrscheinlich fällt er irgendwann um und wird mit den Füßen voran aus dem Operationssaal getragen.»

In diesem Augenblick kam eine Wärterin herein und warf die leeren Abendbrotschüsseln mit lautem Getöse in einen Eimer. «Alle ins Bett!», rief sie barsch. «Wer noch mal muss: zack, zack! Ich mach gleich das Licht aus, und dann will ich keinen Mucks mehr hören.»

«Ich hab solchen Durst», jammerte Ella. Sie glühte vor Fieber. Schweiß rann ihr die Schläfen hinab.

«Du hast was zu trinken bekommen wie alle andern auch», gab die Wärterin unwirsch zurück. «Ich lass mich von euch doch nicht rumscheuchen.»

«Bitte, nur ein wenig Wasser.»

Elisabeth stemmte sich hoch. «Olga, siehst du nicht, wie schlecht es ihr geht? Gib ihr Wasser!»

Olga baute sich vor Elisabeths Bett auf. «Ah! Wärterin Elisabeth hält sich für was Besseres und denkt, sie kann mir Befehle erteilen.»

«Nein, ich denke nur, dass ich dich an deine Pflichten als Wärterin erinnern muss.»

«Du meinst wohl, du könntest mich beim Herrn Doktor anschwärzen?»

«Wenn es sein muss!»

Olga warf Elisabeth einen zornigen Blick zu, brachte aber Ella einen Becher Wasser und stützte sie, während sie trank.

«Eine Feindin mehr», sagte Elisabeth leise zu Martha, «aber was soll ich machen? Die meisten Wärterinnen, die ich erlebe, sind schrecklich. Nur zwei der jungen Wärterinnen haben bereits Dr. Dieffenbachs Krankenwartschule besucht. Die arbeiten ganz anders. Vorsichtiger und geduldiger. Die anderen sind, wie ich gehört habe, schon ewig hier. Sie sind laut und grob, machen nur das, was unbedingt sein muss. » Sie sah Martha an, bevor sie fortfuhr: «Sie lassen sich sogar für jeden kleinen Extradienst bezahlen. Und es soll Wärter geben, die ihre Patienten bestehlen. Wusstest du das?»

Martha hob hilflos die Schultern. «Was erwartest du? Du weißt selbst, wie wenig Wärter verdienen. Und die meisten von ihnen kennen nichts als Armut und den Kampf ums Überleben. Viele waren bereits im Zuchthaus oder haben ihr Geld auf der Straße verdient. Und da erwartest du Freundlichkeit und Hingabe?»

«Aber ich schaffe das doch auch!»

Martha überlegte. «Ja, du bist außergewöhnlich. Du bist schlau und wissbegierig und voller Sanftmut. Gott hat dich gesegnet!»

Elisabeth wiegte den Kopf hin und her. «Ich weiß nicht. Aber es stimmt, ich habe früher die Schule besucht und immer gerne gelernt. Und mir ist es wirklich ein Anliegen, für die Patienten da zu sein. Ich hoffe sehr, dass Dr. Dieffenbach bald mehr anständige Männer und Frauen für seine Schule findet, die die Kranken freundlich und kompetent pflegen.»

«Du hast recht, die Krankenwartschule ist eine wirklich gute Idee, und ich hoffe auch, dass sich dadurch etwas ändert. Trotzdem müssen wir leben können von unserem Verdienst. Und das ist für uns alle nicht einfach.»

Elisabeth kaute auf ihrer Lippe. «Es geht immer nur ums Geld.»

Martha sah Elisabeth ein wenig erstaunt an. «Natürlich geht es auch ums Geld. Du willst doch auch unabhängig sein, um nicht so zu enden wie deine Schwester.»

Rüde wurde ihr leises Gespräch unterbrochen. «Raus hier. Jetzt!», schimpfte Olga. «Alle Besucher müssen gehen. Ich lösch das Licht.»

Martha zwinkerte Elisabeth zu, umarmte sie vorsichtig und machte sie sich dann mit dem gähnenden August auf den Weg zu ihrer Kammer.

KAPITEL 11

Fräulein Emilie Heydecker

Drei Wochen verstrichen. Die Patienten im Saal der Chirurgischen Abteilung kamen und gingen. Manche verließen die Charité auf ihren eigenen Beinen. Dann holte eine Wärterin ihre persönlichen Kleider und andere Dinge, die sie bei ihrer Einlieferung hatten abgeben müssen, und nahm dafür den Krankenhauskittel wieder in Empfang. Andere wurden von Camille abgeholt, und die meisten wussten, dass dies einen Abschied für immer bedeutete. Ihre letzten Stunden verbrachten die hoffnungslosen Fälle üblicherweise in der Wachkammer neben dem Operationssaal, es sei denn, ihr Ableben kam so plötzlich, dass auch keiner der Ärzte damit gerechnet hatte.

Ella war vor zwei Wochen abgeholt worden – von Camille, nicht von ihrem Mann, der mit der Axt auf sie losgegangen war. Der Wundbrand, der in ihrer Schulter gewütet hatte, ließ sich nicht aufhalten. Bereits einige Nächte, nachdem Elisabeth in die Chirurgie gebracht worden war, starb sie unter schlimmsten Schmerzen. Und sie war nicht die Einzige, deren Wunde sich mit Eiter bedeckte.

«Ich verstehe das nicht», sagte Elisabeth zu Alexander Heydecker, der sie fast täglich besuchte. Vielleicht fühlte er sich irgendwie für sie verantwortlich, nachdem er zufällig im Treppenhaus ihren Sturz abgefangen hatte.

«Wir haben früher zu Hause auch Wunden versorgt, aber so schlimm war es mit dem Eiter nie. Mein Vater sagte immer, Branntwein hilft, den er innen und außen reichlich anwandte. Oft heilten Wunden jedenfalls besser, als ich es hier sehe.»

Alexander nickte nachdenklich. «Das stimmt. Es gibt unterschiedliche Arten von Wundkrankheiten, aber alle lodern schnell und heftig auf und enden oft tödlich. Manches Mal rettet eine Amputation das Leben des Patienten, doch dann geht das Drama an der neuen Wunde häufig weiter. Wir wissen einfach nicht, wie wir den Wundbrand aus den Sälen herausbekommen.»

«Es ist wie mit der Cholera in den großen Mietshäusern, wo ein Bewohner nach dem anderen erkrankte», sinnierte Elisabeth. «Aber da haben die Kranken mit den Gesunden die Betten, das Essen und den Abtritt geteilt. Hier hat jeder sein eigenes Bett. Und wenn ein neuer Patient kommt, wird gar die Bettwäsche erneuert.»

«Das stimmt. Trotzdem muss es etwas geben, das den Brand in der Charité befeuert», gab ihr Alexander recht. «Viele vermuten, dass sich das Gift in der Luft sammelt. Wir können es jeden Tag riechen. Die Säle müssten besser belüftet werden, das fordern viele Ärzte.»

Alexander berichtete von einem Gespräch mit Dr. Dieffenbach. Selbst der Professor sei ratlos, so der junge Heydecker. «Es müsste so sauber wie möglich gearbeitet werden», sagte er zu Elisabeth. «Dr. Dieffenbach rät zudem, bei Operationen große Schnitte besser zu vermeiden. Und nur dünne Nadeln zu verwenden, um Wundränder zusammenzuhalten. Er verzichtet auf den üblichen Faden, der zu grob ist und an den Wundrändern reibt.»

Elisabeth erinnerte sich an eine Patientin, deren Gesicht bei einem Unfall mit einer Kutsche verwüstet worden war. Sie hatte selbst gesehen, wie Dr. Dieffenbach das abgetrennte Ohr und die fast abgeschälte Wange mit dünnen Nadeln befestigt hatte, bis sie tatsächlich wieder anwuchsen. Es war Elisabeth wie ein Wunder vorgekommen. Doch trotz der vielen interessanten Fälle war sie froh, als ihre drei Wochen im Krankenbett endlich vorüber waren.

Endlich war so weit. Sie wurde aus der Chirurgie entlassen. Elisabeth schlüpfte in ihr graublaues Kleid und steckte ihr Haar auf. Martha war gekommen und reichte ihr eine frische Schürze.

«Nun geht es wieder los!», sagte sie mit einem Lächeln.

Elisabeth gab es zurück. «Oh ja, zum Glück. Ich wollte keinen Tag länger an dieses Bett gefesselt sein. Man fühlt sich als Patientin doch ganz schön hilflos und ist den Ärzten und Wärtern ohnmächtig ausgeliefert. Sie entscheiden über dein Schicksal, oft ohne zu fragen oder dir ihre Beschlüsse zu erklären. Weißt du, Martha, viele der Patientinnen, die ich hier in den vergangenen Wochen erlebt habe, konnten fühlen, dass es mit ihnen zu Ende ging, doch jeder scheute sich, ihnen die Wahrheit sagen. Dabei ist nichts schlimmer, als nicht zu wissen, was einen erwartet.»

Martha wiegte unschlüssig den Kopf. «Ich weiß nicht, ob es gut wäre, den Kranken jede Zuversicht zu rauben. Ich bin überzeugt, dass ein fester Wille und Hoffnung zur Gesundung beitragen können. Und ab und zu geschehen ja auch Wunder, und ein Todgeweihter wird gerettet.»

Elisabeth machte einige vorsichtige Schritte und verzog das Gesicht. «Es fühlt sich alles noch sehr steif und fremd an, aber ich werde trotzdem meine Arbeit gewissenhaft erledigen.»

«Daran zweifelt keiner», bestätigte Martha. Dennoch bot sie ihr den Arm, als sie den Saal verließen und in den oberen Stock hinaufstiegen.

∽

«Elisabeth, Sie sind wieder da!»

Der Ausruf war ihm entschlüpft, ehe er recht darüber nachdenken konnte. Dabei hatte er die Arme ausgebreitet, als wolle er sie an seine Brust drücken. Verlegen ließ Alexander die Arme wieder sinken. Waren seine Wangen rot geworden? Für einen Moment fürchtete er, die Wärterin würde ihn auslachen, doch ihr Lächeln schien echt.

«Ich freue mich auch, wieder hier zu sein», sagte sie. «Wollen Sie mich herumführen und mir etwas über unsere neuen Patienten erzählen?»

Alexander willigte nur zu gerne ein. «Ja, kommen Sie. Professor Ideler hat wieder einige sehr interessante Fälle.»

Während er sie zum Saal der melancholischen Frauen führte, berichtete er zuerst über einige männliche Patienten, für die Elisabeth nicht zuständig war, und beschrieb deren Leiden sowie die Behandlungen, die Ideler angesetzt hatte.

«Dr. Dieffenbach arbeitet mit Professor Ideler übrigens zusammen an einer Methode, um epileptische Anfälle zu unterbinden. Dafür haben sie mehreren Patienten Brechweinstein in die Venen gespritzt.»

«Wozu ist das gut?», wollte Elisabeth wissen.

«Um ein künstliches Fieber zu erzeugen, das auch prompt einsetzte.»

Sie blinzelte verwirrt. «Ich verstehe nicht, wie Fieber hilfreich sein kann.»

«Das ist ja gerade das Unglaubliche», rief Alexander begeistert. «Solange die Patienten Fieber hatten, trat kein einziger Anfall auf!»

«Und danach? Als das Fieber wieder abgeklungen war?», forschte Elisabeth weiter.

«Dann kamen bei den meisten die Anfälle wieder. Ein Mädchen ist nach dieser Behandlung gestern an einer Lungenentzündung gestorben.»

«Dann ist die Behandlung also ein Misserfolg?»

Alexander schüttelte den Kopf. «Nein, sie bringt neue Erkenntnisse. Professor Ideler ist überzeugt, dass die Ursache der Epilepsie in einem Blutmangel besteht. Oder in zu viel Blut im Kopf, was die Nerven krank macht und in ein Missverhältnis zu den übrigen Organen bringt.»

«Solange die Patienten sterben, ist das sehr theoretisch, oder?», stellte Elisabeth nüchtern fest.

Der junge Mediziner nickte, stellte aber auch klar: «Ohne Forschung und Experiment wird es keinen Fortschritt geben, Wärterin Elisabeth. In der Medizin muss man immer etwas wagen. Auch auf die Gefahr hin, dass man einen Patienten nicht retten kann.»

Elisabeth war nicht so recht überzeugt.

Auf ihrem Weg kamen sie auch an der Stube der Tobsüchtigen vorbei. Lautes Geschrei war zu hören, das aber bald schon verstummte und in klägliches Gewimmer überging.

«Ist das etwa Hanna?», erkundigte sich Elisabeth.

Alexander hob die Schultern. «Ja, es ist zwar besser geworden, trotzdem bekommt sie ab und zu diese Anfälle. Das Einzige, das dann hilft, ist, sie in die Zwangsjacke zu stecken und im dunklen Zimmer am Bett festzubinden. Die Dunkelheit beruhigt sie.»

«Nein», widersprach Elisabeth, «sie macht ihr Angst.»

Alexander seufzte. Musste sie immer alles in Frage stellen? «Mag sein», gab er widerstrebend zu, «es beruhigt sie dennoch.»

Er öffnete die Tür zum Melancholiker-Frauensaal und erklärte die neu hinzugekommenen Fälle. Elisabeth begrüßte die Patientinnen und stellte sich vor. Manche wirkten völlig gesund und normal, andere lagen apathisch in ihren Betten oder wimmerten vor sich hin. Dann erblickte sie Magdalena Gruber. Man hatte ihr das Haar geschnitten. Im Nacken war noch die eitrige Wunde zu sehen, die ein Haarseil hervorgerufen hatte. *Wie bei Barbara*, dachte Elizabeth. Das Seil selbst war inzwischen entfernt worden, die Wunde konnte nun heilen. Fragend sah sie Alexander an.

«Wärterin Linda hat hier ausgeholfen», berichtete er. «Und hat sich stets beklagt, wie schwierig es sei, ihr auch nur ein wenig Grütze zu füttern.»

Elisabeth sah auf die Patientin herab. «Sie sieht abgemagert aus. Sie *muss* mehr essen!»

Alexander stimmte ihr zu. «Sie bleibt ein harter Fall, obwohl wir alles versucht haben. Auch nochmals kalte Güsse und die Drehschleuder. Aber ohne Erfolg», erzählte er. «Kaum war sie wieder im Krankensaal, saß sie starr und stumm auf ihrem Bett. Morgen will Professor Ideler einen neuen Versuch starten.»

Elisabeth setzte sich neben Magdalena und streichelte ihren Arm, doch wie erwartet gab es keinerlei Reaktion, die darauf hinwies, dass die Kranke ihre Berührung überhaupt bemerkte.

«Ich weiß nicht, ob ich wissen will, mit was der Herr Professor die Arme noch quälen wird», murmelte Elisabeth.

Alexander sah sie strafend an. «Wollen Sie, dass er aufgibt und die Frau ihr Leben in diesem Zustand beenden muss?»

Sie schüttelte den Kopf. «Nein, natürlich nicht.»

«Das oberste Ziel ist es, Vernunft und Leidenschaft in eine gesunde Balance zu bringen, doch das geht erst, wenn der Patient der Vernunft überhaupt zugänglich ist. In der Männerstube haben wir einen Lehrer. Mit ihm liest Professor Ideler jeden Tag Hegel und Kant, um seinen Geist in vernünftigen Bahnen zu stabilisieren. Er kam zu uns, weil er fremde Stimmen hörte und glaubte, seine Zugehfrau wolle ihn vergiften. Auch er musste mit Brechmitteln und Wasserkuren erst einmal für die geistige Unterstützung zugänglich gemacht werden. Sie sehen, diese Maßnahmen sind notwendig, um zu helfen. Professor Ideler ist kein grausamer Folterknecht!»

Er sah, wie viel Überwindung es sie kostete, ihm zuzustimmen.

An einem Abend im Oktober war Dieffenbach bei Familie Heydecker zu einer kleinen Gesellschaft eingeladen. Eigentlich hatte er zu viel zu tun. Er wollte an Stromeyer schreiben und mit ihm über dessen Artikel im *Magazin für die gesamte Medizin* diskutieren, das Professor Rust herausgab. Dem Freund war es tatsächlich gelungen, nicht nur erfolgreich eine Achillessehne in subkutaner Technik zu durchschneiden, sondern auch einen fortgeschrittenen Klumpfuß mit Hilfe eines verstellbaren Apparats nach der Operation Stück für Stück und über viele Wochen hinweg in seine natürliche Stellung zu überführen. Eine Möglichkeit, die von Graefe immer noch bestritt. Stur blieb der Leiter der Chirurgischen Universitätsklinik in der Ziegelstraße bei seiner Meinung und lehnte solche Versuche kategorisch ab. Dieffenbach dagegen überlegte, ob er wagen sollte, es Stromeyer gleichzutun. Er nahm noch einmal seinen letzten Brief zur Hand.

Mein geschätzter Freund,

hatte Stromeyer geschrieben,

es ist mir eine große Freude, Ihnen von dieser so wundervoll gelungenen Operation zu berichten. Ihr Interesse ehrt mich, und ich hoffe, wir werden uns bald einmal wiedersehen, um alle Details von Aug zu Aug diskutieren zu können.

Dieffenbach las die Zeilen mit großer Freude. Schon bei ihrer ersten Begegnung 1830 in Hamburg anlässlich der Versammlung deutscher Naturforscher und Ärzte war ihm der Kollege sympathisch gewesen. Als dieser dann ein Jahr später für einige Zeit nach Berlin kam, um sich in der Technik der Bluttransfusion unterweisen zu lassen, lernten sie sich besser kennen. Bald schon verband sie eine enge Freundschaft, die sie über einen regen Austausch von Briefen aufrechterhielten. Beide wurden sie von unermüdlichem Schaffenseifer und Wissbegierde angetrieben. Sie wollten die Chirurgie revolutionieren! Stromeyers Klumpfußoperationen waren ein großartiger Beitrag, um die Chirurgie voranzubringen.

Dieffenbach zog ein Blatt Papier heran, in der Absicht, eine Absage an Dr. Heydecker zu formulieren, als ihm der Gedanke kam, dass an dieser Gesellschaft vermutlich auch die Tochter des Hauses teilnehmen würde.

Er hatte die junge Frau seit dem Dinner der Medizinisch-Chirurgischen Gesellschaft nicht wiedergesehen, doch nun ertappte er sich bei dem Wunsch, Emilie Heydecker näher kennenlernen zu wollen. Also zerknüllte er die Absage, begab sich in sein Schlafzimmer und zog sich um. In Gedanken streifte er die Themen, über die sie sich bei ihrer ersten Begegnung so angeregt unterhalten hatten. Er spürte, wie er lächelte und sich auf den Abend zu freuen begann. Ja, es schien lohnend, sich mit dieser jungen Dame näher zu befassen.

Der Abend verlief noch interessanter, als Dieffenbach es erwartet hatte. Zuerst unterhielt er sich angeregt mit dem alten Dr. Heydecker und zwei seiner Kollegen, die ebenfalls geladen waren. Doch fing Emilie all seine Aufmerksamkeit ein, als sie den Salon betrat. Sie sah noch entzückender aus als bei ihrem letzten Zusammentreffen. Dieffenbach entschuldigte sich bei den Herren, um sie zu begrüßen.

«Wie schön, jetzt können wir unser Gespräch vom September fortsetzen», sagte er und reichte ihr die Hand.

Sie lächelte ihn an. In ihren Wangen zeigten sich zwei Grübchen, und ihre Augen blitzten belustigt. «Herr Dr. Dieffenbach, ich freue mich auch, Sie wiederzusehen. Welchem medizinischen Thema wenden wir uns heute zu?»

«Ich will Sie nicht langweilen», wehrte er erschrocken ab.

Emilie lächelte. «Ich glaube, das könnten Sie gar nicht. Bitte, verraten Sie mir, was Ihren medizinischen Forscherdrang im Moment umtreibt.»

«Klumpfüße!», stieß er aus.

«Klumpfüße?» Emilie lachte hell auf. «Was für ein romantisches Thema für ein Dinner.»

Dieffenbach hob abwehrend die Hände. «Wir müssen nicht darüber sprechen. Ich habe nur vorhin eine sehr interessante Abhandlung von einem geschätzten Freund und Kollegen darüber gelesen.»

Emilie führte ihn zu einem Canapé und setzte sich dann neben ihn. «Erzählen Sie mir davon. Ich bestehe darauf!»

Nur allzu gern kam Dieffenbach ihrer Aufforderung nach.

Martha hatte im Moment keine Leiche im Totenhaus auf dem Tisch. Auch an den Präparaten, die sie für die Medizinisch-Chirurgische Akademie anfertigen sollte, konnte sie im Moment nicht weiterarbeiten. Einige Gelenke mussten noch austrocknen, ehe sie mit ihnen fortfahren konnte. Für einige Feuchtpräparate hatte sie die aus den Leichen gelösten Gewebe sorgfältig mit Nadeln auf einer Korkplatte befestigt, um ihre Form zu erhalten. Um die Verwesung zu stoppen, wurden die Organe in eine speziell angerührte Fixierflüssigkeit gelegt.

Es würde noch Tage dauern, bis sie die Präparate wässern und dann in einen Behälter mit Glycerinlösung einlagern konnte.

Von Alexander Heydecker wusste sie, dass Professor Rust heute im Theatrum Anatomicum der Universität eine Vorlesung halten wollte, bei der er an einer Leiche Verschiedenes erläutern würde. Von Operationen hatte sich Rust inzwischen fast völlig zurückgezogen.

Martha beschloss, sich die Vorlesung anzuhören. Vielleicht konnte sie noch etwas Neues lernen. Sie zog sich ihren dicken Umhang über und wickelte sich einen Schal um den Hals, ehe sie sich auf den Weg machte.

Die Pépins und Studenten hatten sich inzwischen an sie gewöhnt, sodass sie keine Notiz von ihr nahmen, als sie sich in der letzten Bank der wie in einem Amphitheater ansteigenden Sitzreihen niederließ.

Der Saal war bereits gut gefüllt, als die Tür noch einmal geöffnet wurde. Alle Köpfe fuhren herum, als eine elegant gekleidete Dame eintrat. Mit aufgerissenen Augen gafften sie die jungen Männer an, während die Unbekannte so tat, als würde sie die vielen Blicke nicht bemerken. Hocherhobenen Hauptes strebte sie auf den einzigen leeren Platz in der letzten Reihe zu. Neben Martha.

«Gräfin Ludovica», sagte Martha erstaunt. «Was tun Sie hier? Steht wieder eine außergewöhnliche Entscheidung an?»

«Nicht dass ich wüsste, Martha», sagte die Gräfin. «Ich möchte mir einfach die Vorlesung anhören. Ich habe so viel gelesen und mit Herrn Dr. Dieffenbach diskutiert. Ich denke, hier vor Ort kann ich noch mehr lernen.»

«Aber dies ist kein Platz für eine noble Dame», sagte Martha leise.

Die Gräfin schien nicht beeindruckt. Sie setzte sich neben Martha und steckte die Hände in ihren Pelzmuff. An diesem Novembertag war es im Vorlesungssaal eiskalt. «Es war schon immer üblich, das Theatrum Anatomicum jedem interessierten Besucher zu öffnen», erklärte sie. «Auch früher waren stets Adelige unter den Zuschauern.»

«Aber doch bestimmt keine Damen», vermutete Martha, doch sie erntete nur ein Schulterzucken.

«Meine Herren!», rief Rust in diesem Augenblick die Studenten zur Ordnung. Die beiden weiblichen Gäste konnte er aus dieser Entfernung sicher nicht erkennen.

«Fangen wir an!», verkündete er und griff zum Messer. Seine beiden Assistenten Carl Rieber und Max Thornau sahen nicht begeistert drein, als der Professor das Messer schwang und die Klinge in das kalte Fleisch der Leiche bohrte.

Carl fiel die Aufgabe zu, den Schädel aufzusägen, während Max bereits die Kopfschwarte rundherum durchschnitten und die Hautschichten samt dem schütteren Haar abgezogen hatte.

Rust trat an den offenen Schädel heran und löste mit steifen Fingern das Gehirn des Toten aus seiner Höhle. «Halten Sie mal», forderte er Max auf, als er das Hirn auf den Tisch legte. «So ein schönes Exemplar! Sehen Sie, wie sich in diesem Abszess in der Rinde des Großhirns der Eiter angesammelt hat?» Er hob seinen Blick in die Runde, während das Messer durch die graue Masse fuhr.

«Au!», schrie einer der beiden Assistenzärzte. Er zog seine Hand weg und sprang zurück. Das angeschnittene Gehirn landete mit einem platschenden Geräusch auf Professor Rusts Füßen.

«Heben Sie das auf!», befahl er pikiert.

Carl beeilte sich zu gehorchen.

«Machen Sie doch nicht so ein Theater!», rügte der Professor, schickte Max aber aus dem Saal. «Gehen Sie schon und verbinden Sie Ihre Hand!»

Dann wandte sich Rust erneut der Leiche zu, entfernte das Herz und sprach über den doppelten Blutkreislauf und die Unterscheidung von Arterien und Venen. «Sie können diese bei einem Toten nicht anhand der Füllung mit Blut unterscheiden», erklärte er und schnitt eine der größeren Adern ab. «Die großen Venen erkennen Sie an den Venenklappen.» Er trat auf die Studenten in der ersten Reihe zu und zeigte ihnen die Vene mit der Klappe, ehe er zum Tisch zurückkehrte und sich dem Herzen zuwandte.

༄

Dieffenbach verließ gerade das Haus eines seiner wohlhabenden Patienten, als er schräg gegenüber Gräfin Ludovica aus dem Hof des ehemaligen Palais des Prinzen Heinrich treten sah, das seit 1810 die neu gegründete Universität beherbergte. Auch sie hatte ihn gesehen und winkte ihm zu.

Er überquerte die Straße und ergriff die ihm entgegengestreckte Hand. Wie lange hatte er sie nicht gesehen? Es kam ihm plötzlich wie eine Ewigkeit vor, und er fragte sich, wie er diese Ferne hatte aushalten können.

«Verehrte Gräfin Ludovica, wie schön, Sie zu sehen. Sie waren in der Universität?»

«Ich war im Theatrum Anatomicum und habe mir Professor Rusts Vorlesung angehört», verriet sie ihm. «Es gab ein kleines Malheur. Professor Rust hat während einer Demonstration einem seiner Assistenten in die Hand geschnitten!»

«Nicht schon wieder», entfuhr es Dieffenbach. «Aber weshalb waren Sie da?»

«Nennen Sie es Wissensdurst oder Neugier oder schlicht Sensationsgier. Was hat die Menschen stets zu solchen Demonstrationen getrieben?»

«Vermutlich das Letztere, aber ich unterstelle Ihnen edlere Beweggründe», sagte er galant.

Gräfin Ludovica lachte. «Sie schmeicheln mir. Jedenfalls freue ich mich, dass ich Sie hier treffe. So bleibt mir eine Fahrt in die Charité erspart. Ich wollte mit Ihnen sprechen.»

«Gerne», erwiderte Dieffenbach aufrichtig. «Soll ich Sie nach Hause begleiten? Hier auf der zugigen Straße ist sicher nicht der rechte Ort für eine Unterhaltung.»

«Lassen Sie uns in den Teesalon dort drüben gehen», schlug die Gräfin vor.

Dieffenbach wusste nicht, ob so etwas in ihren Kreisen gutgeheißen wurde. Sie hatte nicht einmal ihre Zofe dabei, doch Ludovica tat so, als wäre nichts dabei, sich mit einem fremden Mann öffentlich zu zeigen. Dieffenbach bot ihr den Arm. Gemeinsam überquerten sie die Prachtstraße Unter den Linden, und er führte sie sicher zwischen Kutschen und Pferdeomnibussen hindurch.

«Worüber möchten Sie mit mir sprechen?», fragte er, als eine Kanne Tee und eine Schale mit kleinen Kuchen auf ihrem Tisch standen.

«Wie geht es mit unserer Krankenwartschule voran?», erkundigte sich die Gräfin.

Dieffenbach spürte Verlegenheit in sich aufsteigen. Es war ihm wohl bewusst, dass er sich nicht genügend um ihr gemeinsames Projekt kümmerte. «Ich habe leider nicht genug Zeit, um mich selbst um die Anwärter zu kümmern», gab er zu. «Ich weiß aber, dass Dr. Gedike einen ganz ausgezeichneten Unterricht abhält», fügte er schnell hinzu. «Er will auch eine überarbeitete Version meines Krankenwartbuches herausbringen.»

Ludovica musterte ihn eine Weile stumm und ernst, sodass es ihm abwechselnd heiß und kalt wurde, doch dann ging sie nicht auf seine Versäumnisse ein, sondern fragte: «Sind Sie mit den Bewerbern inzwischen zufriedener?»

Er wiegte den Kopf. «Es gibt gute, einfühlsame Menschen, die sich bewerben und die Ausbildung annehmen, aber immer noch viel zu wenige. Sicherlich ist daran nicht zuletzt die schlechte Bezahlung schuld.»

Ludovica nickte verständnisvoll. «Ich verstehe. Vielleicht kann ich helfen. Was halten Sie davon, wenn ich wieder einmal eine Abendgesellschaft ausrichte, um mit ein paar wichtigen Männern zu sprechen?»

«Das würden Sie tun?» Dieffenbach lächelte erfreut und ergriff spontan ihre Hände.

Sie erwiderte den Druck seiner Finger. «Aber ja, wenn ich helfen kann, gerne.»

Als Elisabeth die Stube der melancholischen Frauen betrat, sah sie Professor Ideler an Magdalenas Bett sitzen.

«Kommen Sie!», rief der Arzt ihr zu und winkte sie heran. «Halten Sie den Arm der Patientin ruhig.»

Mit einem kleinen Messer ritzte er kreuzweise in die Haut am Oberarm. Die Patientin zuckte nicht. Ihr Blick blieb unbeteiligt in die Ferne gerichtet.

«Noch ein Haarseil?», erkundigte sich Elisabeth, wobei ihre Stimme sicher verriet, was sie von dieser Behandlung hielt.

Der Professor schüttelte den Kopf. «Nein, kein Haarseil, nur eine letzte verzweifelte Tat. Ich nehme an, Sie sind nicht mit der Lehre des alten Griechen Hippokrates vertraut?»

Elisabeth hob die Schultern. «War das der Grieche mit der Viersäftelehre?»

«Die Viersäftelehre stammt von Galen», erklärte Professor Ideler, der sein Erstaunen darüber, dass sie überhaupt etwas über diese Dinge wusste, nicht verbarg. «Hippokrates sagte: Der feuchten Krätze weicht der Wahn.» Er nahm einen Spatel und kratzte damit eine eitergelbe Paste aus einer Schale. «Eine kleine Anleihe aus Direktor Kluges Krätzesaal. Das Sekret einer Patientin, deren Krätze in voller Blüte steht.»

Elisabeth legte die Hand vor den Mund, als er den Eiter in Magdalenas frischer Wunde abstrich. Dann legte der Arzt eine dicke Lage Scharpie auf und wickelte einen Leinenstreifen fest um den Arm der Patientin.

«So», sagte er, «jetzt müssen wir abwarten, ob es wirkt.»

«Aber sie wird die Krätze bekommen, oder nicht?», vermutete Elisabeth.

«Ja, genau das ist der Plan. Mehr noch als die scharfen Senfpflaster oder die Pflaster mit Spanischer Fliege, stärker selbst als das Haarseil, wird der Juckreiz der Krätze ihre Körpersäfte in Wallung bringen. Das wird die Starre hoffentlich in sich zusammenbrechen lassen, und ihr Geist wird wieder offen sein für normale Reize.»

Elisabeth schaute Ideler fragend an, eine Spur von Skepsis in den Augen.

Ungerührt fuhr der Arzt fort: «Es gibt ein paar Fälle, bei denen diese Methode funktioniert hat. Ich habe alle Unterlagen meiner Vorgänger durchforstet, weil ich mir keinen Rat mehr wusste. Vielleicht ist das ihre letzte Chance.»

Elisabeth fühlte sich geehrt, dass er sich einmal mehr Zeit nahm und so offen mit ihr sprach. Sie respektierte Ideler. Von Anfang an hatte sie ihn geschätzt, auch wenn sie viele seiner Methoden nicht verstand. Sie wusste, er war ein guter Mensch, und sie bezweifelte in keinem Augenblick seine guten Absichten den Patienten gegenüber.

«Dann bleibt uns nur zu hoffen, dass Hippokrates recht behält», erwiderte sie.

Er stand in der offenen Tür und beobachtete sie. Elisabeth saß am Bett der Patientin Magdalena. Wie Ideler vorausgesagt hatte, war die Krätze ausgebrochen. Bereits einige Tage später hatte sich die Stelle, die er mit dem Gift geimpft hatte, in einen eitrigen Krater verwandelt. Der Puls hatte sich beschleunigt, Magdalenas Haut zu glühen begonnen, und sie hatte geschwitzt wie nie zuvor während ihres langen Aufenthalts in der Charité. Nach zehn Tagen hatte sich der Krätzeausschlag auf dem ganzen Körper ausgebreitet.

Elisabeth kam zu dem Schluss, dass alle Nerven der Kranken in Aufruhr sein mussten. Sie beobachtete, wie die Muskeln zuckten. Geduldig wusch sie ihr mit kaltem Wasser den Schweiß ab. Vielleicht brachte es der Patientin Linderung. Dennoch schien der Juckreiz so quälend zu sein, dass sich Magdalena stöhnend im Bett wand. Es stimmte, die Starre war durchbrochen, aber würde der Zustand anhalten, wenn die Wirkung der Krätze nachließ?

Elisabeth beugte sich erneut über sie, strich ihr das nasse Haar aus der Stirn und wandte sich dann der nächsten Patientin zu.

Alexander konnte sich von dem Anblick nicht losreißen. Wie alle Wärterinnen hatte Elisabeth viel zu tun. Sicher wusste sie manches Mal nicht, wo sie anfangen und wen sie vertrösten sollte. Dennoch wirkte sie nicht so angespannt wie viele der anderen Wärterinnen. Ihre Körperhaltung und ihre Bewegungen hatten etwas Beruhigendes. Nie strahlte sie Hektik aus oder Aggression. Für jeden hatte sie ein freundliches Wort, einen warmen Händedruck. Sie verkörperte Trost und Aufmunterung geradezu. Trotz ihrer Sanftmut hatte er mehr als ein Mal ihren Kampfgeist und ihre Hartnäckigkeit erlebt. Gerade gegenüber den Ärzten. Und nicht selten ging Elisabeth als Siegerin vom Platz.

Doch bei allem Ärger, den sie manchmal in ihm hervorrief, in diesem Augenblick wallte ein seltsam wärmendes Gefühl in ihm auf. Und was waren das für verbotene Bilder, die vor seinen Augen aufstiegen?

Gerade als er sich vorstellte, wie sich seine Arme um sie schlossen und sein Mund ihre Lippen berührte, hatte Elisabeth ihn entdeckt.

«Was ist los? Überwachen Sie mich?»

Alexander verzog sein Gesicht zu einer Grimasse, um seine Verlegenheit zu überspielen. Wie peinlich wäre es, wenn sie seine Gedanken erriete.

Elisabeth missverstand offensichtlich die grimmige Miene. «Versuchen Sie, mich bei irgendeinem Fehler zu erwischen?»

Er trat näher und schüttelte den Kopf. «Nein, wie käme ich dazu? Es gibt sicher keine andere Wärterin in der ganzen Charité, deren Patienten sich derart glücklich schätzen dürfen.»

«Weil ich keinen Konflikt scheue, um für ihr Wohl zu streiten?»

«Ja, auch das», gab er zu. «Ich bewundere Ihre Leidenschaft für jeden Ihrer Schützlinge.»

Sie musterte ihn misstrauisch. «Ist das nicht genau das, was Sie mir immer wieder vorwerfen? Haben Sie mich nicht erst gestern eine lästige Plage genannt, schlimmer als die Krätze?»

Alexander wand sich. «Entschuldigen Sie bitte, Wärterin Elisabeth. Ich wollte Sie nicht beleidigen.»

«Sie haben mich nicht beleidigt», sagte sie lachend. «Ich will den Patienten Linderung verschaffen – ihrem Körper, ihrem Geist und ihrer Seele. Dafür streite ich, wenn es sein muss. Es sind ja manches Mal nur Kleinigkeiten, aber sie können das Leben der Kranken so viel einfacher machen.»

«Das ist ja das Außergewöhnliche an Ihnen, dass Sie diese Kleinigkeiten spüren und sich für ihre Änderung einsetzen», schwärmte Alexander.

Elisabeth musterte ihn misstrauisch. «Gut, Herr Dr. Heydecker. Dann haben Sie ja sicher nichts dagegen, mir zu helfen, unsere neue Patientin Helga zu den Baderäumen zu führen. Sie hatte einen Anfall und ist über und über mit Gerstenbrei verklebt. Ich richte ihr das Bett frisch, solange sie in der Wanne sitzt.»

Alexander sah Elisabeth bedauernd an. «Ich kann Ihnen gerne mit der Patientin helfen, aber eigentlich bin ich gekommen, um mich von Ihnen zu verabschieden.»

Elisabeth riss die Augen auf. «Aber wieso? Was ist geschehen?»

Ihre Reaktion tat ihm gut. «Ich habe mich bereits vor einiger Zeit für die Chirurgie beworben, und nun habe ich die Zusage bekommen. Ich werde mit Dr. Dieffenbach zusammenarbeiten!»

«Oh!» Sie starrte ihn an und wusste offensichtlich nicht, wie sie reagieren sollte.

«Werden Sie mich wenigstens etwas vermissen?», hoffte Alexander.

«Unseren ständigen Zank, meinen Sie», neckte sie ihn, doch sie lächelte dabei, dass ihm die Knie weich wurden.

«Ich hoffe nicht nur das», wagte er zu sagen.

«Und ich hoffe, Sie werden dennoch zur Stelle sein, wenn ich wieder einmal einen Retter brauche», erwiderte sie warm und reichte ihm beide Hände, die er fest umschlang.

«Das werde ich», versprach er, «aber seien Sie dennoch vorsichtig im Treppenhaus. Diese Stufen können heimtückisch sein!»

Sie lachten beide, dann ließ er sie widerstrebend los.

«Ich muss mich bei Professor Rust melden.» Er wandte sich ab und ging den Flur hinunter, der ihm düsterer und trostloser vorkam als sonst.

KAPITEL 12

Hochzeitsglocken

Elisabeth lief durch die Gänge der Charité. Sie raffte den Saum ihres Rockes, als sie die Treppe hinuntereilte. Sie musste Professor Ideler finden. Einer der Assistenten hatte gesagt, er sei bei Direktor Kluge. Vielleicht war es nicht richtig, ihn dort zu stören, aber vermutlich würde er sich nach der Besprechung auf den Heimweg machen, und sie musste es ihm einfach erzählen!

Die Krätze war bei Magdalena abgeklungen. Ihre Haut fühlte sich nur noch warm an und war trocken, der Puls schlug in ruhigem Takt. Als Elisabeth kurz zuvor den Saal der melancholischen Frauen betreten hatte, wollte sie ihren Augen nicht trauen. Die Frau, die wochenlang in ihrer Starre verharrt hatte, hatte sich aus ihrem Bett erhoben und war auf Elisabeth zugetreten. Dabei hatte sie der Wärterin in die Augen gesehen, den Kopf geschüttelt und gefragt: «Was ist geschehen? Ich kann mich nicht erinnern.»

«Wissen Sie, wer Sie sind?», hatte sich Elisabeth erkundigt.

«Mein Name ist Magdalena Gruber, aber wo bin ich hier? Ist meinen Kindern etwas geschehen?»

Elisabeth hatte die Frau spontan umarmt und laut gerufen: «Ich hole den Doktor. Der wird Ihnen alles erklären. Sie sind geheilt, ich kann es nicht fassen. Nie hätte ich geglaubt, dass es funktioniert!»

Dann war sie davongerannt.

Jetzt hatte sie das Erdgeschoss schon fast erreicht, als ihr ein junger Mann auffiel, der auf der untersten Stufe saß, den Kopf gegen die Wand gelehnt. Unter seinem Uniformrock ragte ein schmutziger Verband hervor, der seine Hand verbarg.

Elisabeth verlangsamte ihren Schritt und wandte sich ihm zu. «Geht es Ihnen nicht gut?»

Sein Gesicht war gerötet und schweißnass. Er atmete heftig.

«Wie heißen Sie?», erkundigte sie sich.

«Max Thornau. Subchirurg von Professor Rust. Ich muss in den Operationssaal, Dr. Dieffenbach helfen. Er wird gleich ein Geschwür entfernen und dann eine Darmfistel operieren. Danach müssen wir einem Jungen das brandige Bein amputieren.» Während er sprach, schüttelte es ihn.

«Was fehlt Ihnen? Haben Sie Fieber?»

Wieder schauderte er. «Nein.» Er stemmte sich hoch, wankte und fiel gegen die Wand. Elisabeth versuchte, ihn aufrecht zu halten, doch der junge Mann war zu schwach und sackte in sich zusammen.

«Sie werden heute nicht im Operationssaal helfen», sagte sie mit resoluter Stimme. «Sie sind viel zu schwach. Was haben Sie denn mit Ihrem Arm gemacht?»

«Es ist nur ein Schnitt in der Hand, aber er tut schrecklich weh.»

«Hat einer der Ärzte sich das schon angesehen?» Sie nötigte ihn, die Uniformjacke abzulegen, und begann, den schmutzigen Verband zu lösen.

«Ich bin selbst Arzt, zumindest fast», erwiderte Thornau trotzig, doch Elisabeth hielt den Arm fest, bis das Leinen und die gelb durchtränkte Scharpie darunter zu Boden fielen.

«Oh mein Gott!», entfuhr es ihr.

Nicht nur das Gewebe um den Schnitt war dick geschwollen und dunkelrot verfärbt. Die ganze Hand schien aufgequollen wie ein Ballon. Und aus dem Schnitt floss faulig stinkender Eiter.

«Kommen Sie mit, Herr Thornau. Ich sorge dafür, dass Sie im Krankensaal ein Bett bekommen.»

Er wehrte halbherzig ab, dann fügte er sich in sein Schicksal und ließ sich von Elisabeth zum Chirurgischen Krankensaal der

Männer führen. Zum Glück trafen sie auf Martha, die rasch ihren Arm unter die andere Achsel des jungen Mannes schob. Gemeinsam bugsierten sie ihn zu Professor Rusts Station und legten ihn in ein freies Bett.

«Warum haben Sie so lange gewartet?», fragte Elisabeth.

«Ich war einige Tage beurlaubt. Meine Mutter ist gestorben. Als Ältester musste ich mich um die Beerdigung und um meine Geschwister kümmern. Unser Vater ist schon lange tot.»

Elisabeth warf ihm noch einen mitfühlenden Blick zu, dann wünschte sie ihm alles Gute und verließ zusammen mit Martha den Krankensaal.

«Und nun wird ihnen auch noch der älteste Bruder genommen», sagte Martha. «Ich habe an meinen Toten Wunden gesehen, die weniger schlimm aussahen und dennoch zum Tod geführt haben. Dieser verflixte Wundbrand vergiftet den Körper von innen heraus.»

«Dann wollen wir dafür beten, dass sein Körper stark genug ist, Wundgift und Eiter zu besiegen», sagte Elisabeth.

Auf ihrem Weg zu Professor Ideler begegnete sie Stabsarzt von Wiebel und berichtete ihm von der Verletzung des jungen Thornau. Er versprach, Dr. Dieffenbach selbst bei den Operationen zu assistieren und dann nach dem Patienten zu sehen.

Täglich wurden neue Leichen ins Totenhaus geliefert. Die Patienten starben bei den Operationen, vielleicht an Blutverlust oder weil ihr Herz versagte, oder sie starben einige Tage später, wenn der Brand sich in die Wunde fraß. Sie starben an Typhus und Ruhr, die Frauen bei oder nach der Geburt, die Kinder erstickten an der Halsbräune oder erlagen anderen fiebrigen Krankheiten.

Martha hatte an manchen Tagen zu viel zu tun. Trotzdem war sie glücklich, hier im Totenhaus arbeiten und für sich und ihr Kind sorgen zu können. Und dank ihrer wachsenden Kenntnisse schätzten Dr. Dieffenbach und Direktor Kluge, die «ihre» Toten meist selbst sezierten, Marthas Mitarbeit. Sie hatte inzwischen gelernt, sauber zu präparieren und die Sektionen so sorgfältig zu dokumentieren, wie es die Chirurgen verlangten. Die Doktoren der Inneren Abteilungen dagegen ließen sich nicht sehr häufig bei Martha sehen. Sie schickten, wenn überhaupt, einen Assistenten, der dann lustlos an den Leichen herumsäbelte und sich kaum Notizen machte.

Der erste Tote an diesem Novembermorgen wurde von Dr. Dieffenbach begleitet. Martha biss sich auf die Lippen, als sie das Leinentuch von dem kalten Körper zog. Das Gesicht hatte sie erst vor drei Tagen gesehen. Lebendig und glühend vor Fieber.

«Max Thornau», murmelte sie. Dazu musste sie nicht den Namen auf der Patientenkarte lesen. «Ich habe es befürchtet.»

Dieffenbach nickte. Er schien ebenfalls erschüttert. «Ein hoffnungsvoller junger Arzt. Was für eine Tragödie. Sehen Sie, der Wundbrand geht von dieser Schnittwunde in seiner Hand aus. Dann ist das Gift in den Lymphbahnen weitergewandert. Schauen Sie, diese fast schwärzlichen Linien, die vor seinem Tod dick angeschwollen waren. Wir konnten nicht verhindern, dass das Gift sein Herz erreichte. Das war dann sein Ende. Er ist heute Nacht gestorben.»

«Ich habe es gesehen», sagte Martha mit bebender Stimme.

«Was?», erkundigte sich Dieffenbach.

«Wie es passierte. Die Messerwunde. Professor Rust hat ihn bei einer Sektion vergangene Woche geschnitten, als er einen vereiterten Abszess im Gehirn freilegen wollte.»

«Das stimmt», gab Dieffenbach zu und seufzte. «Ein tragischer Unglücksfall.»

Martha schnaubte. «Halten Sie mich bitte nicht für respektlos, Herr Doktor, aber das war ja nicht der erste Zwischenfall dieser Art.

Ich finde, Professor Rust sollte keine Sektionen mehr vornehmen und vor allem nicht mehr operieren. Er sieht doch viel zu schlecht, und in seinen Fingern sitzt die Gicht. Warum zieht er sich nicht zurück und überlässt Ihnen den Posten?»

Dieffenbach nahm ihr diese offenen Worte nicht übel. Im Gegenteil. Er sah ein wenig gequält drein, als er antwortete: «Die Zeit ist noch nicht reif.»

Bevor Martha reagieren konnte, wurde die Tür geöffnet, und zwei Männer traten ein. Professor Rust ließ den Blick gleichgültig über den Toten wandern. Ob er den Assistenzarzt überhaupt erkannte?

«Ah, Dieffenbach, hier sind Sie ja», begrüßte ihn Rust, ohne auf Martha zu achten. «Darf ich Ihnen Dr. Robert Froriep vorstellen? Wir haben darüber gesprochen. Direktor Kluge und ich haben uns darauf geeinigt, dass es notwendig ist, endlich eine Prosektorenstelle an der Charité zu schaffen. Die Pathologie muss einen wichtigen Stellenwert einnehmen und systematischer betrieben werden, als wir das bisher getan haben.»

«Willkommen in der Charité», begrüßte Dieffenbach den jungen Mann, der kaum älter als Mitte zwanzig sein konnte. Er reichte ihm die Hand, dann deutete er auf Martha und stellte sie vor. «Frau Vogelsang wird Ihnen eine große Hilfe sein. Sie präpariert mit feiner Hand und weiß schon sehr viel über Anatomie. Ich denke, Sie werden gut zusammenarbeiten!»

Dr. Froriep streckte Martha die Hand entgegen. «Es freut mich, Madame Vogelsang», sagte er mit angenehmer Stimme. «Was haben wir hier?», erkundigte er sich und deutete auf den Toten auf dem Tisch.

«Einer unserer Assistenzärzte der Chirurgie», sagte Martha, deren Wangen sich angesichts Dieffenbachs Lob ein wenig gerötet hatten. «Max Thornau war sein Name. Er ist am Wundbrand verstorben, der von dieser Schnittwunde in der Hand ausging.»

Professor Rust hatte es plötzlich sehr eilig und verabschiedete sich von seinem frisch ernannten Prosektor. «Bleiben Sie gleich da und führen Sie mit Dr. Dieffenbach und Frau Vogelsang die Sektion durch», schlug er vor, ehe er sich abwandte und davonschlurfte.

∾

Es war ihnen zu einer geliebten Gewohnheit geworden. Ludovica und Dr. Dieffenbach saßen an ihrem Tisch in der Nische im Teesalon und plauderten angeregt, bis Dr. Dieffenbach auf einmal verstummte.

«Warum sehen Sie mich so an, mein Freund?», fragte Ludovica, um einen leichten Ton bemüht. Sie verschränkte ihre Hände im Schoß, um der Versuchung zu widerstehen, nach den seinen zu greifen.

«Bin ich das denn? Ihr Freund?»

Sie suchte seinen Blick. «Sie sind mein Arzt, ja, sicher, aber ich denke, dass uns inzwischen mehr verbindet. Oder täusche ich mich? Ich bin Ihre Freundin, wenn Sie das möchten.»

Dieffenbach erwiderte den Blick, es stand so viel darin geschrieben. «Ich weiß es zu schätzen, dass ich Sie *Freundin* nennen darf, Ludovica, dennoch werden nicht Sie es sein, die mir abends die Tür öffnet, wenn ich nach einem langen Arbeitstag müde nach Hause komme. Nicht Sie werden an meinem Tisch sitzen, nicht Sie werden die Einsamkeit der Nacht vertreiben und sie mit der Wärme Ihrer Arme füllen.»

Ludovica senkte den Blick und knetete ihr Taschentuch in ihrem Schoß. «Nein, das werde ich nicht. Ich habe meinen Platz zwar nicht selbst gewählt, doch nun muss ich an diesem bleiben.»

Dieffenbach nickte. «Ich weiß. Verstehen Sie, dass ich meine leere Wohnung zu hassen beginne? Nur ein Mädchen, das mir mein Essen bringt, das ich dann in Einsamkeit und Stille verzehre. Keine klugen Gespräche, kein Lachen, keine Wärme.»

Sie schluckte. «Haben Sie denn jemanden kennengelernt, der diese Leere füllen könnte?»

«Doch, das habe ich tatsächlich. Emilie ist ihr Name. Ich könnte mir vorstellen, dass wir uns ergänzen und verstehen. Ihr Vater ist Arzt und ihr Bruder auch. Sie hat von jeher in der väterlichen Praxis mitgeholfen, und sie ist sehr belesen.»

Ludovicas Hand bewegte sich, ohne dass sie es beschlossen hätte, und umschlang die seine. «Dann heiraten Sie sie. Werden Sie glücklich. Ich gönne es Ihnen, mein lieber Freund.»

Er zog ihre Hand an seine Lippen und küsste sie mit einer Zärtlichkeit, die sie aufschluchzen ließ. «Nur, wenn Sie es wünschen und wenn Sie mir versprechen, dass Sie meine liebste Freundin Ludovica bleiben.»

«Für immer», sagte sie warm. «Aber Sie müssen sich vermählen. Ich kann mir nicht wünschen, dass Sie alleine bleiben.»

Sie sahen einander an. Ihre Blicke versanken ineinander. Wenn nicht so viele Menschen um sie herum gewesen wären, hätte sie sich vielleicht in seine Arme geflüchtet, stattdessen blieb nur ein inniger Händedruck.

Mein Herz weint bittere Tränen. Was habe ich getan? Welch Teufel trieb mich, ihm diesen Rat zu geben? Er wird meinen Worten folgen und genau das tun, was ich gesagt habe. Er wird wieder heiraten, weil ich ihn dazu trieb! Eine junge, hübsche, anschmiegsame Frau wird nun sein Leben und sein Bett mit ihm teilen. Sie wird ihn an sich fesseln, und er wird sie lieben und verehren, so wie es sein sollte, und gerade deshalb weine ich um ihn. Ich spüre, wie ich ihn verliere. Er treibt davon in sein Glück und lässt mich in tiefer Verzweiflung zurück. Er wird mit ihr lachen und zanken, er wird mit ihr kluge Gespräche führen und ihr von seiner Arbeit erzählen. Er wird mich nicht mehr brauchen. Schon bald wird er seine Freundin Ludovica vergessen haben.

Ach, mein Freund, meine große, heimliche Liebe, ich darf dich nicht ver-
lieren. Was würde mir dann noch bleiben?

Ich weiß, ich bin undankbar. Ich weiß, das größte Geschenk haben du und
Martha mir bereits gemacht. Mein Kind, meine liebe Tochter, die mich auf-
recht hält, wenn alles andere um mich zu Scherben zerfällt. Ich werde sie lieben,
wenn du nicht mehr da bist. Sie ist es, die mich weiteratmen lässt. Sie wird nun
mein einziges Glück bleiben.

❧

Zwei Nächte lang grübelte Dieffenbach, ehe er eine Entscheidung
fällte. Am Sonntag sprach er bei Familie Heydecker vor. Er traf
nicht nur den Kreisarzt an, auch die Kinder Alexander und Emilie
waren zugegen. Dieffenbach spürte, wie der junge Arzt ihn verwundert musterte. Dann huschte ein Lächeln über sein Gesicht, und er
warf seiner Schwester einen verstohlenen Blick zu.

Ahnte die junge Frau, warum er gekommen war? Sie wirkte eher
verwirrt. Als Dieffenbach ihr die Hand drückte und ihren Blick
suchte, stieg verlegene Röte in ihre Wangen, doch sie wich seinem
Blick nicht aus und lächelte ihn an.

«Es ist eine Ehre und eine Freude, dass Sie uns besuchen», sagte
sie mit ihrer klaren Stimme.

Für einen Moment sah sich Dieffenbach im heimischen Zimmer gemütlich in seinem Sessel am Kamin, seine junge Gattin ihm
gegenüber, die mit ihrer angenehmen Stimme einen Artikel aus der
Zeitung vorlas. Er wandte sich rasch ihrem Vater zu.

«Sie möchten etwas mit mir besprechen?», hakte Dr. Heydecker
nach. Er warf seinem Sohn einen fragenden Blick zu. «Ich hoffe,
Alexander hat unserer Familie keine Schande gemacht.»

Dieffenbach beeilte sich abzuwehren. «Aber nein», versicherte
er. «Ich habe bisher nur Gutes gehört und freue mich, Ihren Sohn
von nun an in meiner Abteilung zu haben.»

«Dann bin ich erleichtert», sagte der Vater und lud den Gast in sein Arbeitszimmer ein. «Was kann ich für Sie tun?», erkundigte sich der Hausherr, nachdem er die Tür geschlossen hatte.

Jetzt war es an Dieffenbach, verlegen zu werden. Trotz seiner fast vierzig Jahre hatte er noch nie einen Vater um die Hand seiner Tochter gebeten. Mit Johanna war es damals ganz anders verlaufen. Sie hatten ihren Ehemann hintergangen, waren zusammen durch halb Europa gereist – durchgebrannt, könnte man sagen. Emilie dagegen war jung und unschuldig und gerade einmal halb so alt wie er selbst. Doch das war es nicht, was ihn zu ihr hinzog. Es fühlte sich so an, als könne er in der jungen Frau eine Seelenverwandte finden, jemanden, die ihn nicht wie Johanna mit eigenen ehrgeizigen Plänen quälen würde.

Er holte tief Luft. «Ich möchte Sie um die Hand Ihrer Tochter Emilie bitten. Ich meine, wenn sie denn noch frei ist.»

Damit hatte Heydecker offensichtlich nicht gerechnet. Trotzdem überlegte er nur wenige Augenblicke, ehe er antwortete. «Ich liebe meine Tochter Emilie sehr», sagte er. «Sie ist noch nicht vergeben, und ich werde ihr auch keinen Ehemann vorschreiben. Aber ich freue mich sehr über Ihren Wunsch, Teil dieser Familie zu werden. Trotzdem wird es Emilie selbst sein, die darüber entscheidet, ob sie Ihren Antrag annehmen möchte.»

«Dann darf ich sie fragen?», hakte Dieffenbach nach. Ein warmes Gefühl durchflutete ihn, als der Vater ihm die Hand entgegenstreckte. «Ja, gerne. Ich wünsche Ihnen von Herzen Erfolg.»

«Danke, Herr Doktor Heydecker.»

Die Hoffnung schmeckte überraschend süß, und er war recht aufgeregt, als er das Arbeitszimmer verließ, um das Fräulein aufzusuchen. Ein Aufseufzen entwich ihren Lippen, als er vor ihr niederkniete. Überraschung stand ihr ins Gesicht geschrieben, doch sie lächelte, als er sie bat, seine Frau zu werden.

Bang sah er zu ihr auf. «Ich weiß, das kommt für Sie ein wenig plötzlich, aber ich versichere Ihnen, ich habe es mir gründlich überlegt und zweifle nicht, dass wir uns wundervoll ergänzen und ein Leben in Liebe führen können.»

«Stehen Sie auf, Herr Dr. Dieffenbach», bat Emilie.

«Sie haben alle Zeit der Welt, über meinen Antrag nachzudenken», versicherte er. «Ich werde Sie nicht drängen.»

«Ja», sagte Emilie.

Fragend hob Dieffenbach die Augenbrauen.

«Ich brauche keine Bedenkzeit. Ja, Herr Dr. Dieffenbach, ich will gerne Ihre Frau werden», sagte sie mit fester Stimme.

«Johann», sagte er, «Johann Friedrich.»

«Johann», wiederholte sie warm.

Er ergriff ihre Hände, beugte sich vor und hauchte einen Kuss auf ihre zart gerötete Wange. «Emilie. Emilie Wilhelmine, du machst mich zu einem glücklichen Mann.»

«Das hoffe ich», sagte sie ernst und bot ihm ihre Lippen für einen ersten zärtlichen Kuss.

Dieffenbach schlang seine Arme um sie und zog sie an sich. «Liebe Emilie, ich danke dir für dein Vertrauen. Ich werde alles tun, um mich deiner würdig zu erweisen.»

«Das wirst du ganz bestimmt», hauchte sie.

Es war bereits spät, als Dieffenbach das Haus der Heydeckers verließ. Gleich am nächsten Morgen machte er sich auf den Weg zu dem Vermieter seiner Wohnung und der Praxis in der Jägerstraße. Er würde kündigen und ausziehen. Diese Räume waren zu sehr mit Johanna und ihrem gemeinsamen Leben verbunden. Er wollte ganz neu anfangen, und dazu gehörte auch ein neues, gemütliches Heim, das er gemeinsam mit Emilie gestalten würde.

Die Hochzeit fand kurz vor Weihnachten in kleinem Rahmen statt. Zum Glück war Familie Heydecker nicht sonderlich religiös, sodass Dieffenbachs Scheidung kein ernsthaftes Hindernis für die Eheschließung darstellte. Sie waren beide protestantisch getauft, und Dieffenbach fand einen Pfarrer, der trotz seines Makels bereit war, ihn mit Emilie zu trauen.

Der Brautvater hatte es sich nicht nehmen lassen, das Hochzeitsbankett auszurichten, zu dem natürlich auch einige Ärzte der Charité geladen waren. Dieffenbach freute sich, Direktor Kluge und Dr. Jüngken zu sehen. Seine langjährigen Assistenten Reich und Fritz waren gekommen, und natürlich der Wundarzt Hildebrand, der ihm bei seinen Patienten in der Praxis schon seit Jahren treu zur Seite stand. Am meisten freute er sich, Stromeyer wiederzusehen, der die Reise von Hannover nicht gescheut hatte, um dem Freund und seiner Braut zu gratulieren.

Weniger erfreut war Dieffenbach allerdings, dass Professor von Graefe vorbeikam, der zudem nichts Besseres wusste, als einige seiner Operationsmethoden zu kritisieren, die er, seiner Meinung nach, als Einziger beherrschte.

«Überlassen Sie das Feld der Plastischen Chirurgie besser mir», sagte er ein wenig abseits der Gesellschaft und in diesem arroganten Tonfall, der Dieffenbach jedes Mal innerlich die Fäuste ballen ließ. Doch so schnell ließ er sich nicht unterkriegen.

«Ach, Sie sprechen von Ihren Nasen, die leider dazu neigen, aus der Form zu geraten und bald recht klein und schrumpelig daherkommen!», gab er zurück. Es wunderte ihn daher nicht, dass der Leiter der Universitätsklinik nicht einmal bis zum Kaffee blieb.

Es war schon spät, als Dieffenbach seine Arme um Emilie legte und sie an sich zog. «Wollen wir uns davonschleichen?», flüsterte er ihr ins Ohr.

Sie errötete allerliebst und nickte.

«Meine Kutsche steht bereit und bringt uns nach Hause.»

Emilie stellte überrascht fest, dass sie sich nicht in Richtung Jägerstraße bewegte. «Wo fahren wir hin?», wollte sie wissen.

«In unser neues Zuhause.» Mehr war er nicht bereit zu verraten. Vor ihnen tauchte das hell erleuchtete Stadtschloss auf. Die Pferde trabten jedoch nicht auf die Brücke hinaus, die zur Insel hinüberführte. Stattdessen verließen sie die Allee Unter den Linden und bogen am Zeughaus nach links ab.

Dieffenbach reichte seiner jungen Frau die Hand und half ihr aus der Kutsche. Staunend ließ sie ihren Blick die prächtige Fassade hinaufwandern.

«Dort oben werden wir von nun an wohnen», sagte er mit Stolz in der Stimme. «Meine Praxis ist gleich hier unten, und du kannst von unserem Salon aus den Dom und das Schloss sehen.

Sie schlang ihre Arme um seinen Hals und küsste ihn. «Danke, auch wenn du hoffentlich weißt, dass ich das nicht brauche.»

«Ich wollte, dass wir ganz neu anfangen», gab er zu. «Ich wollte die Wände, in denen ich mit Johanna gelebt und gestritten habe, für immer hinter mir lassen.»

Sie küsste ihn noch einmal. «Wie lieb und klug von dir.»

«Und nun werde ich dich über die Schwelle deines neuen Heims tragen», sagte er, bückte sich und hob sie hoch. Emilie schmiegte sich an ihn. Eine Locke ihres Haars hatte sich gelöst und kitzelte seinen Hals. Er roch ihre Haut und den Hauch eines blumigen Parfüms, und er fragte sich nicht, ob er richtig entschieden hatte. Als die Wohnungstür hinter ihnen ins Schloss fiel, blieb auch Gräfin Ludovica draußen in der Nacht vor der Tür, und kein Gedanke an sie störte die Liebenden bis zum Morgen.

KAPITEL 13

Maskenball

Das alte Jahr ging zu Ende, und mit einem eisigen Januar begann das Jahr 1834. Die Wochen verstrichen, und noch immer beherrschte Professor Rust die Chirurgie der Charité, auch wenn er – zum Glück für alle Beteiligten – nur noch selten selbst zum Messer griff. Meist überließ er dies Direktor Kluge oder dem zweiten Chirurgen Dieffenbach. Doch obgleich niemand Dieffenbachs Kunstfertigkeit als Operateur bestritt, konnte sich Rust nicht durchringen, sich endlich in den Ruhestand zu verabschieden.

Privat dagegen konnte sich Dieffenbach nur beglückwünschen. Er hatte mit Emilie eine Frau gefunden, die ihn liebte und umsorgte und stets Verständnis für seine Arbeit mitbrachte. Sie war klug und belesen, und er konnte sich mit ihr über seine Forschung oder die Schwierigkeiten einer Operation unterhalten. Seine neue Familie machte ihn glücklich, und dennoch blieb dieser Schmerz in seinem Herzen wie eine Wunde, die sich nicht schließen wollte. Er konnte Ludovica nicht immer aus seinen Gedanken drängen und auch nicht aus seinem Leben. Dafür sorgte schon ihr Gatte, der ihn regelmäßig in sein Palais rief. Auch an diesem Tag Ende Februar wartete die gräfliche Kutsche vor der Praxis Am Zeughaus 2 und brachte ihn zum Bredow'schen Palais.

In der Halle begegnete er der Kinderfrau mit der kleinen Amalie Friedericke an der Hand, die nun zweieinhalb Jahre alt war. Dieffenbach spürte ein Brennen in der Brust, wie jedes Mal, wenn er dem Kind begegnete. Es wuchs zu einem aufgeweckten, hübschen Mädchen heran. Zarte Locken ringelten sich um seine roten Wangen. Die Augen waren blau. Es gab nichts an ihr, was den Betrachter an ihrer Legitimität hätte zweifeln lassen, dennoch konnte er sich der Mahnung seines Gewissens nur schwer entziehen. Selbst wenn dieses Arrangement für alle Betroffenen Vorteile brachte, war es Unrecht. Doch je länger er wartete, desto unmöglicher wurde es, die Tat einzugestehen. Nein, diese Chance war längst vertan. Wie hätte er Kind und Mutter jetzt noch trennen können?

Dieses Geheimnis würde er wohl mit ins Grab nehmen müssen.

Gräfin Ludovica kam die Treppe herunter und reichte ihm zur Begrüßung die Hand. Dieffenbach verbeugte sich und hauchte einen Kuss auf ihre Finger.

«Verehrte Ludovica, Sie sehen», er stockte kurz, ehe er fortfuhr, «atemberaubend aus.»

Sie lachte glockenhell. «Sie sind ein Charmeur, mein lieber Johann Friedrich.»

Er holte Luft, um ihr von der komplizierten Operation zu berichten, die er am Tag zuvor bei einem Kind mit einer Gaumenspalte vorgenommen hatte, doch da erschien schon der Graf oben am Ende der Freitreppe.

«Dieffenbach, kommen Sie rasch!»

Ludovicas Lächeln schien ein wenig gequält. «Eilen Sie», sagte sie, «vielleicht sehen wir uns später noch.»

Und so blieb ihm nichts anderes übrig, als dem ewig Kranken in sein Gemach zu folgen.

☙

Dieffenbach hatte sich wieder einmal um die zahllosen eingebildeten Wehwehchen des Grafen gekümmert. Jetzt schlief ihr Gatte endlich, und so nahm er sichtlich erfreut Ludovicas Einladung an, ihr bei Kaffee, Pralinen und Cognac in ihrem Salon noch ein wenig Gesellschaft zu leisten.

Sie hatte wieder einige seiner Veröffentlichungen gelesen und drängte ihn, ihr von seinen neuesten Experimenten im Tiermedizinischen Institut zu berichten. Während einige Gebäude und Vorlesungssäle der Universität eher spartanisch daherkamen, hatte das für Sektionen und Vorlesungen erbaute Anatomische Theater dieses Instituts etwas von einem adeligen Palais.

«Bitte, erzählen Sie mir mehr von Ihrer Forschung, mein Freund», drängte sie ihn.

«Gerne, verehrte Freundin. Wann immer ich Zeit finde, setze ich meine Experimentreihe am Tiermedizinischen Institut fort. Ich will endlich verstehen, warum eine Blutübertragung manches Mal gelingt und warum in vielen anderen Fällen der Tod eintritt. Wir konnten einen Stoff aus dem Blut extrahieren, wir nennen ihn Fibrin. Ohne ihn gerinnt das Blut nicht mehr, was häufig bei Transfusionen ein großes Problem war. Auch unser Anatom an der Universität, Professor Johannes Müller, bevorzugt bei seinen Versuchen fibrinfreies Blut. Problemlos ist das aber auch nicht. Wir wissen leider noch nicht, warum das Blut bei vielen Versuchen dennoch verklumpt.»

Er sprach mit solch einem Eifer. Eine Haarsträhne fiel ihm ins Gesicht. Seine Wangen waren gerötet, seine Augen blitzten. Diese Leidenschaft, mit der er seine Forschungen betrieb, aber auch jedes Leiden seiner Patienten behandelte, liebte sie besonders an ihm. Ja, er sah gut aus, er war ein schöner Mann, aber das Schönste an ihm war seine Seele, die stets bereit war, alles im Kampf gegen Leid und Schmerz zu geben.

Dieffenbach genoss ihre Anwesenheit, ihr Interesse, die Behaglichkeit ihres Salons. Er schenkte ihr Kaffee nach und berührte dabei ihre Hand. Es durchzuckte sie heiß und kalt. Sie mied seinen Blick, zu sehr fürchtete sie, ihre Sehnsucht könne zu deutlich darin zu lesen sein. Stattdessen rührte sie in ihrem Kaffee und fasste einen Entschluss.

Sie war sich ihrer Stellung und ihrer Aufgabe bewusst. Mit der Geburt ihrer Tochter hatte sie zumindest einen Teil ihrer Pflicht erfüllt. Nun musste es noch einen Erben geben, aber im Moment fühlte sich der Graf zu leidend, um seine ehelichen Pflichten zu erfüllen, und sie musste sich eingestehen, dass sie darüber durchaus erleichtert war.

Es entstand eine kurze Pause, als er aufstand, um sein Cognacglas zu füllen. Als er sich wieder zu ihr setzte, stieß Ludovica unvermittelt hervor, ehe sie der Mut verließ: «Würden Sie mich am Samstag ins Colosseum begleiten?»

Dieffenbach blinzelte verwirrt. «Ins Colosseum?», wiederholte er.

«Es werden die neuesten Walzer aus Wien gespielt. Das würde ich zu gerne hören», fuhr sie ein wenig atemlos fort. «Der Graf wird leider verhindert sein.»

«Oh!» Dieffenbach sah sie an und überlegte. «Ein Konzert, dagegen dürfte nichts einzuwenden sein, nicht wahr?»

«Es ist ein Ball», korrigierte Ludovica. «Ein Maskenball.»

Jetzt wirkte er so irritiert, dass sie sich fragte, ob sie nicht zu weit gegangen war. Er war kein Mann, der auf Maskenbälle ging. Und wie hatte sie nur so dreist sein können, ihn überhaupt zu fragen?

«Wenn Sie es wünschen, begleite ich Sie gerne», sagte er zu ihrer Überraschung. Vielleicht war er sogar selbst ein wenig über seine eigenen Worte verblüfft.

Ludovica spürte, wie sie strahlte. Vielleicht war ihm das Lohn genug, denn auch er lächelte. Sie reichten sich über dem kleinen Kaffeetisch verschwörerisch die Hände.

«Wird Ihre Gattin es erlauben?», fiel es Ludovica plötzlich ein zu fragen.

Er wand sich ein wenig, dennoch blieb er bei seiner Zusage.

Und während Ludovica still beobachtete, wie sich Dieffenbach entspannt zurücklehnte und seinen Cognac genoss, wirbelten ungezählte Fragen durch ihren Kopf. Würde er Emilie wohl den wahren Grund nennen? Sicher war er nicht der einzige Arzt in Berlin, der eine Versammlung der Medizinischen Gesellschaft oder eines anderen Vereins als Ausrede für einen ungestörten Abend nutzte. Andererseits traute sie ihm durchaus zu, seiner Frau die Wahrheit zu sagen.

Doch was war die Wahrheit? Dass er einer Freundin einen Wunsch erfüllte? Oder dass er etwas für eine andere Frau empfand, was er nur für seine Ehefrau fühlen sollte? Erwiderte er ihre Gefühle denn? Fiel es ihm auch so schwer, sie zurückzuhalten und sich so zu verhalten, wie man es von ihnen erwartete?

Sie wusste es nicht. Sie würde nie gegen die Regeln verstoßen. Niemals der Sehnsucht und dem Verlangen nachgeben, die sie nachts in ihren Träumen heimsuchten. Und er war ein Ehrenmann, der seine Frau liebte.

Und so sollte es bleiben.

So musste es bleiben, sosehr es sie auch schmerzte.

Kein Berliner, der etwas auf sich hielt, war normalerweise zu so früher Stunde im Colosseum anzutreffen. Vor zehn Uhr drängte sich höchstens das aufstrebende Bürgertum, das noch nicht in den Sphären der besseren Gesellschaft angekommen war, auf der Tanzfläche. Doch heute reihte sich schon sehr früh eine Kutsche an die andere und entließ die Herren und Damen im schimmernden Domino mit einer Maske vor dem Gesicht ins abendliche Vergnügen.

Die Gräfin hatte ihm einen blauen Domino mit einer passenden Maske besorgt, den Dieffenbach über seinen Frack warf. Ihr eigener Kapuzenmantel war aus Seide und schimmerte, je nachdem, wie das Licht auf den Stoff traf, mal golden und mal rot. Ihre Maske war ebenfalls rot und mit Edelsteinen besetzt. Sie sah so wunderschön, so märchenhaft und geheimnisvoll aus, dass er kaum glauben konnte, dass sie wirklich ihn auserwählt hatte, sie zu begleiten.

Besuchte er tatsächlich an der Seite Ludovicas einen Maskenball? Nein, er wollte jetzt nicht über die gesellschaftlichen Regeln nachdenken. Er wollte einfach dieses leicht schwebende Gefühl genießen, das er in ihrer Gegenwart spürte.

Dieffenbach übergab seine Kutsche mit dem Rappengespann einem Diener und half der Gräfin beim Aussteigen. Sie schob ihre von einem weißen Seidenhandschuh verhüllte Hand unter seinen Arm und ließ sich von ihm in den Ballsaal führen. Für einen Moment glaubte er, das Wappen derer von Bredow an einer der Kutschen entdeckt zu haben, doch das war nicht möglich. Der Graf weilte in Charlottenburg – zumindest hatte Ludovica das gesagt.

Das Licht und die Wärme Tausender Kerzen in kristallenen Leuchtern empfing sie. Walzerklänge hüllten sie ein. Es kam ihm so vor, als wäre er in einem phantastischen Traum gelandet. So viele Menschen, Gelächter, Gerüche! So viele Farben wirbelten um ihn herum! Er sah den Kapellmeister mit seiner Geige, der von Wien hierhergekommen war. Er dirigierte das Orchester und griff dann selbst zum Bogen. Die Menschen jubelten und drehten sich immer schneller. Würde ihnen nicht schwindelig werden?

Er war fast ein wenig erleichtert, dass die Gräfin zuerst ihre Loge aufsuchen wollte. Hinter der niederen Brüstung war ein Tisch gedeckt, die Champagnerflasche steckte in einem silbernen Kühler. Und hinter einem Vorhang stand eine Ruhebank von den Blicken der anderen Ballgäste verborgen. Fast schämte er sich der Gedanken, die ihm unwillkürlich beim Anblick dieses Séparées kamen, und er war ganz froh, dass die Maske sein Gesicht verbarg. Er konnte sich nicht vorstellen, dass der Graf über den heutigen Abend Bescheid wusste. So etwas würde er doch niemals billigen, selbst wenn der Begleiter seiner Gattin keine unlauteren Absichten hegte.

War dem denn so?

Er sah zu ihr hinüber. Das Kleid schmiegte sich perfekt um ihre zierliche Gestalt. Die Maske, die nur ihre weiße Stirn, ihre funkelnden Augen und den roten Mund enthüllte, ließ sie noch begehrenswerter erscheinen. Dieffenbach spürte, wie ihm heiß wurde.

Er konnte nicht verhindern, dass er sich plötzlich auf dem samtenen Canapé sah, ihr zarter Körper in seinen Armen, sein Mund auf ihren Lippen.

Er schluckte trocken. «Champagner?», fragte er, während sie sich auf einem der Stühle niederließ und ihr duftiges Kleid aus zartgelber Seide aufschüttelte.

Sie lächelte zu ihm hoch. «Gerne!»

Eine Weile saßen sie da, tranken Champagner und beobachteten die bunte Menge, die nun in einer fröhlichen Polka um die Tanzfläche galoppierte. Dieffenbach fürchtete sich ein wenig vor dem Augenblick, da er Ludovica zum Tanz führen müsste. Er war ein sportlicher Mann, der früher gerne geturnt hatte oder im Winter Schlittschuh gelaufen war, doch als begnadeten Tänzer würde er sich nicht bezeichnen. Überhaupt hatte er noch nie in seinem Leben solch eine Veranstaltung besucht! Was, wenn er ihr auf das Kleid trat? Befangen sah er die Paare vorbeiwirbeln.

«Sehen Sie sich die drei dort drüben an», unterbrach Ludovica seine Gedanken und deutete auf eine zierliche Tänzerin mit einer goldenen Maske, die mit einem Herrn im Kostüm eines venezianischen Kaufmanns tanzte.

Selbst Dieffenbach fiel die ungewöhnliche Anmut der sicher noch jungen Dame ins Auge.

«Oh!», rief Ludovica. «Er ist nicht der Einzige, der um ihre Gunst wirbt. Sehen Sie?»

Dieffenbachs Blick folgte ihrem Fingerzeig zu einem Mann im

roten Domino, der an der Wand lehnte. Er hatte seine Maske hochgeschoben und beobachtete die beiden mit finsterer Miene.

«Kennen Sie ihn?», fragte er.

Sie nickte. «Ich wurde ihm vorgestellt. Sagen wir, er ist der jüngste Sohn eines südlich gelegenen Fürstenhauses.»

Der Mann in Rot schob die Maske wieder über das Gesicht und ging auf das tanzende Paar zu. Er tippte dem Venezianer auf die Schulter, dem nichts anderes übrig blieb, als ihm seine Dame zu überlassen. Der Kapellmeister stimmte einen neuen Walzer an, und der forsche Domino drehte sich mit der goldmaskierten Dame über das Parkett. Sie waren ein so schönes Paar, dass viele zurückwichen und ihnen Platz machten.

Das wunderschöne Bild und der Champagner berauschten Dieffenbach und machten ihm Mut, sodass er sich erhob und Ludovica zum Tanz aufforderte. Er fühlte die Musik, die durch seinen Körper rann und seine Beine bewegte, und er spürte ihre schlanke Taille unter seiner Hand. Die andere umschlang den Seidenhandschuh. Sie tanzte himmlisch und war leicht wie eine Feder. Er wurde immer mutiger und wirbelte sie herum, dass sich ihr Seidenkleid bauschte. Ach, wenn dieser Tanz nie enden wollte! Er sog ihren Duft in sich ein und konnte den Blick nicht von ihr wenden.

Als die Musik endete, geriet das schöne junge Paar wieder in ihren Blick.

«Der Venezianer wird nicht aufgeben», vermutete Ludovica. «Dort drüben steht er und wartet auf seine Chance, seine Angebetete dem roten Domino wieder abzujagen.»

«Sehen Sie, der Kampf geht weiter», hörte Dieffenbach einen Mann in der Nähe zu seiner Tänzerin sagen.

«Oh ja, auf wen setzen Sie?», erwiderte diese lachend. «Das ist nun schon der dritte Ball, auf dem ich die drei beobachte, doch noch scheint sich unsere unbekannte Schöne mit der goldenen

Maske nicht entscheiden zu können. Sehen Sie nur, jetzt greift der Venezianer wieder an.»

Dieffenbach fixierte das Paar, und wieder wechselten die Tänzer, um den Reigen in anderer Besetzung fortzuführen. Plötzlich hatte er das Bild eines jungen Mädchens vor Augen, das sich in einem Salon anmutig zur Klaviermusik bewegte. Dieser schlanke Körper, dieser grazile Ausdruck – war das möglich? Das üppig volle Haar, das so kunstvoll aufgetürmt und mit Perlenschnüren durchsetzt im Schein der Kerzen schimmerte.

Er starrte ihr ins Gesicht, von dem nur die makellose weiße Stirn über dem mit Perlen besetzten Rand der Maske zu sehen war. Ein mädchenhaftes Kinn ging in einen schlanken Hals über.

Dieffenbach begann zu grübeln. Er war sich nicht ganz sicher. Es war immerhin fast ein Jahr vergangen, seit er Elvira Tondeau gesehen hatte, und doch, irgendein Instinkt flüsterte ihm zu, dass er sich nicht irrte.

«Was ist mit Ihnen?», wollte die Gräfin wissen. «Sie sehen so finster drein.»

«Das können Sie gar nicht sehen. Ich trage eine Maske», erinnerte er sie.

Sie lachte hell auf. «Ich spüre es! Was ist mit Ihnen, mein Freund?»

«Ich glaube, ich weiß, wer sich hinter der goldenen Maske verbirgt.»

«Oh, dann verraten Sie es mir. Es gibt vermutlich keinen hier im Saal, der nicht begierig wäre, die Wahrheit zu kennen.»

«Ich glaube nicht, dass ich dieses sorgsam gehütete Geheimnis lüften sollte», stieß er erschrocken aus.

Ludovica drängte noch eine Weile, dann gab sie auf.

Als sie zu ihrer Loge zurückkehrten, spürte er plötzlich, wie sie erstarrte. Er folgte ihrem Blick zu einer der Logen, in der ein korpulenter Mann mit schütterem Haar eine Blondine in knappem Kostüm umarmte und seine Lippen auf ihren hervorquellenden Busen drückte. Sie kicherte und schien den Annäherungsversuchen nicht abgeneigt, dann schlang sie ihre Arme um ihn und zog ihn näher. Dabei streifte sie seine Maske vom Gesicht. Ludovica zuckte zusammen und zog Dieffenbach schnell weiter, doch er hatte den Grafen bereits erkannt. Sollte er mit Ludovica darüber sprechen? Nein, das war allein die Angelegenheit des gräflichen Paares. So führte er sie stattdessen zu ihrem Platz zurück und schenkte ihr noch ein Glas Champagner ein. Doch der Zauber war verflogen. Sollten sie vielleicht unauffällig verschwinden?

«Sie werden sich jetzt nicht drücken, mein Freund», wehrte Ludovica seinen Vorschlag ab. «Sie müssen noch mindestens ein Dutzend Runden Walzer mit mir tanzen – und eine Polka!»

Er gab nach, obwohl er sich immer wieder dabei erwischte, wie sein Blick unter den Gästen nach der Gestalt des Grafen suchte.

Später, als sie, müde vom Tanz und berauscht vom Champagner, dem Ausgang zustrebten, sahen sie die Schöne mit der goldenen Maske und ihre beiden Begleiter wieder. Zuerst fiel ihnen der Prinz im roten Domino auf, der offenbar alle Logen absuchte, doch da war sie nicht. Dann drängte sich die Goldmaske plötzlich vor Dieffenbach und der Gräfin durch das Portal ins Freie und lief auf eine Kutsche zu, die bereits wartete. Der Venezianer holte sie ein und zog sie in seine Arme. Sie schien zu schwanken, dann schmiegte sie sich für einen Moment an ihn. Er redete auf sie ein, ihre Lippen fanden sich.

«Jetzt wissen wir es gleich», prophezeite die Gräfin, die das Paar nicht aus den Augen ließ.

Seine Hand hob sich zu ihrer Maske. Da begann sie sich zu wehren. Sie wand sich aus seinem Arm. «Nein», rief sie. «Es ist nicht möglich.»

Er wollte nicht aufgeben, trat an die Kutsche, wartete auf ein Zeichen. Noch einmal beugte sie sich aus dem Fenster, und Ludo-

vica und Dieffenbach sahen, wie sie ihm zärtlich über die Wange
strich. Dann gab sie dem Kutscher den Befehl, und die Pferde zogen an. Verloren blieb der Venezianer vor dem Colosseum zurück
und sah ihr nach. Doch nun hatte der rote Domino seinen Widersa-
cher entdeckt. Prinz Friedrich hatte seine Maske abgelegt und lief
auf den Venezianer zu, der sich ebenfalls demaskierte.

Dieffenbach stöhnte. «Das darf nicht wahr sein!»

«Sanson, ich verlange Genugtuung!», schrie der eine.

«Das können Sie haben», gab der andere zurück. «Nennen Sie
mir Ort und Zeit, ich werde da sein.»

Inzwischen war auch Dieffenbachs Kutsche vorgefahren, und er
half der Gräfin hinein.

«Wer ist er?», wollte sie wissen. «Sie haben den Venezianer erkannt, nicht wahr?»

Er stöhnte. «Ein junger Arzt aus Russland, der für einige Monate an der Charité lernen soll, seine Operationstechnik zu verfeinern. Ich hoffe nur, dass er sich nicht stattdessen draußen vor den
Mauern Berlins auf einer Waldlichtung eine Kugel einfängt oder
einen Degen in den Leib gerammt bekommt.»

Ludovica versuchte noch einmal, ihm die Identität der jungen
Frau mit der goldenen Maske zu entlocken, doch er wich aus und
behauptete, sich nicht mehr sicher zu sein.

Ludovica lag bereits im Bett und war kurz davor, in tiefen Schlummer zu sinken, als Schritte vor ihrer Tür sie wieder aufschreckten.
Es war der schwere Tritt des Grafen. Er stieß die Tür mit so viel
Schwung auf, dass sie gegen die Wand krachte. Unsicher schwankend, kam er auf ihr Bett zu. Ludovica setzte sich auf.

«Was willst du um diese Zeit?», fragte sie unwirsch.

«Ich darf um jede Zeit hierherkommen», entgegnete er und

starrte sie aus rot unterlaufenen Augen an. «Du bist mein Weib. Ich darf mit dir machen, was ich will!»

«Du bist betrunken und solltest zu Bett gehen», gab Ludovica mit bemüht ruhiger Stimme zurück, obgleich es in ihr kochte.

«Na und? Dann bin ich halt betrunken», lallte er. «Bist du nicht auch berauscht vom Champagner oder von den Küssen deines Liebhabers?»

«Rede keinen Unsinn!»

«Unsinn? Ach ja? Lüg mich nicht an. Ich habe dich erkannt. Du warst auf dem Ball im Colosseum! Wer ist der Kerl, mit dem du mir Hörner aufsetzt?»

Sie wusste, dass es nicht gut war, ihn zu reizen, und doch brach es aus ihr heraus. «Du hast mich erkannt? Das wundert mich, wo du doch so eifrig mit den Brüsten deiner Blondine beschäftigt warst.»

«Das geht dich überhaupt nichts an!», polterte er. «Du bist meine Frau, und du hast dich entsprechend zu benehmen. Wer ist der Kerl, mit dem du mich lächerlich machst?»

«Im Gegensatz zu dir war ich lediglich zum Tanzen dort», fauchte sie.

Plötzlich schoss seine Hand vor und packte ihr Haar. «Ich lass mich von dir nicht zum Narren halten», keuchte er.

Der Schmerz ließ sie aufstöhnen. «Lass los!»

Doch er packte nur umso fester zu und zerrte sie aus dem Bett. Trotz seiner Trunkenheit war er stark und drückte sie zu Boden.

«Lass mich los», forderte sie noch einmal und versuchte, ihr Haar aus seinem Griff zu lösen.

«Du betrügst mich!», schrie er. Er holte aus und schlug ihr mit so viel Kraft ins Gesicht, dass sie mit dem Hinterkopf gegen den Bettpfosten knallte. Blut spritzte auf ihre aprikosenfarbene Bettdecke und lief ihr dann über den Nacken. Benommen fiel sie zu Boden. Cornelia, die Zofe, tauchte kreischend aus dem Ankleidezimmer auf und rief nach den Dienern, die zaghaft ins Gemach der Gräfin traten und sich mit unsicherer Miene umsahen.

«Ihr zwei könnt gleich eure Sachen packen. Ihr seid entlassen», schrie der Graf und jagte sie davon. Die beiden Männer zuckten zusammen. Sie konnten nur hoffen, dass er sich am nächsten Morgen nicht mehr daran erinnern würde. Noch tobte der Graf, doch bald schon würde der Rausch ihn in tiefen Schlaf sinken lassen.

Vor sich hin schimpfend, wankte er schließlich hinaus und schlug die Tür hinter sich zu. Die beiden Diener folgten.

«Cornelia, helfen Sie mir», stöhnte Ludovica.

Die Zofe kniete sich neben sie und drückte ein Tuch auf die blutende Wunde an ihrem Hinterkopf. «Sie brauchen einen Arzt», sagte sie mit Tränen in den Augen. «Soll ich Dr. Dieffenbach holen lassen?»

«Nein, auf keinen Fall», wehrte die Gräfin ab. «Das wird schon wieder. Es ist ja nicht das erste Mal, dass der Graf die Beherrschung verliert. Morgen tut es ihm wieder leid.»

Schwindel erfasste sie, die Wangen glühten, und ihre Nase fühlte sich an, als sei sie zerschmettert. Ludovica schmeckte Blut in ihrem Mund. Sie stöhnte vor Schmerz, als ihr Cornelia ins Bett half. So zart wie möglich wusch sie ihr das Blut ab und flößte ihr dann einen Becher mit Laudanum ein. Der Schmerz ließ nach, und sie sank endlich in eine wohltuende Schwärze hinab.

KAPITEL 14

Blut und Tränen

Die Nacht war noch nicht zu Ende, als Dieffenbach zu einem Notfall gerufen wurde. Er trieb seine Pferde durch die leere Straße zum Haus der Familie Tondeau. Seine Tasche in der Hand, eilte er durch die Tür, die ein Diener ihm aufhielt.

Er traf die Dame des Hauses, die in Tränen aufgelöst war. «Wie konnte sie so etwas tun?», schluchzte sie und griff nach seiner Hand, um ihn ins Schlafzimmer ihrer Tochter zu ziehen.

Da lag sie in ihrem Blut. Das ganze Bett und selbst der Teppich davor schimmerten rot. Ihre Zofe hatte sie gefunden und geistesgegenwärtig die Handgelenke mit Leinenstreifen umwickelt, die nun ebenfalls nass von Blut waren. Dieffenbach trat ans Bett. Das junge Mädchen, das noch immer die goldene Maske vor seinem zerstörten Gesicht trug, war nicht bei Bewusstsein.

«Schnell, ein Riechfläschchen», rief er, während er die Leinenstreifen löste, um nachzusehen, wie schlimm der Schaden war, den sich Elvira selbst zugefügt hatte.

«Ich hätte sie nicht zu den Bällen gehen lassen sollen.» Die Mutter weinte und war kaum zu beruhigen. «Es war falsch, aber ich dachte, sie habe das Recht, sich wenigstens ein Mal im Jahr wie eine ganz normale junge Frau zu fühlen. Ich hätte wissen müssen, dass dies mehr Leid als Freude über sie bringt.»

«Sie haben es gut gemeint», beschwichtigte Dieffenbach und zog die Verbände wieder fest. Der Blutstrom war nahezu versiegt, und die scharfen Dämpfe aus dem Riechfläschchen reichten, um sie aufzuwecken. Vermutlich würde sie sich bald erholen.

«Gehen Sie in die Küche und lassen Sie Elvira eine kräftige Suppe zubereiten», ordnete er an, um die Mutter für eine Weile aus dem Zimmer zu vertreiben.

«Was haben Sie sich nur dabei gedacht, Fräulein Elvira», sagte er dann und drückte ihre kalte Hand.

«Da war ein Mann auf dem Ball. Er war so freundlich und charmant. Er wollte mir gar einen Antrag machen, doch er hat sich nur in die Maske verliebt, nicht in mich. Wie hätte er das auch tun können? Ich bin ein Monster und werde es immer bleiben. Niemals wird mich jemand lieben.»

«Wir können es noch immer versuchen, wenn Sie mir Ihr Vertrauen schenken», bot Dieffenbach an. «Es wird schmerzhaft, und Sie brauchen Geduld, doch ich kann Ihnen eine Nase machen und Ihre Lippe korrigieren. Sie brauchen nur Mut und Entschlossenheit mitzubringen, dann mache ich mich sogleich ans Werk.»

Als ihre Mutter mit der Suppe zurückkehrte, war Elvira bereits so stabil, dass Dieffenbach sie alleine lassen konnte. Er ließ noch ein stärkendes Tonikum da und versprach, am Abend wiederzukommen, um sich die Schnittwunden noch einmal anzusehen.

«Wenn wir Glück haben, heilen sie ohne die Bildung von Eiter», sagte er hoffnungsvoll zu Madame Tondeau und wandte sich dann noch einmal an die Tochter.

«Wenn Sie wieder stark genug sind, dann kommen Sie zu mir, und ich werde Ihnen helfen!»

Dieses Mal war sie bereit, das Experiment zu wagen. «Ich werde kommen!», versprach sie und warf ihrer Mutter einen fragenden Blick zu.

Madame Tondeau nickte unter Tränen. «Ganz gleich, was es kostet. Wenn auch nur der Hauch von Hoffnung besteht, werden wir dich bei jedem Schritt unterstützen.»

Dieffenbach verabschiedete sich. Was für eine Nacht! Während er müde die Pferde nach Hause trotten ließ, freute er sich auf das

Frühstück mit Emilie. Doch kaum hatte er sich an den Tisch gesetzt, klopfte es an der Tür.

Das Mädchen öffnete. Ein Lakai des Grafen von Bredow stand auf der Schwelle.

«Was ist? Der Graf?», fragte Dieffenbach ungehalten. Wenn er eines an diesem Morgen nicht ertragen konnte, dann war es dieser Hypochonder.

«Es geht nicht um Graf Gottfried», sagte der Lakai, der sich offensichtlich gar nicht wohl in seiner Haut fühlte. «Er hat das Haus in aller Frühe verlassen. Cornelia, die Zofe unserer gnädigen Gräfin, hat mich zu Ihnen geschickt. Ich denke nicht, dass die Herrin davon weiß.»

Dieffenbach runzelte die Stirn. Er konnte sich keinen Reim darauf machen. Emilie trat zu ihm und musterte den Lakai.

«Was fehlt Ihrer Herrin denn?»

«Äh, ich kann darüber nichts sagen. Ich war nicht dabei. Ich habe nur … ich habe die nächtlichen Geräusche gehört.»

«Was für Geräusche?», hakte Emilie nach.

«Ich denke, der Graf war sehr erzürnt», sagte der Diener mit leiser Stimme. «Vielleicht auch betrunken. Es könnte so etwas wie ein Unfall geschehen sein.»

Emilie warf ihrem Mann einen besorgten Blick zu. «Ich denke, du solltest nach ihr sehen», sagte sie. «Wenn es nicht so schlimm ist, kommst du zurück. Ich werde dein Frühstück warm halten.»

Dieffenbach umarmte seine Frau. «Du bist das Beste, was mir widerfahren konnte. Ich liebe dich sehr.»

«Ich liebe dich auch, und nun fahr und sieh zu, wie du Gräfin Ludovica helfen kannst.»

Er war kein Mann, der schnell die Fassung verlor, doch der Zustand, in dem er die Gräfin antraf, schockierte ihn, vor allem, nachdem er erfasste, was diese Verletzungen zu bedeuten hatten. Sein Herz zog sich zusammen. Er fühlte Mitleid, aber auch das Brennen tiefer Schuld. Er ahnte, dass er ein Teil dieses Dramas war.

«Was tun Sie hier?», rief Ludovica und zog in einem Reflex das Betttuch hoch, um ihre Schande zu verbergen.

«Ich bin Ihr Arzt. Ich komme, wenn Sie Hilfe benötigen», sagte er und versuchte, seiner Stimme einen ruhigen Klang zu verleihen.

Kraftlos schüttelte sie den Kopf und ließ das Tuch sinken, sodass der ganze Schaden, den die Faust des Grafen angerichtet hatte, ins Licht des Morgens getaucht wurde.

Cornelia zog sich diskret ins Ankleidezimmer zurück. «Herrin, Ihr braucht nur zu rufen, wenn Ihr mich braucht», sagte sie, ehe sie die Tür hinter sich zuzog.

Dieffenbach begutachtete Ludovicas malträtiertes Gesicht.

Kraftlos hob sie ihre Hand. «Mir ist so übel», flüsterte sie undeutlich. Ihre Lippen waren angeschwollen und von Blut verkrustet. «Es scheint sich alles um mich herum zu drehen.»

Er schob seinen Arm unter ihren Oberkörper und half ihr, sich aufzurichten. Sie schwankte, sodass er sie festhalten musste. Auf ihrem Hinterkopf klebte ein blutdurchtränktes Taschentuch, das er vorsichtig entfernte. Der Riss in ihrer Kopfhaut war nur ein paar Zentimeter lang, doch die Kopfhaut war normalerweise gut durchblutet, sodass solche Wunden häufig stark bluteten. Vorsichtig tupfte er die Blutstropfen ab und band dann ein Scharpiekissen mit einem Leinenstreifen fest, das auf die Wunde drückte, um die Blutung zu stoppen.

«Die Wunde wird sich von selbst schließen. Sie dürfen aber in den nächsten Tagen das Haar nicht waschen oder frisieren.»

Ludovica verzog die angeschwollenen Lippen zu einer Grimasse. «Ich denke, es wäre eine kluge Entscheidung, meine gesellschaftlichen Termine abzusagen, was meinen Sie?»

Sie sah ihn aus dem rechten Auge an. Das linke war vollständig zugeschwollen, und auch ihre Wange wurde von einem bläulich angelaufenen Bluterguss verunziert.

«Es wird mindestens eine Woche dauern, bis Ihre Zofe die restlichen Schäden mit Puder überdecken kann», sagte er mit Bedauern, ohne auf ihren halb scherzhaften Ton einzugehen.

«Ich fühle mich eh nicht nach Unterhaltung.» Eine Träne stahl sich in ihr Auge und rann über die unbeschädigte Wange herab.

«Es zerreißt mir das Herz, Sie so zu sehen», stieß Dieffenbach hervor. Er setzte sich aufs Bett. Sie sah so kläglich und dennoch so liebenswert aus. Für einen Moment vergaß er seine Stellung und alles, was sich gehörte. Er wollte sie nur beschützen, trösten, liebkosen. Er schlang seine Arme um ihre Mitte. «Es war mein Fehler. Ich hätte Sie nicht auf diesen Ball begleiten dürfen.»

«Sie trifft keine Schuld, mein Freund», widersprach Ludovica. «Ich habe Sie überredet mitzukommen. Wenn ich jemandem zürne, dann Gottfried. Hat er ein Recht, über mich zu urteilen? Darf er seine Ehefrau so behandeln? Wir haben uns nichts zuschulden kommen lassen. War nicht er es, der mit diesem blonden Weib ins Séparée verschwand? Wo sind meine Rechte?»

«Die Welt ist ungerecht, vor allem zu Frauen», flüsterte Dieffenbach.

Sie war ihm so nah, so zart und verletzlich, so begehrenswert trotz ihrer Wunden. Seine Lippen liebkosten ihre unversehrte Wange und wanderten dann über ihren Hals. Ludovica schmiegte sich an ihn. Er sog ihren Geruch in sich ein, der ihn berauschte. Es war, als gäbe es in diesem Moment nur sie beide. Als sie mit ihren Lippen die seinen berührte, schmeckte er die blutigen Krusten. Ganz sacht bewegte er seinen Mund, um ihr keine Schmerzen zu bereiten. Sie war ihm so nah, näher noch als bei ihrem Tanz. Er fühlte ihren zierlichen Körper, der nur von einem seidigen Nachtgewand umhüllt wurde. So verharrten sie für eine Weile, und es war ihnen bewusst, wie wertvoll dieser Moment für sie beide war. Die Verbindung, die sie schon so lange spürten, forderte die Nähe ihrer Körper. Für diesen einen Moment wollten sie nicht darüber nachdenken, ob es richtig war oder falsch. In diesem Augenblick gab es nur sie beide und das wundervolle Gefühl ihrer eng umschlungenen Körper.

Doch der Augenblick verwehte, und die Vernunft gewann wieder die Oberhand über Gefühl und Leidenschaft.

Dieffenbach löste sich widerstrebend und erhob sich. «Ihre Verletzungen werden schon bald heilen. Zumindest die, die ich sehen kann. Alles andere liegt nicht in meiner Hand.» Er zögerte, doch dann wagte er zu fragen: «Ist es das erste Mal, dass der Graf die Beherrschung verloren hat?»

Sie schüttelte den Kopf. «Er gerät leicht in Zorn. Vor allem Eifersucht bringt sein reizbares Temperament zum Sieden.»

«Dann wäre es vernünftig, wenn ich Sie hier nicht mehr aufsuche», schlug er vor, obwohl dies das Letzte war, was er wollte.

«Gottfried weiß nicht, dass Sie mein Begleiter waren», widersprach die Gräfin. «Seine Eifersucht richtet sich nicht gegen Sie.»

Dieffenbach umfasste ihre Hände. «Dann müssen wir dafür sorgen, dass das so bleibt. Ich lasse Ihnen eine Medizin da, die gegen die Schmerzen hilft und Sie besser schlafen lässt. Ich denke, Ihre Verletzungen werden gut verheilen, ohne weitere ärztliche Hilfe zu benötigen. Vielleicht sollte ich mich wenigstens eine Weile von hier fernhalten, bis sich die Wogen geglättet haben?»

Nun war er wieder ganz der fürsorgliche Arzt, der sich um eine Patientin kümmert. Er versuchte gleichzeitig, nicht an Emilie zu denken, das schlechte Gewissen würde sich noch früh genug einstellen. Nicht, dass eine Umarmung oder ein Kuss eine solch schwere Verfehlung waren. Es war eher das, was sie nicht getan hatten. Das, was er in seinen Träumen sah. Das, was sie beide nur schwer unterdrücken konnten. Dabei liebte er seine junge Frau von ganzem Herzen. Sie war sein ruhender Pol, sein Anker, sein Hafen, zu dem er jeden Abend heimkehrte.

Ludovica war ein ferner Traum, der sich nicht erfüllen konnte. Der sich nicht erfüllen durfte.

∽

Elisabeth musste im Saal der unruhigen Weiber wieder einmal für Ordnung sorgen. Es gab Tränen zu trocknen und Streit zu schlichten. Eine der Frauen erlitt einen epileptischen Anfall. Die Fiebertherapie, die die Professoren Ideler und Dieffenbach an ihr ausprobiert hatten, hatte offensichtlich keine dauerhafte Heilung gebracht. Elisabeths Kleid war von Schweiß durchnässt, als endlich Ruhe einkehrte und sie den Saal wieder verlassen konnte, um nach den Melancholikern zu sehen. Auf dem Gang stieß sie fast mit einem Mann in der blauen Uniform der Armeeärzte zusammen. Sie fuhren beide zurück.

«Dr. Heydecker, was tun Sie hier? Ich denke, Sie arbeiten jetzt in der Chirurgischen Abteilung?»

Er strahlte sie an. «Ja, genau, und ich überfalle Sie nun mit einer Bitte: Würden Sie ebenfalls zu Professor Dieffenbach in die Chirurgie wechseln? Ich werde ihn fragen, aber ich muss zuerst wissen, ob Sie das auch möchten – und ob es Ihnen nichts ausmacht, mich wieder auszanken zu dürfen.»

«Sie sind Arzt, das steht mir gar nicht zu», sagte Elisabeth ungewohnt bescheiden, und sie spürte, wie es ihr ganz leicht im Herzen wurde.

Er lachte auf. «Ich denke nicht, dass Sie irgendwas zurückhält, wenn Sie unbedingt Ihre Meinung kundtun wollen.»

«Wäre möglich. Also überlegen Sie sich genau, ob Sie wirklich wieder mit mir auf einer Station arbeiten möchten.»

«Da gibt es nichts zu überlegen!», sagte er schnell und ergriff ihre Hand. Er schüttelte sie feierlich. «Auf gute Zusammenarbeit, Wärterin Elisabeth.»

«Sie müssen doch noch Professor Dieffenbach fragen.»

«Das werde ich», versprach er und ging dann leichten Schrittes davon.

Elisabeth sah ihm nach. Ihr Herz flatterte, und ihre Beine fühlten sich seltsam weich an. Was war nur mit ihr los? Sie musste sich eingestehen, dass sie ihn schmerzlich vermisst hatte, seit er Professor Idelers Station verlassen hatte. Es war die Aussicht, jeden Tag wieder an seiner Seite zu arbeiten, die ihr Herz fröhlich klopfen ließ.

❧

Er ist fort. Wer weiß, wann ich ihn wiedersehe. Ich vermisse ihn jetzt schon so schmerzlich, dass die Tränen hinter meinen Lidern brennen. Warum habe ich ihm nicht widersprochen? Bin ich schon so ängstlich und verzagt, dass ich das aufgebe, was mir nach meinem Kind das Liebste ist? Wie konnte ich G. mit diesem Akt roher Gewalt davonkommen lassen?

Noch drücken mich meine Schmerzen nieder, doch ich hoffe, dass mit meiner Genesung auch mein Mut wiederkehren wird und ich die Kraft finde, meine Furcht zu besiegen. Und dann werde ich das geliebte Gesicht wiedersehen, dann werden meine Hände die seinen berühren und meine Lippen die seinen spüren.

❧

Draußen waren Schritte zu hören. Rasch klappte Ludovica ihr Tagebuch zu und schob es in der Schublade unter die Schminkutensilien in ihrem Toilettentisch. Sie wandte sich in ihrem Stuhl um und wappnete sich, ihrem Gatten zu begegnen, den sie seit dem Zusammenstoß nicht mehr gesehen hatte. Feige hatte er sich nach Charlottenburg verzogen, vermutlich um ihren Vorwürfen zu entgehen. Dabei hatte sie nicht vor, ihn zu beschimpfen. Ihr Anblick wäre ihm vermutlich Strafe genug gewesen.

Er klopfte und schob dann zaghaft die Tür auf. «Oh mein Gott», stöhnte er, als sein Blick den ihren traf.

Ludovica saß nur aufrecht da und hielt seinem Blick mit dem gesunden Auge stand. Das andere konnte sie noch immer nicht öffnen. In ihrem Nachtgewand, das ihrer mädchenhaften Figur schmeichelte, und dem zarten, spitzenbesetzten Negligé über den weißen Schultern musste sie ihm wie ein gefallener Engel vorkommen, dessen Verletzungen umso brutaler wirkten. Sie war sich ihrer Wirkung durchaus bewusst, doch sie hatte nicht vor, es ihm leicht zu machen. Sie grollte ihm mehr der Ungerechtigkeit, denn seiner Schläge wegen. Warum sollte es nur ihm erlaubt sein, sich zu amüsieren?

Graf Gottfried trat auf sie zu und ging vor ihr in die Knie. Er ergriff ihre Hände. «Es tut mir so leid, Ludovica. Ich habe die Beherrschung verloren. Mein teuflisches Temperament, du weißt, dass ich nichts dafürkann. Es kam einfach so über mich, aber ich werde mich bessern. Ich verspreche es. Es hat mich nur so tief gekränkt und dann der ganze Champagner. Du hättest meinen Vetter fragen können, wenn du plötzlich Lust verspürst, auf einen Maskenball zu gehen. Er hätte dich sicher begleitet, und dann wäre nichts dabei gewesen.»

«Woher willst du wissen, dass er nicht der Mann an meiner Seite gewesen war?», nahm Ludovica den Gedanken auf.

Der Graf starrte sie überrascht an. «Nein, das kann nicht sein. Er ist dicker, als dein Begleiter es war, und sein Haar ist nicht mehr so voll.»

«Das hast du trotz Maske und Domino gesehen?»

Verwirrt erhob sich der Graf. «Also, wenn das so ist, dann hättest du es mir sagen sollen.»

«Bevor oder nachdem du mich niedergeschlagen hast?», hieb sie weiter in die Wunde.

Gottfried ergriff noch einmal ihre Hände. «Bitte, verzeih mir. Ich kann es nicht ertragen, wenn du mir zürnst.»

Ludovica unterdrückte einen Seufzer. Er war ihr Mann, er war der Vater ihrer geliebten Tochter. Sie mussten miteinander auskommen und das Beste aus ihrem gemeinsamen Leben machen. «Ich vergebe dir», sagte sie.

Erleichtert drückte der Graf seine Lippen auf ihre Hände. «Ich danke dir!» Dann erhob er sich und trat den Rückzug an.

Ludovica hoffte nur, dass er seinem Vetter nicht so schnell über den Weg laufen und bis dahin vergessen haben würde, ihn nach dem Maskenball zu fragen.

∾

Mit einem lachenden und einem weinenden Auge nahm Elisabeth von Professor Idelers Station Abschied. Sie bewunderte den Arzt mit seiner angenehm ruhigen Art, auch wenn er manches Mal zu Maßnahmen griff, die ihr grausam erschienen. Dennoch konnte er immer wieder Erfolge vermelden und Patienten geheilt entlassen. Es gab allerdings auch einige, bei denen der geistige Verfall so weit fortgeschritten war, dass sie den Rest ihres kurzen Lebens in der Charité verbringen mussten.

«Erweichung des Gehirns und des Rückenmarks» lautete die häufige Diagnose. Meist begann die Krankheit mit Gedächtnisverlust und schweren Kopfschmerzen. Dann, wenn sich der krankhafte Angriff auf die Nerven fortsetzte, zeigten sich Sprachstörungen, oder die Kranken erblindeten. Doch auch Arme und Beine wurden immer stärker in Mitleidenschaft gezogen. Es begann mit Schmerzen, dann fühlten die Patienten keine Wärme oder Kälte mehr, Lähmungen traten auf. Am Ende waren sie gelähmt, blind und stumm und dämmerten dem Tod entgegen.

Martha hatte bereits einige dieser Toten seziert und von den immensen Schäden an Gehirn und Rückenmark, aber auch von Knoten und Geschwüren in verschiedenen Organen berichtet.

«Weißt du, was mir aufgefallen ist?», hatte sie eines Tages zu Elisabeth gesagt. «Viele dieser Frauen haben ihr Geld auf der Straße verdient, und ich weiß von mindestens fünfen, die vor Jahren bereits in der Charité waren und ihre Syphilis mit einer Quecksilberkur behandeln ließen. Und auch einige männliche Tote hatten früher Syphilis. Ich weiß nicht, aber könnte es nicht sein, dass diese inneren Geschwüre nur eine andere Form der Syphilis darstellen, nachdem die äußeren Geschwüre abgeheilt sind?»

Elisabeth hatte Martha mit großen Augen angestarrt. «Das würde ja bedeuten, dass die Quecksilberkur die Patienten gar nicht heilt!»

«Oder sie stecken sich danach noch einmal an, und beim zweiten Mal verläuft die Krankheit in ihrem Inneren.»

«Wie könnte man das beweisen?»

Doch darauf hatte auch Martha keine Antwort gewusst.

Jedenfalls drehte Elisabeth bei den melancholischen und geistig kranken Frauen heute zum letzten Mal ihre Runde und verabschiedete sich von allen, deren Geist so klar war, dass sie ihre Worte verstanden.

Dann gab sie Professor Ideler ein letztes Mal die Hand. Er bedauerte ihren Wechsel.

«Wir werden Sie vermissen, Wärterin Elisabeth», sagte er aufrichtig.

Sie fühlte sich geschmeichelt. «Danke, Herr Professor. Es war eine wirklich lehrreiche und interessante Zeit für mich. Und Sie hatten die Geduld, mit mir zu sprechen.»

Mittags meldete sich Elisabeth bei Professor Dieffenbach, der jeden Tag um diese Zeit zur Visite erschien und anschließend operierte. Andere leitende Ärzte ließen sich oft nur zwei- oder dreimal in der Woche blicken und zogen es offensichtlich vor, ihre wohlhabenden Patienten in ihren Praxen in der Stadt zu behandeln. Allein mit dem Gehalt, das die Charité bezahlte, hätte sich auch keiner der Ärzte ein angenehmes Leben finanzieren können.

Das wusste sogar Elisabeth. Und auch, dass dies vor allem das Problem der jungen Militärärzte war, nachdem sie die Akademie beendet hatten. Sie mussten erst in den Rang eines Leutnants aufsteigen und zum Regimentsarzt ernannt werden, wenn sie eine eigene Praxis aufmachen und sich etwas dazuverdienen wollten, hatte ihr Dr. Heydecker erklärt. Als Kompaniechirurg musste man mit dem kargen Sold der Armee auskommen, was es schwer machte, an die Gründung einer Familie auch nur zu denken.

Warum hatte er ihr das eigentlich erzählt?

Sie verscheuchte die blauen Augen aus ihrem Kopf und dachte stattdessen an Dr. Dieffenbach und seine Operationskünste, die der einzige Grund sein sollten, warum sie in seine Abteilung wechselte. Zumindest konnte sie versuchen, sich dies einzureden.

KAPITEL 15

Eine neue Nase

Es wurde März, und ein erster Hauch von Frühling strich über Berlin. Elisabeth war gerade dabei, im großen Frauensaal in der Äußeren Abteilung einige Betten frisch zu beziehen, als sich Alexander Heydecker zu ihr gesellte.

«Sie werden gebraucht», sagte er.

Elisabeth schüttelte das Kissen auf und streifte den frischen Bezug darüber. «Wie Sie sehen, Herr Dr. Heydecker, bin ich beschäftigt. Ich muss auch noch das Mittagsmahl verteilen.»

«Das kann Wärterin Olga übernehmen», sagte er. «Sie müssen mit mir kommen. Jetzt!»

Elisabeth unterdrückte ihren Unmut und folgte ihm aus dem Krankensaal. «Was gibt es denn so Wichtiges?»

«Sie müssen die Kammer am Ende des Flurs für eine Patientin richten.»

Elisabeth sah ihn verwundert an. «Wird sie denn dort alleine untergebracht?»

«Ja, sie kommt aus einer angesehenen Familie, die alles bezahlt.»

«Und da lässt sie sich hier in der Charité operieren? Wie ungewöhnlich. Warum ruft sie nicht einen Arzt zu sich nach Hause? Es ist doch bekannt, dass nach solchen Operationen oft eine Heilung *per primam* ganz ohne Eiterung gelingt. Hier in der Charité ist nur eine Heilung *per secundam* möglich, wenn der Eiter abfließt und sich wildes Fleisch bildet, das die Wunde verschließt.»

Alexander Heydecker sah sie anerkennend an. «Sie haben viel gelernt, und sicher haben Sie recht, doch in diesem Fall werden mehrere Operationen nötig sein, und es ist wichtig, dass die Patientin über einen längeren Zeitraum unter dem strengen Blick der Ärzte bleibt. Es könnten Wochen werden oder sogar Monate.»

Elisabeth hob fragend die Brauen. «Was fehlt der Patientin denn?»

«Das werden Sie nachher selbst sehen. Sie sollen bei der Operation assistieren.»

«Was? Ich? Aber warum denn?», wunderte sich Elisabeth. «Ich habe mit so etwas keine Erfahrung. Worum geht es denn?»

«Um Dr. Dieffenbachs Spezialgebiet. Er wird Professor von Graefe beweisen, dass seine Nasentechnik die bessere ist und zu schöneren Ergebnissen führt.»

«Eine neue Nase? Warum braucht die Patientin eine neue Nase?», drängte Elisabeth, doch Dr. Heydecker war nicht bereit, ihr mehr zu verraten. So beeilte sie sich, das Krankenzimmer herzurichten, das in seiner Schlichtheit vermutlich nicht im Entferntesten an das Gemach heranreichte, das die Patientin zu Hause gewöhnt war, dafür würde Dr. Dieffenbach aber jeden Tag nach ihr sehen können.

Neugierig, wenn auch ein wenig ängstlich, machte sich Elisabeth anschließend zum Operationssaal auf, in dem an diesem Tag kein einziger Student auf den Rängen saß. Elisabeth war erstaunt. Gewöhnlich stießen Dr. Dieffenbachs Operationen sowohl bei Studenten als auch bei ausländischen Ärzten auf reges Interesse, doch der Operationsdiener drehte seine Runde und schloss dann die Tür zu den Rängen von außen ab.

Ein wenig verloren stand sie neben dem Operationstisch, während Dr. Heydecker den Wagen mit den Instrumenten und Verbandsmaterial hereinschob und sich daranmachte, alles für Dieffenbach so herzurichten, wie er es forderte. Als die Wissbegierde die Oberhand zurückgewann, stellte sie Fragen zu allem, was ihr seltsam vorkam. So lagen mehrere dicke Talgkerzen auf dem Wagen, die wie Igel mit unzähligen Nadeln gespickt waren.

«Diese vielen dünnen Nadeln. Wozu braucht die Dr. Dieffenbach?», wollte sie wissen.

«Das sind sogenannte Karlsbader Insektennadeln», erklärte Heydecker. «Sie sind dünner als gewöhnliche Nadeln. Ursprünglich wurden sie nur von Insektensammlern benutzt, die ihre Beute damit aufspießten. Dr. Dieffenbach wurde bereits während seines Studiums auf diese kleinen Helfer aufmerksam. Er heftet seine Wundränder mit den Nadeln zusammen und umschlingt sie mit diesen Fäden und einem Knoten, den der Professor ebenfalls erfunden hat», er zeigte auf eine Schale mit dünnem Zwirn. «So verbinden sich die Wundränder schnell und sauber miteinander, ohne dass sie von einem groben Faden gereizt werden. Statt unschöner Wucherungen von wildem Fleisch entsteht eine einfache, schöne Narbe.»

Elisabeth nickte und begutachtete dann die verschiedenen Messer. Sie entdeckte feine, scharfe Klingen, manche waren gerade, andere bauchig geformt und mit achteckigen Elfenbeingriffen versehen. Zudem lagen mehrere Scheren und Haken, Kneifzangen und Pinzetten auf einem Tablett ausgebreitet. Doch bevor sie weitere Fragen stellen konnte, öffnete sich die Tür.

Dr. Dieffenbach trat ein. Er trug wie üblich seinen grünen Frack mit den goldenen Knöpfen. Wieder einmal wurde Elisabeth bewusst, wie beeindruckend seine Erscheinung war, was nicht nur an seiner Größe und seinem guten Aussehen lag. Es waren seine Haltung und der Ausdruck in seinem Gesicht, die einen bleibenden Eindruck hinterließen.

Elisabeth knickste unwillkürlich vor ihm. «Herr Dr. Dieffenbach», murmelte sie. «Ich weiß nicht recht, was ich hier tun soll. Ich habe mit so etwas keine Erfahrung.»

Er sah sie mit einem freundlichen Lächeln an. «Ich habe mich lange mit Direktor Kluge und mit Professor Ideler über Sie unterhalten. Sie sind fleißig und haben ein Gespür für Ihre Patienten. Ich bin überzeugt, dass Sie auch verschwiegen und diskret sind.

Daher möchte ich Sie bei dieser Operation als seelische Stütze für unsere Patientin dabeihaben. Es wird eine harte, schmerzhafte Zeit werden, und ich denke, sie wird eine Vertraute in der Charité brauchen, die ihr über die schweren Tage hinweghilft. Kümmern Sie sich einfach um unsere Patientin – bei und nach den Operationen. Halten Sie ihre Hand, spenden Sie Trost und richten Sie sie auf, wenn nötig.»

Elisabeth nickte.

«Dr. Heydecker und Stabsarzt Großheim werden mir bei der eigentlichen Operation assistieren und helfen, die Patientin festzuhalten, um den Erfolg nicht zu gefährden.»

Elisabeth schluckte. Ihr war ein wenig mulmig zumute, doch sie bemühte sich um einen tapferen Ausdruck.

Draußen waren Schritte zu hören.

«Ich glaube, da kommt sie. Ihr Name ist Elvira Tondeau, eine junge Dame, die ein schweres Schicksal erleidet. Ihre Krankheit nennen wir Skrofulose, ein zerstörerisch fressender Ausschlag, der Haut, Fleisch und Knorpel vernichtet. Bitte zeigen Sie kein Erschrecken!», warnte Dr. Dieffenbach, ehe sich die Tür öffnete und der Stabsarzt eine dicht verschleierte Dame in den Operationssaal brachte.

Dr. Großheim führte sie zum Operationstisch, der in einen leicht zurückgelehnten Stuhl verwandelt worden war. Die Dame wandte sich Dr. Dieffenbach zu und reichte ihm zur Begrüßung die Hand. Elisabeth sah, dass ihre Handgelenke verbunden waren, doch noch immer konnte sie das Gesicht der Patientin nicht erkennen. Ihre Stimme, ihre grazilen Bewegungen und die schmale Figur verrieten, dass es sich um eine junge Frau handelte.

Dr. Heydecker reichte ihr die Hand und half ihr, auf dem Operationsstuhl Platz zu nehmen. Elisabeth sah, dass sie zitterte, was sie nicht wunderte. Der Patientin war klar, dass der Eingriff schmerzhaft werden würde.

«Darf ich?» Dr. Dieffenbach nahm ihr den Schleier ab.

Obwohl er Elisabeth gewarnt hatte, musste sie sich zusammen-reißen, um beim Anblick des zerstörten Gesichts eine freundliche Miene zu wahren und ihr Entsetzen zu verbergen. Wo eigentlich ihre Nase sein sollte, gähnte nur ein Loch, aus dem der blanke Kno-chen hervorblitzte. Die beiden Oberlippenhälften wuchsen senk-recht nach oben, das linke Augenlid hing weit nach unten. Über all der Zerstörung erhob sich eine zarte weiße Stirn. Elisabeth be-wunderte ihr kastanienbraun schimmerndes Haar, das sie in einer strengen Frisur gebändigt trug.

Elisabeth begrüßte die junge Frau. «Ich bin Wärterin Elisabeth. Ich bleibe bei Ihnen, während Sie operiert werden, und werde Sie anschließend pflegen. Sie dürfen sich mit allem an mich wenden. Ich werde während des Eingriffs die ganze Zeit an Ihrer Seite blei-ben. Sie werden es schaffen! Sie sind bei Dr. Dieffenbach in den besten Händen.»

«Ich heiße Elvira», sagte das Mädchen mit fester Stimme. «Ich werde alles aushalten, wenn ich nur die Hoffnung habe, irgend-wann ein richtiges Gesicht zu bekommen.»

«Das werden Sie», bekräftigte Dieffenbach. «Ich versuche, so schnell wie möglich zu arbeiten, um Sie nicht unnötig lange zu quälen. Wir werden es Stück für Stück machen. Heute fangen wir mit Ihren Lippen an. Ich werde die Verwachsungen lösen und Ihnen einen schönen Mund formen. Vertrauen Sie mir.»

Elvira nickte und ließ sich zurücksinken. Elisabeth setzte sich neben sie auf einen Hocker und nahm ihre Hand, während sich Dr. Heydecker an der Kopfseite positionierte. Stabsarzt Großheim reichte Dr. Dieffenbach das Skalpell, doch der Chirurg zögerte.

«Ich denke, es wird Sie interessieren: Am Morgen nach dem Maskenball im Colosseum wurde vor den Toren der Stadt ein Duell um eine junge Frau ausgefochten, eine unbekannte Schöne, die ihr Gesicht unter einer goldenen Maske verborgen hatte. Ein Herr im

Gewand eines venezianischen Kaufmanns trat gegen einen Prinzen im roten Domino an.»

Elisabeth konnte sich keinen Reim auf die Worte des Professors machen, aber die Patientin sog geräuschvoll die Luft ein und umklammerte ihre Hand.

«Wie ist es ausgegangen?», hauchte Elvira.

«Nun, der Domino, ein Rittmeister aus fürstlichem Geblüt, wird nach Ostpreußen versetzt. Und der Kaufmann ist eigentlich Chirurg. Er kam aus Russland, um hier bei uns seine Operationstechnik zu verfeinern, aber ich vermute, es wird einige Wochen dauern, bis er die Armschlinge ablegen und wieder ein Skalpell benutzen kann. Ich vermute außerdem, dass er in seine Heimat zurückkehren wird, um sich zu erholen.»

Eine Träne stahl sich in ihr Auge. «Fangen Sie an», sagte Elvira mit fester Stimme.

Dieffenbach nickte und setzte das Skalpell an der verwachsenen Oberlippe an. Die Spitze des scharfen Instruments stach in die Haut und zerteilte das Fleisch bis zum Knochen.

Elvira schrie nicht, doch Elisabeth spürte, wie sehr sie sich verkrampfte.

Dieffenbachs Finger tasteten sich an der Verwachsung zwischen Schleimhäuten und Kiefer entlang und trennte sie mit einem sauberen Schnitt. Vorsichtig bog er die Lippenhälfte nach unten. Sie sah lederartig aus. Vermutlich hatten zu viele Entzündungen dem Gewebe seine Dehnbarkeit genommen. Elisabeth sah, dass die Lippe in diesem Zustand zu kurz war, um sie mit der anderen Hälfte zu verbinden.

Auch Stabsarzt Großheim erkannte offensichtlich das Problem. «Was werden Sie tun?», fragte er leise.

Dieffenbach überlegte kurz. «Ich werde die Wundränder auf beiden Seiten halbmondförmig anschneiden. So kann ich die Lippe verlängern.» Flink löste er auch die andere Seite und verfuhr mit ihr auf die gleiche Weise. Nun ließen sich die beiden Teile unterhalb der Nasenhöhle verbinden.

«Nähen?», erkundigte sich der Stabsarzt, doch Dieffenbach schüttelte den Kopf.

«Reichen Sie mir die Nadeln.»

Geschickt schob er die biegsamen Nadeln ins Fleisch und heftete die Lippenhälften zusammen. Mit einem dünnen Faden umschlang er die Nadeln so, dass sie an ihrer Position gehalten wurden. Dann richtete er sich auf und sah der Patientin mit einem beruhigenden Lächeln in ihr zerstörtes Gesicht. «Für heute sind wir fertig.»

Der tapferen jungen Frau entrang sich ein Seufzer. Der erste Laut, den sie seit Beginn der Operation von sich gegeben hatte.

«Wärterin Elisabeth und Dr. Heydecker werden Sie in Ihr Zimmer begleiten. Sagen Sie, wenn Sie etwas brauchen.»

Elvira deutete ein Nicken an. Elisabeth und der junge Arzt halfen ihr beim Aufstehen und führten sie in die Kammer, wo Elisabeth ihr Bett bereits gerichtet hatte.

Erschöpft ließ sich die junge Frau ins Bett sinken und schloss die Augen. Dr. Heydecker flößte ihr ein wenig Laudanum ein, und schon bald schlief sie ein. Elisabeth trat neben sie und betrachtete das zerstörte Gesicht mit den beiden blutigen Wülsten, aus denen die silberglänzenden Nadeln ragten. Es war ein Anblick zum Fürchten, bei dem so mancher sich bekreuzigt hätte.

«Und das ist erst der Anfang», murmelte sie.

Elviras Schicksal ging ihr nahe. Sie war in ein offenbar reiches Elternhaus hineingeboren worden, das ihr alles Glück und allen Luxus hätte geben können. Sie war mit einem schönen, anmutigen Körper gesegnet worden, und doch hatte ihr Schicksal einen grausamen Weg eingeschlagen.

«Die Nase zu formen wird vermutlich viel schwieriger. Was meinen Sie?»

Dr. Heydecker nickte. «Bestimmt. Und dabei können wir jetzt noch gar nicht von einem Erfolg sprechen. Eine Operation ist immer nur ein erster Schritt. Nur wenn sich in ein paar Tagen kein Wundbrand einstellt, können wir von Erfolg reden.»

Elisabeth strich der Patientin über ihr wundervolles Haar, das sich nun in schimmernden Wellen über ihr Kopfkissen ausbreitete. «Ich wünsche ihr alles Glück dieser Welt. Hoffentlich kann Dr. Dieffenbach sie von diesem Fluch erlösen.»

«Wenn es einer schafft, dann er», behauptete Heydecker.

Er beugte sich vor und zog Elisabeths Hand von Elviras Locken. Die Berührung ließ Elisabeth erschaudern. Aus Angst, er könne es bemerken, zog sie ihre Hand rasch zurück und verbarg sie hinter ihrem Rücken.

Dr. Heydecker zuckte entschuldigend zurück. «Ich wollte Ihnen nicht zu nahe treten, Wärterin Elisabeth. Ich denke nur, es wird Zeit, dass wir uns um die anderen Patienten kümmern. Fräulein Elvira wird eine Weile schlafen.»

Er wandte sich zur Tür. So konnte er die zerknirschte Miene leider nicht sehen, mit der ihm Elisabeth auf den Flur hinaus folgte.

Am Abend, als Dieffenbach mit Emilie beim Nachtmahl saß, waren seine Gedanken noch ganz bei Elvira Tondeau. Emilie legte ihre Gabel beiseite, erhob sich und kam zu ihm. Sie trat hinter ihn und legte ihm die Arme um die Schultern.

«Was bedrückt dich?», fragte sie. «Du bist heute noch stiller als sonst. Ein besonders schwerer Fall?»

Dieffenbach nickte. Dann begann er, von seiner Patientin zu erzählen. Emilie hörte aufmerksam zu. Sie kommentierte seinen Bericht mit einfühlsamen Worten und sprach ihm Mut für seine Entscheidungen zu. Allerdings war sie zu klug, um seine Bedenken zu beschwichtigen oder ihm lediglich zu schmeicheln. Sie verfügte über genügend medizinischen Verstand, um seine Überlegungen zu verstehen. Er musste die Risiken und Chancen der verschiedenen Methoden abwägen und das Beste für die Patientin wählen. Dann brauchte es eine ruhige Hand und die Kühnheit, die Operation möglichst rasch durchzuführen, damit die junge Frau nicht unnötig litt. Und dann war auch noch ein wenig Glück oder die Hilfe Gottes nötig, damit nicht der Wundbrand alles zunichtemachen würde.

Emilie ließ ihn los und setzte sich auf seinen Schoß. Sie lehnte sich an seine Brust und hörte ihm zu, bis er verstummte.

«Ich verstehe die Risiken», sagte sie, «aber ich denke, du wirst dich richtig entscheiden. Wenn du nichts wagst, wird die Arme ihr ganzes Leben hinter einer Maske führen müssen. Ich glaube an dich, und ich werde für Fräulein Tondeau beten.»

Dieffenbach drückte sie an sich und küsste sie. «Ich danke dir. Ich bin so froh, dass ich dich habe. Ich liebe dich! Du bist jetzt meine Familie.»

Emilie erwiderte den Kuss, dann richtete sie sich auf und sah ihm in die Augen. «Ich liebe dich auch, und ich hoffe, du freust dich, wenn unsere Familie im Herbst ein wenig größer wird.»

Er starrte sie. Dann merkte er, wie sich unwillkürlich ein Strahlen über seinem Gesicht ausbreitete. «Du bist schwanger?»

Sie nickte. «Ich denke schon.»

Noch einmal schlang er seine Arme um sie, als wolle er sie erdrücken. «Ich freue mich ja so sehr!», flüsterte er in ihr duftendes Haar.

∞

Dr. Dieffenbach zeigte sich bei der Visite zufrieden. Vier Wochen waren seit dem ersten Eingriff vergangen. Die Heilung war nach Wunsch verlaufen. Bereits am fünften Tag waren die Nadeln in Elviras neuer Oberlippe entfernt worden. Inzwischen hatte sie nicht nur einen Mund mit zwei rosigen Lippen, Dieffenbach hatte auch das umgestülpte Unterlid ihres Auges gerichtet.

«Haben Sie weiterhin Geduld! Die Zeit für den entscheidenden Schritt ist bald gekommen», tröstete er, als er ihr die Hand reichte. Dann entschwand er zu seinen nächsten Patienten, den jungen Dr. Heydecker in seinem Schlepptau.

Draußen warteten bereits einige Pépins, die ihn in die Säle begleiten würden, um ihre heutige praktische Unterweisung am Krankenbett zu erhalten. Die Patientin Elvira Tondeau durften sie zu Elisabeths Erleichterung nicht sehen, obgleich diese bestimmt einen außergewöhnlich interessanten Fall abgab. Doch wie schrecklich würde sich Elvira fühlen, mit ihrem Leiden so vielen jungen Männern vorgeführt zu werden? Dass ihre Herkunft aus einem reichen Bürgerhaus Grund für diese Rücksichtnahme darstellte, war Elisabeth klar. Auf das Schamgefühl der vielen mittellosen Frauen in der Charité nahm niemand Rücksicht.

Die Tür fiel hinter den beiden Ärzten ins Schloss und ließ die Wärterin mit der Patientin alleine zurück.

Elisabeth stellte den leeren Teller vom Mittagsmahl und einen Becher in ihren Korb. «Brauchen Sie noch etwas?», erkundigte sie sich.

Elvira sah sie so flehend an, dass sie ihren Korb abstellte und sich auf dem Hocker neben dem Bett niederließ. Sie nahm die schmalen Hände in die ihren. Wie zart sie waren. So weiß und kalt. Sie spürte, dass Elvira zitterte.

«Was ist mit Ihnen? Verlässt Sie der Mut?» Sie sah der jungen Frau ins Gesicht, doch obgleich Elisabeth sie nun schon seit Wochen Tag um Tag versorgte, fiel ihr ein aufmunterndes Lächeln schwer. Dieser Krater, der sich anstelle einer Nase mitten im Gesicht auftat. War es überhaupt möglich, sich an solch einen Anblick zu gewöhnen ohne innerliches Schaudern?

«Jeder Tag dehnt sich zur Ewigkeit», sagte Elvira. «Obwohl ich nun schon so lange einem Monster gleiche, ist mir jetzt jeder weitere Tag zu viel. Gleichzeitig zittere ich bei dem Gedanken an die entscheidende Stunde. Es ist nicht die Angst vor den Schmerzen, die diese Operation unweigerlich mit sich bringt. Es ist die Furcht vor der Grausamkeit des Schicksals, das mich unbarmherzig in diese Lage geschleudert hat. Wird es wieder zuschlagen, oder zeigt es dieses Mal ein Herz?»

Tränen rannen aus den haselnussbraunen Augen und tropften auf die Bettdecke. Unwillkürlich nahm Elisabeth die junge Frau in ihre Arme und drückte sie an sich.

«Ich verstehe Ihre Furcht. Auch Professor Dieffenbach ist nur ein Mensch, aber er ist der beste Arzt, den Sie sich wünschen können. Ich bete jeden Abend für Sie und den glücklichen Ausgang der Operation. Ich wünsche Ihnen von ganzem Herzen, dass Sie den nächsten Ball ohne Maske vor dem Gesicht besuchen können.»

Inzwischen kannte Elisabeth die Geschichte der beiden Tänzer, die um Elviras Gunst ein Duell gefochten hatten.

«Glauben Sie wirklich daran? Dr. Dieffenbach müsste ein Zauberer sein, um das zu schaffen.»

Elisabeth versuchte, sich ihre Zweifel nicht anmerken zu lassen. So gut der Chirurg auf seinem Gebiet auch war, aus dieser Kraterlandschaft aus blankem Knochen und rotfleckig wucherndem Fleisch ein Gesicht zu formen, in das sich ein junger Mann verlieben könnte, schien mehr als einen begabten Arzt zu erfordern. Ja, er müsste ein Magier sein, stimmte sie der Patientin im Stillen zu, während sie Elvira laut Mut zusprach.

Sie war schrecklich müde, doch der Tag war noch nicht zu Ende. Elisabeth trat durch das Portal ins Freie. Der Mai war gekommen.

Die Knospen an den Bäumen, die mit jedem Tag praller geworden waren, waren aufgeplatzt und hatten Äste und Zweige der Obstbäume mit einem Schaum aus rosa und weißen Blüten bedeckt. Elisabeth sog die köstliche Luft in ihre Lungen. Sie brauchte einfach ein paar Minuten für sich. Ein paar Augenblicke ohne den Anblick der Leidenden und ohne den Gestank, der das gesamte Gebäude einhüllte. Sie schlenderte den Pfad entlang, der an der Baustelle vorbei zur Zollmauer führte, die im Norden und Westen das Gelände umgab. Bald würde das neue Charitégebäude fertig sein, und die Raumnot aller Abteilungen würde endlich ein Ende finden. Eine Pforte führte zum Pockenhaus hinaus, das in ihrem ersten Jahr die Cholerakranken beherbergt hatte. Jetzt gab es Überlegungen, das Gebäude für die Ausbildung von Hebammen zu nutzen.

Elisabeth lenkte ihre Schritte unter die Zweige der Bäume, die sich dem letzten Tageslicht entgegenreckten. Im Gras schoben sich gelbe und weiße Blüten zwischen den Grasbüscheln hervor. Sie ließ sich auf dem Stumpf eines gefällten Apfelbaums nieder und schloss die Augen. Wenn sie noch eine Weile hier sitzen bliebe, würde sie vermutlich einschlafen, dachte sie gerade, als sie einen Blick auf sich zu spüren glaubte. Sie riss die Augen auf. Eine Gestalt kam langsam näher.

«Habe ich Sie erschreckt? Das wollte ich nicht, verzeihen Sie.»

Elisabeth sprang auf und strich ihre Schürze glatt. «Ich komme schon. Ich wollte nur ein wenig durchatmen. Ich weiß, dass der Tag noch nicht zu Ende ist.»

Alexander Heydecker trat rasch näher und fing ihre Hände ein. «Ich bin doch nicht gekommen, Sie zu rügen.»

«Nein? Was gibt es dann? Einen Notfall?»

Er schüttelte den Kopf. «Sie können sich gern noch ein wenig ausruhen und den schönen Abend genießen.»

«Sie sind nicht mein Vorgesetzter», widersprach Elisabeth.

«Ja, das ist richtig, und darüber bin ich froh.» Er hob den Kopf und sog jetzt selbst die Abendluft ein. «Riechen Sie den Flieder?» Elisabeth war verwirrt, doch plötzlich nahm auch sie den süßen Geruch wahr, der von den Büschen drüben an der Mauer herüberwehte.

Alexander trat noch näher, und plötzlich lagen seine Arme um ihre Taille. Elisabeth starrte ihn aus großen Augen an. Sein Gesicht war nun so nah, dass sie ihn nur noch verschwommen sah. Sie spürte seinen Atem auf ihrer Haut und dann seine Lippen, die die ihren berührten. Ganz sanft und zärtlich. Eine heiße Welle jagte durch ihren Körper. Er schien plötzlich nichts anderes mehr zu wollen, als sich gegen diese Brust zu drücken. Ihre Lippen schrien danach, den Kuss zu erwidern, und ihre Haut lechzte nach seinen Liebkosungen.

Nein! Das durfte sie nicht!

Es war das Wunderbarste, was sie bisher erlebt hatte.

Nein! Es war falsch und verboten.

Wie konnten seine Lippen so köstlich schmecken? Er bewegte sie leicht und erhöhte den Druck. Seine Hände zogen ihren Körper an sich. Sie spürte die Uniformknöpfe durch den Stoff ihres Kleides.

Nein! Sie wollte nicht wie ihre Schwester enden. Außerdem war es ihm verboten. Als Kompaniechirurg konnte er noch nicht heiraten und war auf den schmalen Sold der Armee angewiesen. Doch vermutlich dachte er gar nicht daran. Er war ein junger Mann, der eine Gelegenheit gesehen hatte und sie nun beim Schopf ergriff. Sie hatte es ihm leicht gemacht, indem sie sich von ihrer Arbeit entfernt hatte und zu dieser späten Stunde in den Garten gegangen war, wo sonst niemand unterwegs war. Er wollte nur ein wenig Spaß mit der widerspenstigen Wärterin.

Dieser Gedanke schmerzte so sehr, dass er die herrlichen Gefühle vertrieb. Der Kuss schmeckte plötzlich bitter, und Elisabeth stieß Alexander von sich.

«Was erlauben Sie sich!»

Er ließ sie los. «Verzeihung, ich wollte Sie nicht kränken. Ich dachte ...»

«Was?» Sie funkelte ihn an. «Dass Sie ein wenig Spaß mit mir haben könnten, hier, wo es keiner sieht?»

«Nein, nein, bitte, ich dachte, dass Sie vielleicht ...»

«... ebenfalls diese Art von Spaß wollen? Sie haben falsch gedacht!» Elisabeth warf ihm noch einen zornigen Blick zu, dann wandte sie sich ab und stapfte davon. Ihr Herz jedoch schmerzte, als wolle es zerspringen. Sie lief schneller und immer schneller, bis sie sich einreden konnte, der Wind würde ihr Tränen in die Augen treiben.

∽

Seit dem frühen Morgen war Martha auf den Beinen und half Dr. Froriep bei den Sektionen. Anschließend nahm sie sich die Teile vor, die sie für Anschauungszwecke präparieren sollte. Es gab verschiedene Möglichkeiten der Trocken- oder Feuchtpräparate, die freigelegt und eingefärbt wurden, um dann in einem Behälter mit konservierender Flüssigkeit eingeschlossen zu werden.

Es war bereits spät, als Dr. Froriep zurückkehrte. Seine Miene verhieß nichts Gutes. In seiner Begleitung war ein Mann im dunklen Frack, der sich die Präparate der vergangenen Wochen besah und zufrieden nickte.

«Die sind gut geworden.» Er deutete auf einige. «Die können wir gebrauchen. Sie kommen an Professor Müllers Institut für Anatomie. Er wird sie für seine Vorlesungen verwenden wollen.»

«Und was ist mit der Akademie? Brauchen unsere Zöglinge keinen Unterricht? Wie sollen sie zu guten Militärchirurgen werden, wenn der Charité alles geraubt wird?», ereiferte sich Dr. Froriep.

«Ach ja, die beiden Leichen, die von der Inneren Abteilung

morgen zu Ihnen kommen, benötigen wir auch», fügte der schwarz befrackte Besucher, der offensichtlich im Auftrag der Universität gekommen war, hinzu.

Froriep stampfte zornig mit dem Fuß auf. «Ich frage mich, wozu ich diesen Posten überhaupt habe, wenn ich nicht einmal über die Toten der Charité frei verfügen darf.»

«Sprechen Sie mit Ihrem Direktor», schlug der andere kühl vor, tippte sich an seinen Hut und verließ den Sektionsraum. Der Prosektor schimpfte noch eine Weile vor sich hin, dann ließ er Martha alleine.

Das war nicht das erste Mal, dass so etwas passierte. Vielleicht war der Arzt deshalb so unzufrieden mit seiner Stelle hier und kam seinem Dienst nicht gerade mit Leidenschaft nach, überlegte Martha, als sie ihre Schürze auszog und an einen Haken hängte. Sie machte sich auf den Weg zu ihrer Kammer, doch August war nicht da. Vermutlich war er wieder bei seinem Freund, dem ehemaligen Zuchtmeister Wiesinger, der einen Narren an dem Jungen gefressen hatte. Wenigstens einer, der Tag für Tag interessiert den gleichen alten Geschichten lauschte.

Martha bog in den Gang ein, in dem die Säle von Professor Ideler lagen, doch Wiesinger hatte August schon eine Weile nicht mehr gesehen.

«Vielleicht spielt er mit den Söhnen der Hauseltern im Garten?»

Also trat Martha in den Garten hinaus. Und richtig, als sie sich dem Wiesenstück mit den Obstbäumen näherte, schallten ihr Jungenstimmen entgegen. Allerdings war das kein friedliches Spiel unter Knaben. Sie war erst ein paar Schritte weitergegangen, als sie einige der Worte verstehen konnte, die höhnisch im Chor gebrüllt wurden: «Dummer, dummer Schielewipp», riefen die Jungen. «Glotzt schief und ist blöd im Kopp.»

Da kam ihr August auch schon entgegengerannt. Das hübsche Jungengesicht war von Tränen verschmiert.

«Schielewipp, Heulsuse», schallte es hinter ihm her.

Martha schloss ihren Sohn in die Arme. «Na wartet», schimpfte sie. «Ihr könnt was erleben!»

«Nein, lass», weinte August. «Die haben ja recht.»

«Nein, haben sie nicht», brauste seine Mutter auf. «Es stimmt, du schielst, so wie ich auch, aber dumm bist du ganz sicher nicht. Du wirst irgendwann auf eine richtig gute Schule gehen, das verspreche ich dir!»

Sie ließ ihn los und stürmte auf die drei Buben der Hauseltern zu, die ihren Kleinen so wüst beschimpften.

«Hört sofort auf damit!», fauchte sie. «Wenn ihr August nicht in Ruhe lasst, dann setzt es was!»

Die Jungen lachten keckernd.

Martha stemmte die Hände in die Hüften und plusterte sich auf. «Ihr wisst wohl nicht, wer ich bin! Ich bin die Herrin vom Totenhaus, und ich schneide dort die Leichen in Stücke und stecke sie in kleine Gläser. Also, wenn ihr nicht wollt, dass demnächst einer von euch auf meinem Tisch landet, dann lasst ihr August in Ruhe. Ist das klar? Wenn ihr ihn noch einmal Schielewipp oder dumm nennt, dann bringe ich das nächste Mal meine Messer mit!»

Der größte der Jungen starrte sie verdutzt an, seine beiden jüngeren Brüder kreischten und versteckten sich hinter ihm.

«Das sag ich meinem Vater», drohte der Älteste.

Martha zuckte nur mit der Schulter. «Nur zu, du kannst dich nicht immer hinter ihm verstecken. Irgendwann erwische ich dich.» Sie nahm August bei der Hand und ging mit ihm davon.

⁓

Elviras großer Tag war endlich gekommen. Elisabeth traf Dr. Heydecker im Operationssaal, wo er für Dr. Dieffenbach den Tisch mit den Instrumenten vorbereitete. Sie versuchte, seinen Blick zu meiden. Zu deutlich stand ihr noch der Abend im Garten vor Augen.

«Kennen Sie sich mit den Operationstechniken für Rhinoplastik aus?», fragte er, als wäre das alles nicht geschehen.

Elisabeth, die das Blut des zuvor operierten Patienten vom Operationstisch wusch, um ihn dann zu einem Stuhl aufzurichten und mit einem Leinentuch abzudecken, schüttelte den Kopf, ohne ihn anzusehen.

«Es gibt die indische und die italienische Methode», dozierte Heydecker, der vielleicht auf diese Weise seine Unsicherheit überspielen wollte. Oder hatte ihm dieser Kuss gar nichts bedeutet?

«Bei der italienischen Methode wird Haut aus dem Arm verwendet, bei der indischen mit einem Hautlappen aus der Stirn gearbeitet. Von Graefe bevorzugt die italienische Methode, doch die Haut am Arm ist weich, und seine Nasen neigen dazu, später zu schrumpfen. Außerdem ist es für den Patienten eine Qual, da die Verbindung der neuen Nase erst sicher im Gesicht anwachsen muss, ehe man sie vom Arm trennen kann. Die Stirnnase dagegen besteht aus robuster Haut, die nicht so sehr schrumpft und die nicht weit entfernt anwachsen muss, sodass die Übergangszeit bis zur endgültigen Gestaltung der Nase für den Patienten angenehmer ist.»

Elisabeth wartete, bis er geendet hatte. «Wir werden sehen, wie sich Dr. Dieffenbach entscheidet», sagte sie kühl. «Ich gehe jetzt Fräulein Elvira holen.»

Etwas angespannt, aber gefasst setzte sich die junge Frau auf den Operationsstuhl.

Elisabeth zog sich wieder einen Hocker heran und nahm die zarte Hand fest in die ihre. Dr. Dieffenbach und Stabsarzt Großheim kamen herein.

«Ich habe mich entschieden, die italienische Methode anzuwenden», sagte Professor Dieffenbach zu aller Überraschung.

«Sehen Sie, meine liebe Elvira, ich wage es nicht, Ihre Stirn zu entstellen. Was, wenn es – was keiner hofft – dennoch misslingt? Dann könnten Sie nicht einmal mehr Ihre schöne Stirn über der Maske zeigen.»

Elisabeth versuchte, nicht zusammenzuzucken. Hatte der Chirurg etwa Zweifel an seiner eigenen Operation? Konnte Elvira sein Zögern spüren? Wollte er ihr wirklich diese wochenlange Qual zumuten?

Währenddessen holte Dieffenbach tief Luft, dann zog er ein dreieckiges Stück Leder aus der Tasche und zeigte es der Patientin.

«Sehen Sie, das ist die Vorlage für Ihre neue Nase. Es soll nur eine grobe Annäherung sein und ist bewusst zu groß gehalten. Wir brauchen zuerst ein Dach über der knöchernen Höhle mit fest verwachsenen Rändern. Die Feinmodellierung nehmen wir uns dann in einigen weiteren Schritten vor. Zuerst aber formen wir das Grundgerüst.»

Elvira nickte ergeben und schloss die Augen. Dieffenbach bestrich das Lederdreieck mit einer klebrig aussehenden Masse und drückte es auf die straff gezogene Oberarmhaut.

«Festhalten», sagte er leise zu Dr. Großheim. «Ich muss nun das Wundbett der Nase schneiden.»

Elisabeth musste an sich halten, um nicht zusammenzuzucken, als das Skalpell die Wucherungen zwischen den inneren Augenwinkeln schräg bis oberhalb der neuen Lippen aufschnitt. Blut rann Elviras Gesicht herab und wurde von Dr. Großheim abgetupft. Dieffenbach nahm ein weiteres Messer mit einer anderen Klingenform und umfuhr das lederne Dreieck mit schnellen Schnitten, dann löste er beherzt den Hautlappen bis auf einen schmalen Streifen vom Arm ab. Die verbleibende Brücke zum Arm musste der Blutversorgung dienen, bis sich Gefäße an der neuen Stelle im Gesicht gebildet haben würden.

Während Heydecker Elviras Kopf festhielt, beugte Dr. Großheim ihren linken Arm so, dass der Unterarm auf ihrem Haar zu liegen kam, während die Beuge des Ellenbogens vor ihrer linken Stirnseite schwebte. Dieffenbach musste sich zur Seite neigen, um richtig zu sehen. Eine Nadel nach der anderen schob er in den Hautlappen, bis er den Krater, den die Krankheit gefressen hatte, vollständig bedeckte. Geschickt umwickelte er die Nadelenden mit einem Faden, um das Werk zu fixieren. Elisabeth hörte ein leises Wimmern, das aus Elviras fest zusammengepressten Lippen entrann. Ihr Atem kam stoßweise. Elisabeth konnte nur ahnen, welche Schmerzen die junge Frau auszuhalten hatte.

«Sie können den Arm jetzt festbinden», sagte Dieffenbach.

Heydecker musste Elviras Arm in seiner Position halten, bis Großheim ihn mit straffen Binden und Pflastern so fixiert hatte, dass ihn die Patientin nicht mehr bewegen konnte. Zumindest nicht so sehr, dass zu viel Zug auf den Hautlappen entstand.

«Fräulein Elvira, Sie dürfen jetzt in Ihr Zimmer zurückkehren», sagte Dr. Dieffenbach sanft.

Elisabeth schob den hochlehnigen Rollstuhl heran. Heydecker half der Patientin vom Operationstisch in den Stuhl und schob sie bis zu ihrem Zimmer. Mit einem dicken Polster im Rücken versuchte Elisabeth, ihr eine möglichst bequeme Position zu verschaffen. Am Abend gelang es ihr sogar, Elvira kräftigende Brühe einzuflößen, doch trotz ihrer Erschöpfung konnte die junge Frau während der Nacht nicht eine Stunde Schlaf finden. Elisabeth blieb an ihrem Lager, obgleich es eigentlich eine Wärterin gab, die während der Nacht ab und zu nach den schweren Fällen sehen musste.

Am nächsten Tag kam Professor Dieffenbach, um sich das Ergebnis seiner Operation anzusehen.

«Die Wundränder berühren sich rundherum», stellte er zufrieden fest. «Ich bin bester Hoffnung, dass die Operation gelungen ist!»

Zum ersten Mal seit dem Eingriff sah Elisabeth Elvira ein wenig lächeln.

«Ich bin überzeugt, dass Sie mit Ihrem festen Willen alle meine Anweisungen genau befolgen werden», fuhr er fort. «Daher können wir guten Mutes sein.»

Elisabeth drückte ihr aufmunternd die Hand, ehe auch sie das Krankenzimmer verließ, um nach ihren anderen Patienten zu sehen und danach endlich zu schlafen.

KAPITEL 16

Misserfolg

G uten Morgen, wie geht es Ihnen heute?»
Betont munter betrat Elisabeth die kleine Krankenstube, in der Elvira halb sitzend, halb liegend in ihrem Bett kauerte. Elisabeth nahm eine Schüssel mit warmem Wasser und tupfte vorsichtig die Wundflüssigkeit ab, die ihr über das Gesicht rann. Dann half sie ihr, das morgendliche Mus zu essen und einen Sud aus Weidenrinde und Bitterklee zu trinken.

«Sie sind sehr tapfer», lobte Elisabeth die junge Frau, die in den vergangenen Tagen nicht ein Mal geklagt hatte, obgleich sie ein Martyrium durchlitt. «Konnten Sie etwas schlafen?»

Elvira deutete ein Kopfschütteln an. «Nein, die Lage ist zu unbequem. Mein ganzer Körper verkrampft sich immer wieder. Außerdem fürchte ich, dass ich mich im Schlaf unbedacht bewegen könnte.»

Elisabeth überprüfte die Fixierung zwischen Kopf und Arm und versicherte: «Es ist noch immer alles fest verbunden.»

Sie betrachtete den Hautlappen, der sich zwischen der neuen Nase und dem Arm spannte. Die bleiche Farbe des ersten Tages war einem entzündlichen Rot gewichen. Der Lappen wirkte prall und glänzte, doch das sei völlig normal, versicherte Dr. Dieffenbach bei seiner Visite.

Bereits am Abend ließ die rötliche Färbung nach, und die Haut wirkte wieder etwas schlaffer.

«Das wird sich so lange wiederholen, bis die Nase von ihrer neuen Umgebung genügend mit Blut versorgt wird», sagte Dr. Dieffenbach. «Dann erst können wir die Verbindung zum Arm kappen und mit der Feinmodellierung beginnen.»

Zwei Tage später, als Elisabeth wieder einmal an Elviras Bett saß und ihr das Gesicht wusch, fiel ihr der typisch brandige Geruch auf, der einem in allen Krankenzimmern der Äußeren Station geradezu den Atem raubte, den sie in dieser Kammer bisher jedoch nicht wahrgenommen hatte. Sie beugte sich tiefer herab.

«Was ist?», erkundigte sich Elvira ängstlich.

«Haben die Schmerzen heute Nacht zugenommen?», wollte Elisabeth wissen.

«Ich weiß nicht», sagte Elvira unsicher. «Es kommt mir so vor, als würde meine Lippe schmerzen.»

«Vielleicht sollte Dr. Dieffenbach einen Blick darauf werfen», schlug Elisabeth vor und machte sich auf die Suche nach dem Doktor, doch er war noch nicht im Haus, und Professor Rust hielt gerade eine Vorlesung. Außerdem traute auch sie dem halb blinden Leiter der Chirurgie nicht allzu viel zu. Aber Dr. Heydecker hatte Dienst. Elisabeth zögerte, dann überwand sie sich, ihn zu suchen.

Sie fand ihn im großen Saal der Äußeren Abteilung. Er war gerade dabei, den Beinstumpf eines Holzfällers zu begutachten und frisch zu verbinden. Dieffenbach hatte das Bein mit der brandigen Axtwunde vor drei Tagen abgenommen, und schon schimmerte die neu entstandene Wunde rot und gelb vor Eiter. Überhaupt war der Gestank in diesem Saal so alles durchdringend, dass sich Elisabeth fragte, ob sie sich bei Elvira getäuscht hatte. Vielleicht hatte sie einfach nur noch den Geruch der anderen Säle in der Nase gehabt. Es war eine Erleichterung, als die Räucherfrau ihre Runde zwischen den Betten drehte und mit dem reinigenden Rauch der Kräuter den Gifthauch der Wunden vertrieb.

Elisabeth zögerte, Dr. Heydecker zu stören. Und wenn doch etwas nicht in Ordnung war und sie es versäumte, einen Arzt zu holen, und damit gar die ganze Heilung in Gefahr brachte?

«Dr. Heydecker, verzeihen Sie bitte die Störung», sagte sie schließlich steif. «Würden Sie mit mir kommen und die Patientin Tondeau begutachten?»

«Sie sehen doch, dass ich beschäftigt bin», gab er ein wenig unwirsch zurück. «Hier im Saal warten noch acht Männer darauf, dass ich mich um ihre Leiden kümmere. Die Frauen sind erst heute Nachmittag dran.»

Elisabeth ließ nicht locker. «Ich habe den dringenden Verdacht, dass etwas nicht in Ordnung ist!», beharrte sie.

Alexander Heydecker befestigte den letzten Leinenstreifen und erhob sich dann. «Nun gut, Sie Quälgeist, dann mache ich hier später weiter.» Seine Miene blieb abweisend, bis sie das Zimmer betreten hatten und er sich über die Patientin beugte.

«Riechen Sie das auch?», wollte Elisabeth wissen.

Er stieß einen Seufzer aus. «Ja, ich rieche und sehe es. Das wird Dr. Dieffenbach nicht gefallen.»

Elvira stieß einen Schrei aus. «Was ist mit meiner Nase?»

«Die Nase ist in Ordnung», beschwichtigte sie der junge Arzt. «Es ist nur der Steg zwischen den Nasenlöchern, den Dr. Dieffenbach aus der Lippe genommen hat. Er ist brandig geworden. Ich denke, man muss ihn entfernen, damit er nicht die ganze Nase in Mitleidenschaft zieht.»

«Dr. Dieffenbach wird erst in ein paar Stunden hier sein», erinnerte Elisabeth. «Wollen Sie so lange warten?» Sie sah ihm seinen Widerstreit an. Einerseits war er davon überzeugt, dass man sofort handeln sollte, andererseits fürchtete er sich davor, etwas Falsches zu tun und gar die Nase der Patientin zu gefährden.

«Eigentlich müsste ich zu Professor Rust gehen», sagte er langsam.

«Das werden Sie doch nicht tun!», stieß Elisabeth aus.

Heydecker schüttelte langsam den Kopf. «Nein, ich denke, ich frage Direktor Kluge. Er wird wissen, was zu tun ist.»

Zum Glück war der Direktor im Haus und auch bereit, sich das Problem anzusehen. Er stimmte dem Kollegen mit seiner Forderung nach raschem Handeln zu, und so fand Dieffenbach seine Patientin am Nachmittag ohne Nasenscheidewand, aber verzweifelt und in Tränen aufgelöst vor.

«Ich kann Sie nicht trösten», klagte Elisabeth. «Sagen Sie ihr, dass noch nichts verloren ist.»

Dieffenbach setzte sich an ihr Bett und nahm die rechte Hand in die seine. «Meine liebe Elvira, Wärterin Elisabeth hat vollkommen recht. Das ist ein kleiner Rückschlag, ja, aber die große Hoffnung lebt weiter. Ich setze Ihnen später ein anderes Hautstück an dieser Stelle ein. Sie haben keinen Grund zu verzagen.»

Schließlich beruhigte sich Elvira, und Elisabeth konnte in den großen Saal hinübergehen, um sich um die anderen Patientinnen zu kümmern.

Alexander Heydecker heimste ein großes Lob ein und schritt den ganzen Tag mit stolzgeschwellter Brust durch die Gänge.

ᢦᢦ

Martha trat in den Speisesaal und sah sich um. August war schon da und kauerte in einer Ecke, aber niemand schien von ihm Notiz zu nehmen. Die Wärter und Wärterinnen kamen herein und setzten sich, um rasch ihr Essen herunterzuschlingen und dann wieder in ihre Krankensäle zurückzukehren. Auch die Hauseltern kamen, warfen dem Kind einen kurzen Blick zu und setzten sich an ihre Plätze.

«Es ist nicht richtig, dass man ihr erlaubt, das Kind herzubringen», schimpfte Friedgard leise.

«Wo sollte sie ihn denn sonst unterbringen», warf sich Wärter Joseph in die Bresche. «Der arme Junge.»

«Er hat den bösen Blick», gab Friedgard zurück.

«So ein Unsinn!», mischte sich Wärterin Christina ein. «Du wirst diesen mittelalterlichen Aberglauben doch nicht wirklich ernst nehmen?»

Martha hörte nicht, was Friedgard daraufhin entgegnete. Etwas Freundliches war es sicher nicht. Sie konnte sich nicht erinnern, überhaupt jemals etwas Freundliches aus ihrem Mund gehört zu haben.

Sie ging mit gerunzelter Stirn auf ihren Sohn zu und ließ sich dann vor ihm in die Hocke sinken. «Was ist denn mit dir heute los?»

Normalerweise kam er ihr entgegengeeilt und umschlang sie mit seinen dünnen Armen. Und er wich beim Essen nicht von ihrer Seite, als wolle er jeden der wenigen Augenblicke an der Seite seiner Mutter auskosten. Doch nun saß er einfach in seiner Ecke und atmete schwer. Martha nahm seine Hände, die sich heiß und trocken anfühlten.

«August? Fühlst du dich nicht wohl?»

In diesem Moment betrat Elisabeth den Speiseraum. Sie sah Martha und August und kam zu ihnen. «Stimmt etwas nicht?»

«Ich glaube, er ist krank.»

«Mein Hals tut so weh», krächzte August. «Ich kann gar nicht richtig schlucken.»

Martha und Elisabeth starrten einander an.

«Du musst nicht gleich das Schlimmste denken!», versuchte Elisabeth, Martha zu beschwichtigen, doch diese spürte, wie ihr Panik durch die Glieder fuhr.

«Er hat die Halsbräune», ächzte Martha und zog den kranken Buben an ihre Brust. «Oh Gott, nein!» Tränen schossen ihr in die Augen. «Nur das nicht!»

Elisabeth half ihr beim Aufstehen. «Das muss es nicht bedeuten», beharrte sie. «Wir bringen August jetzt zu Dr. Barez. Der wird wissen, was zu tun ist.»

Martha hob August auf ihre Hüfte und umschlang seinen mageren Körper. Das Mittagsmahl war vergessen. Dann eilten sie zu dritt zur Kinderstation. Während Martha ihren Sohn auf ein freies Lager bettete, lief Elisabeth los, den Kinderarzt zu suchen.

Martha beugte sich über das Kind und streichelte seinen Arm, gleichzeitig streifte ihr Blick durch den Saal mit den fiebernden Kindern: Masern, Scharlach, Keuchhusten, Ruhr und immer wieder Diphtherie, an der so viele Kinder jämmerlich erstickten. Sie hörte den rasselnden Atem des Kindes im Nebenbett, dessen Haut zu glühen schien. Jeder Atemzug war ein Kampf.

Da kam Elisabeth mit Dr. Barez zurück. Ihm folgte einer der Assistenzärzte in Uniform. Der Leiter der Kinderklinik warf einen Blick auf August, tastete nach seinem Puls und sah ihm in den geröteten Hals, als sich das Kind im Nachbarbett plötzlich aufbäumte und einen erstickten Laut von sich gab.

«Schnell, die Sonde!», rief Dr. Barez und stürzte an das Bett der kleinen Patientin, die zu ersticken drohte. Voller Entsetzen sah Martha zu, wie der Kinderarzt ein Messer in den Hals des Kindes stach und dann ein metallenes Rohr mit einem breiten Ende in die Luftröhre einführte. Der Assistenzarzt befestigte die Sonde und stützte den Rücken des Kindes, das zitternd wieder zu atmen begann.

Martha liefen Tränen über die Wangen. Die Angst presste ihr Herz mit eisiger Faust zusammen. Dann spürte sie Elisabeths Hand auf ihrem Arm.

«Du musst nicht verzweifeln. Bestimmt hat er nur eine fiebrige Influenza. August wird es überstehen!»

Sie reichte Martha ein Tuch. Entschlossen wischte sich diese die Tränen ab. Sie musste jetzt stark sein für August und ihm Hoffnung schenken.

«Du wirst wieder gesund», sagte sie so überzeugend wie möglich und drückte ihren Sohn an sich.

Noch eine schlaflose Nacht hielt Elvira durch, doch in der nächsten wurde Elisabeth von einer völlig aufgelösten Wärterin geweckt. «Kommen Sie schnell», drängte Wärterin Margret. «Die Patientin Tondeau!» Sie beendete den Satz mit einem Stöhnen.

Elisabeth warf sich nur einen Umhang über ihr Nachtgewand und eilte hinter Margret her. Schon als sie das herzzerreißende Schluchzen hörte, ahnte sie, was geschehen war.

Schweißbedeckt und zitternd saß Elvira in ihrem Bett. Ihr linker Arm lag in ihrem Schoß. Lose Enden der Binden hingen von ihrem Kopf. Vom oberen Rand der Nase rannen zwei Blutfäden herab. Die Brücke zwischen dem Arm und der neuen Nase war gerissen.

«Wecken Sie Dr. Heydecker», befahl Elisabeth.

Er wohnte noch immer unter dem Dach der Charité und würde am schnellsten hier sein. Dann nahm sie die junge Frau vorsichtig in die Arme. Sie weinte nicht mehr. Ihre Verzweiflung war jenseits von Tränen.

«Noch ist nicht alles verloren», versuchte Elisabeth zu trösten, obgleich sie nicht wusste, ob das der Wahrheit entsprach. «Verlieren Sie nicht den Mut. Dr. Dieffenbach kann das wieder richten.»

Elvira sprach kein Wort, bis der Chirurg um die Mittagszeit endlich in der Charité erschien. Elisabeth konnte ihm seine Enttäuschung ansehen. Das Nasenstück war noch nicht so weit, um an seiner neuen Position versorgt zu werden. Es blieb ihm nichts anderes übrig, als es zu entfernen. Die Wunde an Elviras Arm heilte ohne Probleme, doch der Misserfolg hatte ihrer Seele erneut eine tiefe Wunde geschlagen, die nicht so schnell heilen wollte. Sie aß kaum noch und sprach nur das Nötigste. Elisabeth fürchtete schon, man müsse sie demnächst zu den Melancholikern in Professor Idelers Abteilung verlegen, als sie einige Tage später in das kleine Krankenzimmer trat und Elvira, vollständig angekleidet, mit Hut und Schleier vor ihrem Bett stehend, antraf.

«Was haben Sie vor? Geben Sie sich und Dr. Dieffenbach noch

eine Chance. Bitte, Sie dürfen jetzt nicht aufgeben. Sie werden es sich nicht verzeihen, wenn Sie davonlaufen.»

Elvira deutete auf ihren gepackten Koffer. «Ich werde in die Schweiz gehen», sagte sie.

Elisabeth ergriff ihre Hände. «Warten Sie wenigstens auf Dr. Dieffenbach. Er wird in einer Stunde da sein.»

Doch auch dem Arzt gelang es nicht, Elvira umzustimmen. «Ich habe bereits den Termin für Ihre nächste Operation festgelegt. Dieses Mal wir es uns gelingen!»

Die junge Frau schüttelte den Kopf. «Meine Eltern haben mich in ein privates Damenstift eingekauft, in dem noch andere körperlich entstellte Leidensgenossinnen leben. Dorthin werde ich mich zurückziehen und vielleicht Frieden finden.»

Und so verließ sie die Charité. Elisabeth spürte, wie sehr Professor Dieffenbach noch Tage danach unter dem Misserfolg litt. Er war nicht unfreundlich oder launenhaft, doch sein Lächeln wirkte gequält.

«Vielleicht kommt Fräulein Elvira irgendwann zur Vernunft», sagte er und wandte sich dann wieder seinen anderen Patienten zu, während Elisabeth zur Kinderabteilung lief, um nach August zu sehen.

Sie hatte recht behalten. Der Junge litt nicht an der gefährlichen Diphtherie, die jedes Jahr Tausende Berliner Kinder dahinraffte. August hatte sich eine schwere Influenza zugezogen, doch war er bereits auf dem Weg der Besserung und kaum mehr in seinem Bett zu halten.

Martha saß bei ihm und begrüßte Elisabeth mit einem Lächeln. «Ich bin ja so erleichtert!»

«Ich auch», sagte Elisabeth und umarmte beide.

∾

Wochen sind vergangen, die mir zur Ewigkeit werden, seit ich das letzte Mal etwas von ihm gehört habe. G. fühlt sich überraschend wohl. Vielleicht, weil er die Liebe zu seiner Tochter entdeckt hat. Er sucht sie nun fast jeden Tag in ihrem Kinderzimmer auf und legt Wert darauf, dass die Kinderfrau sie am Nachmittag zum Kaffee zu uns in den Salon herunterbringt. Auch für mich sind die Stunden des Tages, an denen ich Amalie um mich habe, die einzig lohnenswerten. So bringt uns das liebe Kind wieder ein Stück näher zueinander. Wir unterhalten uns nun nicht mehr nur über G.s Leiden, wobei er stets übermäßig besorgt um sie ist, wenn Amalie auch nur hinfällt oder weint.

Am Abend aber, wenn ich alleine in meinem Bett liege, überfällt mich die Sehnsucht. Dann sehe ich ihn vor mir und glaube, seine Hände und seine Lippen spüren zu können. Oft liege ich nachts wach und denke an ihn. Wenn ich träume, liege ich in seinen Armen, doch jedem Traum folgt ein trauriges Erwachen. Es kann niemals sein. Mehr als ein paar flüchtige Berührungen und einen gestohlenen Kuss wird es nicht geben dürfen.

⁓

Ein paarmal erwog Ludovica, Dieffenbach in seiner Praxis oder in der Charité aufzusuchen, doch in der Wohnung am Zeughaus würde sie auf seine Ehefrau Emilie treffen, die sie erst kürzlich auf der Straße gesehen hatte. Man sah ihr ihre Schwangerschaft an, und Ludovica fürchtete, den Anblick nicht noch einmal ertragen zu können. Aber in der Charité wollte sie ihn nicht stören. Sie würde dort kaum Gelegenheit finden, sich ungestört mit ihm zu unterhalten, geschweige denn, ihm nahezukommen.

Schlag ihn dir aus dem Kopf, befahl sie sich selbst. *Es wird uns sonst beide ins Unglück stürzen.*

Oder es würde ihr wenigstens ein paar Momente des Glücks bescheren, die sie auf diese Art nie mit ihrem Gatten erlebt hatte oder erleben würde. Sie grübelte noch immer darüber nach, ob sie ihn nicht doch aufsuchen sollte, als ihr eine Nachricht von Direktor

Kluge die Entscheidung abnahm. Er hatte ein Treffen des Charité-Kuratoriums einberufen. Es ging um die Krankenwartschule, in der Professor Dieffenbach seit langem seinen Pflichten als Direktor und Leiter der praktischen Kurse nicht mehr nachkam. Eine Neuregelung war erforderlich.

Ludovica ließ sich von ihrer Zofe zum Ausgehen ankleiden. Mit Hut, Umhang und Handschuhen ausgerüstet, bestieg sie die Kutsche und ließ sich zur Charité fahren. Sie sah dem Gespräch mit Direktor Kluge mit gemischten Gefühlen entgegen. Dass Dieffenbach die Krankenwartschule vernachlässigte, die sie beide mit so viel Eifer geplant hatten, hatte sie immer wieder verdrängt. War ihm das Vorhaben vielleicht nicht wichtig genug? Aber wie sollte sich dann jemals etwas ändern? Wie sollten die Missstände beseitigt werden, wenn die Ausbildung der Pflegenden nicht vorangetrieben wurde?

Andererseits war ihr sehr bewusst, wie beschäftigt er war. Er fand ja kaum die Zeit, allen seinen Patienten gerecht zu werden. Er arbeitete von früh bis spät, behandelte, operierte, hielt Vorlesungen und schrieb nachts auch noch an seinen Veröffentlichungen. Wie sollte er da noch den Unterricht an der Schule wahrnehmen? Aber warum hatte er sich dann zu ihrem Direktor ernennen lassen?

Er war eben auch nur ein Mensch, dachte Ludovica und musste unwillkürlich lächeln.

Direktor Kluge begrüßte sie herzlich und brachte sie auf den neuesten Stand. Das Kuratorium würde Dieffenbach für den Moment seinen Direktorentitel formal lassen, doch er selbst musste nun die Zügel in die Hand nehmen und die praktischen Aufgaben unter den dirigierenden Ärzten aufteilen. Das betraf dann auch die Professoren Rust und Bartels, Ideler, Jüngken, Barez und Wolff.

Die Gräfin dankte Kluge für seine Umsicht und versprach, auch unter diesen Umständen ihren großzügigen Beitrag weiter zu leisten. Sie verabschiedete sich und hatte gerade die Tür hinter sich geschlossen, als Dieffenbach den Flur entlang auf das Büro des Direktors zukam. Er ergriff ihre Hand.

«Ludovica, was für eine Freude, Sie zu sehen. Sie sehen gut aus. Wie fühlen Sie sich?», fragte er mit fast zärtlicher Stimme. «Ist alles in Ordnung?»

Befangen nickte sie, dann fiel ihr wieder der Grund ihres Besuches in der Charité ein. «Sie vernachlässigen unser Projekt, werter Freund. Sie können die Last der Krankenwartschule nicht allein auf Dr. Gedikes Schultern legen. Sie sind der Direktor!»

Er hatte den Anstand, verlegen dreinzusehen. «Es tut mir leid, aber ich weiß einfach nicht, wann ich das auch noch machen soll.»

«Dann sprechen Sie bitte von sich aus mit Direktor Kluge darüber. Er hat angekündigt, die anderen dirigierenden Ärzte mit in die Pflicht zu nehmen, aber bitte, gefährden Sie nicht unser großes Ziel! Wir waren uns doch einig, wie wichtig es für die Arbeit der Ärzte und die Genesung der Patienten ist, gute Pflegekräfte zu haben.»

«Sie haben recht, Ludovica, und ich möchte ja auch, dass diese Schule ein Erfolgsmodell wird, dem andere nacheifern werden.»

«Dazu gehört auch, dass die Wärter und Wärterinnen besser bezahlt werden. Darüber sprachen wir schon vor einiger Zeit, Sie erinnern sich? Denn diese Ausbildung soll für geeignete Personen attraktiv sein. Sonst nützt doch die ganze Anstrengung nichts.» Schon als ihr die Worte entschlüpft waren, schalt sie sich selbst wegen des rüden Tons. Sie spürte, wie er zu ihr auf Distanz ging.

«Ich muss mich jetzt leider verabschieden, Gräfin. Die Pflicht ruft. Ich habe viele Patienten, die auf mich warten.»

Sie reichte ihm noch einmal die Hand, aber der Zauber, der sie so oft verbunden hatte, war zumindest für den Moment verflogen. Es schmerzte sie tief, doch sie ließ sich nichts anmerken. «Vielleicht finden Sie irgendwann die Zeit, mich zu besuchen?»

Er sah sie ernst an. «Verehrte Gräfin, ich denke nicht, dass das eine gute Idee ist. Aber ich werde Sie auf dem Laufenden halten.»

Damit wandte er sich ab, klopfte an die Tür des Direktors und trat dann ein.

Ludovica konnte es nicht verhindern, dass ihr Tränen in die Augen traten. Was war da eben geschehen? Hatte sie ihre Freundschaft zerstört? Durfte sie nicht einmal diese genießen, wenn ihr schon die Liebe verwehrt blieb? Sie blinzelte ein paarmal und zog ihren Schleier tiefer herab. Mit schnellen Schritten verließ sie die Charité.

∽

Elisabeth hob erstaunt die Brauen, als die Wärterin ihr ausrichtete, Direktor Kluge wünsche sie in seinem Büro zu sprechen.

«Na, was hast du ausgefressen?», wollte Friedgard wissen.

«Nichts!», entgegnete Elisabeth so überzeugend wie möglich.

«Hat dich jemand mit deinem Liebsten erwischt?»

«Ich weiß nicht, von wem du sprichst!», wehrte Elisabeth erzürnt ab.

«Na der, der dir mit seinen schönen blauen Augen immer nachstarrt. Das weiß doch jeder hier, dass da zwischen dem Heydecker und dir was läuft.»

«So ein Unsinn», zischte Elisabeth und hoffte, nicht rot zu werden. Sie wandte sich auf dem Absatz um und schritt mit erhobenem Haupt davon.

Was der Direktor wohl von ihr wollte? Sie war sich keiner Verfehlung bewusst. Zumindest keiner so großen, dass sie die Hausmutter nicht mit einer scharfen Rüge und einer Strafarbeit aus der Welt geschafft hätte.

Doch der Direktor lächelte freundlich, als sie sein Büro betrat, und bat sie, Platz zu nehmen.

«Wärterin Elisabeth, ich höre von den Patienten und Ärzten viel Gutes über Ihre Arbeit», begann er. «Wobei es vonseiten der Ärzte auch die eine oder andere Beschwerde gegeben hat», räumte er ein.

«Von den Wärterinnen vermutlich auch», warf Elisabeth ein und wurde angesichts ihrer eigenen Keckheit ein wenig rot.

Direktor Kluge machte eine wegwerfende Handbewegung. Die Meinung der Wärterinnen interessierte ihn offensichtlich nicht.

«Interessant an den ärztlichen Rügen ist die Art der Vorwürfe. Die unterscheidet sich nämlich deutlich von denen über andere Wärter und Pflegerinnen. Keiner der Ärzte wirft Ihnen Trägheit oder Faulheit vor. Keiner spricht von zu wenig Einsatz oder Fürsorge für die Patienten. Ganz im Gegenteil. Es sind Ihr Eifer und Ihre Wissbegierde, die nicht von allen Ärzten positiv aufgenommen werden. Zudem widersprechen Sie gern, wenn Ihnen eine Anweisung nicht sinnvoll erscheint. Und mitunter setzen Sie sich sogar über ärztliche Anordnungen hinweg.»

Demütig senkte Elisabeth den Blick, obgleich es in ihr brodelte und sie sich für all die Fälle, die ihr gerade einfielen, gerne verteidigt hätte. Sie war sich sicher, nie eine Entscheidung zum Schaden einer Patientin getroffen zu haben.

«Vielleicht müsste ich Sie für Ihre Selbständigkeit rügen, aber ich denke, das überlasse ich den entsprechenden Ärzten.» Er machte eine Pause und wartete, bis sie den Kopf wieder hob und ihn ansah. Dann fuhr er fort: «Ich habe Sie wegen einer anderen Sache zu mir gerufen. Dr. Dieffenbach findet keine Zeit, seinen Aufgaben als Direktor der von ihm gegründeten Krankenwartschule nachzukommen. Und Dr. Gedike kann nicht den gesamten Unterricht allein abhalten. Also muss ich die Stunden unter den anderen dirigierenden Ärzten der Charité verteilen. Angesichts der zahlreichen Aufgaben hier im Haus und in den jeweiligen Praxen in der Stadt wird das nur schwer umzusetzen sein. Daher kam mir der Gedanke, dass die Ärzte den neuen Pflegern die Theorie in ihren Vorlesungen vermitteln und dass Sie, Wärterin Elisabeth, zumindest einen Teil des Praxisunterrichts übernehmen.»

Elisabeth starrte den Direktor ungläubig an und versuchte zu begreifen, was er da gerade gesagt hatte.

«Ich kann Ihnen dafür keinen offiziellen Titel verleihen, und es wäre auch nicht mit einer Dotation verbunden», fügte Kluge schnell hinzu. «Doch wenn Sie bereit wären, mich in dieser Aufgabe zu unterstützen, dann würde ich Ihnen für einige Stunden in der Woche jeweils drei oder vier Pflegeschülerinnen zuweisen, die Sie dann in die Praxis einführen und bei ihren ersten Einsätzen unterstützen.»

Noch immer überrascht, nickte Elisabeth. «Herr Direktor, ich übernehme diese Aufgabe sehr gerne. Ich danke Ihnen für Ihr Vertrauen!»

«Gut, dann fangen Sie in der Äußeren Abteilung an. Professor Dieffenbach ist informiert. Dr. Heydecker soll Ihnen helfen, wenn Sie Fragen haben. Dann begleiten Sie die Schülerinnen auch in die anderen Abteilungen. Ich werde die jeweiligen dirigierenden Ärzte informieren.»

Er nickte ihr zu und reichte ihr zum Abschied die Hand. «Ich danke Ihnen, Wärterin Elisabeth.»

«Ich werde mein Bestes tun», versprach diese. Mit einem beschwingten Gefühl kehrte sie zu ihrer Arbeit zurück.

Ein paar Tage später schickte der Direktor Elisabeth die ersten Pflegeschülerinnen. Zwei der Frauen waren bereits über fünfzig, beides Witwen. Alma war kinderlos und hatte auch sonst keine Verwandtschaft, bei der sie unterschlüpfen könnte.

Frieda war zwar Mutter einer Tochter, doch die verdingte sich auf der Straße und konnte oder wollte die Mutter nicht unterstützen. Elisabeth vermutete, dass auch Frieda einige Zeit als Dirne durch Berlins Straßen gezogen war, nun aber zu alt wurde, um auf diese Weise ihr Geld zu verdienen. Allerdings musste sie in ihrer

Jugend bessere Zeiten erlebt haben, denn sie war zur Schule gegangen und konnte lesen und schreiben, was Voraussetzung für die Aufnahme in die Krankenwartschule war.

Die beiden jungen Frauen, Dora und Pauline, kamen ebenfalls aus ärmlichen Verhältnissen. Wer sonst würde für solch einen Hungerlohn sechzehn Stunden am Tag schuften? Dora war eine zierliche Frau mit großen, rehbraunen Augen, die mit Herz bei der Sache war und sich mit Eifer auf ihre neuen Aufgaben stürzte. Pauline dagegen schien keine andere Wahl zu haben, wollte sie sich nicht zu den Dirnen gesellen. Sie schien keine Freude für ihre Arbeit zu empfinden und musste von Elisabeth mehrmals zur Sorgfalt ermahnt werden. Auch war ihr Umgang beim Waschen der Patientinnen und beim Füttern der Schwerkranken recht achtlos, wenn sie auch nicht ganz so grob war wie Frieda. Die kräftige Frau schnauzte gleich die zweite Patientin an, als diese jammernd ihren verwundeten Arm zurückzog, weil die neue Pflegeschülerin die Verletzung grob mit einem Lappen zu reinigen versuchte. Elisabeth nahm Frieda den Lappen aus der Hand, tauchte ihn ins lauwarme Wasser und tupfte vorsichtig den Eiter ab.

«Die sollen sich nicht so anstellen», murrte die Neue. «Mit mir war auch keiner zartfühlend.»

«Dann werden Sie das jetzt lernen», sagte Elisabeth bestimmt. «Unsere Patienten haben ein Recht darauf, anständig und mit Rücksicht behandelt zu werden.»

Frieda schnaubte. «Ich hab hier selbst mal im Bett gelegen. Eine Kaserne ist ein Dreck dagegen! Wer nicht spurte, hat nix zu essen gekriegt. Und oft rutschte einer Wärterin die Hand aus, wenn man gewagt hat, sich zu beschweren.»

«Umso mehr müssen Sie sich bemühen», sagte Elisabeth. «Dr. Heydecker und ich werden Ihre Arbeit bei den Patienten bewerten. Nicht nur Ihr Wissen wird am Ende zählen. Also strengen Sie sich an, wenn Sie in der Charité arbeiten möchten.»

Frieda brummte vor sich hin, doch ihre Bewegungen wurden ein wenig sanfter, und die Patientin ertrug die weitere Behandlung, ohne zu jammern.

∽

Es war ein paar Wochen her, dass Elvira die Charité verlassen hatte, als Alexander Heydecker Elisabeth den Weg versperrte. Es war schon Abend, und sie wollte hoch zu ihrer Kammer, die sie noch immer mit Linda und Christina teilte. Beide Wärterinnen waren nicht gerade ihre Freundinnen. Linda war launisch und brach gerne einen Streit vom Zaun, während sich Christina eher wortkarg gab und keine Lust hatte, über die Fälle, die sie betreute, zu sprechen. Das vierte Bett gehörte seit einiger Zeit Margret, einer neuen Wärterin, die die sechsmonatige Ausbildung in Dr. Dieffenbachs Krankenwartschule bereits absolviert hatte. Elisabeth wurde nicht müde, sie auszufragen, um zu erfahren, was Dr. Gedike ihr beigebracht hatte. Vielleicht war ja auch für sie noch etwas Neues dabei. Margret war eine geduldige Frau Mitte dreißig, die gerne Auskunft gab, und so schwatzten sie oft vor dem Einschlafen, bis Linda sie rüde zur Ruhe rief.

«Wärterin Elisabeth, auf ein Wort», sagte Dr. Heydecker.

Sie blieb in einigem Abstand stehen und verschränkte abweisend die Arme vor der Brust. «Was gibt es?», erkundigte sie sich kühl. «Meine Arbeit ist beendet. Wenden Sie sich an Olga. Sie wird heute in der Chirurgie wachen.»

«Es geht nicht um die Arbeit», sagte er mit so sanfter Stimme, dass Elisabeth noch einen Schritt zurückwich.

Herz und Magen rumorten. Wollte er sich für den geraubten Kuss entschuldigen? Nach so vielen Wochen? Darüber wünschte sie nicht, mit ihm zu sprechen! Doch als seine blauen Augen sie jetzt so bittend ansahen, wurden ihre Knie ganz weich, und sie fürchtete, er könnte in ihren Gedanken lesen. Könnte erraten, wie häufig dieser Kuss in ihren Träumen auftauchte und welche Sehnsucht die Erinnerung in ihr auslöste.

Würde er es wieder wagen?

Ja!

Nein!

Vorsichtshalber wich sie noch einen Schritt zurück.

«Ich wollte nicht gehen, ohne mich von Ihnen zu verabschieden.»

«Was?» Die unterschiedlichsten Gefühle jagten ihr durch Kopf und Leib. «Verabschieden? Wie meinen Sie das?»

«Ich werde die Charité morgen verlassen.»

«Aber warum? Sie sind doch erst vor kurzem in die Chirurgie gewechselt. Sie wollten doch mit Dr. Dieffenbach zusammenarbeiten!»

«Ja, und das will ich noch immer, aber es ist nicht meine Entscheidung. Sehen Sie, als Pépin hat die Armee meine Ausbildung an der Akademie bezahlt. Dafür muss ich als Militärarzt der Armee acht Jahre lang zur Verfügung stehen. Und die Armee setzt mich dort ein, wo sie mich braucht. Ich hatte bisher Glück, ich durfte in der Charité bleiben, aber nun muss ich erst einmal meinem Marschbefehl folgen. Vielleicht kann ich mich wieder hierher versetzen lassen, wenn ich in zwei oder drei Jahren vom Kompanie- zum Regimentschirurg befördert werde. Auf alle Fälle werde ich mich wieder hier bewerben, wenn meine acht Jahre bei der Armee vorbei sind.»

«Acht Jahre», echote Elisabeth und starrte ihn fassungslos an. Sie wusste nicht, was sie sagen sollte. Sie spürte nur einen Schmerz in der Brust und ein Brennen hinter ihren Lidern. Sie zwinkerte. «Das ist eine lange Zeit», sagte sie schwach.

«Die ersten zwei Jahre habe ich hier ja schon abgeleistet», erinnerte er sie, doch das konnte Elisabeth nicht trösten. Er würde morgen abreisen, und vermutlich würde sie ihn niemals wiedersehen. Erst in diesem Augenblick wurde ihr klar, wie viel er ihr bedeutete und wie sehr sie die Zusammenarbeit, ja selbst ihre Auseinandersetzungen genossen hatte.

«Werden Sie mich ein wenig vermissen?», fragte er schelmisch.

Oh ja! Sehr!, dachte sie, sagte aber scherzhaft: «Ich fürchte, meine Arbeit wird mir dazu keine Zeit lassen. Aber ich verspreche Ihnen, dass ich Ihren Nachfolger genauso auszanken werde wie Sie.»

Er lächelte sie warm an. «Das will ich hoffen!»

Dann streckte er die Hände aus. Elisabeth trat wie von einem Magneten angezogen vor und legte ihre Hände in die seinen.

«Auf Wiedersehen, Wärterin Elisabeth. Ich werde unsere gemeinsame Arbeit vermissen.»

«Sie werden mich schon bald vergessen haben», wehrte sie ab.

Alexander schüttelte den Kopf. «Nein, ich denke, Sie sind keine Person, die man so leicht vergisst.»

Verlegen zog Elisabeth ihre Hände zurück. Er wich zur Seite und gab den Weg frei. Mit einem Gefühl der Leere und tiefer Traurigkeit erreichte Elisabeth ihre Kammer. Heute zog sie sich sogleich in ihr Bett zurück, ohne mit Margret zu sprechen. Die Ausbildung in der Krankenwartschule interessierte sie im Moment nicht. All ihre Gedanken waren von einem Paar blauer Augen besetzt.

Als Dieffenbach an einem warmen Oktobertag nach Hause kam, fand er Emilie in ihrem Sessel in der Stube. Sie hatte die Hände über ihrem hervorquellenden Bauch gefaltet, ihr Gesicht war schweißnass. Die neue Stadthebamme kniete vor ihr und erhob sich, als er eintrat.

«Es geht los», sagte sie. «Die ersten Wehen sind vor zwei Stunden aufgetreten.»

Dieffenbach eilte an Emilies Seite. «Warum hast du mich nicht sofort rufen lassen?»

Sie ergriff die entgegengestreckten Hände und drückte sie. «Du hast in der Charité sicher wichtigere Fälle zu betreuen. Ich bin nicht krank. Ich bekomme ein Kind, und ich habe eine gute Hilfe mit Frau Engler hier.»

Auch er hatte nur Gutes von der Hebamme gehört, die Martha Vogelsangs Platz eingenommen hatte, dennoch wollte er es sich nicht nehmen lassen, seinem ersten Kind selbst auf die Welt zu helfen. Natürlich würde es hier in seinem Heim auf die Welt kommen. Der Gedanke, seine Frau in die Charité bringen zu lassen, lag ihm fern.

«Es ist mir eine Ehre, mit Ihnen zusammenzuarbeiten, Herr Professor», sagte die Hebamme und machte ihm bereitwillig Platz.

Dieffenbach untersuchte seine Frau und war mit dem Fortgang der Geburt zufrieden.

Natürlich kostete es Emilie noch einige Stunden Kraft und Schmerz, bis sich das Kind seinen Weg gebahnt hatte, doch dann hielt der überglückliche Vater seine erstgeborene Tochter in den Armen. Die Hebamme wusch das kleine Mädchen und legte es dann der erschöpften Mutter an die Brust.

Zärtlich strich Emilie über den Kopf des noch rot verschrumpelten Wesens, das schon so gierig nach der Quelle für Milch zu suchen begann. Strahlend kniete sich Dieffenbach neben sie und küsste sie zärtlich.

«Ich bin ja so glücklich!», stieß er hervor. «Meine beiden Frauen! Emilie und ...?»

«Frieda», ergänzte Emilie und erwiderte sein Lächeln.

«Frieda», wiederholte Dieffenbach.

2. BUCH

KAPITEL 17

Diakonissen

E s war im Februar 1836, als das Kronprinzenpaar Graf und Gräfin von Bredow in ihr Palais zum Dinner bat. Der Vater des Prinzen, König Friedrich Wilhelm III. von Preußen, war ein sparsamer Mann, meist mürrisch und mit wenig Charme gesegnet. Im Gegensatz zu seinem verstorbenen Vater war er weder an Vergnügungen noch an Kunst interessiert, und er besaß auch nicht den militärischen und strategischen Verstand seines Großonkels, Friedrich des Großen. Überhaupt hielt Ludovica die geistigen Fähigkeiten des Königs für begrenzt. Das Einzige, was ihn anscheinend interessierte, waren Uhren und Uniformen.

Auch im Kronprinzen konnte Ludovica keinen feinen Geist entdecken, schätzte aber seine Frau, die bayerische Prinzessin Elisabeth Ludovika. Ihre Familien hatten sich in ihrer Jugend in Bayern häufig besucht, sodass sich eine innige Freundschaft entwickelt hatte, die sie nun – so fern der Heimat – beide versuchten zu pflegen. Elisabeth war nicht nur schön, sondern – im Gegensatz zu ihrem Gemahl – auch geistreich.

Manch Liberaler setzte seine Hoffnung in den Prinzen, sollte er seinem Vater einst als König von Preußen nachfolgen, aber Ludovica glaubte nicht daran, dass er diese Erwartungen erfüllen würde. Er war vom Recht der preußischen Könige von Gottes Gnaden als alleinige Herrscher des Landes genauso überzeugt wie sein Vater und würde sich von keinem Parlament etwas vorschreiben lassen. Und auch die versprochene Verfassung würde sicher noch lange

Zeit auf sich warten lassen. Außerdem war Kronprinz Friedrich Wilhelm im Gegensatz zu seinem Vater zutiefst gläubig. So würde neben dem alten Adel auch die Kirche wieder an Macht gewinnen, sollte er den Thron besteigen, davon war Ludovica überzeugt. Was sie dem Prinzen allerdings zugutehielt, war, dass er seine Gattin aufrichtig liebte. Er hatte um diese Ehe gekämpft, bis er seinen Willen gegen alle Widerstände durchsetzte. Nicht, dass die Tochter von König Maximilian I. von Bayern für einen Hohenzollernprinzen nicht standesgemäß gewesen wäre. Ihre Religion war es, die das Oberhaupt der Evangelischen Kirche in Preußen den Kopf schütteln ließ. Eine katholische Prinzessin! Nein, das ging auf keinen Fall, noch dazu, wo sie sich standhaft weigerte, zum einzig wahren Glauben überzutreten.

Vielleicht bewunderte sie Friedrich Wilhelm gerade wegen dieser Standhaftigkeit und setzte die Eheschließung – nachdem Elisabeth einem Kompromiss zugestimmt hatte – endlich durch: Sie würde sich in der Ausübung ihrer Religion zurückhalten und an einem protestantischen Religionsunterricht teilnehmen. Alle ihre Kinder würden natürlich protestantisch erzogen. Das Problem war nur, dass die Prinzessin nach einer Fehlgeburt nicht mehr auf eigene Kinder hoffen konnte.

Inzwischen hatte sie dem Herzenswunsch ihres Gatten nachgegeben und war zum protestantischen Glauben übergetreten.

«Wie geht es der Familie?», erkundigte sich Ludovica.

Die Prinzessin deutete ein Lächeln an. «Meine Schwester Sophie hegt hohe Hoffnungen. Jeder weiß, dass Kaiser Ferdinand kränklich ist und ein schwaches Gemüt hat. An einen Thronfolger ist nicht zu denken.» Sie seufzte. «Mit diesem harten Los ist er nicht allein. Jedenfalls ist sein Bruder, Sophies Mann Karl, der Nächste auf der Liste für Österreichs Thron, auch wenn die meisten der Habsburger von dieser Vorstellung nicht begeistert sind. Ich denke, Sophie hätte gern ihren Sohn Franz Joseph auf dem Kaiserthron. Dann wäre sie Erzherzogin, und ich sage Ihnen, sie wäre die heimliche Kaiserin im Hintergrund. Ich kenne meine Schwester! Sie ist eine energische Person, die sich nicht mit der üblichen Rolle eines schmückenden Weibes an der Seite ihres Gatten zufriedengibt. Ich denke, ihr Ehrgeiz wird auch dadurch angestachelt, dass unsere Schwester Maria Anna jetzt Königin von Sachsen ist. Sie wollte Maria schon als Kind immer ausstechen.»

Ludovica freute sich, Prinzessin Elisabeth von Amalie berichten zu können. Trotz ihres Schicksals, das sie zu Kinderlosigkeit verdammte, erkundigte sich die Prinzessin immer interessiert nach Amalies Entwicklung.

«Sie scheint einen aufgeweckten Geist zu haben», schwärmte Ludovica von ihrer Tochter.

Die Prinzessin lächelte nachsichtig. «Wir sehen gerne das Genie in unseren eigenen Kindern, wobei dies einem Mädchen in unserer Welt eher zum Nachteil gereicht und ihm ein Leben lang eine Bürde sein wird.»

Ludovica seufzte. «Ich weiß, was Sie meinen, aber in diesem Fall kann ich mich freuen. Amalie hat ihre Freude an der Musik entdeckt, und ihre Kinderfrau unterrichtet sie am Klavier.»

«Wie alt ist sie? Vier?»

Ludovica nickte. «Schon viereinhalb. Sie macht das sehr schön, aber ich werde nun nicht behaupten, sie sei ein kleiner Mozart.»

Die Prinzessin lächelte ein wenig abwesend. Ludovica ergriff ihre Hand. «Verzeihung, ich wollte nicht taktlos sein. Ich weiß, wie sehr Sie sich ein Kind gewünscht haben.»

Elisabeth wehrte ab. «Ich habe meinen Frieden geschlossen. Wussten Sie, dass der Hof offiziell Friedrich Wilhelms jüngeren Bruder zum späteren Nachfolger benannt hat? Nein, ich liebe den Kronprinzen und habe mich damit abgefunden. Erzählen Sie mir mehr von Amalie. Sie ist so ein hübsches Kind, und ich freue mich, sie bei meinem nächsten Besuch wiederzusehen.»

Später, als die ersten beiden Gänge der Tafel bereits abgetragen waren, richtete der Kronprinz das Wort an Ludovica.

«Wie Gottfried mir erzählt hat, unterstützen Sie diese Krankenwartschule der Charité.»

Das war ein Thema, das Ludovica gefiel, obgleich es sie wunderte, dass der Kronprinz es für wert hielt, darüber zu sprechen. Sie berichtete von den Missständen in der Pflege, die sie von der Notwendigkeit einer Pflegeschule überzeugt hatten. Als sie allerdings betonte, wie wichtig es wäre, die Pflegekräfte der königlichen Charité besser zu entlohnen, winkte der Prinz ab. Dieses Thema interessierte ihn offensichtlich weniger. Und dann überraschte er die Gräfin noch einmal.

«Ich war erst kürzlich dort», sagte er. «Ich habe diese Wärterinnen gesehen, die man vermutlich wer weiß wo auf der Straße aufgelesen hat. Grobe Weiber mit einem noch gröberen Mundwerk. Das haben die Leidenden in unserem Krankenhaus nicht verdient. Ich würde dort lieber gottesfürchtige Schwestern sehen, die barmherzig den Dienst an ihrem Nächsten ausüben.»

Ludovica blinzelte verwirrt, während sich Gottfried ausschließlich mit seinem Weinglas beschäftigte.

«Friedrich spricht von Pfarrer Fliedners Diakonissen», mischte sich die Prinzessin ein. «Haben Sie von dieser Bewegung gehört?»

Ludovica überlegte. «Ja, ich glaube, ich habe etwas darüber gelesen. Ist es nicht dieser Pfarrer aus Kaiserswerth, der eine Bildungsanstalt für evangelische Pflegerinnen gegründet hat?»

Der Prinz nickte eifrig. «Ja, in der Tat. Pfarrer Fliedner nimmt anständige Bürgerinnen auf und führt sein Haus wie eine Schwesternschaft. Keusch und gottesfürchtig leben und arbeiten sie im Dienste Jesu», erklärte er mit einem verklärten Lächeln.

Diese Begeisterung passt zu ihm, dachte Ludovica.

«Ich habe mit Pastor Fliedner korrespondiert und ihn gebeten, uns einige seiner tüchtigen Schwestern an die Charité zu schicken, um diesem Elend der Wärterinnen ein Ende zu bereiten. Seine Schwestern sind gut ausgebildet. Allerdings fordert der Pfarrer keinen geringen Lohn für sie», fügte er hinzu.

Auch wenn der Kronprinz vom Geldausgeben wenig hielt, so hatte Ludovica das Gefühl, dass ihm im Gegensatz zu den «groben Wärterinnen» fromme Schwestern das Geld wert zu sein schienen. «Er hat mir versprochen, in wenigen Tagen mit einigen seiner Schwestern nach Berlin zu reisen!», verkündete Kronprinz Wilhelm begeistert.

Ludovica fragte sich, ob er den Direktor und die dirigierenden Ärzte schon informiert hatte und was wohl Dieffenbach davon hielt, so etwas Ähnliches wie Nonnen in seine Abteilung zu bekommen.

༄

Elisabeth machte sich auf den Weg zu ihrer Arbeit. Sie wohnte nun nicht mehr über der Chirurgischen Abteilung. Die neue Kammer war zwar ebenfalls ein Dachzimmer, aber viel heller und freundlicher als das Zimmer in der Alten Charité.

Im vergangenen Jahr war das Gebäude der Neuen Charité endlich fertig geworden. Der Dreiflügelbau im Norden des Charitégeländes setzte der Raumnot ein Ende. Professor Idelers Station zog in den Neubau ebenso wie Direktor Kluges Syphilisstation und die anderen venerischen Krankheiten, die alle im zweiten Stock untergebracht wurden. Die Krätzekranken richteten sich im dritten Stock ein. Außerdem gab es Räume für die Kranken, die aus den Gefängnissen überstellt wurden. In den beiden Seitenflügeln befanden sich nun die Wohnräume der Unterärzte, die auf dem Gelände lebten. Und unter dem Dach lagen die Kammern der Pflegekräfte.

Neugierig hatte sich Elisabeth in der Neuen Charité umgesehen: weitläufige Krankensäle mit sauberen Betten, zusätzlich fließendes Wasser, Bäder und Abtritte in allen Stockwerken. Das machte vieles angenehmer.

Natürlich war auch Elisabeth froh, dass die Enge des alten Gebäudes der Vergangenheit angehörte, andererseits war der Neubau, in dem nun auch sie wohnte, ein düsteres, dreistöckiges Backsteingebäude mit Eisengittern vor den Fenstern, das eher an eine Haftanstalt als an ein Spital erinnerte. An der Auffahrt zum Hauptportal war ein Rasenrondell angelegt worden. Jenseits der Mauer, die das Gelände umgab, waren die kahlen Rückseiten der Häuser in der Luisenstraße zu sehen. Zwischen den beiden Charitégebäuden türmte sich noch immer Bauschutt, der hoffentlich bald verschwinden würde. Noch war der Garten dahinter winterkahl, doch bald schon würde Frühlingsgrün ihn zu neuem Leben erwecken und der Flieder mit seinem Duft die üblen Gerüche vertreiben.

Dr. Dieffenbach stand in der Tür und beobachtete Elisabeth bei ihrer Arbeit. Sie wandte sich dem Doktor zu und sah ihn fragend an.

«Möchten Sie mit zum Tor kommen, um unsere Neuankömmlinge zu begrüßen?», erkundigte er sich.

Sie runzelte die Stirn.

«Sie bekommen *heilige* Unterstützung», sagte er mit spöttischem Unterton. «Diakonissen!»

Noch immer begriff Elisabeth nicht, was er meinte.

«Haben Sie nicht von Pastor Fliedner und seinen *Nonnen* gehört?»

Elisabeth schüttelte den Kopf.

«Der Pfarrer hat im rheinischen Kaiserswerth eine Art protestantischen Orden für alleinstehende Frauen gegründet, die sich zu einem keuschen Leben verpflichten und in christlicher Nächstenliebe Kranke pflegen. Sie nennen sich Diakonissen. Neben dem

Mutterhaus schießen nun überall Diakonissenhäuser wie Pilze aus dem Boden.»

«Und diese Frauen kommen hierher?», wunderte sich Elisabeth, während sie neben Dr. Dieffenbach zum Portal der neuen Charité hinüberging.

«Es ist ein Herzenswunsch unseres Kronprinzen, uns die christliche Lehre in der Charité näherzubringen, daher hat Direktor Kluge nachgegeben und nimmt vier Diakonissen und ihre Oberin bei uns auf. Wir Ärzte sind angehalten, sie freundlich willkommen zu heißen», fügte er hinzu, und Elisabeth konnte deutlich hören, was er davon hielt.

Vor dem Tor hatten sich bereits einige Professoren und Stabsärzte eingefunden. Ihre Mienen wirkten ähnlich abweisend wie der Ton in Dieffenbachs Stimme. Elisabeth hörte, wie Generalstabsarzt von Wiebel brummte: «Gedenkt der Kronprinz uns zu moralisieren?»

«Vielleicht müssen wir von nun an Prozessionen durch die Charité abhalten», spottete ein junger Arzt in Uniform, dessen Name Elisabeth nicht einfiel.

«Sie sind Protestanten», entgegnete Dr. Dieffenbach. «Geben wir ihnen eine Chance», schlug er nun trotz seiner Bedenken vor. «Es sind alleinstehende Frauen, die eine Pflegeausbildung nach unseren Richtlinien erhalten haben. Ich weiß zudem, dass sie mit meinem Buch zur Krankenwartung unterrichtet wurden.»

Plötzlich erklang von den Fenstern im dritten Stock ein Ausruf: «Da kommen sie!»

Offensichtlich wussten die Patientinnen aus dem Krätzesaal, die sich in ihren grauen Kitteln an die vergitterten Fenster drängten, besser Bescheid als Elisabeth.

Die Wärter und Wärterinnen, die sich etwas abseits der Ärzte aufgestellt hatten, reckten die Köpfe.

Vorneweg schritt ein hagerer Mann, dessen schwarzes Gewand

ihn als Pastor auswies. Das musste der Gründer der Bewegung sein. Pastor Fliedner. Dahinter kamen fünf Frauen, auch sie in Schwarz gekleidet, und jede trug eine altmodisch anmutende weiße Haube auf dem Kopf. Obgleich die meisten von ihnen recht jung erschienen, wirkten sie auf Elisabeth wie alte Matronen.

«Nonnen raus, Nonnen raus!», erscholl es von den Fenstern der Krätzeabteilung. Elisabeth fragte sich, wer den Patientinnen von der Ankunft der Diakonissen erzählt hatte.

Der Pfarrer reichte den Ärzten die Hand. Generalstabsarzt von Wiebel übernahm die recht kurze Begrüßungsrede und kündigte an, dass die Schwestern in Direktor Kluges Abteilungen für venerische Krankheiten und Krätze eingesetzt würden. Direktor Kluge selbst bot sich an, die Frauen zu ihrem neuen Arbeitsplatz zu führen.

Pfarrer Fliedner stellte die Älteste als Oberin Walburga vor, eine Frau mit durchgestrecktem Rücken, die bestimmt jenseits der vierzig war und äußerst streng wirkte. Ihr hätten die jüngeren Schwestern zu gehorchen, so Fliedner.

Was zu Konflikten mit den Ärzten führen könnte, überlegte Elisabeth, die doch daran gewöhnt waren, dem Pflegepersonal Befehle zu erteilen.

Neben der Oberin stand Schwester Theresa, die ähnlich alt schien und bereits graue Strähnen in ihrem Haar hatte. Pfarrer Fliedner erläuterte, dass Schwester Theresa zu ihnen gestoßen war, nachdem ihr Mann vor kurzem verstorben sei. Elisabeth entging nicht der unfreundliche Ausdruck in Theresas Gesicht, sie sah aber auch, wie jung die drei anderen Schwestern noch waren. Katharina, Gertrud und Josepha. Insbesondere Letztere trug ein offenes, freundliches Lächeln zur Schau, und Katharina lächelte ebenfalls. Sie war bestimmt noch keine zwanzig Jahre alt und wirkte mit ihrem feinen blonden Haar und den hellen Augen ein wenig kindlich.

Als der Generalstabsarzt ihr jetzt die Hand reichte, sah sie schüchtern zu Boden. Die dunkelhaarige Gertrud dagegen begegnete dem Blick des Arztes mit ernster, feierlicher Miene. Sie war eine echte Schönheit, wenn man sie sich ohne die Haube und mit einer anderen Frisur vorstellte.

Elisabeth fragte sich, was die Frauen wohl dazu bewogen hatte, dem Aufruf des Pfarrers zu folgen und Diakonisse zu werden. Mit Sicherheit hatte eine jede ihr eigenes Schicksal, vielleicht würden sie ihr irgendwann davon erzählen. Denn sie war gerne bereit, die Schwestern willkommen zu heißen. Arbeit gab es genug und dazu viel zu viele faule Wärterinnen und Wärter, die jede Gelegenheit nutzten, sich vor Unangenehmem zu drücken. Vielleicht würden die Diakonissen mit ihrer bewussten Entscheidung zur Barmherzigkeit den Patienten guttun. Elisabeth schaute sich um und bemerkte unter den Ärzten und dem Pflegepersonal viele skeptische Blicke.

«Führen wir unsere Schwestern hinein und machen wir sie mit ihrem zukünftigen Arbeitsplatz vertraut», schlug Generalstabsarzt von Wiebel vor.

Elisabeth erinnerte sich noch genau an ihren ersten Tag in der Charité. Sie ahnte, wie schockierend die Salivationsstube oder der Saal mit den Gefangenen wirken mussten. Die kleine Gesellschaft machte sich auf den Weg. Die Versammlung löste sich auf, und auch Elisabeth kehrte zu ihrer Arbeit zurück.

Am Abend, als sie auf dem Weg hinauf in ihre Kammer war, hörte sie aus der Gefangenenstube der Weiber laute Stimmen. Es klang ganz danach, als ob jemand Hilfe benötigte. Zwei Gestalten in schwarzen Kleidern standen im Gang vor einer offenen Tür, durch die das Stimmengewirr drang.

«Was gibt es denn? Kann ich helfen?», erkundigte sich Elisabeth freundlich und stellte sich den beiden Diakonissen vor.

«Schwester Katharina», sagte die Blonde, neben ihr stand Schwester Gertrud. Eingeschüchtert blickten beide durch die offene Tür in den Saal. Die Frauen, die eine Strafe für Prostitution oder Raub verbüßten, hatten offensichtlich beschlossen, den Diakonissen das Leben schwer zu machen. Mit ihren Holzklötzen an den Fußgelenken rotteten sie sich zusammen und überschütteten die beiden Neuen mit Schmähungen oder versuchten, sie mit wüsten Ausdrücken in Verlegenheit zu bringen.

«Seht nur, wie sie rot werden!», frohlockte eine der Frauen.

«Na, ihr Nönnchen, da gibt es noch viel zu lernen! Wir werden euch eure Unschuld schon noch austreiben!»

Der Aufruhr lockte einige Wärter von nebenan in den Frauensaal, die das Schauspiel genossen, bis sich Elisabeth einmischte und die Frauen mit wenigen scharfen Worten zur Ordnung rief. Sie sah sich um und taxierte die Patientinnen. Schnell wurde ihr klar, wer unter ihnen die Stärkste war, die die Führung übernommen hatte. Zu dieser ging Elisabeth hin und baute sich vor dem großen rothaarigen Weib mit den ausladenden Brüsten auf, die sich Minna nannte.

«So, du willst hier also Ärger machen und wiegelst die anderen gegen die Diakonissen auf, die gekommen sind, euch zu helfen.»

«Was willste dagegen tun, Kindchen?», begehrte Minna auf und keckerte. «Ich hab bereits 'nen Holzklotz am Bein. Willste mir noch einen dranhängen? Nur zu!»

Elisabeth ließ sich nicht aus der Ruhe bringen. «Du wirst dich anständig benehmen und die Schwestern nicht an ihrer Arbeit hindern.»

«Was sonst?»

«Ich denke an einen Einlauf zur inneren Reinigung, den du sicher lange nicht vergessen wirst. Fordere mich nicht heraus! Ich kann dich in die Salivationsstube verlegen lassen. Ich wette, wenn ich dir unter den Rock sehe, finde ich ein Argument für eine ausgiebige Quecksilberkur.»

Minna starrte sie zornig an. «Das hab ich hinter mir. Was ich jetzt hab, is keine Syphilis, sagt der Doktor. Das geht so wieder weg.»

«Gut, dann gib den Schwestern keinen Anlass, den Doktor von der Notwendigkeit einer erneuten Therapie zu überzeugen.» Die Rothaarige verschränkte die Arme vor dem dicken Busen und zog schmollend die Lippe hoch.

«Und ihr anderen, marsch in eure Betten zurück!» Maulend gehorchten die Frauen.

«Lasst euch nicht ins Bockshorn jagen», riet Elisabeth den jungen Frauen, die noch immer schüchtern in der Tür standen. «Wenn die nicht spuren, dann kommt zu mir», fügte sie so laut hinzu, dass es alle im Raum hören konnten. «Ich garantiere euch, ein zweites Mal mucken die nicht auf!»

«Das Kindchen hat ja richtig Eier unterm Rock», sagte Minna und grinste frech. Elisabeth wusste, dass sie ihren Respekt gewonnen hatte und dass sich ihr auch die anderen Frauen fügen würden. Wichtiger war allerdings, dass die Schwestern mit den Weibern klarkommen würden.

«Nur nicht schüchtern sein!», wandte sie sich noch einmal an Katharina und Gertrud, dann überließ sie den Neuen das Feld.

Ein paar Tage später setzte sich Elisabeth beim Abendbrot zu den fünf Schwestern ans untere Ende des Tisches. Die anderen Wärter schienen beschlossen zu haben, Abstand von den «Eindringlingen» zu halten, wie es Linda so laut formulierte, dass die Diakonissen es nicht überhören konnten.

Elisabeth hörte sie miteinander tuscheln. Nicht nur die christliche Überzeugung, aus der heraus die Frauen ihre Arbeit taten, stieß einigen Wärterinnen sauer auf. Was die meisten noch viel mehr störte, war, dass die Diakonissen mehr als doppelt so viel

Lohn erhielten und neben freier Kost und Kleidergeld jede dazu noch eine eigene Kammer bekam!

An dem kargen Lohn der Wärter hatte sich seit der Gründung der Krankenwartschule vor vier Jahren noch immer nichts getan, genauso wenig wie an ihrem eigenen. Elisabeth wunderte es deshalb nicht, dass sich bei den Männern und Frauen, die sich für diese Arbeit meldeten, ebenfalls wenig veränderte. Professor Dieffenbachs Wunsch, anständige und gebildete Bürger für seine Schule zu gewinnen, blieb ein Traum, solange das Kuratorium und die Minister des Königs nicht bereit waren, diese harte Arbeit angemessen zu bezahlen.

Elisabeth seufzte unwillkürlich, dann wandte sie sich erneut den Diakonissen zu.

«Wir geben unseren Lohn freiwillig an unser Mutterhaus ab», betonte Oberin Walburga und warf den Wärterinnen einen missbilligenden Blick zu. «Wir arbeiten nicht des Geldes wegen, sondern aus unserer christlichen Überzeugung heraus.»

«Jaja, unsere heiligen Nonnen», spottete Linda.

«Halte den Mund und sprich nicht über Dinge, von denen du keine Ahnung hast!», fuhr Schwester Theresa die Wärterin an.

Die Hausmutter griff ein, ehe sich der Streit ausweitete. Eine Weile aßen alle schweigend.

«Ein Taschengeld dürfen wir schon behalten», sagte Schwester Katharina leise zu Elisabeth.

«Das ist allein eure Sache», gab diese zurück und erwiderte das scheue Lächeln der Diakonisse.

«Mir wäre es lieber, wenn die Wärterinnen nicht so neidisch auf uns wären und uns freundlicher begegnen würden.»

«Das wird schon noch», sagte Elisabeth aufmunternd. «Sie müssen sich eben erst an euch gewöhnen. Ich finde es jedenfalls gut, wie ihr mit den Patientinnen umgeht. Dieser rüde Ton, schlimmer als in jedem Kasernenhof, war mir schon immer zuwider. Vielleicht nehmen sich manche ja ein Beispiel daran, dass man mit den Kranken auch freundlicher umgehen kann.»

«Nicht alle Wärterinnen sind so rüde», widersprach Schwester Katharina. «Du bist anders. Alle Patientinnen, die dich kennengelernt haben, sprechen mit Hochachtung von dir.»

Elisabeth spürte, wie sie rot vor Freude wurde. «Danke. Ich bemühe mich täglich, mein Bestes zu geben, aber manches Mal bin auch ich zu müde und kann nicht allen gerecht werden.»

«Ich bin zwar erst ein paar Tage hier, aber ich verstehe, was du meinst», sagte Katharina und senkte erneut ihre Stimme. «Man kommt jeden Tag an seine Grenzen und fragt sich, wo man die Kraft hernehmen soll. Weißt du, ich bin leider nicht so fest in meinem Glauben wie unsere Oberin oder Gertrud, die ihre Kraft direkt von Gott zu bekommen scheinen. Ich bin zu Pfarrer Fliedner gegangen, weil ich meine Familie verloren habe und nicht weiterwusste. Sie sind alle an der Cholera gestorben!»

Elisabeth legte ihr verständnisvoll die Hand auf den Arm. «Auch ich bin die Einzige in meiner Familie, die noch lebt.»

Katharina standen Tränen in den Augen. «Ich fühlte mich so einsam. Außerdem musste ich ja irgendwie überleben. Pfarrer Fliedner war meine Rettung. Jetzt habe ich eine neue Familie. Mit all den Schwestern um mich fühle ich mich wieder geborgen. Ich weiß, wo ich hingehöre, und ich bin versorgt. Ich muss nicht um mein tägliches Brot fürchten, und ich habe eine Arbeit, die für mich und andere gut ist.»

«Dann hast du deinen Treueschwur nicht bereut?», wollte Elisabeth wissen.

Die junge Diakonisse schüttelte den Kopf. «Keinen einzigen Tag. Ich möchte ja gar nicht heiraten, daher ist es für mich kein großer Verzicht, keusch leben zu müssen. Wir haben uns für fünf Jahre verpflichtet, nach Pastor Fliedners Regeln zu leben.»

«Und dann?»

«Dann können wir unseren Schwur erneuern.»

Als Elisabeth später zu ihren Krankensälen zurückkehrte, fühlte sie eine seltsame Leere in sich. Sie dachte an ihre Schwester und das Kind, das nicht hatte leben dürfen, und an all die Toten in ihrer Familie. Schwer wog die Traurigkeit in ihrem Herzen. Auch sie fühlte sich alleine. Mit wem konnte sie schon über ihre Sorgen und Gefühle sprechen? Jedenfalls nicht mit Linda oder Christina, die weiterhin die Kammer mit ihr teilten. Am ehesten würde Margret sie verstehen.

Sie dachte wieder einmal an Alexander Heydecker, der schon fast zwei Jahre fort war, und plötzlich fühlte sie sich noch einsamer. Sie schluckte. Lange hatte sie ihre Familie nicht mehr so sehr vermisst.

Elisabeth blieb vor der Tür zum Chirurgischen Frauensaal stehen. Sie wischte sich über das Gesicht, blinzelte ein paarmal und setzte ein Lächeln auf. Dann erst öffnete sie die Tür und trat ein.

KAPITEL 18

Klumpfuß

Spät in der Nacht schreckte ein Klopfen die Wärterinnen in ihrer Kammer auf. Die Tür öffnete sich, und im Schein einer Lampe tauchten ein schwarzes Kleid und eine weiße Haube über einem schreckensbleichen Gesicht auf.

«Ich habe Schreie gehört», sagte eine Stimme.

«Das geht uns nichts an», entgegnete Linda und drehte der jungen Diakonisse den Rücken zu. Auch Christina und Margret machten keine Anstalten, ihre Betten zu verlassen.

«Es ist doch sicher einer der Unterchirurgen da», sagte Christina und gähnte.

«Verschwinde und lass uns schlafen!», fauchte Linda.

Die Diakonisse zögerte. «Aber man muss doch nachsehen», sagte sie vage.

Elisabeth warf ihre Decke von sich und griff nach einem Wolltuch. Sie schlüpfte in ihre Schuhe, legte sich das Tuch um die Schultern und ging zur Tür. «Ich komme mit dir», sagte sie.

«Danke», stieß Schwester Katharina erleichtert aus. «Ich kenne mich noch nicht so gut aus und wüsste nicht, was zu tun ist.»

Die beiden Frauen schritten durch den dunklen Flur. Da, nun konnte auch Elisabeth die Schreie hören. Eindeutig eine Frau, und es kam aus einem der Säle unter ihnen.

«Du hast doch eine Ausbildung zur Pflegerin gemacht», sagte Elisabeth erstaunt.

Die junge Diakonisse nickte. «Das schon. Wir haben nach einem Buch von Dr. Dieffenbach gelernt und hatten bei Pfarrer Fliedner Unterricht, aber das ist etwas anderes, als wenn man Jahre der Erfahrung mitbringt wie du.»

Elisabeth lächelte verlegen. Sie erreichten den Saal der Gefangenen, aus dem nun nur noch ein Wimmern klang. Elisabeth stieß die Tür auf und zündete eine Lampe an.

«Was ist hier los?» Fragend sah sie in die Runde der Gesichter, deren Mienen von Zorn über Ungeduld bis zu Mitleid reichten.

«Ich glaub, das Kind kommt», sagte Minna und zeigte auf eine der Frauen, deren Kittel sich unter ihrem Busen wölbte. Sie klang genervt. «Nehmt sie mit! Wie soll man denn bei dem Geheul schlafen?»

Elisabeth eilte an das Bett der Schwangeren. «Aber ist das nicht noch viel zu früh?»

Die Gefangene, die Clara hieß, nickte und schrie dann wieder, als eine weitere Wehe über sie kam.

«Atmen, atmen», kommandierte Elisabeth und nahm ihre Hände, bis die Welle verebbte.

«Hol die Hebamme und sieh nach, ob einer der Ärzte zu finden ist», rief sie Schwester Katharina zu. «Und die Wickelfrau soll auch kommen. Ich bleibe so lange bei ihr.»

Katharina nickte, rührte sich aber nicht vom Fleck. «Wo kann ich sie finden? In welchem Zimmer wohnt die Hebamme?»

Elisabeth winkte die Diakonisse zu sich. «Dann bleib du hier. Sie muss bei den Wehen gut weiteratmen und darf sich nicht verkrampfen.»

Katharina setzte sich zu der Wöchnerin, während Elisabeth eine der Lampen nahm und davoneilte.

Als sie mit Dr. Reich, der Hebamme und der Wickelfrau zurückkam, war die Geburt bereits nicht mehr aufzuhalten. So gebar Clara, die Zofe, die ihre Herrin bestohlen hatte und vom Sohn ihres Dienstherrn schwanger geworden war, in der Gefangenenstube einen toten Jungen, der noch nicht vollständig entwickelt war.

«Sei froh, dass du dich nicht auch noch mit 'nem Balg belasten musst», kommentierte Minna roh.

Clara weinte, obwohl sie behauptete, dass ihr das so lieber sei. Der Arzt zog sich zurück und überließ die Patientin der Hebamme und der Wickelfrau, die den Rest übernehmen würden. Sie scheuchten alle neugierigen Zuschauerinnen barsch in ihre Betten.

«Und ihr geht auch in eure Kammern zurück», sagte die Hebamme zu Katharina und Elisabeth.

Elisabeth drückte Clara noch einmal die Hände und tupfte ihr mit einem Tuch die Tränen aus dem Gesicht, ehe sie sich verabschiedete.

Stumm stiegen die beiden Frauen zum Dachgeschoss hinauf.

«Du solltest dich uns anschließen», sagte Katharina plötzlich.

«Was meinst du?», rief Elisabeth und sah sie erstaunt an.

«Du solltest Diakonisse werden. Du bist so anders als alle Wärterinnen und Wärter, denen ich hier bislang begegnet bin. Du hast ein gutes Herz und machst diese Arbeit aus Überzeugung, weil du den Menschen helfen willst. Genau das ist es, was unsere Schwesternschaft ausmacht. Wir leben Barmherzigkeit, Liebe und Güte, so wie du, und wir geben uns in unserer Gemeinschaft gegenseitig Kraft. Wir sind eine Familie! Denk darüber nach.»

Sie wünschten einander gute Nacht und kehrten dann in ihre Kammern zurück. Elisabeth ließ ihr Tuch auf ihre Kleidertruhe fallen und schlüpfte ins Bett. Sie zog sich die Decke bis unter das Kinn und versuchte, wieder einzuschlafen, doch ihr Geist war in Aufruhr. Schwester Katharinas Worte gingen ihr nicht aus dem Sinn.

Eine Familie, dachte sie. *Schwestern im Geiste.*

Ihr war bewusst, dass sie sich unter den Wärterinnen immer als Außenseiterin gefühlt hatte. Sie waren so anders. Jede kämpfte nur für sich selbst. Unter ihnen war keine, die sich für alles interessierte, was jenseits ihrer täglichen Arbeit lag. All das, was die Pépins und die Studenten über Anatomie, Innere und Äußere Medizin lernen durften. Elisabeth kannte keine andere Wärterin, die begierig jedes Buch las, das ihr in die Hände fiel. Einige von denen, die vor Gründung der Krankenwartschule eingestellt worden waren, konnten ja nicht einmal lesen! Ja, sie war anders. Vermutlich fühlte sie sich deshalb so allein, obgleich sie mit drei Wärterinnen das Zimmer teilte.

Eine Familie!

Sie spürte, wie sich Tränen in ihren Augen sammelten. Wie schön wäre es, irgendwo dazuzugehören. Wie schön, wieder eine Familie um sich zu haben. Aber konnte Oberin Walburga wirklich so etwas wie eine Mutter sein?

Elisabeth dachte an die strenge Diakonisse, die ihre Schwestern oft mit barschem Ton dirigierte. Der unterschied sich nicht viel von dem der Hausmutter, wenn sie die Wärterinnen zur Ordnung rief.

Elisabeth dachte wieder an Katharina und an Gertrud, die so lieb und fromm war. Doch musste sie tatsächlich die Tracht der Diakonissen überstreifen, um ihre Schwester im Geiste zu werden? Konnten sie nicht einfach so Freundinnen sein?

Sie schlief ein und träumte von Frauen in schwarzen Kleidern, die in einem wilden Reigen um sie herumtanzten.

ᕦᕤ

Es war ein prächtiger Maitag, als ein neuer Patient auf Dieffenbach wartete. Er saß nicht in seiner Praxis. Emilie hatte ihn in den Salon gebeten und ihn mit Kaffee bewirtet.

Als Dieffenbach eintrat, erhob er sich und streckte die Hand aus. Er kam dem Hausherrn nicht entgegen. Seine Linke stützte er auf die Tischplatte, während er dem Arzt die Rechte entgegenstreckte.

«Dr. Dieffenbach, ich bin ja so froh, Sie zu sehen. Ich hege große Hoffnung, dass Sie mir helfen können», sagte er mit englischem

Akzent. «Mein Name ist William John Little, ich bin selbst Arzt und komme ursprünglich aus London. Ich arbeite mit Ihrem Professor für Anatomie Dr. Müller zusammen und bin mit Ihrem Prosektor Dr. Froriep gut bekannt. Beide haben Sie wärmstens empfohlen. Wenn einer Ihnen helfen kann, dann Dr. Dieffenbach, hieß das einhellige Urteil.»

Natürlich war Dieffenbach nicht unempfänglich für Schmeicheleien, dennoch war er auch wachsam.

«Worum geht es?», erkundigte er sich daher nüchtern.

Mühsam schob sich der englische Arzt hinter dem Tisch vor, sodass Dieffenbach das Problem deutlich vor Augen stand.

«Darf ich Ihnen die Schiene abnehmen und mir das Bein ansehen?», erkundigte er sich.

«Ich bitte darum. Sie müssen das aber nicht hier machen. Ich möchte Ihrer liebreizenden Gattin diesen Anblick lieber nicht zumuten. Ich begleite Sie gerne in Ihre Praxisräume hinunter», schlug Little vor.

Dieffenbach lächelte. «Emilie ist mir eine große Stütze und als Arzttochter und Schwester eines Arztes einiges gewöhnt. Kommen Sie! Ich helfe Ihnen zum Canapé hinüber.»

Little griff nach seinem Stock und hinkte mit Dieffenbachs Hilfe zum Sofa. Dieffenbach ging vor ihm in die Knie und half ihm, die Schiene zu lösen, die ihm ein wenig Stütze für den verformten Fuß gab.

«Sie leiden unter *Pes equinovarus*, einer Kombination aus Spitz- und Klumpfuß», lautete seine Diagnose.

Der englische Arzt nickte. «Ja, das Gehen wird zunehmend mühsamer, und es ist mir bald unmöglich, meine Praxis weiterzuführen, wenn ich keine Hilfe bekomme. Kannten Sie den französischen Arzt Delpech? Er hat schon vor Jahren einen Aufsatz über den schonenden Schnitt der Achillessehne veröffentlicht. Ich hatte ihn um Rat gebeten, doch er warnte mich vor einer Operation und wies auf die Gefahr der Eiterung hin. Aber ich sage Ihnen, der Schnitt ist meine letzte Hoffnung.»

Dieffenbach nickte. «Ja, ich kannte ihn. Ich durfte während meiner Studienjahre in Paris bei Delpech hospitieren. Schon damals hat er die ersten subkutanen Schnitte ausgeführt, doch seine Methode fand keine Anhänger, was ich nicht recht begreife.»

Er beugte sich vor und untersuchte den Fuß eingehend. «Ich denke schon, dass eine Tenotomie bei Ihnen Erfolg haben könnte, aber seien Sie gewarnt, die Durchschneidung der Sehne wäre erst der Anfang eines langen Leidenswegs. Man müsste den Eingriff subkutan ausführen, damit die Sehne nicht in Gefahr gerät, Eiter anzuziehen, und auch nicht zu fest vernarbt. Dann könnte man das Zwischengewebe, das sich nach dem Eingriff bildet, mit einer Apparatur Stück für Stück so lange dehnen, bis Ihr Fuß in einen rechten Winkel zu Ihrem Bein gebracht werden kann. Die Behandlung nach der Operation wird das Entscheidende sein!»

Little lächelte Dieffenbach an. «Ich lege mein Schicksal in Ihre Hände!»

Doch dieser schüttelte den Kopf. Vielleicht war es Elviras Nase, die ihn zaudern ließ. «Ich habe diese Operation noch nie ausgeführt, aber ich weiß einen guten Freund, der Ihnen helfen wird. Ich werde Ihnen ein Empfehlungsschreiben mitgeben, und ich versichere Ihnen, bei Dr. Stromeyer in Hannover sind Sie mit Ihrem Fuß gut aufgehoben.» Er setzte sich an seinen Sekretär und begann zu schreiben.

Hochgeehrter Kollege Stromeyer,

William John Little, ein Londoner Arzt, der hier in Berlin weilt, und auch ich selbst wünschen zu erfahren, ob ihm Ihre Operationsmethode helfen könnte. Beim Anblick seines Klumpfußes habe ich sogleich an Sie und Ihre Erfolge mit subkutanen Schnitten gedacht. Meine

Erfahrungen sind zu gering und betreffen andere Difformitäten,
sodass ich mir bei dieser nicht genug zutraue. Doch Sie sind ganz
sicher in der Lage, ihm zu helfen. Ich würde mich freuen, wenn Sie
sich seiner annehmen, und hoffe, Sie halten mich über jeden Ihrer
unternommenen Schritte auf dem Laufenden.

Ich empfehle mich und verbleibe in Hochachtung,
Ihr ergebener Kollege Dieffenbach

«Ich danke Ihnen herzlich», sagte der Engländer erfreut und steckte das Empfehlungsschreiben ein.

«Kommen Sie irgendwann wieder vorbei und zeigen Sie mir den Erfolg», bat Dieffenbach.

᠊᠊ ᠊ ᠊ ᠊ ᠊ ᠊ ᠊ ᠊ ᠊ ᠊ ᠊ ᠊ ᠊ ᠊ ᠊ ᠊ ᠊ ᠊ ᠊ ᠊

Der Zufall führte Martha an ihrem freien Nachmittag gerade in diesem Moment mit ihrem Sohn August am Tor des Palais von Bredow vorbei, als die Gräfin mit dem Kind an der Hand durch das Tor trat. Die Kinderfrau folgte mit einigen Schritten Abstand.

Es war ein warmer Sommertag, der Himmel über Berlin schimmerte blau, und kleine weiße Wolken wanderten gemächlich über die Stadt hinweg. Die wohlhabenden Bürgerinnen hatten sich in farbenprächtige Kleider gehüllt und flanierten unter ihren Hüten und Sonnenschirmen die Allee entlang.

«Martha!»

Gräfin Ludovica erkannte ihre Hebamme sofort und streckte ihr die Hand entgegen. «Martha, wie schön, Sie zu sehen. Ist das Ihr Sohn?»

«Aber ja. August, wo bleiben deine Manieren? Sag der Gräfin guten Tag!»

August zog die Mütze vom Kopf und machte einen Diener.

Die Gräfin legte ihre Hände auf die Schultern des hübschen, kleinen Mädchens, das ein feines Rüschenkleid trug und eine Strohschute auf den blonden Locken, die mit einem Seidenband unter ihrem Kinn befestigt war. Es war die Miene einer stolzen Mutter.

«Das ist Amalie Friedericke. Sie haben meine Tochter nicht mehr gesehen, seit sie in den Windeln lag.»

Martha versuchte sich an einem Lächeln, obgleich es ihr die Kehle zuschnürte. *Das geraubte Kind – nein, das gerettete Kind*, verbesserte sie sich.

«Wie hübsch du geworden bist. Eine junge Dame!» Sie rechnete. Das Mädchen musste beinahe fünf Jahre alt sein.

«Das ist Martha Vogelsang, mein Schatz, und ihr Sohn August. Martha hat dich auf die Welt geholt», erklärte Ludovica dem Kind, welches sie für ihre Tochter hielt.

Amalie sah erst die Hebamme an und dann August. «Warum guckst du so komisch?», wollte sie in der offenen Art der Kinder wissen.

«Ich guck immer so», verteidigte sich August. «Mein Auge will nicht in eine andere Richtung sehen.»

Die Kleine musterte ihn interessiert, während sich die Gräfin für deren mangelndes Taktgefühl entschuldigte.

Martha hob die Schultern. «Es ist halt so. Gott hat sich einen schlechten Scherz mit unserem August erlaubt, da ist leider kein Kraut gegen gewachsen.»

Die kleine Gruppe schritt über den Fahrweg zwischen den Kutschen hindurch zur Lindenallee hinüber, unter deren grünen Zweigen an diesem Nachmittag halb Berlin zu flanieren schien. Bunte Kleider und feine Fräcke spazierten neben Dienstmädchen in gestreiften Röcken und strengen Kinderfrauen, die ihre Schützlinge im Zaum zu halten versuchten. Die Kinderfrau nahm Amalie an die Hand.

«Wir müssen leider umkehren», sagte Martha.

Die beiden Frauen verabschiedeten sich.

«Ich verstehe es noch immer nicht, warum Sie Ihre Arbeit als Hebamme aufgegeben haben, um Tote zu sezieren», sagte Gräfin Ludovica plötzlich.

Martha mied ihren Blick. «Auch die Toten haben Respekt verdient. Irgendjemand muss diese letzte Aufgabe für sie übernehmen. Und außerdem ist es in der Charité wie in einer großen Familie. Das ist besser für August.»

Ludovica ließ nicht locker. «Sie hätten doch auch für Direktor Kluge in der Gebärstation arbeiten können oder in der Kinderklinik bei Dr. Barez.»

«Ich habe meine Entscheidung gefällt», antwortete Martha schroffer als beabsichtigt und sah zu Amalie hinüber, die ungeduldig auf und ab hüpfte.

Die Gräfin zuckte zurück. «Vielleicht erzählen Sie mir irgendwann einmal, was Sie aus der Bahn geworfen und zu dieser Entscheidung gedrängt hat.»

Martha wandte rasch ihren Blick ab. «Da gibt es nichts zu erzählen.» Ein letzter Gruß, dann ging sie mit August davon. Den Blick der Gräfin spürte sie in ihrem Rücken, bis sie um eine Ecke bogen.

Vielleicht hätte sie für alle Zeit geschwiegen, wenn ihr nicht bei ihrer Rückkehr Elisabeth über den Weg gelaufen wäre, kaum dass sie das Tor zum Gelände der Charité hinter sich gelassen hatten. Elisabeth merkte sofort, dass etwas passiert war.

«Was ist, Martha?», erkundigte sie sich.

«Wir haben Gräfin Ludovica und ihre Tochter Amalie getroffen», gab August bereitwillig Auskunft, der irgendwie spürte, dass die trübe Stimmung seiner Mutter mit dieser Begegnung zusammenhing.

«Was ist los?», wiederholte Elisabeth und lächelte Martha aufmunternd an.

Martha stöhnte. «Ach nichts. Ich fühle mich heute nicht besonders», behauptete sie, doch mit solchen Ausreden war sie bei Elisabeth an der falschen Adresse.

Diese hob die Brauen. «Ich denke, wir trinken einen Kräutertee zusammen, und du erzählst mir dann, was dich bedrückt.»

Das war das Letzte, was Martha wollte, doch vielleicht hatte sie das Geheimnis schon zu lange mit sich herumgetragen, und nun drängte es nach draußen.

Der Speiseraum war leer. Die Wärter und Wärterinnen arbeiteten um diese Zeit auf ihren Stationen, und eigentlich hätte sich auch Elisabeth bereits wieder zum Dienst melden sollen, stattdessen setzte sie sich zu Martha, die nach einem Bier verlangte.

So wie seit den Anfangsjahren auf dem Gelände der Charité Obst und Gemüse angebaut wurde, so gab es auch eine kleine Brauerei, die das Bier lieferte, das Wärter und Patienten täglich tranken. Daneben besaß die Charité einige Ländereien, die sie mit einem zumindest kleinen Teil des Getreides versorgten, das für Brot, Mus und Suppen täglich gebraucht wurde. Der größere Teil dagegen musste zugekauft werden und belastete die Kasse des Krankenhauses. Seit Jahren tobte der Streit, ob auf dieses Getreide Steuern zu bezahlen seien. Doch zumindest war inzwischen der Zank darüber beigelegt, ob die Stadt für den Aufenthalt ihre eigenen bedürftigen Kranken in der königlichen Charité zahlen müsse. Hunderttausend freie Verpflegungstage für die Armen der Stadt hatte der König im letzten Jahr nach jahrelangem Streit den Berlinern zugestanden.

Aber Marthas Gedanken kreisten in diesem Moment nicht um die Charité und deren Schwierigkeiten. Sie dachte an das Kind, das sie vor fast fünf Jahren aus dem Cholerahaus mitgenommen und einer fremden Frau untergeschoben hatte. Und an die leibliche Tante des Mädchens, die ihr nun mit ihrem Becher Pfefferminztee gegenübersaß und sie forschend anblickte. August hatte sich in der Küche ein Ingwerplätzchen erbettelt und saß in einer Ecke, wo er sich kleine Männchen aus einigen Zweigen und ein wenig Garn bastelte.

«Was treibt dich so um?», drängte Elisabeth.

«Ich habe heute an deine Schwester gedacht», gab Martha zu.

«Ich denke auch viel an sie und frage mich, was sie hat erleiden müssen und warum unser Gott so wenig Gnade mit den Unschuldigen zeigt. Zumindest das Kind war unschuldig!», fügte sie mit Nachdruck hinzu.

«Ja», sagte Martha gedehnt. «Das war es, und vielleicht hat der Herr es deshalb verschont.»

Elisabeth brauchte einige Augenblicke, bis ihr bewusst wurde, was Martha da gerade gesagt hatte. Erstaunt riss sie die Augen auf und starrte die Hebamme an. «Was willst du damit sagen?»

Es war zu spät. Jetzt gab es kein Zurück mehr. Nun musste sie ihr die ganze Wahrheit sagen. «Deiner Schwester ging es plötzlich schlecht», fing Martha an. «Die Nachgeburt kam nicht wie gewöhnlich. Maria blutete heftig, und ich konnte die Blutung nicht stoppen. Sie ist unter meinen Händen immer schwächer geworden, bis sie starb.»

Elisabeth dachte über die Worte nach, bis sie den Punkt fand, der sie einhaken ließ. «Die Nachgeburt? Dann war das Kind also bereits da? Hat es gelebt?»

Martha nickte.

«Was ist mit ihm passiert?», bohrte Elisabeth weiter.

«Nichts. Es war ein gesundes, kräftiges Mädchen, nur für seine Mutter konnte ich nichts mehr tun.»

«Was hast du mit meiner Nichte gemacht?», rief Elisabeth entsetzt. «Du hast sie doch nicht etwa in diesem Cholerahaus bei ihrer toten Mutter zurückgelassen?»

Martha funkelte sie an. «Wenn es nach dem Polizeipräfekten gegangen wäre, hätte ich genau das machen müssen. Ja, ich hätte nicht einmal in das Haus hineingedurft, um deiner Schwester bei der Geburt beizustehen.»

«Was ist mit dem Kind geschehen?», stieß Elisabeth mit einem unterdrückten Schluchzen hervor.

«Ich habe es mitgenommen.»

«Was, was sagst du da? Wo ist sie? Lebt meine kleine Nichte noch?»

Martha nickte. «Ja, ich versichere dir, es geht ihr gut. Prächtig, würde ich sogar sagen. Ein besseres Leben könntest du dir für die Kleine nicht wünschen. Reicht dir das?»

Es wunderte sie nicht, dass Elisabeth den Kopf schüttelte. «Sag mir alles! Was hast du getan?»

Stockend redete sich Martha von der Seele, was sie seit Jahren belastete. «Sie heißt jetzt Amalie Friedericke von Bredow, und die Gräfin liebt ihre Tochter von Herzen.»

Elisabeth starrte Martha ungläubig an. «Du hast das tote Kind verschwinden lassen und dafür meine Nichte für ihre Tochter ausgegeben?»

«Es war in dieser Situation für alle Seiten das Beste», verteidigte sich Martha. «Du hättest hören sollen, wie die Gräfin nach ihrem Kind rief. Ich konnte nicht so grausam sein, ihr die Wahrheit zu sagen. Außerdem, was hätte ich mit der Kleinen machen sollen? Sie in ein Waisenhaus geben? Sie zu dir bringen? Wie hättest du als Wärterin ein Kind aufziehen können? Das ist unmöglich! Und ich selbst habe mit August genug Probleme am Hals. Er hat es nicht leicht und ist zu oft allein. Wie hätte ich da noch ein Kind annehmen können?»

Elisabeth schwieg eine ganze Weile. Mit gesenktem Blick saß sie da und dachte nach. «Hast du deshalb deine Arbeit als Hebamme aufgegeben und zerschneidest nun die Toten? Ist das deine selbst auferlegte Buße für deine Verfehlung?»

Martha nickte hilflos. «Kannst du mir verzeihen?»

Elisabeth hob die Schultern. «Nicht ich bin es, die einst über dich richten wird. Das musst du mit dir und mit Gott ausmachen.» Sie erhob sich und wandte sich zum Gehen, doch Martha griff nach dem Ärmel ihres Kleides.

«Bitte, bewahre das Geheimnis für dich. Reiße das Kind nicht aus seiner Familie und nimm ihm nicht die Liebe der Frau, die es für seine Mutter hält. Das wäre grausam.»

Elisabeth blinzelte. «Ja, das wäre es. Und dennoch muss ich erst nachdenken, ob ich einfach schweigen kann.»

Sie ging davon. Martha leerte ihr Glas und erhob sich schwerfällig. «Komm, August, sammle deine Männchen ein. Wir müssen gehen. Meine Arbeit wartet auf mich.»

∼

Elisabeth schlief schlecht in dieser Nacht. Immer wieder kehrten ihre Gedanken zu Marthas Worten zurück. Das Kind ihrer Schwester lebte! Sie war gar nicht allein, sie hatte eine kleine Nichte, die im Palais von Bredow lebte.

Als Elisabeth sich am Morgen erhob, war der Drang, das Kind zu sehen, so groß, dass sie kaum an etwas anderes denken konnte. Als sich die Schwestern und Wärter am Mittag zum Essen im Speiseraum trafen, machte sich Elisabeth heimlich davon. Sie schlüpfte durch das Tor und lief in die Stadt. Außer Atem erreichte sie die Allee mit den Linden und näherte sich dem Palais des Grafen. Unschlüssig wanderte sie hin und her, ohne das Portal aus den Augen zu lassen.

Wie lange würde sie hier warten müssen, bis sie das Kind zu Gesicht bekam? Vielleicht würde es am Nachmittag mit seiner Kinderfrau einen Spaziergang unternehmen, doch bis dahin konnten noch Stunden vergehen, und sie würde jetzt schon zu spät zu ihrer Arbeit zurückkehren.

Elisabeth unterdrückte einen Seufzer. Sie würde Ärger bekommen, das war klar, dennoch konnte sie sich nicht aufraffen, den Heimweg anzutreten. Nur noch ein paar Minuten. Vielleicht würde sich die Tür dann öffnen, und sie könnte ihre Nichte sehen.

Den Blick über die Schulter fest auf das Palais gerichtet, machte sie ein paar Schritte, als etwas gegen ihre Seite stieß. Ein Aufschrei. Elisabeth fuhr herum und konnte gerade noch ein Mädchen in einem feinen rosafarbenen Kleid davor bewahren, zu straucheln und die weiße Spitze zu beschmutzen. Sie umfasste den Arm, bis das Kind sein Gleichgewicht wiedergefunden hatte.

«Amalie, wo sind denn deine Manieren? Entschuldige dich», forderte eine strenge Stimme.

Elisabeth sah von dem hübschen Kindergesicht zu der dunkel gekleideten Gestalt der Kinderfrau hoch und dann wieder zu dem Kind. *Amalie.* Konnte es wirklich sein? War dieses Mädchen das Kind ihrer Schwester?

«Es war nicht ihre Schuld», sagte Elisabeth rasch. «Ich habe nicht aufgepasst.»

«Ich entschuldige mich», sagte das kleine Mädchen höflich. «Ich wollte Sie nicht stoßen.»

Elisabeth ließ die Kleine los, die sie nun offen anlächelte. Feierlich reichte sie dem Kind die Hand. «Ich bin Elisabeth, Wärterin Elisabeth.»

«Komtess Amalie Friedericke von Bredow», sagte es artig.

Elisabeth verschlang das süße Gesicht fast mit den Augen. Was für ein hübsches Kind. So lieblich und gut erzogen. Das war ihre Nichte? Marias Kind? Ja! Und doch gehörte das Mädchen nicht mehr in ihre Welt. Es war längst eine kleine Komtess geworden. Elisabeth hatte kein Recht, das Leben des Kindes durcheinanderzubringen. Was hätte sie schon zu bieten?

«Wärterin?», wiederholte die Kleine. «Was bedeutet das?»

«Ich arbeite in der Charité, dem großen Berliner Krankenhaus.

Wir Wärterinnen betreuen und pflegen die Kranken dort», gab Elisabeth bereitwillig Auskunft.

«Papa ist auch immer krank», verriet Amalie. «Wir wohnen da drüben.» Sie deutete auf das Palais von Bredow.

Die Kinderfrau mischte sich wieder ein und ergriff ihre Hand. Mit einer Entschuldigung unterbrach sie das Gespräch und führte das Kind auf das Haus zu. Elisabeth sah ihnen nach, bis sich das schwere Portal hinter ihnen geschlossen hatte. Sie spürte Tränen hinter ihren Lidern brennen.

Amalie Friedericke, ein Stück meiner Familie, dachte sie. *Maria, sei beruhigt, für dein Kind ist gesorgt.* Dann wandte sie sich ab und eilte zur Charité zurück, wo sie von einer sehr grimmigen Hausmutter in Empfang genommen wurde. Sie hörte sich die Strafpredigt an und nahm ihre zusätzlichen Aufgaben, ohne mit der Wimper zu zucken, hin.

Am Abend, als alle anderen schon zu Bett gingen, füllte sie einen Putzeimer mit Wasser und begann, auf ihren Knien die große Treppe zu schrubben. Die ganze Zeit hatte sie das Gesicht des kleinen blonden Mädchens vor Augen. *Amalie Friedericke.* Niemals würde sie erfahren, dass Wärterin Elisabeth ihre Tante war.

In der Nacht träumte sie von Amalie. Sie spielten Fangen, doch die Kleine war so flink, dass Elisabeth ihr nicht folgen konnte. Das Kind entfernte sich immer weiter von ihr, bis sie es nicht mehr sehen konnte. Verzweifelt suchte sie nach ihm. Plötzlich war sie von schwarz gekleideten Schwestern umgeben. Ihre Kleider bauschten sich im Wind. Katharina winkte ihr und rief ihr etwas zu. Die Schwestern hielten sich an den Händen und tanzten einen stummen Reigen. «Komm zu uns, Schwester Elisabeth», rief Katharina. «Wir sind jetzt deine Familie.»

Elisabeth spürte im Traum, wie ihr Tränen über das Gesicht liefen.

KAPITEL 19

Entscheidungen

Es war Anfang September, als Martha Elisabeth nach ihrer Arbeit abpasste.

«Trinkst du ein Bier mit mir?», fragte Martha.

«Mir ist nicht nach Bier», gab Elisabeth zurück, blieb aber stehen und sah Martha an.

«Du kannst trinken, was du willst, aber rede mit mir. Hast du mir noch immer nicht verziehen? Sind wir denn keine Freundinnen mehr? Unsere Gespräche und unsere Vertrautheit fehlen mir.»

Elisabeth trat auf Martha zu und legte ihre Arme um die kleine, dürre Gestalt. «Ich verstehe deine Entscheidung», sagte sie und drückte Martha an sich. «Sie war barmherzig und ist für das Kind und seine Ziehmutter ein Segen. Ich bedaure nur, dass ich nicht am Leben meiner Nichte teilhaben darf.»

Martha stieß einen tiefen Seufzer aus.

Elisabeth ließ sie los und trat zurück. «Es tut mir leid, dass ich nicht schon längst mit dir gesprochen habe. Wenn wir uns in den vergangenen Wochen kaum gesehen haben, dann lag dies lediglich an meiner Arbeit. Natürlich sind wir Freundinnen, und du hast recht, wir sollten uns öfter Zeit nehmen, miteinander zu sprechen.»

Sie gingen in den Garten, wo August mit Zuchtmeister Wiesinger und einer jungen Katze spielte. Hier war es angenehm kühl. Ein frischer Wind strich durch die Bäume. «Meinst du, du könntest nächsten Montag eine Stunde frei bekommen?», erkundigte sich Martha.

Elisabeth überlegte. «Ich müsste Oberin Walburga und natürlich Professor Rust fragen. Warum?»

Martha richtete sich gerade auf und warf einen Blick voller Stolz in Richtung August. «August kommt in die Schule! Ich habe ihn bei Schulmeister Obermann angemeldet. Die Schule ist in der Marienstraße, also nicht weit weg. Gleich hinter der Kaserne des zweiten Garderegiments.»

«Wenn ich frei bekomme, dann begleite ich euch gerne», sagte Elisabeth und lächelte August an, der sich mit der sich wehrenden Katze in den Armen auf einen Baumstumpf setzte.

«Freust du dich auf die Schule?», erkundigte sich Elisabeth.

August ließ die Katze los, die mit einem Fauchen flüchtete. Er grinste Elisabeth mit seiner neuen Zahnlücke an und nickte. «Ich will lesen und schreiben lernen», sagte er.

Martha strich ihm über das blonde Haar. «Das wirst du, mein Schatz. Und noch viel, viel mehr.»

༄

Erste kräftige Herbstwinde zogen über Berlin, als Dieffenbach einen Besucher in seinem Salon vorfand, den er eine ganze Weile nicht mehr gesehen hatte.

«William John Little!», rief er erfreut. «Wie ist es Ihnen ergangen?»

Der Gast erhob sich. Mit kaum merklichem Hinken kam er Dieffenbach entgegen. «Sehen Sie selbst! Dr. Stromeyer hat ein Wunder vollbracht.» Er umkreiste Dieffenbach, der sein Erstaunen offen zeigte.

«Darf ich Ihr Bein untersuchen?»

«Aber natürlich! Ich habe Ihnen auch Post aus Hannover mitgebracht.»

Dieffenbach hob sich den Brief für später auf. Stattdessen kniete er vor Little nieder, zog ihm Schuh und Strumpf aus und schob das Hosenbein hoch. «Erstaunlich!», stieß er aus. «Sie treten fast völlig normal auf. Es ist ein Wunder und eine große Hoffnung für viele!»

Little nickte. «Sehen Sie, hier wurde das Messer eingeführt, um ein Stück tiefer die Sehne zu durchtrennen. So wurde keine Wunde direkt an der Stelle erzeugt. Danach wurde mir der Streckapparat angelegt. Die Fußplatte ist zuerst noch steil, wird jedoch Tag für Tag weitergedreht, sodass die durchschnittene Sehne ein winziges Stück immer weiter auseinandergezogen wird. Und dann bildet sich eine fasrige Substanz in der Lücke, die mitwächst und schließlich zu einer neuen Sehne aushärtet.»

Dieffenbach war begeistert. Umso mehr, als Little erzählte, dass er seine Dissertation, die er über sein eigenes Leiden und dessen Heilung schrieb, in Berlin vollenden wolle. Er sei immer willkommen, sagte Dieffenbach, eine Einladung, welcher der Engländer gerne folgte. Auch wenn er selten den viel beschäftigten Professor antraf. Dafür begleitete er Emilie und die kleine Frieda auf langen Spaziergängen durch den Tiergarten, wo sich das Kind vor allem an den glänzenden Fischen im Goldfischteich erfreute und es eine echte Aufgabe war zu verhindern, dass es sich zu diesen gesellte und ins Wasser fiel. William Little wanderte oft mehrere Meilen am Tag, sein Hinken verschwand, und man konnte ihn nicht mehr von den gesunden Spaziergängern unterscheiden.

Emilie mochte ihn sehr gern, und es freute sie, wenn er manches Mal seine Unterlagen mitbrachte, in Dieffenbachs Salon abends unter der Lampe saß und Blatt für Blatt mit seiner feinen Handschrift füllte.

Es war meist schon spät, wenn Dieffenbach sich zu ihm gesellte und Emilie sich nach dem Abendessen mit einer Strickarbeit in ihrem Lieblingssessel im Erker niederließ. Sie war glücklich, wenn sie die beiden Mediziner beobachtete, die eifrig Stromeyers Erfolge

diskutierten. Und sie erwartete ihr zweites Kind, worauf Dieffen-
bach und Little bereits kräftig angestoßen hatten. Selbstverständlich hatte sich Dieffenbach auch direkt mit Stromeyer über jedes Detail seiner Behandlung ausgetauscht. Vor allem
die komplizierte Schienenkonstruktion mit ihren diversen Verstell-
mechanismen war für den Erfolg entscheidend gewesen! Er brannte darauf, seinen ersten Klumpfuß zu operieren.

༄

*Ich habe wieder von ihm geträumt. Ich ging mit Amalie an der Hand im Park
spazieren, als ich plötzlich bemerkte, dass er ihre andere Hand hielt. Sie lächelte ihn vertrauensvoll an, und er hob sie hoch und schwenkte sie in seinen
Armen. Sie lachte ihn an und strahlte, so wie ein Kind seinen geliebten Vater
anlacht. Ich war so glücklich, dass mir die Tränen kamen, doch dann bin ich
erwacht, und mit ihm war auch das Glück verschwunden.*

*G. geht nicht mit Amalie in den Park. Aber ich liebe es, mir am Nachmittag
Zeit für einen Spaziergang mit ihr zu nehmen und ihren klugen, nicht enden
wollenden Fragen zu lauschen. Dann bin ich nur bei ihr.*

*Wenn aber die Nacht kommt, wandern meine Gedanken wieder zu D. Die
beiden letzten Male, als er von G. gerufen wurde, hatte ich keine Gelegenheit, mit ihm allein zu sprechen. Doch auch so habe ich das Gefühl, die innige
Vertrautheit, die uns eine Weile verband, ist verflogen. Ach, wie gerne denke
ich an jenen Ballabend zurück, als ich in seinem Arm lag und wir im Walzer-
schritt über das Parkett schwebten! Das Prickeln seines Blickes wie Champagner auf meiner Haut, seine Hand an meiner Taille, sein Atem an meiner
Wange. Ich muss wieder weinen. Solch innige Stunde wird nicht mehr zurückkehren.*

༄

«Er ist da!»

Schwester Katharinas Wangen glühten, und sie strahlte über das ganze Gesicht, als sie auf Elisabeth zulief. Es war kurz vor Weihnachten 1836, und draußen fiel der erste Schnee.

«Pfarrer Fliedner ist gekommen», stieß sie außer Atem hervor.

Elisabeth lächelte. «Wie schön! Warum ist er hier?»

«Das weiß ich nicht, aber wenn er schon einmal hier ist, kannst du ihn fragen!»

«Was soll ich Pfarrer Fliedner denn fragen?», entgegnete Elisabeth, obgleich sie genau wusste, worum es ging.

Katharinas Strahlen erlosch. Ihre Stimme klang vorwurfsvoll. «Wir haben mehrmals darüber gesprochen. Du hast doch gesagt, dass du es dir vorstellen könntest.» Sie ergriff Elisabeths Hände. «Wir wollen Schwestern werden!»

«Und was wird der Pfarrer dazu sagen? Ich bin nicht so fromm wie ihr.»

«Darauf kommt es nicht an. Er wird sich freuen, ich weiß das», rief Katharina begeistert. «Du bist so ein lieber Mensch und kennst dich in der Krankenpflege besser aus als alle anderen. Genau solche Frauen sucht er für die Diakonie.»

Elisabeth erwiderte ihren Händedruck, und plötzlich wurde ihr ganz leicht ums Herz. Warum nicht? Sie würde endlich wieder wo hingehören. Natürlich gehörte sie zur Charité. Und doch hatte sie hier oft das Gefühl, fremd zu sein. Sie liebte ihre Arbeit, mit den anderen Wärterinnen konnte sie aber wenig anfangen, und viele der Ärzte sahen in ihr vermutlich nicht mehr als eine Putzhilfe. Sie vermisste die Gespräche mit Professor Ideler, der immer Zeit für sie gehabt hatte, als sie in seiner Abteilung arbeitete. Ja, sie vermisste sogar den Austausch mit Dr. Alexander Heydecker. Und auch ihre Arbeit für die Krankenwartschule war nicht annähernd so befriedigend, wie sie es sich erhofft hatte. Die angehenden Krankenwärter waren oft nicht bereit, sich von einer Wärterin etwas sagen zu lassen. Außerdem hatte sie kaum genügend Zeit, ihnen auch nur das Wichtigste zu zeigen.

Elisabeth fehlte eine Gemeinschaft. Die Freundschaft mit Martha war nicht genug. Mit den Schwestern würde sie dagegen so etwas wie eine Familie bekommen, die ihr Halt gab, die sie liebte und schätzte. Natürlich würde es, wie in jeder Familie, auch Mitglieder geben, bei denen sie weniger gelitten war. Aber es stimmte. Sie sehnte sich nach Zugehörigkeit und Verbundenheit.

Was würde der Eintritt in die Diakonie für sie bedeuten? Was würde sie dafür aufgeben? Etwa die Freiheit zu heiraten?

Sie dachte an ihren Schwager und an Ottfried, Augusts Vater. Nein danke, auf solche Ehemänner verzichtete sie gern. Es gab niemanden in ihrem Leben, den sie heiraten wollte und der auch sie begehrte. Diakonisse zu sein würde kein Opfer bedeuten.

Und die blauen Augen, die sie ab und an nachts im Schlaf zu betrachten schienen? Sie waren weit weg und würden nie wiederkommen. Außerdem würde sich ein Arzt niemals an eine Wärterin binden.

Elisabeth sah Katharina an und schmunzelte. «Mir gefällt eure Tracht nicht. Darin seht ihr aus wie traurige Krähen. Altjüngferliche Krähen! Nein, so kann ich nicht herumlaufen.»

Katharina starrte sie so ungläubig an, dass Elisabeth laut lachen musste. Sie kniff die junge Schwester in die Wange. «Ich necke dich doch nur!», versuchte sie zu beschwichtigen. «Es ist völlig gleichgültig, wie wir aussehen. Wobei du mir schon recht geben musst, dass ihr ein wenig düster daherkommt und die Haube eine Zumutung darstellt, an die ich mich nur schwer gewöhnen werde.»

Die junge Diakonisse brauchte ein wenig, bis sie begriff. «Dann wirst du ihn also wirklich fragen?» Nun erwachte ihr kindliches Strahlen wieder. «Ich freue mich ja so!»

Pfarrer Fliedner begrüßte sie mit einem Lächeln, als ihn Elisabeth aufsuchte. «Ich habe von unserer Schwester Katharina viel

Gutes über Sie gehört», sagte er mit warmer Stimme, und Elisabeth verstand, warum Katharina den Pfarrer so mochte. «Sie haben um ein Gespräch gebeten? Was kann ich für Sie tun?»

Elisabeth nahm ihren Mut zusammen. «Ich möchte Diakonisse werden», sagte sie mit fester Stimme und hielt Fliedners forschendem Blick stand.

«Haben Sie sich diesen Schritt reiflich überlegt? Kennen Sie die Regeln unserer Gemeinschaft?»

Elisabeth nickte. «Ich möchte mich zusammen mit den anderen Schwestern hier in der Charité um die Kranken kümmern.»

Fliedner sah sie einige Augenblicke schweigend an, dann fragte er: «Was wissen Sie über die Entstehung der Diakonie?»

Stockend wiederholte Elisabeth, was Katharina ihr erzählt hatte, und er hörte ihr aufmerksam zu. Dann begann er, von der ursprünglichen Idee zu sprechen, die ihn dazu gebracht hatte, die Gemeinschaft zu gründen.

«Barmherzigkeit und Fürsorge, das ist der urchristliche Gedanke. Der Kern dessen, was Jesus uns lehrt. Unser biblisches Vorbild ist Phoibe von Kenchreä, die der ersten christlichen Gemeinde diente.»

Elisabeth lauschte seinen Worten, doch vor allem beeindruckte sie die Leidenschaft, mit der er sprach. Seine Liebe und sein Stolz galten der Gemeinschaft der Diakonissen, seinem Lebenswerk.

«Wir sind eine Familie», sagte er. «Bei uns haben sich Frauen zusammengeschlossen, die ihren Dienst als Auftrag Jesu Christi verstehen und diesen innerhalb unserer Regeln gemeinsam erfüllen wollen. Möchten Sie tatsächlich ein Teil dessen werden, Wärterin Elisabeth?»

«Ja, das will ich», erklärte sie feierlich.

Pfarrer Fliedner drückte ihr die Hand. «Dann freue ich mich, Sie in der Schwesternschaft begrüßen zu dürfen. Ich werde Oberin Walburga und den Schwestern Bescheid geben, und wir können Ihre Aufnahme morgen mit einem Gottesdienst feiern.»

Elisabeth lud Martha mit ein, obgleich die Freundin von Elisabeths Entschluss nicht angetan war.

Ein wenig unwohl fühlte sich Elisabeth dann doch, als der Pfarrer am nächsten Abend predigte und betonte, wie wichtig die Gesundheit der Seele sei, die häufig mehr Pflege bedürfe als der Körper mit seinen Leiden. Aufgabe der Schwestern sei es auch, für das Seelenheil der Patienten zu sorgen und sie zu einem christlichen Lebenswandel anzuhalten.

Am Ende der kleinen Zeremonie leistete Elisabeth gegenüber Pfarrer Fliedner den Schwur und war damit in die Schwesternschaft der Diakonissen aufgenommen. Oberin Walburga überreichte ihr zwei Ordenskleider und ihre Haube und umarmte sie flüchtig. Und Elisabeth bekam eine Kammer, die sie von nun an alleine bewohnen würde. Martha begleitete sie zu ihrem neuen Reich.

Rasch schlüpfte sie in ihr neues Gewand und band die Haube fest. «Es fühlt sich schon ein wenig seltsam an.»

Martha betrachtete sie mit ernster Miene. «Du hast eine große Entscheidung getroffen. Ich hoffe, dass du damit glücklich wirst.»

Beim Abendessen gaben ein paar der Wärterinnen einige spitze Bemerkungen von sich, doch die Schwestern begrüßten sie alle freundlich. Nun ja, bis auf Schwester Theresa, die die Neue mit verkniffenem Mund anstarrte. *Die Witwe kann wohl nicht aus ihrer Haut,* dachte Elisabeth.

3. BUCH

KAPITEL 20

Die Rückkehr

Es war im November 1837, als man Dr. Dieffenbach zu Direktor Kluge ins Büro rufen ließ. Er beendete die Operation an einer Scheiden-Blasen-Fistel, die er für den leitenden Arzt der Frauenabteilung durchführte, dann legte er die blutbefleckte Schürze ab, wusch sich die Hände und machte sich auf den Weg.

Eine tief verschleierte Dame empfing ihn. Verwundert runzelte er die Stirn. Konnte das wahr sein? Die Stimme kannte er! Er drückte die schmale Hand, die in einem Satinhandschuh steckte.

«Ich hatte viel Zeit, in mich zu gehen, nachzudenken und zu beten», sagte die Besucherin, dann schlug sie den Schleier zurück, und Dieffenbach blickte auf Lippen, die seine Hand geformt hatten, und ein gähnendes Loch, wo eine Nase hätte sein sollen und seine Kunst versagt hatte.

«Fräulein Elvira», sagte er bewegt. «Ich hätte nicht zu hoffen gewagt, Sie wiederzusehen. Bedeutet das ...?»

«Ja!», unterbrach sie ihn. «Wenn Sie es noch einmal wagen wollen, dann bin ich bereit!»

«Und Ihre Eltern?»

«Die freuen sich und werden Sie bald aufsuchen.»

Dieffenbach umfasste ihre Hände. «Ich freue mich auch, und ich verspreche Ihnen, ich werde mein Bestes geben. Ich habe meine Methode noch einmal verfeinert. In der vergangenen Zeit habe ich mehrere Nasen neu aufgebaut, eine Wange rekonstruiert und Ohren wieder angenäht. Sie können sich getrost in meine Hände begeben.»

«Das weiß ich», sagte Elvira voller Zuversicht.

«Sie hat sich verändert», erzählte Dieffenbach seiner Frau, als sie abends gemeinsam beim Abendbrot saßen. «Sie ist selbstbewusster, und ich habe das Gefühl, sie ist mit sich im Reinen. Egal, ob die Operation gelingt oder ob es Rückschläge geben wird, sie hat ihr Leben angenommen und wird nicht daran verzweifeln.»

«Und du wirst es dieses Mal schaffen!»

Er erhob sich, ging zu ihr hinüber und küsste sie. «Weißt du, wie glücklich ich mit dir bin? Und mit unseren beiden Mädchen!» Im Frühling des vergangenen Jahres war ihre Tochter Sophie geboren, ein echter Sonnenschein, der bereits die ersten staksigen Schritte wagte.

Emilie lächelte ihn an. «Ja, das weiß ich. Und ich denke auch, ich kann mit meiner Wahl zufrieden sein.» Sie erwiderte seinen Kuss, und für einige Augenblicke vergaßen sie das Essen auf ihren Tellern.

༄

Elisabeth war noch dabei, die private Krankenstube für die neue Patientin herzurichten, als eine verschleierte Gestalt eintrat. Dr. Dieffenbach folgte ihr und schloss die Tür.

«Sie kennen unsere Diakonisse Elisabeth bereits», sagte Dieffenbach. «Damals hat sie hier noch als Wärterin gearbeitet.»

Obwohl sie ihr Gesicht nicht sehen konnte, erkannte Elisabeth sie sofort wieder. «Fräulein Elvira!», rief sie aus und lächelte die junge Frau an. «Haben Sie es sich überlegt? Das freut mich sehr», fügte sie hinzu, als die Verschleierte nickte. «Jetzt wird alles gut!»

«Diakonisse?», erkundigte sich Elvira.

In kurzen Worten erläuterte ihr Elisabeth den Grundgedanken der Diakonie und erzählte von Pfarrer Fliedner.

«Wie schön, dass Sie Ihren Platz gefunden haben», sagte Elvira.

Eine Wärterin brachte den Koffer mit den Dingen, die das Fräulein in seiner Zeit in der Charité zu benötigen glaubte. Das war weiterhin ein echtes Privileg für die wenigen reichen Patienten, deren Familien die Kosten der Behandlung übernahmen, die eigene Kleidung tragen zu dürfen und das private Krankenzimmer mit einigen vertrauten Gegenständen ausstatten zu können. Alle anderen Patienten trugen die grau gestreiften Charitékittel. Trotzdem gelang es vor allem den gewieften Frauen in der Abteilung für venerische Krankheiten oder den Frauen und Männern, die aus den Gefängnissen kamen, immer wieder, Sachen, die sie nicht haben durften, hereinzuschmuggeln. Was sicher auch daran lag, dass die Wärter mit ihren niederen Löhnen für Bestechungsversuche anfällig waren.

Elisabeth half Elvira beim Auskleiden, nahm ihr den Schleier ab und legte alles in den Koffer, in dem ganz oben eine Maske lag.

«Diese werden Sie nun nicht mehr brauchen», sagte Elisabeth voller Überzeugung.

«Wenn Gott es will», erwiderte Elvira.

Elisabeth trat zurück und schwieg, damit Dr. Dieffenbach die Operation mit der Patientin besprechen konnte. Wie bei ihrem ersten Versuch würde Stabsarzt Großheim assistieren. Statt Dr. Heydecker würde ein anderer junger Akademieabsolvent die Patientin festhalten, während Elisabeth erneut zur moralischen Unterstützung anwesend sein würde.

«Wir können uns gleich übermorgen ans Werk machen», verkündete Dieffenbach, der vor Eifer geradezu sprühte.

Elvira nickte. «Ich bin bereit.»

Der Professor lächelte ihr noch einmal aufmunternd zu, ehe er sich verabschiedete.

«Brauchen Sie noch etwas?», erkundigte sich Elisabeth, der es ebenfalls unter den Nägeln brannte. Sie hatte noch so viel zu erledigen. Es würde wieder spät werden, bis sie ihre Schürze und das Häubchen ablegen und ihre eigene Kammer genießen konnte.

«Haben Sie Dank, aber ich brauche nichts. Sie können gehen

und sich um Ihre anderen Patientinnen kümmern», sagte Elvira
voller Verständnis und nickte Elisabeth aufmunternd zu.

∽

Der große Tag war gekommen. Elisabeth folgte Dr. Dieffenbach in
das Krankenzimmer.

«Ich bin froh, dass Sie zwei Jahre gewartet haben, bis wir einen
neuen Versuch wagen», sagte er. «Ich habe meine Methode so verfeinert, dass sie zwar langwieriger geworden, das Risiko für einen
Misserfolg aber deutlich gesunken ist.»

«Formen Sie Ihre Nasen noch immer aus der Haut des Arms?»,
erkundigte sich Elvira in sachlichem Ton, der keine Furcht vermuten ließ.

«Wenn möglich forme ich heute meine Nasen aus der Stirn»,
antwortete Dr. Dieffenbach, «aber in Ihrem Fall bleibe ich bei der
sogenannten italienischen Methode. Anders als beim ersten Mal
werde ich jetzt bei der ersten Operation zwar wieder an der Innenseite Ihres Oberarms ein Hautdreieck lösen, doch ich werde es
nicht an seinem späteren Platz befestigen, sondern die Nase an Ort
und Stelle formen. So wird die spätere Nase etwa zwei Monate Zeit
haben, sich in ihrer Form zu verfestigen. Erst dann werde ich sie
an einer Stelle anheften, die im Gegensatz zu den Rändern ihrer
verlorenen Nase gesund ist und von kräftigen Blutgefäßen versorgt
wird.» Er unterbrach sich kurz, um zu sehen, ob Elvira seinen Er-
klärungen folgen konnte. Als sie ihm zunickte, fuhr er fort: «So
können wir das geformte Dreieck diesmal viel schneller von Ihrem
Arm lösen und Sie aus der unbequemen Lage befreien. Ich gehe
von nicht einmal einer Woche aus! Danach müssen wir die neue
Nase in Ihrem Gesicht nur noch an ihren richtigen Platz schieben.»

Für Elisabeth hörte sich das furchtbar kompliziert und lang-
wierig und trotz seiner Beteuerung für die Patientin quälend an,

doch Elvira lächelte und sah nicht entmutigt aus. Im Gegenteil, sie streckte ihm ihre Hand entgegen und rief: «Machen Sie sich ans Werk, Dr. Dieffenbach!»

Elisabeths Blick wanderte zwischen Arzt und Patientin hin und her. Elvira Tondeau hatte sich während der vergangenen zwei Jahre verändert. Der Aufenthalt in der Schweiz schien ihr gutgetan zu haben. Sie war kein verschüchtertes junges Mädchen mehr, das von einem schönen Gesicht träumte und bei einem Rückschlag verzweifelte. Sie war eine selbstbewusste Frau geworden, die neuen Lebensmut gefasst hatte und wusste, was sie wollte. *Bewundernswert*, dachte Elisabeth.

∾

Es war wieder einer dieser Tage, an denen Elisabeth nicht wusste, wo ihr der Kopf stand. An der vielen Arbeit hatte auch ihr Wechsel zu den Diakonissen nichts geändert – und zum Glück auch nicht an ihrer Freundschaft mit Martha. Außerdem hatte sie mit Katharina noch eine Freundin hinzugewonnen.

Mit schmerzendem Rücken wandte sich Elisabeth der nächsten Patientin zu.

Die Krankensäle waren so voll, dass man kaum mehr zwischen den Betten hindurchgehen konnte. Eigentlich war klar geregelt, wie viele Betten in welchem Saal in welcher Abteilung stehen sollten, doch was sollte man tun, wenn dann noch ein Fußgänger von einer Kutsche erfasst und mit einem offenen Bruch zum Tor der Charité gebracht wurde? Oder ein Knabe vom Baum gefallen war und dringend operiert werden musste? Und mit der Schwangeren, die plötzlich Blutungen bekam? Oder mit der Frau, die Stimmen hörte und ihr eigenes Kind nicht mehr erkannte?

Ganz zu schweigen von den Kindern mit Diphtherie, die nach Luft rangen, den schweren Tuberkulosefällen, den Fiebernden, den

Menschen mit Geschwüren und anderen Hautkrankheiten. Der Strom der Patienten nahm kein Ende. Und so mussten die Schwestern und Wärter wieder einmal für viele Kranke mehr da sein als geplant. Jeden mit der gleichen Aufmerksamkeit und Hingabe zu versorgen war oft einfach nicht möglich, auch nicht für eine Diakonisse.

Auf ihrer Visite rauschten die Ärzte an solchen Tagen mit wehenden Fräcken oder Militärjacken durch die Säle, im Schlepptau ihre Pépins oder Studenten der Universität, die neugierig die Köpfe reckten und hofften, auch nur ein paar Brocken von dem mitzubekommen, was am Krankenbett gesprochen wurde. Erschwert wurde die Situation nach wie vor dadurch, dass die leitenden Ärzte oft nur wenige Stunden am Tag in die Charité kamen; sie hatten ja nebenbei ihre eigene Praxis oder hielten Vorlesungen. Und manche von ihnen kamen nicht einmal jeden Tag, sodass für den einzelnen Patienten kaum mehr als ein paar Minuten Zeit blieben, ehe der Arzt zum nächsten hastete. Den Subchirurgen fiel dann die Aufgabe zu, Wunden frisch zu verbinden, Brech-, Abführ- und andere Mittel zu verabreichen oder die hoffnungslosen Fälle zum Sterben in die Wachkammer zu bringen, wo Camille noch immer den frisch Operierten und den Todgeweihten Gesellschaft leistete.

Am Ende ihres Dienstes fand Elisabeth endlich Zeit, nach Elvira zu sehen, die die Operation gut überstanden hatte. Sie saß aufrecht in ihrem Bett und las ein Buch. Als die Tür aufging, versteckte sie es unter der Bettdecke.

Elisabeth schloss die Tür und sah die Patientin verwundert an.

«Ach, Sie sind es», sagte Elvira und holte das Buch wieder hervor. «Ich dachte schon, meine Mutter käme zu Besuch. Sie will nicht, dass ich so etwas lese.»

Elisabeth schielte auf die goldene Schrift auf dem Buchdeckel. *Frankenstein*, stand da und darunter *The Modern Prometheus*. Die Autorin hieß Mary Shelley. Was war das für eine Sprache? Englisch?

«Worum geht es in diesem Buch?», erkundigte sie sich und staunte darüber, dass Elvira den Roman offensichtlich mühelos lesen konnte.

Elvira überlegte kurz, wie sie den Inhalt am besten zusammenfassen konnte. «Also, die Hauptfigur, die seine eigene Geschichte erzählt, ist ein Schweizer namens Victor Frankenstein. Er ist überzeugt, dass er einen künstlichen Menschen erschaffen kann, den er dann, als wäre er Gott, lebendig machen will. Das ist recht gruselig zu lesen, und ab und an muss ich den Roman zur Seite legen.» Sie schaute Elisabeth an, dann fuhr sie fort. «Nun, irgendwie gelingt ihm dieser künstliche Mensch. Aber das Wesen, das er erschafft, ist hässlich, ein Monster, das ihm Angst macht und mit dem er nichts zu tun haben will. Frankenstein flieht, doch als er zurückkommt, ist die Kreatur verschwunden.»

Warum las Elvira ausgerechnet dieses Buch? Dachte sie dabei vielleicht an Professor Dieffenbach und dass er, wie Victor Frankenstein, Leben formte? Elisabeth spürte, wie ihr das Mitleid die Kehle zuschnürte.

Elvira blätterte weiter und zeigte auf den Anfang eines Kapitels. «Hier wird Victors kleiner Bruder ermordet. Und Victor Frankenstein glaubt fälschlicherweise, dass er den Mörder seines eigenen Bruders selbst erschaffen hat. Es geht um Schuldgefühle. Es geht aber auch darum, das Fremde, was man nicht kennt, zuzulassen», fügte Elvira mit leiser Stimme hinzu.

Elisabeth setzte sich an ihr Bett und sah in das Gesicht, das mit der neu geformten Nase, die noch nicht an ihrer richtigen Position saß, vielleicht noch seltsamer aussehen würde als zuvor. Sie nahm Elviras Hände und spürte das Beben ihrer unterdrückten Tränen.

«Ich weiß, die Menschen sind grausam. Schon ein kleiner Makel reicht, dass sie andere verlachen und ihren Seelen Schmerz zufügen. Meine Freundin, Martha Vogelsang, die hier im Totenhaus arbeitet, hat einen Sohn, dessen linkes Auge schrecklich schielt. Wie oft haben die anderen Kinder ihn schon gequält und verlacht!»

Elvira nickte wissend.

«Verlieren Sie nicht den Mut, Fräulein Tondeau! Es sind nur noch wenige Schritte, dann können Sie Ihre Masken und Schleier verbrennen.»

Tapfer versuchte sich Elvira an einem Lächeln. «Alles, was wir begehren, ist, jemanden zu finden, der uns trotz unserer Hässlichkeit liebt. Auch Frankensteins Monster begehrte ein Weib, doch Victor zerstörte seine fast vollendete zweite Kreatur aus Angst, sie könne so böse werden wie sein erstes Werk. Dabei empfinde ich sehr viel Mitgefühl gerade mit ihm, den alle das Monster nennen. Die Menschen haben ihn böse gemacht. Sie haben ihn durch Angst und Unverständnis in eine Rolle gezwungen, die er gar nicht annehmen wollte. Was er stattdessen gebraucht hätte, wäre Liebe gewesen.»

Elisabeth ahnte, was in der jungen Frau vorging. «Für Sie wird es ein glückliches Ende geben», sagte sie im Brustton der Überzeugung. «Sie haben so viel Geduld bewiesen und so tapfer alle Schmerzen ausgehalten. Nun brauchen Sie nur noch ein wenig mehr von allem, dann ist es vollbracht.»

«Bei Tag, wenn Dr. Dieffenbach kommt, kann ich hoffen, nachts aber sitzen Angst und Zweifel auf meiner Brust und nehmen mir den Atem.»

«Soll ich heute Nacht bei Ihnen bleiben?», bot Elisabeth an.

Elvira blinzelte die Tränen weg. «Das kann ich nicht von Ihnen verlangen. Sie arbeiten eh viel zu viel und sind erschöpft, das sehe ich Ihnen an.»

Elisabeth bestand darauf. Sie ließ sich von einem der Wärter einen gepolsterten Stuhl in das Krankenzimmer tragen und harrte die ganze Nacht über bei Elvira aus. Zweimal fuhr sie mit einem Aufschrei aus ihren Träumen auf, beruhigte sich aber schnell wieder und schlief dann friedlich bis zum Morgen.

Längst war der Dezember verstrichen, und der Januar neigte sich ebenfalls seinem Ende entgegen. An diesem Tag fand Dieffenbach seine Patientin statt in ihrem Nachtgewand in einem Straßenkleid in der privaten Krankenkammer vor. Schwester Elisabeth verstaute gerade die letzten Kleidungsstücke in Elviras Koffer.

«Was haben Sie vor?», rief Dieffenbach aus.

Elvira hob einen Handspiegel und betrachtete ihr Gesicht, an dem der Arzt in den vergangenen Wochen immer wieder kleine Verbesserungen vorgenommen hatte, nachdem die neue Nase endlich an der richtigen Stelle saß. Er hatte hier ein wenig Haut gestrafft, dort an den Nasenlöchern modelliert oder ein wenig Narbengewebe abgeschält.

«Ich bekomme das noch perfekter hin», sagte er, doch Elvira schüttelte den Kopf.

«Lieber Herr Professor Dieffenbach, Sie haben ein Wunder vollbracht! Ich kann Ihnen gar nicht genug danken. Sie haben mir ein neues Leben geschenkt und mir Hoffnung und Freude zurückgegeben. Ich finde mich jetzt schön genug, um mich zu zeigen. Es wird Zeit, dass ich hinausgehe und mein Leben beginne. Egal, was die Leute sagen.»

Sie zog die alte Maske und einen dichten Schleier aus dem Koffer und reichte sie Schwester Elisabeth. «Bitte verbrennen Sie beides. Ich brauche es nicht mehr.»

«Nein, die brauchen Sie nicht mehr», bestätigte Dieffenbach und freute sich, wie selbstbewusst sie seinem Blick begegnete. «Ich bin überzeugt, mein liebes Fräulein Tondeau, Sie werden Ihr Glück finden.»

Und so verließ die junge Elvira zum zweiten Mal die Charité, doch diesmal mit einem glücklichen Lächeln.

∽

Ein paar Wochen später besuchte Dieffenbach mit Emilie das Schauspielhaus am Gendarmenmarkt. Sie hatte sich ein neues Kleid schneidern lassen, welches sie nun stolz an seinem Arm ausführte. Sie freute sich sichtlich auf die Vorführung und strahlte so glücklich, dass ihr Mann ein schlechtes Gewissen bekam, weil er sich nur so selten Zeit für sie nahm. Ihre beiden Töchter Frieda und Sophie waren derweil bei ihrem Hausmädchen daheim in guten Händen.

Eine junge Dame in einem verschwenderisch dekorierten Kleid winkte ihnen zu und kam dann lächelnd näher. Sie hatte wunderschönes kastanienbraunes Haar, das kunstvoll aufgesteckt und mit frischen Blumen verziert war.

Emilie sah fragend von ihrem Mann zu der Unbekannten, die ihm so vertraut die Hand reichte.

«Fräulein Elvira Tondeau – meine Frau Emilie», stellte Dieffenbach sie einander vor.

Die beiden Damen reichten sich die Hände und wechselten ein paar höfliche Worte. Dann verabschiedete sich Elvira und ging hocherhobenen Hauptes davon. Emilie sah ihr nach, bevor sie sich abrupt zu ihrem Mann umwandte.

«War sie das Mädchen mit der Maske?»

Dieffenbach nickte.

«Sie ist hübsch und wirkt so stolz.» Tiefe Bewunderung schwang in Emilies Stimme.

Natürlich hatte Dieffenbach daheim von Elviras langem Leidensweg erzählt. «Du hast recht. Ich bin so froh, sie hier unbefangen in Gesellschaft zu sehen.»

Emilie drückte seine Hand. «Du hast ihr ein neues Leben geschenkt. Ich bin stolz auf dich!»

Er küsste zärtlich ihre Hände. «Ich danke dir, mein Liebling.»

·•·

KAPITEL 21

Prinzessin Elisabeth Ludovika

Als Elisabeth an einem eisigen Morgen Ende Februar 1838 in aller Frühe ihre Kammer verließ und die Treppe hinunterlief, kam ihr ein Mann in Uniform entgegen. Fast vier Jahre hatte sie ihn nicht gesehen, aber sie erkannte ihn sofort. Der Blick aus den strahlend blauen Augen traf sie bis ins Innerste. Ihr wurde ganz flau im Magen.

«Was tun Sie hier?», sagte sie schwach und presste sich die Handfläche an die Brust.

«Ich grüße Sie auch, Elisabeth», sagte er heiter. «Im Augenblick besichtige ich das neue Charitégebäude, und ich freue mich, Sie gesund und munter anzutreffen. Aber wie sehen Sie denn aus? Was tragen Sie für ein scheußliches Kleid?»

Elisabeth ließ den Blick an sich hinunterwandern. Zum ersten Mal war ihr die altmodische Haube auf ihrem Kopf peinlich.

«Ich habe mich Pastor Fliedners Diakonissen angeschlossen», sagte sie. «Anders als unter den Wärterinnen finde ich hier Gleichgesinnte, die wirklich helfen wollen und den Kranken Erleichterung verschaffen.»

Alexander schüttelte den Kopf. «Ich habe davon gehört. Sind Sie jetzt so etwas wie eine Nonne?»

Elisabeth lachte etwas verunsichert und schüttelte den Kopf. «Nein, so ist das nicht, bis auf die schreckliche Tracht, die alle Schwestern tragen», behauptete sie, obwohl das nicht ganz stimmte. «Warum sind Sie zurückgekommen?», wechselte sie schnell das Thema.

«Ich bin zum Leutnant befördert worden und habe darum gebeten, zurück an die Charité versetzt zu werden», sagte er mit Stolz in der Stimme. «Ich werde wieder mit Dr. Dieffenbach zusammenarbeiten. Äh, ich denke, er hat ein gutes Wort für mich eingelegt. Meine Schwester Emilie hat mich auch gedrängt, nach Berlin zurückzukommen.»

«Dann gratuliere ich Ihnen», sagte Elisabeth, die noch immer ein wenig durcheinander war. Wie oft hatte sie dieses Treffen im Garten in Gedanken durchgespielt? Hätte sie damals anders reagieren sollen? Was wäre dann geschehen? Nein, es war müßig, darüber nachzudenken. Jetzt stand er vor ihr. Unerwartet und so strahlend schön mit einem offenen Lächeln, das ihr die Knie weich werden ließ.

«Haben Sie mich wenigstens ein klein wenig vermisst?»

Elisabeth schluckte und biss sich auf die Lippe, um nicht die Wahrheit zu sagen.

«Ich jedenfalls habe Sie sehr vermisst. So viel Ungehorsam findet man beim Militär nirgends.»

Sie hatte das Gefühl, er könne in ihrem Gesicht wie in einem offenen Buch lesen, daher zog sie eine Grimasse.

Alexander seufzte tief. «Sie haben mir noch immer nicht verziehen», sagte er und klang dabei so traurig, dass sie an sich halten musste, sich nicht in seine Arme zu werfen. Sie atmete tief durch, um ihre Stimme in den Griff zu bekommen, ehe sie antwortete.

«Es gibt nichts zu verzeihen, Herr Dr. Heydecker. Und ja, ich habe Sie vermisst, und ich freue mich, dass Sie an die Charité zurückkehren und wir wieder zusammenarbeiten werden.»

Alexander lebte sich schnell wieder ein. Ein paar Tage später war er gerade unten beim Pförtner, als eine Frau die Charité betrat, die einen etwa zehn Jahre alten Jungen an der Hand führte, der seinen

Kopf seltsam schief hielt. Sein Gesicht war verzerrt. Im ersten Moment dachte Alexander, der Junge würde nur Grimassen schneiden und irgendwelchen Unsinn machen, doch als die Mutter ihm seine Jacke mit dem aufgestellten Kragen auszog, erkannte er, woran er litt. Das hübsche blonde Bürschchen hatte einen Schiefhals, der sich vermutlich schon im Leib der Mutter oder durch eine schwere Geburt gebildet hatte.

«Bitte», drängte diese nun den Pförtner. «Gibt es denn gar keine Möglichkeit, meinem Jan zu helfen?»

Alexander trat auf die beiden zu. «Ich bin überzeugt, dass Dr. Dieffenbach Rat weiß», sagte er und reichte der Frau die Hand. «Dr. Heydecker. Ich bin hier Chirurg.»

«Klausner», stellte sie sich vor. «Barbara Klausner, und das ist mein Jüngster. Er ist elf und wird von den anderen Jungen gehänselt und gequält.»

«Nicht so schlimm, Mama», wehrte Jan ab. «Ich komm schon klar.»

Doch Alexander bemerkte wohl den blauen Fleck auf seiner Wange und die Schrammen an seinem Arm. Er konnte sich lebhaft vorstellen, wie es unter Jungen in diesem Alter zuging. Sie konnten gnadenlos sein. Er selbst erinnerte sich an seine Schulzeit und an einen Buben, der nicht besonders helle gewesen war. Mit stumpfsinnigem Blick tappte er jeden Tag an der Schule vorbei und wurde täglich von den anderen Kindern verspottet, geschubst oder sogar verprügelt.

Er selbst war nie Mitglied der Bande gewesen, die ihn am schlimmsten drangsalierte, aber er hatte auch nie Partei für den «Blöden» ergriffen.

Jetzt half er dem Portier, das Anmeldeformular auszufüllen, und führte dann den Knaben und seine Mutter zur Chirurgischen Station hinauf. Eigentlich wurden die ganz jungen Patienten zu Dr. Barez geschickt, aber erstens war der Junge schon recht alt, und zweitens war das ein Fall für die Chirurgie, genauer gesagt für Dr. Dieffenbach, der mit solchen Fällen Erfahrung hatte. Alexander hatte bereits in seinem zweiten Jahr als Pépin mit Erstaunen von Dr. Dieffenbachs erster Schiefhalsoperation gehört. Er hoffte, dass er nun bei diesem interessanten Fall würde assistieren dürfen.

Oben auf der Chirurgischen Station trafen sie Schwester Elisabeth auf dem Gang. Alexander war froh, den Jungen in ihre Obhut geben zu können. Von den Wärterinnen und Wärtern hier hielt er nach wie vor nicht viel. Die meisten blieben derb im Umgang mit den Patienten. Ihnen fehlte das Feingefühl, obgleich viele von ihnen die sechsmonatige Krankenwärterschule besucht hatten.

Elisabeth brachte den Jungen in den zweiten Männersaal, den sie eigentlich nie betrat. Es wäre zu unschicklich gewesen, den Diakonissen die Pflege von Männern aufzubürden. Doch in diesem Fall wollte sie gerne eine Ausnahme machen. Am Rand des Saals fand sie ein freies Bett. Sie organisierte einen Wandschirm, sodass der junge Patient eine geschützte Ecke für sich hatte und ihm der Blick auf seinen Bettnachbarn mit seinem brandigen Armstumpf erspart blieb.

Dr. Dieffenbach setzte die Operation bereits für den nächsten Tag an, und zu Alexanders Freude sollte er dabei sein. Ihm fiel die Aufgabe zu, den Jungen festzuhalten. Darüber hinaus bestand Professor Dieffenbach darauf, dass auch die Diakonisse Elisabeth anwesend war. Jan hatte sofort Vertrauen zu ihr gefasst und wollte sie unbedingt an seiner Seite haben.

So führte Schwester Elisabeth den jungen Patienten in den Operationssaal und half ihm, auf den Tisch zu klettern. Nach und nach fanden sich einige Studenten ein und zwei Ärzte mit dichten langen Bärten, von denen auch Dr. Heydecker nicht wusste, woher sie stammten.

«Wollen die alle zugucken, wie der Doktor mich schneidet?», fragte Jan mit einem merklichen Zittern in der Stimme.

Alexander nickte. «Du bist eben ein interessanter Fall. Und noch interessanter ist die Operationstechnik, die Dr. Dieffenbach anwendet. Es wird fast nicht bluten, aber danach kannst du schon bald deinen Kopf gerade halten.»

«Dann sieht man ja gar nicht viel», gab der Knabe fast enttäuscht zurück. Alexander grinste und zwinkerte Elisabeth verschwörerisch zu. «Dafür tut es auch nicht so weh.»

Das war ein Argument, das Jan ein Lächeln entlockte.

Dr. Dieffenbach betrat den Operationssaal und wandte sich an seine Zuhörer. «Bei einem Schiefhals wie diesem hier ist der Muskel, den wir Kopfnicker nennen, auf einer Seite verkürzt. Bei unserem Patienten Jan ist es die linke Seite. Früher hat man für solch eine Operation den gesamten Muskel freigelegt und ihn dann durchtrennt. Wie bei zahlreichen anderen Fällen waren dann Eiterungen die Folge und manches Mal Wundbrand, der nicht selten zum Tode führte.»

Alexander spürte, wie der Junge unter seinen Händen zusammenzuckte, während Dieffenbach konzentriert fortfuhr.

«Bei der Methode, die ich bei Dr. Delpech in meiner Studienzeit in Paris das erste Mal sah und die auch Dr. Stromeyer in Hannover bei verschiedenen Eingriffen anwendet, handelt es sich um eine subkutane Operation, die die Haut über dem Muskel intakt lässt und nur zu geringer Blutung führt. Der Vorteil liegt auf der Hand: Der Muskel ist nicht der giftigen Atmosphäre ausgesetzt, die Eiter und Wundbrand fördert, und es gibt nur einen winzigen Schnitt, der rasch verheilt.»

Er nahm ein schmales, sichelartiges Messer vom Instrumententisch und zeigte es in die Runde. Dann trat er neben den Patienten. Schwester Elisabeth hielt Jans Hand, während Alexander seine Schultern fest auf den Operationstisch drückte.

Dieffenbach stach die Spitze des Messers neben dem verkürzten Muskel durch die Haut und führte die Klinge in einem flachen

Winkel unter den Muskelstrang. Dann zog er das Messer mit einer raschen Bewegung zurück und durchtrennte den Muskel. Das Kind machte keinen Mucks. Mit dem Daumen drückte der Chirurg nun auf die Stelle, aus der ein paar Blutstropfen drangen, legte ein Stück Scharpie und eine Kompresse darauf und band sie fest.

Alexander ließ den jungen Patienten los.

Schwester Elisabeth tätschelte aufmunternd seinen Arm. «Fertig. Komm, ich helfe dir zurück in dein Bett.»

Jan richtete sich auf und blinzelte aus dem noch immer schief sitzenden Gesicht zu den Zuschauerrängen hinüber.

«Das war alles?», wunderte er sich und versuchte sogleich, den Kopf zu heben. «Aua!», stieß er hervor.

«Sachte, sachte», mahnte der Doktor. «Wir müssen den Muskel ganz langsam aufdehnen, doch ich verspreche dir, in ein paar Wochen kannst du nach Hause gehen, und keiner deiner Mitschüler wird mehr einen Grund haben, dich zu hänseln.»

Diese Aussicht gefiel Jan sichtlich. Er warf noch einen scheuen Blick zu den vollen Rängen, dann ließ er sich von Schwester Elisabeth in sein Bett zurückbringen.

In den nächsten Tagen wechselte sie regelmäßig den Verband, und bereits nach vier Tagen hatte sich die kleine Wunde ohne Probleme geschlossen, sodass ein Verband nicht mehr nötig war. Vorsichtig übte sie mit Jan zweimal am Tag, den Kopf ein Stück weiter aufzurichten, doch nie so weit, dass der Schmerz zu groß wurde. Erstaunt und begeistert betrachteten Alexander und Elisabeth seine Fortschritte. Wie Dieffenbach gesagt hatte: Nach wenigen Wochen verließ der Junge die Charité mit hocherhobenem Haupt und einem gerade auf dem Hals sitzenden Kopf, der nichts mehr von seiner Missbildung, unter der er so viele Jahre gelitten hatte, erahnen ließ.

∾

Wie lange habe ich D. nicht mehr gesehen? Eine Ewigkeit, will es mir schei-
nen, doch noch immer träume ich fast jede Nacht von ihm. G. hat sich einen
neuen Arzt gesucht, der von der Höhe des Honorars derart entzückt ist, dass
er den Grafen viel mehr umschmeichelt, als D. es getan hat. Ein paarmal wäre
ich fast schwach geworden und hätte D. zu mir gerufen. Kann nicht auch ich
meine Kopfschmerzen, die Übelkeit, die mich ab und zu heimsucht, oder die
Ruhelosigkeit, die mich umtreibt, von dem Arzt meines Vertrauens behandeln
lassen?

Andererseits fürchtete ich, ich könnte irgendwann meine Beherrschung ver-
lieren und mich in seine Arme werfen, sollten wir alleine und ungestört sein.
Meine Sehnsucht nach Zärtlichkeit ist so überwältigend groß, doch es ist nie-
mand da, der sie stillt.

Ab und zu teilt G. das Bett mit mir. Er hat den Wunsch nach einem Erben
noch nicht aufgegeben, aber oft ist er nicht in der Lage, seine eheliche Pflicht
erfüllen, was wiederum seinen Zorn entfacht, auf mich, auf seine zarte Kon-
stitution, auf seine Ärzte.

Diese intimen Begegnungen haben nichts zu tun mit der Zärtlichkeit oder
Liebe, nach der ich mich sehne. Und sie sind mir mit jedem Mal unangenehmer.
Ich bin erleichtert, wenn ich mit G. so selten wie möglich allein bin. Und bei
gesellschaftlichen Ereignissen halte ich sogar ein wenig Abstand von ihm.

Im Mai begleitete Ludovica ihren Mann zu einer Einladung ins
Kronprinzenpalais. Ludovica freute sich auf Prinzessin Elisabeth
und hoffte, die Männer würden sich beizeiten zurückziehen und
ihr ein echtes Gespräch mit der Freundin ermöglichen, statt nur
höfische Konversation betreiben zu müssen.

Sie hatte sich nicht getäuscht. Der Kronprinz zog den Grafen
mit sich, um ihm die neuesten Stücke der Uniformensammlung zu
zeigen. Vermutlich würden die Männer nicht so schnell wieder auftauchen.

Zu ihrer Überraschung traf Ludovica die Prinzessin in ihrem Salon auf einem Ruhebett an. Wie immer war das dichte dunkelbraune Haar gescheitelt und sorgfältig in Korkenzieherlocken gelegt. Um ihren schlanken Hals lag eine Perlenkette. Sie war vollständig angekleidet, doch ihr Korsett war offensichtlich nur locker geschnürt. Trotz Puder im Gesicht wirkte sie kränklich. Dennoch lächelte sie, als Ludovica eintrat, und streckte ihr den Arm entgegen.

«Kommen Sie, meine Liebe. Ich freue mich ja so, Sie zu sehen. Endlich einmal jemand mit Geist, der mich nicht mit seinem öden Geplapper langweilt.»

Ludovica eilte an ihr Lager und ging vor der Prinzessin in die Hocke, dass sich ihr gerüschtes Seidenkleid wie eine Wolke um sie aufbauschte. Sie ergriff die ihr entgegengestreckten Hände, die sich fiebrig heiß anfühlten. «Verzeihen Sie, es scheint mir, Sie fühlen sich nicht wohl.»

Die Prinzessin lächelte schwach. «Ist das nicht unhöflich, mir zu sagen, dass ich nicht gut aussehe?»

Ludovica legte den Kopf schief. «Ich wollte Sie in keiner Weise beleidigen. Ich bin lediglich besorgt.»

Prinzessin Elisabeth tätschelte die Hand der etwas jüngeren Freundin. «Meine Liebe, Sie haben ja recht. Ich fühle mich nicht wohl, aber lassen Sie uns von etwas anderem sprechen.»

Ludovica ließ sich einen Sessel an das Ruhebett der Prinzessin schieben und nahm Platz.

Freundlich erkundigte sich die Kronprinzessin nach Amalie Friedericke, doch als Ludovica von ihrer hübschen, aufgeweckten Tochter zu schwärmen begann, verzog Prinzessin Elisabeth plötzlich das Gesicht und stöhnte vor Schmerz.

Ludovica beugte sich vor und ergriff ihre Hände. «Was ist mit Ihnen? Soll ich Ihre Zofe holen oder einen Arzt?»

Die Prinzessin presste sich beide Hände gegen das Mieder über ihrem Bauch. «Ach, es schrecklich. Ich leide schon seit einiger Zeit unter einem Bauchbruch, doch bisher hielten sich die Schmerzen, wenn ich mein Korsett trug, in Grenzen. Seit gestern jedoch ist es unerträglich, und ich musste meine Zofe bitten, mir das Korsett zu lockern und mir von den Opiumtropfen zu geben.»

Ludovica hatte alle Abhandlungen Dieffenbachs über Bauch- und Leistenbrüche gelesen. «Wie fühlt sich die Stelle an? Ist es, als würde etwas aus dem Bruch hervorquellen?», erkundigte sie sich mit Interesse und hoffte, dass die Frage nicht zu intim oder neugierig erschien.

Die Prinzessin nickte.

«Ein eingeklemmter Bauchbruch. Das muss wirklich sehr schmerzhaft sein!»

Elisabeth stöhnte. «Ich kann gar nicht mehr aufrecht sitzen. Der Kronprinz hat bereits nach unserem Leibarzt gerufen. Ich denke, Rust wird bald hier sein. Sie müssen mich dann eine Weile entschuldigen, meine Liebe, wenn ich mich zu einer Untersuchung zurückziehe. Friedrich meint gar, man müsse operieren», fügte sie mit kläglicher Miene hinzu.

Ludovica starrte die Prinzessin entsetzt an. «Sprechen Sie von Professor Rust?»

«Ich denke schon», erwiderte Elisabeth. «Er ist der Leibarzt der Familie und erster Chirurg der Charité. Warum fragen Sie?»

«Er ist alt und fast blind und hat die Gicht in den Händen», platzte die Gräfin heraus, ohne lange nachzudenken.

In diesem Augenblick meldete einer der Diener die Ankunft des Geheimen Rats und königlichen Leibarztes Rust.

Prinzessin Elisabeth ließ sich von zwei ihrer Hofdamen in ihr Schlafgemach führen, wo der Professor sie untersuchte. Ludovica wartete geduldig, bis die Prinzessin mit bekümmerter Miene zurückkehrte.

«Er sagt, er müsse schneiden. Ich könnte sonst mein Leben verlieren, falls eine Schlinge meines Darms im Bruch gänzlich abgeschnürt werden würde. Ein unappetitliches Thema. Verzeihen Sie.» Ludovica machte eine abwehrende Handbewegung. «Vieles in der Medizin ist unappetitlich, aber ich interessiere mich sehr dafür.» Dann nahm sie die Erschöpfung in den Augen der Prinzessin wahr und beeilte sich, ihr zum Abschied die Hände zu reichen.

«Hoheit, verzeihen Sie mir. Mein Besuch dauert schon viel zu lange, Sie müssen sich ausruhen. Aber, Elisabeth, verehrte Freundin, ich beschwöre Sie, denken Sie an meine Worte. Lassen Sie sich nicht von Professor Rust operieren. Ich fürchte um Ihr Leben! Bestehen Sie darauf, dass Dr. Dieffenbach den Eingriff übernimmt. Ich kenne ihn gut. Er ist ein begnadeter Chirurg und wird Sie von Ihren Schmerzen befreien. Bitte, versprechen Sie es mir. Der Prinz und Preußen brauchen Sie!»

Elisabeth wirkte verunsichert, trotzdem sagte sie: «Ich verspreche es, Ludovica. Würde es Ihnen etwas ausmachen … Ich meine, Sie sind so leidenschaftlich an medizinischen Dingen interessiert … So stark und beherzt …» Die Prinzessin brach ab und sah Ludovica flehend an.

«Hoheit, möchten Sie, dass ich während der Operation bei Ihnen bin?»

Die Prinzessin nickte erleichtert. «Ja, das möchte ich. Sie wären mir wahrlich eine große Stütze.»

Ludovica verneigte sich und zog sich dann zurück. Wenig später bestiegen sie und der Graf ihre Kutsche und fuhren zurück in die Stadt.

༄

Die Prinzessin hatte auf Ludovicas Rat gehört, Professor Rust brachte tatsächlich seinen zweiten Chirurgen Dieffenbach mit. Erleichtert begrüßte Ludovica beide Ärzte. Dieffenbachs Lächeln ließ ihr Herz flattern. Wie gern hätte sie ihn wenigstens für ein paar Minuten für sich alleine gehabt, aber das war natürlich ganz unmöglich. Er war hier, um eine Prinzessin zu retten! Also erwiderte sie sein Lächeln und sagte mit einem schnellen Blick in Professor Rusts Richtung: «Ich bin ja so erleichtert, dass Sie da sind.» Dr. Dieffenbach verstand offensichtlich. «Es wird alles gutgehen. Sorgen Sie sich nicht.»

Neben Dieffenbach hatte Rust auch noch den Kollegen Jüngken in seinem Gefolge, der sich zwar seit seiner Übernahme der Abteilung für Augenkrankheiten nur noch selten an Operationen der Äußeren Abteilung beteiligte, der aber den Ruf eines guten Operateurs hatte. Er wirkte oft überheblich, und seine Stimme wurde schneidend kalt, wenn er sich über etwas ärgerte, doch Ludovica wusste, dass er ein geschätzter Kollege war.

Sie setzte sich neben die Prinzessin und umfasste ihre Hand. Alle anderen Personen außer dem Kronprinzen mussten jetzt das Gemach verlassen, das in einen Operationssaal verwandelt worden war. Noch immer hatte Professor Rust vor, den Eingriff eigenhändig vorzunehmen. Die Kollegen Jüngken und Dieffenbach seien lediglich dabei, um ihm zu assistieren, so der Leibarzt.

Und doch war es Dr. Dieffenbach, der eines der Operationsmesser in die Hand nahm und sich neben den Operationstisch stellte, auf dem die königliche Patientin lag. Dann wandte er sich an den Kronprinzen: «Königliche Hoheit.»

«Ja?», fragte der Prinz und trat neben Dieffenbach. Dieser beugte sich ein wenig vor und schien dem Kronprinzen etwas zuzuraunen. Seine Hoheit lächelte, ging hinüber zum Waschtisch und hob die Wasserschüssel hoch. Dann richtete er sich an Rust. «Bitte, Herr Professor, können Sie mir kurz helfen?»

Als er dem Geheimrat die schwere Schüssel in beide Hände drückte, war Rust derart überrumpelt, dass er zugriff. Der Prinz wich zurück.

«Aber was soll ich damit?», wunderte sich Rust und sah sich suchend nach einem Platz um, wo er die Schüssel abstellen konnte.

Die wenigen Augenblicke genügten Dieffenbach, die Bauchdecke über dem Bruch mit einem gekonnten Schnitt zu öffnen und die Darmschlinge an ihren ursprünglichen Platz zurückzuschieben. Dr. Jüngken tupfte das Blut ab und reichte ihm Nadel und Faden. Dieffenbach war bereits dabei, die Wunde wieder zu schließen, als der Geheime Rat Rust die Schüssel endlich loswurde.

Verdattert starrte er auf die Patientin und auf seinen zweiten Chirurgen. Dieffenbach durchtrennte den Faden und legte mit Jüngkens Hilfe einen festen Verband um den Leib der Prinzessin.

Rust wandte sich noch immer leicht verwirrt an den Kronprinzen, dann lächelte er plötzlich. «Vortrefflich! Das hat mein Schüler Dieffenbach vortrefflich gemacht», verkündete er, als hätte er das Ganze nie anders geplant gehabt.

Der Kronprinz sparte nicht an Lob, besonders in Richtung des königlichen Leibarztes, während sich die Prinzessin sichtlich entspannte. Sie dankte Professor Dieffenbach und ließ sich zu ihrem Bett hinübertragen. Nur Ludovica blieb noch eine Weile, während die Ärzte bereits wieder auf dem Weg zur Charité waren.

«Ich danke Ihnen für Ihren Rat, meine Freundin», sagte die Prinzessin. «Ich gestehe, ich hatte eine Heidenangst, dabei ging es so schnell, dass ich kaum etwas gespürt habe.»

«Ja, Dr. Dieffenbach ist ein großer Künstler auf seinem Gebiet», schwärmte Ludovica.

Die Prinzessin lächelte verschmitzt. «Meine Liebe, Sie haben sich doch nicht etwa in unseren zweiten Chirurgen verguckt?»

«Nein, natürlich nicht, Hoheit! Wie kommen Sie auf solch einen Gedanken? Ich halte nur viel von ihm – als Arzt.»

«Oh ja, natürlich, nur als Arzt», wiederholte Elisabeth, doch Ludovica hatte das untrügliche Gefühl, dass die Kronprinzessin ihr nicht glaubte und sich ein wenig über sie lustig machte.

KAPITEL 22

Graf Gottfried

E r hatte sie gefragt, wie sie ihren freien Nachmittag zu verbringen gedachte. Er wollte sie in die Stadt begleiten und sich mit
ihr unterhalten! Elisabeth schlief kaum in dieser Nacht und war am
Vormittag nicht so konzentriert bei ihrer Arbeit wie sonst. Ihr Herz
pochte stürmisch.

Wie Dr. Heydecker am Vortag angekündigt hatte, holte er sie
am Nachmittag ab. Er klopfte an ihre Zimmertür. Elisabeths Herz
übernahm den Rhythmus und wiederholte ihn in schneller wer-
dender Folge, bis sie die Klinke herunterdrückte und die Tür auf-
zog. Sein Lächeln hüllte sie wie eine wärmende Wolke ein und fuhr
ihr bis in die Eingeweide. Seine Augen strahlten so blau, als er auf
sie zutrat und ihr den Arm reichte.

Sie schüttelte den Kopf. Was sollten die anderen Ärzte und
Schwestern denken, wenn sie sich wie eine Dame am Arm ihres
Kavaliers durch die Gänge der Charité führen ließ?

Alexander Heydecker wich zurück. «Entschuldigen Sie», sagte
er rasch. «Ich wollte Sie nicht in Verlegenheit bringen.» Er sah sie
an.

Elisabeth dachte, sie könne keinen einzigen Schritt machen, so
weich fühlten sich ihre Knie an.

«Sie haben es sich doch nicht etwa anders überlegt?», erkundigte er sich bang, als sie sich noch immer nicht rührte. «Wollen Sie
lieber hierbleiben?»

Elisabeth schüttelte den Kopf. Ihre Miene blieb ernst. Sie fürchtete, ihr Lächeln würde sie verraten. Diese Gedanken und Gefühle

waren in jeder Hinsicht unpassend. Aber das war das ganze Unternehmen ebenfalls. Sie wollte sich gar nicht vorstellen, was Oberin Walburga oder gar Pfarrer Fliedner zu diesem Rendezvous sagen würden.

Nein, es war natürlich kein Rendezvous. Es war lediglich ein Treffen, bei dem sie sich zwar dem Genuss von süßem Kuchen und Kaffee hingeben, sich aber über ihre gemeinsame Arbeit unterhalten würden, redete sich Elisabeth ein, um den Mut zu finden, sich mit Dr. Heydecker endlich auf den Weg zu machen.

Alexander, flüsterte eine Stimme in ihrem Kopf und trieb ihr ein wenig Röte in die Wangen. Rasch trat sie in den düsteren Gang hinaus, damit er es nicht bemerken konnte. Und sie hielt bewusst Abstand, um ihn nicht aus Versehen zu berühren, während sie die Treppe hinunterstiegen und das Gebäude der Neuen Charité verließen.

Es war ein schöner Tag. Die Sonne schien, und ein lauer Frühlingswind ließ weiße Wolken über den blauen Himmel wandern. Verstohlen sah sich Elisabeth um, als sie durch das Tor traten und das ummauerte Gelände des königlichen Hospitals verließen. Sie fürchtete, Oberin Walburga irgendwo zu entdecken oder, noch schlimmer, Friedgard, die sicher nichts lieber täte, als Elisabeth zu verpetzen, doch niemand sagte etwas zu ihnen. Keiner hielt sie zurück.

Sie atmete erleichtert auf, als sie die Luisenstraße hinuntergingen und dann die Spree überquerten.

«Möchten Sie in ein bestimmtes Kaffeehaus?», erkundigte sich Dr. Heydecker.

Elisabeth verneinte. «Ich war noch nie an so einem Ort», verriet sie ein wenig verlegen. «Dahin gehen doch nur reiche und adelige Damen.»

«Vielleicht in die Kaffeehäuser Unter den Linden», widersprach er. «Es gibt aber auch viele kleine Kaffeestuben abseits der großen

Allee, in denen sich zum Beispiel Journalisten und Künstler treffen. In manchen gibt es, unter den Tresen verborgen, vermutlich noch immer liberale Zeitungen, die in Preußen eigentlich verboten sind. Das war schon in meiner Zeit als Pépin so.» Seine blauen Augen funkelten.

Elisabeth lächelte. «Ein Tummelplatz von Liberalen? Wenn man die Leute so reden hört, denkt man, die würden sich in finsteren Hinterhofkneipen treffen. Außerdem sollen sie sehr radikal sein.»

«Nun, ich glaube nicht, dass man sagen kann, dass alle Liberalen gleichzeitig Revolutionäre sind», gab der Doktor zu bedenken. «Es stimmt, sie kämpfen für ein Parlament und für ein Mitspracherecht des Volkes. Aber das ist doch nicht schlecht, oder?»

«Sie richten sich gegen den absoluten Herrschaftsanspruch des Königs, nicht wahr? Dabei ist unser König unser Herr von Gottes Gnaden.»

Dr. Heydecker starrte Elisabeth wortlos an, bis er ihr spitzbübisches Lächeln bemerkte. «Sie fordern mich absichtlich heraus», stellte er fest.

«Oh ja.» Sie lachte. «Es interessiert mich, ob mein Begleiter auch ein Liberaler ist.»

Er zuckte mit den Schultern. «Ich weiß nicht, ob ich mich so bezeichnen würde. Meine Familie hat den König immer geachtet, aber vielleicht wären ein Parlament und ein wenig Mitsprache aus dem Volk gut und würden helfen, einige der schlimmsten Missstände zu beseitigen.»

Elisabeth sah ihn von der Seite an. Bisher hatte sie ihn als Arzt kennengelernt, der nicht nur medizinisch interessiert war, sondern auch mit Verständnis seinen Patienten begegnete. Sein politisches Interesse weckte ihre Neugier. Doch noch bevor sie etwas fragen konnte, fuhr er schon fort.

«Sie können sich nicht vorstellen, was ich in meinen Jahren im fernen Osten Preußens erlebt habe. Wie die Menschen dort in einfachsten Verhältnissen in Schmutz und Armut leben. Aber kein Minister scheint sich dafür zu interessieren. Oder sehen Sie hier in Berlin. Sie wissen so gut wie ich, wie die Cholera in den elenden Vierteln gehaust hat, aber haben sich die Wohnverhältnisse der Armen seitdem verbessert? Gibt es sauberes Wasser, größere Wohnungen oder neue Abwasserkanäle? Berlin stinkt noch immer in vielen Bezirken zum Himmel, aber nichts passiert.»

«Sie haben recht, Herr Dr. Heydecker», sagte Elisabeth. «Manchmal sprechen auch wir Diakonissen davon, wie die Armut bekämpft werden könnte. Pfarrer Fliedner ist sehr engagiert und würde von Herzen gern alle Kranken aus den Elendsvierteln besser versorgen. Glücklicherweise kann wenigstens ein Teil der Armen kostenlos in der Charité behandelt werden.»

«Ja, die besonders schweren Fälle, das stimmt. Aber unsere Betten sind immer ausgelastet, und die Armut in Berlin nimmt stetig zu! Man kann es bei jedem Gang durch die Stadt sehen.»

Sie erreichten ein schmales Haus hinter der Dorotheenstraße, über dessen grün gestrichener Tür ein Schild mit einer dampfenden Tasse hing. Dr. Heydecker hielt ihr mit der Andeutung einer Verbeugung die Tür auf und nahm ihr dann ihren Umhang ab. Stimmengewirr empfing sie, als sie in den Gastraum traten. Einige junge Männer saßen an dem langen Tresen und schienen angeregt zu diskutieren. Dann entdeckte Elisabeth Frauen, die bei Kuchen und Kaffee an kleinen Tischen saßen. Und sie sah, wie zwei junge Mädchen in hübschen Rüschenkleidern kichernd die Köpfe zusammensteckten.

Alexander führte sie zu einem Tisch in der Fensternische, von dem aus sie das Café und die Straße überblicken konnten. Für sich bestellte er eine große Tasse schwarzen Kaffee und einen süßen, in Fett ausgebackenen Krapfen. Elisabeth erlag der Versuchung einer heißen Schokolade und eines Kuchens mit frischen roten Beeren. So etwas Köstliches hatte sie seit langem nicht gegessen!

«Ich habe mit Erstaunen und Freude gesehen, dass Sie die Ausbildung unserer zukünftigen Wärterinnen auch weiter unterstützen», sagte Alexander und wechselte vom Politischen zum eigentlichen Grund ihres Treffens. «Ich möchte Sie gern dabei unterstützen. Ich denke schon lange, dass eine praktische Schulung der Wärter wichtig ist – auch für unsere Arbeit als Ärzte. Ich sehe, wie anders die Diakonissen mit den Patienten umgehen. Es wäre gut, wenn wir es schaffen könnten, die Wärter und Wärterinnen dazu zu bringen, mit der gleichen Hingabe und mit dem gleichen Interesse an der Genesung der Patienten ihre Arbeit zu tun.»

«Sie müssten zuallererst mindestens so viel Lohn bekommen wie wir Diakonissen. Diese Ungerechtigkeit stößt den Wärtern und Wärterinnen zu Recht sauer auf und verschlechtert ihre Arbeitsmoral noch», wandte Elisabeth ein.

Alexander nickte. «Das ist richtig, aber da habe ich kein Mitspracherecht. Ich kann lediglich bei praktischen Übungen behilflich sein.»

«Ich glaube, wichtig ist zum Beispiel der richtige Umgang mit Verbänden und Bandagen.» Sie nippte an ihrer heißen Schokolade und seufzte vor Wohlbehagen.

«Schwester Elisabeth, Sie sind ja eine Naschkatze. Ist das nicht eine Sünde?»

Sie schob sich eine Gabel voll Kuchen in den Mund und kaute genussvoll, ehe sie antwortete. «Nein, ich denke nicht. Wozu gibt es solche Köstlichkeiten auf der Welt, wenn man sie nicht genießen darf?»

«Soll das Leben nicht Mühsal und Arbeit sein, um nach dem Tod den Lohn im ewigen Leben zu erhalten?», neckte er sie weiter.

Elisabeth überlegte. «Sie meinen, weil ich Diakonisse bin, müsste ich so denken? Vermutlich, und vielleicht bin ich nicht gottesfürchtig genug. Aber ich bin nicht Diakonisse geworden, weil ich Gott dienen oder etwas für meine unsterbliche Seele tun möchte.

Ich finde es gut, dass Pfarrer Fliedner jungen Mädchen und Frauen eine eigenständige Arbeit gibt, bei der sie ihren Mitmenschen helfen können. Wir haben gemeinsame Regeln und einen strengen Tagesablauf, aber das schreckt mich nicht. Diese Regeln sind auch unser Schutz vor Willkür. Die Gemeinschaft schützt uns Schwestern. Und wir sind in Krankheit und später im Alter als ein Glied dieser Familie geborgen.»

Sie hob die Hände und ließ sie wieder sinken.

«Ich habe diesen Weg gewählt, weil ich ein *eigenständiges* Leben führen will und dennoch in eine Familie mit meinen Mitschwestern eingebunden sein möchte.»

Alexander Heydecker lachte auf.

«Klingt das für Sie so seltsam?» Sie sah ihn ernst an. «Ich habe gesehen, wie meine Schwester Maria unter den Launen ihres Mannes gelitten hat. Die Liebe war schnell verflogen. Er trank, verlor seine Arbeit, verließ sie, als sie schwanger wurde, um zur Armee zu gehen. Dort kam er auch ums Leben. Nein, ich will frei sein.»

«Sagt Ihnen denn Pastor Fliedner nicht, was Sie zu tun und zu lassen haben?», wandte Dr. Heydecker ein.

«Eher Dr. Dieffenbach und Sie, Herr Doktor», widersprach Elisabeth. «Ja, Sie sagen mir, wie ich meine Arbeit tun soll, doch im Gegensatz zu einer Ehe gibt es an der Charité Regeln. Ich muss nicht fürchten, dass Sie sich betrinken, dass kein Geld für Essen im Haus ist oder dass Sie mich schlagen, weil Ihnen gerade danach ist.»

Alexander starrte sie betroffen an. «Ist das Leben als Ehefrau wirklich so schrecklich, dass Sie sich lieber der Kirche verpflichten?»

«Bei Ihnen zu Hause vielleicht nicht», räumte Elisabeth ein. «In meiner Nachbarschaft hätte ich mit keiner der Frauen tauschen mögen. Auch nicht mit meiner Mutter.»

«Es gibt auch andere Männer», sagte er mit weicher Stimme.

«Männer, die ihre Frauen achten und ehren.» Er streckte den Arm aus, und ehe sie darüber nachdenken konnte, legte sie ihre Hand in die seine.

«Dr. Heydecker ...», begann sie.

«Sagen Sie Alexander zu mir, bitte.»

Elisabeth versuchte, ihre Hand zurückzuziehen, doch er legte die andere Hand über ihre.

«Bitte, ich will Sie weder kompromittieren, noch habe ich Schlechtes mit Ihnen im Sinn. Ich habe Sie einfach gern, und es ist eine Freude, mit Ihnen zusammenzuarbeiten. Ich bewundere Ihre Geduld mit den Patienten. Wie Sie sich einfühlen. Und ja, wie Sie sich auf die Hinterbeine stellen und mit gefletschten Zähnen jeder ärztlichen Anweisung trotzen, die Ihrer Meinung nach nicht gut für Ihre Schützlinge ist.»

Elisabeth lachte auf. «Das ist eine Lüge ... Alexander», fügte sie unsicher hinzu. «Ich habe es Ihnen angesehen. Ein paarmal hätten Sie mir am liebsten den Kopf abgerissen!»

«Das eine schließt das andere nicht aus», behauptete er forsch.

«Und das soll ich Ihnen glauben?»

Er nickte mit ernster Miene. «Ja, weil Sie die unglaublichste Frau sind, die ich je getroffen habe. Ich bewundere Sie und habe Sie von Herzen liebgewonnen.»

Elisabeth entriss ihm ihre Hand und setzte sich kerzengerade auf. «Das dürfen Sie nicht. Das wissen Sie.»

«Ich kann meinem Herzen keine Vorschriften machen. Und ich werde Sie nicht drängen, etwas zu tun, das Sie nicht möchten. Aber ich sage Ihnen auch, dass mir die willkürlichen Vorschriften eines Pfarrers nichts bedeuten.»

«Ich habe einen Eid geschworen», sagte Elisabeth leise und versuchte, den Schmerz, der ihr Herz durchstach, zu ignorieren. Keine Träume, die ihr nicht zustanden, keine Phantasien, die niemals wahr werden durften!

Der Kuchen schmeckte ihr plötzlich nicht mehr, und die Schokolade schien ihr weniger süß.

In stillem Einverständnis sprachen sie nur noch über Elisabeths Arbeit für die Krankenwartschule, bis Alexander die Rechnung verlangte und bezahlte. Er bot ihr den Arm an, doch sie verschränkte die Arme unter ihrem Umhang.

«Das wollte ich nicht», sagte er, als die Mauer der Charité bereits wieder vor ihnen auftauchte. «Ich hatte mir alles so schön vorgestellt. Bitte, vergessen Sie meine Worte. Ich könnte es nicht ertragen, wenn Sie mich nicht mehr mit einem Lächeln begrüßen und nur dieses finstere Gesicht ziehen.»

Wider Willen musste Elisabeth lachen. «Das kann ich natürlich nicht verantworten. Es wäre nicht auszudenken, wenn Sie Ihre schlechte Laune an den Patienten ausließen.»

Sie blieben gleichzeitig stehen, so als wollten sie den Augenblick hinauszögern, in dem sie durch das Tor wieder in ihren Alltag eintreten würden.

«Alexander, ich danke Ihnen für diesen schönen Nachmittag», sagte sie und streckte die Hände nach ihm aus.

Alexander. Sein Name klang in ihrem Kopf nach, und sie spürte, wie sich die Wärme in ihr ausbreitete, als seine Finger die ihren umschlossen. Doch da war noch etwas anderes. Etwas Feuriges, ein Begehren nach mehr. Mehr Haut, mehr Berührung. Ein Verlangen nach seinen Armen, seinem Körper, seinem Duft.

Sie wusste nicht, wie es kam, doch ihre Arme schlangen sich plötzlich um ihn. Oder war er es, der sie zuerst an sich zog? Vielleicht hatte sie zu lange von seinem Kuss geträumt, um ihn wieder zurückzuweisen.

So sog sie seinen Atem in sich ein und schmeckte seine Lippen, während ihre Arme ihn umklammerten. Der erste zarte Kuss wurde fordernder, doch all die unsinnigen Widerstände, die sie sich auferlegt hatte, verwehten im lauen Abendwind. Seine Lippen streiften ihre Wange, ihre Schläfe, ihren Hals. Elisabeth seufzte lustvoll.

«Das dürfen wir nicht», flüsterte sie, ohne ihn loszulassen.

«Wir sind freie Menschen», entgegnete er zwischen zwei Küssen. «Es gibt kein Gesetz gegen die Liebe.»

Erst als sich vom Tor her eine Gestalt näherte, ließen sie einander los. Verlegen wandte sie sich ab und hoffte, nicht erkannt worden zu sein. Schon ihre Diakonissentracht prangerte die Sünde an, alleine mit einem Mann hier in der Dämmerung zu stehen.

Der Mann in der Uniform eines Stabsarztes hatte es eilig und beachtete das Paar nicht, doch der Zauber war gebrochen. Elisabeth fühlte sich verlegen, und Alexander berührte sie nicht noch einmal.

«Gehen wir», sagte er mit belegter Stimme. «Nicht, dass man Sie vermisst.»

Elisabeth widersprach nicht. Schweigend kehrte sie in ihre Kammer unter dem Dach der Charité zurück.

～

An diesem schönen Junitag traf Elisabeth einige Wärterinnen aus der Lateinischen Klinik auf dem Flur, die aufgeregt miteinander tuschelten.

«Was ist denn los?», erkundigte sie sich.

«Der Professor ist tot!», hauchte ein junges Ding, das Elisabeth aus weit aufgerissenen Augen anstarrte.

«Welcher Professor?», hakte Elisabeth nach.

«Der Geheimrat Bartels», präzisierte eine andere, die schon viele Jahre in der Charité arbeitete. «Einfach so umgekippt und mausetot.»

Ob das so stimmte, konnte Elisabeth nicht einschätzen. Die

Wärterin schien nicht bei Eintritt des Todes anwesend gewesen zu sein, und geredet wurde immer viel.

Elisabeth kannte Professor Bartels. Er war der Leiter der Universitätsklinik für Innere Medizin, der Lateinischen Klinik, wie sie genannt wurde. Auch Alexander, den sie später im Operationssaal traf, wusste schon davon. Und als Dr. Dieffenbach eintrat, war der Tod des Kollegen noch immer das Thema.

«Wir bedauern den Verlust von Professor Bartels sehr», sagte Dieffenbach knapp, ehe er sich der anstehenden Operation zuwandte.

～

Am Abend berichtete Dieffenbach Emilie von Bartels' Tod.

«Weißt du, er war zwar ein geschätzter Kollege, andererseits ist es für die Universität und für die Charité eine große Chance, nun vielleicht einen Mann an seine Stelle setzen zu können, der einen neuen Wind durch die Medizin wehen lässt. Die Zeit, über innere Lebenskräfte zu philosophieren, ist vorbei. Auch in der Inneren Medizin oder vielleicht gerade dort, wo man den Kern des Leidens nicht so offensichtlich sieht wie bei einer Verletzung oder einem Bruch, muss man mit wissenschaftlichen Untersuchungsmethoden den Ursachen auf den Grund gehen. Durch Messen und Vergleichen müssen die Krankheiten unterschieden werden.»

«Hast du jemand Bestimmten im Auge?», fragte Emilie.

Dieffenbach nickte. «Ich habe den ganzen Tag darüber nachgedacht und bin zu dem Schluss gekommen, dass mein geschätzter Lehrer aus meinen Studientagen, Professor Johann Lukas Schönlein, genau der Richtige wäre.»

«Du hast mir von ihm erzählt», erinnerte sich Emilie. «Ihr kennt euch aus Würzburg, nicht wahr?»

«Ja, aber inzwischen hat er nach Zürich gewechselt. Ich werde ihn dem Direktorium vorschlagen, er wäre eine ausgezeichnete Wahl. Solch ein Mann der Wissenschaft würde der Universitätsklinik nur guttun! Wenn es um Neuerungen und bahnbrechende Erkenntnisse in der Medizin geht, wer spricht denn da von Berlin? In Paris, London oder gar Wien und Zürich sitzen die großen Köpfe.»

Emilie lächelte ihren Mann an. «Dann können wir nur hoffen, dass sich die wichtigen Herren für den Richtigen entscheiden und sich ein solch helles Licht der Medizin ins beschauliche Berlin begibt.»

«Es ist mir durchaus ernst damit», fuhr er mit noch mehr Nachdruck fort. «Ich werde jedenfalls nicht lockerlassen, wenn es gilt, Überzeugungsarbeit zu leisten.»

∽

Schon lange hatte Dieffenbach die Kutsche mit dem Wappen der Grafen von Bredow nicht mehr vor seiner Haustür gesehen. Er wusste, dass der Graf einen anderen Arzt mit seiner Sammlung eingebildeter Krankheiten in Atem hielt, und eigentlich war er ganz froh, ihn nicht weiter behandeln zu müssen. Das Honorar war zwar stets fürstlich gewesen, doch er vermisste die gräflichen Taler nicht. Seine Praxis lief gut, und Emilie war keine Frau mit verschwenderischen Neigungen. Ja, sie fragte ihn gar jedes Mal, ehe sie zum Schneider ging, um sich ein neues Kleid nähen zu lassen, oder um beim Schuster ein Paar neue Schuhe zu erstehen. Und da sie nur selten Gäste empfingen und nicht ständig die Wohnung voller Leute war, die er nicht einmal kannte, waren die Kosten für die Haushaltsführung drastisch gesunken. Emilie war eine umsichtige Hausfrau. Das Mädchen, das ihr mit der Wäsche und der groben Arbeit zur Hand ging, war ein einfaches, fleißiges Ding aus einem kleinen Dorf im Norden von Berlin. Und das Hausmädchen freute sich, wenn es auf die Kleinen aufpassen durfte. Nach seiner Tochter Frieda, die ein wenig mehr als ein Jahr nach der Hochzeit zur Welt gekommen war, hatten sie seit eineinhalb Jahren noch ein Mädchen – Sophie –, um das sich Emilie genauso rührend kümmerte.

Er liebte seine Frau. Sie war so lebendig, so praktisch, so fürsorglich. Sie schien immer zu wissen, was er brauchte, und überschüttete ihn nie mit Vorwürfen. Es gab keinen Streit mehr und keinen Tag, an dem er nicht gerne nach Hause kam.

Und doch war es ihm manchmal, als würde ihm etwas fehlen. Eine Sehnsucht, die in seinem Magen schmerzte. Ein Bild, das sich in seine Träume schlich. Er vermisste Ludovica. Dieses innige Gefühl, wenn sie über seine Artikel in einer der Medizinzeitschriften gesprochen hatten. Die flüchtige Berührung ihrer Hände. Ihr Lächeln. Ihr schönes Gesicht. Das Grün ihrer Augen. Die zarte Gestalt. Und doch, es war gut so, wie es war. Es wäre nicht richtig gewesen, den Gefühlen nachzugeben. Sie hätten sich beide in Gefahr gebracht. Und es wäre Emilie gegenüber nicht fair gewesen.

Das alles war ihm bewusst, und trotzdem schlug sein Herz höher, als er jetzt die Kutsche mit dem Wappen an der Ufermauer sah.

«Herr Professor, der Graf schickt nach Ihnen», richtete der Diener aus. «Es ist dringend. Er leidet unter starken Schmerzen.»

Dieffenbach unterdrückte seine Überraschung. «Ich komme. Ich muss nur noch ein paar Utensilien aus meiner Praxis holen», behauptete er und lief die Treppe hinauf, um Emilie Bescheid zu geben. Vielleicht gerade weil sein Herz hoffnungsfroh klopfte, nahm er seine Frau fest in die Arme und küsste sie mit solch einer Leidenschaft, dass Emilie protestierte.

«Nicht vor unseren Töchtern. Johann, was sollen sie von uns denken?»

Dieffenbach herzte die beiden Mädchen, die ihn aus unschuldigen Kinderaugen anstrahlten. «Sie denken, dass sich ihre Eltern lieben, das kann nicht falsch sein.»

Er drückte Frieda und Sophie und dann noch einmal seine Frau, bevor er nach seiner Tasche griff und die Treppe hinuntereilte.

Die Fahrt dauerte nicht lange, aber Dieffenbach spürte, wie sein Herz mit jedem Hufschlag der Pferde vor Freude schneller schlug. Er sah ihr Gesicht vor sich, lange bevor er das Portal durchschritt.

Die Gräfin erwartete ihn bereits in der Halle. «Gut, dass Sie kommen, mein Freund. Ich mache mir große Sorgen.»

War Graf Gottfried etwa ernsthaft erkrankt?

Auf seine stumme Frage hin sagte Ludovica: «Ich glaube, der Graf leidet unter großen Schmerzen.» Sie stieg mit ihm die Treppe hinauf.

«Was ist denn mit dem neuen Arzt seines Vertrauens? Ist der Kollege nicht zugegen?»

«Nein. Er hat Graf Gottfried untersucht und dann empfohlen, Sie zu Rate zu ziehen», berichtete Ludovica.

Sie hatte recht, diesmal musste es sich um etwas Ernstes handeln. Das verschwitzte Gesicht des Kranken glühte, zusammengekauert wand er sich unter Schmerzen in seinem Bett. Es kostete Dieffenbach alle Überredungskunst, bis der Patient seine Embryohaltung so weit aufgab, dass der Arzt seinen aufgequollenen Leib untersuchen konnte. Der Graf jammerte und schrie auf, als Dieffenbach seinen Bauch berührte.

«Können Sie mir den Schmerz beschreiben?»

Der Graf war für einen Moment still, dann schwebte sein Finger über einer Stelle in der Mitte des Oberbauchs. «Hier hat es angefangen, vor zwei Tagen, aber jetzt ist hier dieser fürchterliche Schmerz», stieß er hervor. «Mir ist so furchtbar kalt, und ich habe seit gestern nichts mehr zu mir nehmen können.»

Seine Zähne schlugen aufeinander. Rasch rollte er sich wieder zusammen und zog die Knie an den Leib, wohl um die Pein ein wenig zu mildern. Dieffenbach legte seine Hand auf die heiße Stirn, während Ludovica Gottfrieds Hand ergriff und ihm Mut zusprach.

«Ich werde Ihnen etwas geben, das die Schmerzen lindert», sagte Dieffenbach aufmunternd.

«Sie werden doch nicht operieren müssen? Allein schon der Gedanke an ein Messer lässt mich in Ohnmacht sinken.»

Und doch wäre das die beste Lösung, dachte Dieffenbach, als er dem Grafen die Opiumtinktur einflößte. Er hoffte, er würde ein wenig Schlaf finden. Er musste unbedingt mit der Gräfin sprechen. Allein!

Graf Gottfried wandte sich ab und wimmerte in sein Kissen, doch schon nach wenigen Minuten wurde er ruhiger. Dieffenbach nahm Ludovica am Arm und zog sie vor die Tür.

«Es steht nicht gut um den Grafen!», sagte er ernst.

«Das habe ich mir gedacht, als Dr. Landmann so fluchtartig das Weite suchte.»

«Er fürchtete wohl die Folgen, was ich ihm nicht verdenken kann», sagte Dieffenbach grimmig.

«Was ist es denn? Ist es ein Bauchbruch wie bei Prinzessin Elisabeth?», fragte Ludovica.

«Nein, es ist schlimmer. Der Appendix, der Wurmfortsatz des Blinddarms, hat sich entzündet. Es ist eigentlich ein kleines, harmloses Anhängsel, doch wenn es gereizt wird, kann sich das ganze Bauchfell entzünden. Und es kann passieren, dass der Appendix bricht und sich sein eitriger Inhalt im Bauchraum verteilt. Dann ist das Leben des Patienten nicht mehr viel wert», erklärte er, ohne die Gräfin zu schonen.

«Können Sie den Grafen denn nicht operieren?», wollte sie wissen.

«Das würde ich tun, auch wenn viele sagen, jede Öffnung des Bauchfells sei tödlich.»

«Dann retten Sie ihn! Operieren Sie! Sie wissen, wie sehr ich auf Ihre Kunst vertraue!»

Dieffenbach wiegte den Kopf hin und her. «Es ist nicht die eigentliche Operation, die mich zurückschrecken lässt. Ich fürchte, der Graf besitzt nicht die seelische Stärke, solch einen Eingriff zu überstehen.»

«Sie meinen, er könnte vor Angst sterben?», fragte Ludovica verwundert.

«Ja, und er wäre nicht der Erste, dessen Herz versagt, noch ehe die Operation beendet ist.»

«Aber wie stehen seine Chancen, wenn Sie nicht operieren?»

Dieffenbach seufzte. «Schlecht. Ich fürchte, der Appendix wird bald brechen, und dann ist keine Rettung mehr möglich.»

«Dann operieren Sie!», verlangte die Gräfin noch einmal und griff nach seinem Arm. «Mein Freund, er ist mein Mann und der Vater meiner Tochter. Er hat ein Recht darauf, dass wir alles tun, um sein Leben zu retten.»

«Der Graf muss selbst entscheiden», sagte Dieffenbach. «Es ist sein Leben. Er muss seine Möglichkeiten selbst abwägen.»

«Dann überreden Sie ihn, wenn die Operation der einzige Weg ist, ihn zu retten!»

Dieffenbach verbeugte sich. «Ich werde alles versuchen, verehrte Freundin!»

༄

Der Zustand des Grafen verschlechterte sich stündlich, doch er zögerte noch immer, während Dieffenbach versuchte, so gut es ging, seine Schmerzen zu lindern.

«Machen Sie ihm klar, dass es bald nichts mehr zu entscheiden gibt», drängte Ludovica mit leiser Stimme. «Alles ist doch besser, als sich kampflos dem Schicksal zu ergeben.»

Dieffenbach nickte und versuchte noch einmal, Graf von Bredow zu überzeugen.

«Aber es wird sehr weh tun, nicht wahr?», stöhnte dieser.

«Sicher nicht mehr als das, was Sie seit gestern aushalten», behauptete Dieffenbach.

«Aber Sie schneiden mir mit einem Messer in meinen Bauch, und es wird bluten», widersprach der Graf.

Ludovica trat an sein Bett. «Gottfried, um Himmels willen, ich flehe dich an. Möchtest du denn elendiglich in deinem Bett sterben? Du trägst Verantwortung! Du hast eine Tochter, die ihren Vater braucht.»

«Kann es denn nicht von alleine wieder besser werden?», erkundigte sich Graf Gottfried hoffnungsvoll.

«Nein!», riefen Dieffenbach und Ludovica wie aus einem Munde.

«Damit ist nach meiner Erfahrung nicht zu rechnen», fügte Dieffenbach hinzu und erntete von Ludovica einen vorwurfsvollen Blick. Natürlich griff der Graf nach dem Strohhalm.

«Also ist es auch nicht ausgeschlossen!»

«Wenn Sie an Wunder glauben.»

Eine neue Welle des Schmerzes erfasste ihn und ließ ihn aufheulen. Dann schaute der Graf gottergeben zu Dieffenbach. «Nun gut, wenn es keine andere Möglichkeit gibt. Dann operieren Sie. Ich bin einverstanden.»

Ludovica umfasste seine Hand. «Du schaffst das, Gottfried. Ich werde bei dir bleiben. Du wirst wieder gesund, ganz bestimmt. Du hast Professor Dieffenbach immer vertraut. Er ist der beste Arzt, den wir kennen.»

Dieffenbach schickte nach seinem Wundarzt Hildebrand und bat zwei Diener, einen Raum für die Operation herzurichten. Außerdem ließ er zwei kräftige Helfer kommen, die den Grafen festhalten sollten. Kaum eine Stunde später war alles bereit und der kleine blaue Salon des Grafen in einen Operationssaal verwandelt.

Trotz der Beruhigungstropfen, die Dieffenbach dem Grafen verabreicht hatte, atmete dieser hektisch vor Aufregung.

«Ich gebe Ihnen noch ein Mittel, das die Schmerzen lindern wird», behauptete Dieffenbach und flößte ihm einen Kräutertrank ein. «Wichtig ist, dass er an die Wirkung glaubt», raunte er Ludovica zu. Er legte seine Finger an den Hals des Patienten, und Ludovica sah, wie er besorgt den Kopf schüttelte. «Sein Herz schlägt viel zu schnell. Sie müssen ihn ablenken. Ich schneide dann, so schnell es geht.»

«Gottfried, bitte, sieh mich an. Du konzentrierst dich jetzt nur auf mich. Höre meine Stimme, fühle meine Hand.»

In diesem Moment fuhr die Klinge durch die Bauchdecke. Der Graf stieß einen erstickten Schrei aus und versuchte, sich aufzubäumen, aber die beiden Helfer drückten ihn auf den Tisch. Ludovica sah, wie die Adern an seinem Hals hervortraten, als wollten sie platzen. Dann zuckte er und gab einen leisen Seufzer von sich. Der Widerstand erlahmte, und er erschlaffte.

«Er ist in Ohnmacht gefallen», sagte Ludovica erleichtert. «Er kann das Messer nicht mehr spüren. Machen Sie schnell, ehe er wieder aufwacht!»

Noch floss Blut aus der Wunde. Dieffenbach hatte die Bauchdecke durchtrennt und hielt den entzündeten Appendix zwischen den Fingern, doch er trennte ihn nicht ab. Das Messer sank herunter. Ludovica starrte den Arzt erstaunt an. Statt die Operation zu beenden, legte er sein Ohr an die Brust des Grafen und tastete nach der Halsschlagader. Dann schüttelte er den Kopf.

Da begriff sie.

«Er ist tot», sagte Dieffenbach. Langsam schnitt er den Fortsatz des Blinddarms durch, schob alles in die Bauchhöhle zurück und nähte den Schnitt mit drei Stichen zu.

«Aber er kann doch nicht an diesem kleinen Schnitt gestorben sein», widersprach Ludovica.

«Sie haben recht, es war nicht der Schnitt», sagte Dieffenbach. Seine Stimme klang erschöpft. «Es war sein Herz, das seine Angst nicht ertragen konnte.» Er legte die Nadel beiseite und wusch sich in einer Schüssel das Blut von den Händen. Dann griff er nach einem Tuch.

Ludovica erhob sich.

«Gräfin, Sie sollten sich jetzt ausruhen», sagte er mit so viel Anteilnahme, dass ihr Tränen in die Augen stiegen. «Ich kann Ihnen etwas zur Beruhigung geben, damit Sie ein wenig schlafen können.»

Sie hob den Blick und sah ihm in die Augen. «Ich danke Ihnen, doch ich kann jetzt nicht schlafen. Ich muss mich um meinen Gatten kümmern. Die Familie muss benachrichtigt werden, wir müssen ihn aufbahren, und ich muss die Beerdigung organisieren. Ich weiß, er hat genau niedergeschrieben, was in diesem Fall zu tun ist. Sein Diener Sebastian wird wissen, wo der Graf seine Anweisungen hinterlegt hat.»

Ludovica wandte sich um und betrachtete den Toten. Sie hatte nicht das Bedürfnis, ihn noch einmal zu berühren, dennoch küsste sie zum Abschied seine Stirn. Dann verließ sie den Salon, den der Graf so selten benutzt hatte und der ihm nun zum Totensaal geworden war.

KAPITEL 23

Heimlichkeiten

Gehen wir zur Beerdigung des Grafen von Bredow?», erkundigte sich Emilie.

Es war der Tonfall, der Dieffenbach sich umwenden ließ. «Ja, ich denke, das gebietet die Höflichkeit, nachdem er so lange mein Patient war und unter meinem Messer gestorben ist.» Er stieß einen Seufzer aus.

Emilie trat zu ihm und legte den Arm um ihn. «Es war nicht deine Schuld», sagte sie bestimmt. «Es gibt keinen Grund, dir Vorwürfe zu machen. Du hast es wenigstens versucht.»

«Ja, aber ich habe geahnt, dass es so enden wird», gab er zu.

«Und? Wäre er ohne den Eingriff wieder gesund geworden?»

Er schüttelte den Kopf. «Vermutlich nicht.»

Gemeinsam machten sie sich zur Trauerfeier auf. Natürlich waren nicht nur die Verwandten gekommen, die den Weg in die Hauptstadt auf sich genommen hatten. Alles, was in Berlin Rang und Namen hatte, fuhr mit der Kutsche vor. Ein endloses Band von schwarzen Kleidern und Fräcken zog sich über den Friedhof zur Familiengruft. Als Dieffenbach endlich an der Reihe war, Gräfin Ludovica sein Beileid auszusprechen, spürte er Emilies Blick in seinem Rücken. Und dennoch musste er ihre Hände umfassen. Sie sahen einander an. Wie gern hätte er sie in seine Arme genommen und an sich gedrückt.

Eine tief verschleierte Frau mit der steifen Haltung des alten Adels trat neben Ludovica. «Ist das der Arzt?», erkundigte sie sich kalt.

«Ja, das ist Professor Dieffenbach, Schwiegermama», stellte Ludovica den Arzt vor.

«Sie sind das also, der meinen Sohn auf dem Gewissen hat!» Dieffenbach schrieb die scharfen Worte der Trauer um ihren Sohn zu. Er verbeugte sich stumm, nickte Gräfin Ludovica noch einmal zu und zog sich zurück. Emilie hakte sich bei ihm unter. In einer der hinteren Reihen nahmen sie Aufstellung, wo nicht ganz so wichtige Personen standen. Dahinter folgten mit etwas Abstand die Bediensteten des Hauses.

«Wirst du nun, nach dem Tod des Grafen, noch ins Palais von Bredow fahren?», fragte Emilie leise, ohne ihren Mann anzusehen.

Dieffenbach lauschte mehr ihrer Stimme denn ihren Worten. Er wusste nicht, was er sagen sollte.

Emilie drückte sanft seinen Arm. «Sie ist eine faszinierende Frau, das verstehe ich», fügte sie hinzu.

Er spürte, wie sich sein Herz schmerzhaft zusammenzog. «Ich denke schon, dass mich die Gräfin ab und zu rufen wird, wenn sie oder das Kind sich nicht wohlfühlen. Aber du bist meine Frau. Du musst dir keine Sorgen machen. Daran wird sich nichts ändern.»

«Ich weiß», antwortete Emilie und seufzte. «Und dennoch werde ich niemals sein wie sie.»

«Das musst du auch nicht. Ich habe dich geheiratet, weil ich dich wollte. Weil ich dich liebe! Du bist die Mutter meiner Kinder.»

Emilie nickte, doch er spürte ihre Traurigkeit. Das, was sie hören wollte, konnte er nicht sagen, ohne zu lügen.

Martha sah zu dem Schulmeister auf, der sie um fast zwei Haupteslängen überragte. Er war lang und dünn und hatte einen verkniffenen Zug um den Mund. Die schmalen Lippen waren fest aufeinandergepresst, als er mit Nachdruck den Kopf schüttelte.

«Ihr Sohn passt nicht in unsere Schule», sagte er noch einmal. «Er kann mit den anderen Kindern nicht mithalten.»

Martha plusterte sich auf und streckte sich, trotzdem musste sie den Kopf weit zurücklegen, um Schulmeister Obermann in die Augen zu sehen.

«Sie denken also, mein August ist dumm», fasste sie den Monolog des Lehrers zusammen.

«Er weiß oft nicht einmal, welches Thema wir gerade durchnehmen», legte der Schulmeister nach.

«Ist es nicht eher so, dass Sie ihn in die letzte Reihe gesetzt haben?», wollte Martha wissen.

«Eine Disziplinarmaßnahme. Er hat sich mit drei Jungen auf dem Schulhof geprügelt. Ihr Sohn hat angefangen! Ich habe es gesehen.»

«Und haben Sie auch gehört, was die Jungen vorher zu ihm gesagt haben?»

«Das tut nichts zur Sache», behauptete der Lehrer.

«Doch, das tut es», widersprach Martha. Sie würde sich von diesem Obermann nicht einschüchtern lassen. Für ihren August war sie bereit, noch ganz andere Kämpfe auszufechten.

«Die Jungen lassen ihm keine Ruhe», berichtete sie. «Sie hänseln und beleidigen ihn, nur weil er schielt. Und Sie setzen ihn dann auch noch in die letzte Reihe, wo er ganz sicher nicht mehr erkennen kann, was an der Tafel steht. Und da wundern Sie sich, dass er dem Unterricht nicht folgen kann? Mein Sohn August hat einen schlauen Kopf, das kann ich Ihnen versichern. Sie müssen ihm nur eine Chance geben.»

Doch der Schulmeister zeigte sich unbelehrbar. «Dies ist eine Schule für normale Jungen, die später einen Beruf ausüben und eine Familie ernähren müssen. Ihr Sohn ist von seinem Körper her beschränkt, das geben Sie ja selbst zu. Er wird also niemals wie die anderen arbeiten, daher braucht er nach den Sommerferien nicht wiederzukommen. Wir haben auf dieser Schule keinen Platz für ihn.»

«Es gibt genügend Berufe, die er auch mit einem schielenden Auge erlernen kann!» Martha wurde lauter als beabsichtigt. Einige Leute, die in der Nähe standen, drehten sich zu ihnen um. Obermann trat zurück und bedachte die erregte Frau mit einem mitleidigen Blick.

«Es ist verständlich, dass Sie als Mutter das Beste für Ihren Sohn möchten. Aber ich bleibe dabei, in unserer Schule ist kein Platz für ihn. Versuchen Sie es in einem der Vororte. Dort gehen die Kinder der Arbeiter zur Schule, die meist nicht besonders hell im Kopf sind.»

«Und wie soll er dort jeden Morgen hinkommen?»

Martha erntete nur ein Schulterzucken. Das Thema war für den Lehrer erledigt, das Ärgernis beseitigt. Für alles andere war er nicht mehr zuständig.

Hocherhobenen Hauptes ging sie davon. Erst als sie außer Sichtweite war, sackte sie in sich zusammen. Sie hatte nichts erreicht. Wie sollte es mit August nun weitergehen? Er musste etwas lernen, denn nur so würde er im Leben eine Chance haben, wollte er nicht irgendwann als Bettler auf der Straße landen. Zwei Jahre Schule waren viel zu wenig. Und sie selbst fühlte sich nicht in der Lage, ihm mehr beizubringen, außerdem fehlte ihr dazu die Zeit. Aber wer konnte ihr helfen? Sie beschloss, noch am Abend Elisabeth aufzusuchen und sie um Hilfe zu bitten.

«Ich weiß mir keinen Rat», schloss Martha und ließ die Hände sinken. Sie sah Elisabeth flehend an. Der schoss die Zornesröte ins Gesicht.

«Das ist ja nicht zu fassen!», ereiferte sie sich. «Natürlich ist

August nicht dumm, das merkt man sofort, wenn man sich nur ein paar Minuten mit ihm unterhält. Ich bin ganz deiner Meinung: Er muss unterrichtet werden.»

Sie kaute auf ihrer Lippe und überlegte.

«Aber ich fürchte, wenn wir Schulmeister Obermann dazu zwingen, ihn wiederaufzunehmen, wird August keine frohe Minute in dieser Schule erleben. Außerdem weiß ich nicht, ob man ihn überhaupt dazu zwingen kann.»

Martha hob die Schultern. «Ich glaube nicht, dass das geht.»

«Ich habe gehört», sagte Elisabeth, «dass die guten Schulen in der Friedrichstadt nur für reiche Bürgerkinder sind, deren Schulgeld du nicht bezahlen könntest.»

«Und die Volksschulen in der Nähe sind völlig überfüllt und legen sicher keinen Wert auf einen Schüler, der wegen eines Augenfehlers eine Sonderbehandlung braucht. Aber er muss in eine Schule gehen, die in der Nähe der Charité liegt», sagte Martha verzweifelt. «Ich kann August doch nicht weiter weg schicken, das schafft er nicht alleine. Und ich kann ihn nicht begleiten, ich muss ja arbeiten.»

Elisabeth nickte. «Du hast recht.» Dann lächelte sie aufmunternd. «Wenn es keine Schule gibt, dann unterrichten wir ihn eben selbst!»

«Ich weiß nicht, ob ich das kann», entgegnete Martha ein wenig verschüchtert. «Ich bin keine Lehrerin.»

«Aber du könntest abends noch ein wenig mit ihm üben, oder nicht?»

Martha nickte.

«Gut. Ich verspreche dir, ich werde meine gesamte freie Zeit damit zubringen, August zu unterrichten», schwor Elisabeth.

Martha lachte bitter. «Von der du ja so üppig hast. Ein freier Nachmittag in der Woche! Wenn du Glück hast, kommst du abends um neun oder zehn aus den Krankenzimmern.»

Elisabeth seufzte. «Ja, das stimmt, das ist zu wenig. Lass mich überlegen. Wer könnte uns unterstützen? Hier gibt es so viele kluge Menschen. Ich weiß, dass gerade die Pépins mit ihrem Sold sehr knapp gehalten werden und es vielen schwerfällt, die Gebühr von zweihundert Talern für ihre Promotion zusammenzubringen.»

Martha starrte Elisabeth fragend an. «Für was?»

«Dafür, dass ihre Doktorarbeit anerkannt wird und sie sich Doktor nennen dürfen.»

«Ich dachte, das Militär bezahlt für sie.»

«Das meiste schon. Um in der Kompanie als Chirurg zu dienen, braucht man aber keinen Doktortitel. Aber wenn sie eine Praxis eröffnen möchten, dann schon.»

«Woher weißt du das alles?», wunderte sich Martha.

«Von Alexander, äh, ich meine Dr. Heydecker», verbesserte sich Elisabeth hastig.

Marthas Brauen schnellten nach oben. «Ist mir da etwas entgangen? Was läuft denn zwischen euch beiden?»

«Nichts», behauptete Elisabeth und spürte, wie sie rot wurde.

Martha sah sie streng an. «Mein Kind, du bist jung und hast keine Erfahrung mit Männern. Du hast keine Mutter mehr, die dich warnen könnte, daher übernehme ich diese Aufgabe: Bitte, mach dich nicht unglücklich, Elisabeth! Alle Männer machen jungen Frauen schöne Augen, um ein wenig Liebe und Spaß zu bekommen. Der junge Arzt wird nicht straucheln, wenn er dich ins Unglück gestürzt hat, aber du! Du hast den Weg der Diakonisse gewählt und etwas versprochen. Sie achten und schätzen dich hier in der Charité. Mach das nicht kaputt.»

«Du kannst dich beruhigen, Martha, ich weiß, was ich tue», behauptete Elisabeth. «Es ist nichts zwischen uns. Wir sind lediglich – Freunde.»

Martha verdrehte die Augen und schnaubte.

«Und außerdem geht es jetzt um August, nicht wahr?», wechselte Elisabeth das Thema. «Ich werde an meinem nächsten freien Nachmittag mit dem Unterricht anfangen. Außerdem höre ich mich um, ob vielleicht einer der Pépins helfen kann. Ich habe das Geld, das ich nicht an das Mutterhaus abgeben muss, gespart. Das sollte für eine Weile reichen.»

«Das würdest du für uns tun?» Martha war überwältigt.

Elisabeth lächelte. «Aber ja. Es ist ja nur Geld.»

Es war schon spät. Elisabeth wollte sich gerade entkleiden, als es leise klopfte. Sie ahnte, wer vor der Tür stand. Rasch knöpfte sie ihr Kleid wieder zu und öffnete dann.

«Alexander, es ist mitten in der Nacht!», flüsterte sie.

«Was soll ich denn tun? Du hast nie Zeit für mich», beklagte er sich.

«Bist du etwa eifersüchtig?», fragte sie amüsiert.

«Ja!», gab er zurück. «Du hast deinen freien Nachmittag wieder an einen anderen Mann vergeben.»

«August ist neun», stellte Elisabeth richtig.

«Was geht dich das Kind der Totenfrau an», murrte Alexander.

«Er braucht meine Hilfe, wenn er nicht die Chance verlieren will, irgendwann wieder in eine richtige Schule gehen zu können. Ich sorge mich eben um meine Mitmenschen.»

«Ich weiß, deshalb liebe ich dich ja so sehr. Darf ich reinkommen?»

Elisabeth blieb im Türspalt stehen. «Du weißt, dass das nicht geht. Wenn mich die Mutter Oberin erwischt, dann komme ich nicht mit einer Rüge und ein wenig Flurschrubben davon.»

«Würde sie dich foltern und im Hof der Charité an den Pranger stellen?», witzelte Alexander.

«Schlimmer», sagte Elisabeth düster. «Sie würde mich vermutlich nach Kaiserswerth schicken.»

Alexanders Miene verdüsterte sich. «Das wäre wahrlich furchtbar», stöhnte er.

Plötzlich waren Schritte auf der Treppe zu hören, die sich rasch näherten. In diesem Bereich unter dem Dach der Charité hatten nur die Diakonissen ihre Zimmer. Außerdem gab es zwei Schlafkammern für unverheiratete Wärterinnen. Ein Mann hatte hier oben nichts verloren. Hektisch blickte sich Alexander um. Es gab in dem kahlen Flur kein Versteck.

Elisabeth packte ihn am Ärmel und zog ihn in die Kammer. Rasch schloss sie die Tür. «Still!», zischte sie.

Die Schritte kamen näher, verharrten einen Moment, dann klackte eine Tür, und es war wieder still. Eigentlich hätte sie ihn nun gefahrlos hinausschicken können, doch sie standen dicht voreinander, ihre Blicke ineinander verschränkt, und rührten sich nicht.

Ein Zimmer, ein Bett, keine Fremden, über deren Urteil sie sich Gedanken machen mussten. War es so leicht, der Sünde zu verfallen?

Jede Berührung, jeder Kuss, den sie sich geschenkt hatten, hatte nach Heimlichkeit geschmeckt, gewürzt mit der Angst vor Entdeckung. Wie oft mussten sie voreinander zurückweichen, ihrem schmeichelnden Ton einen sachlichen Klang verleihen, um für jeden nur Arzt und Schwester zu sein, die über einen Patienten sprachen.

Seit ihrem Besuch im Kaffeehaus hatten sie sich ein paarmal in die Stadt oder in den Tiergarten davongestohlen, doch auch dort gab es viel zu viele Menschen, die sie hätten erkennen können. Nie waren sie wirklich frei, nie konnten sie alle Vorsicht fahren lassen.

Bis jetzt.

Allein in einer düsteren Kammer.

Die Sehnsüchte und Träume so mancher Nacht stürzten auf Elisabeth ein. Es gab kein Halten mehr. Sie drückte sich an ihn und schlang ihre Arme um seinen geliebten Körper. Wie berauscht sog sie seinen Duft ein.

Sie durften nur flüstern, doch das war der Klang der Liebenden, die sich zärtliche Worte ins Ohr wisperten.

Alexander erwiderte die Umarmung und küsste zärtlich ihren Mund. Dann wanderten seine Lippen über ihr Gesicht, bis der Kragen ihres Kleides ihn aufhielt. Sie spürte, wie seine Hände sie losließen. Er wich ein Stück zurück, während seine Finger zu den Knöpfen ihres Kleides glitten. Er zögerte kurz, dann begann er, einen nach dem anderen zu öffnen.

Jetzt, spätestens jetzt, hätte sie ihm Einhalt gebieten müssen. Hätte ihn rügen und aus dem Zimmer schicken müssen, doch sie schwieg und ließ ihn gewähren, während ihr Herz so laut klopfte, dass sie fürchtete, man könne es im Nebenzimmer hören.

Er schob den schwarzen Stoff beiseite, der ihren schlanken, jungen Körper einhüllte und vor den Blicken verbarg. Zum ersten Mal in ihrem Leben spürte sie die Hand eines Mannes auf ihren Schultern, dem Dekolleté bis hinunter zu ihren Brüsten. Das formlose Kleid fiel mit einem Rascheln zu Boden. Ihre Unterwäsche folgte. Elisabeth biss sich auf die Lippen, um nicht laut aufzustöhnen, während sich ihre Hände in seinem Hemd verkrallten.

Hätte sie nicht vor Scham im Boden versinken müssen? Hätte die Sünde sie nicht wie ein Blitz treffen sollen?

Es traf sie wie ein Blitz, doch der elektrisierte ihren Körper, dass sich jedes feine Härchen auf ihrer Haut in wildem Verlangen aufrichtete. Er fuhr in ihre Finger, die nun an seinen Knöpfen zu nesteln begannen, bis sich ihre nackte Haut an die seine schmiegte. Sie erwiderte seine Küsse und ließ ihre Lippen über die Muskeln seiner Brust wandern, die sich unter ihren Fingern wölbten, ehe er sie erneut umschlang. Wie trunken wankten sie durch die Kammer, bis sie das Bett fanden, das sie auf sein weiches Lager rief. Die Matratze knisterte unter dem Gewicht der beiden Körper. Der Leinenstoff hüllte sie sanft wie ein schützender Kokon ein.

Elisabeth wusste nicht viel über die körperliche Liebe. Meist waren es Klagen über die Grobheit der Männer, die sie aus Gesprächen mitbekommen hatte, doch an Alexanders Berührungen war nichts Grobes. Er war mal zärtlich, mal fordernd, doch alles, was er tat, heizte das wundervolle Verlangen in ihrem Bauch noch mehr an. Ihr Schoß fühlte sich seltsam geschwollen und feucht an. Ein Schauder nach dem anderen rann vom Hals bis zu ihren Füßen herab.

Irgendwann schob er sich über sie, und seine Knie drückten die ihren auseinander. Noch einmal hielt er inne, so als erwartete er, sie würde ihn zurückhalten, doch Elisabeth war in einem Rausch gefangen, den sie so niemals erwartet hätte. Es war nicht mehr sie selbst, die ihre Gedanken und ihre Hände lenkte. Ihre Vernunft war verschwunden und schwieg. Es war ein anderes, unbekanntes Wesen, das in dieser Nacht in ihr erwachte. Es war hungrig und wild und wollte das Leben in seiner ganzen Pracht in sich aufnehmen.

Ein kurzer Schmerz durchzuckte sie, als er in sie eindrang, doch er bewegte sich sacht weiter, bis die Lust wieder die Oberhand gewann. Elisabeth klammerte sich an ihn und keuchte. Auch sein Atem wurde schneller und mit ihm seine Bewegungen. Sie hörte ihn leise stöhnen. Die Muskeln an seinem Rücken verhärteten sich. Da zog er sich plötzlich zurück, drückte sich aber gleich wieder an sie. Ein warmes Rinnsal rann über ihren Schenkel, während er mit einem glücklichen Seufzer sein Gesicht an ihrem Hals vergrub. So lagen sie einige Augenblicke bewegungslos da, bis sie die Kälte des Zimmers spürten. Alexander zog die Decke hoch und nahm Elisabeth in seine Arme. Ihr Atem beruhigte sich und passte sich dem seinen an. Seine Wärme hüllte sie ein. Sanft streichelte seine Hand ihren nackten Rücken. Geborgen fiel sie in einen von Träumen erfüllten Schlummer.

∼

Elisabeth traf Schwester Katharina im Treppenhaus. Sie selbst war auf dem Weg nach unten, um hinüber in die Alte Charité in die Chirurgische Abteilung zu gehen, während Schwester Katharina bereits mit einem Korb voller frischer Scharpie und Leinenstreifen auf dem Weg zu ihren Patientinnen war. Da Elisabeth als einzige der Diakonissen im Gebäude der Alten Charité tätig war und die anderen Schwestern alle für Direktor Kluge hier in der Neuen Charité arbeiteten, sah sie ihre Mitschwestern meist nur bei ihren hastig eingenommenen Mahlzeiten oder manchmal, wenn sie sich abends in ihrer Kammer aufsuchten, wenn sie nicht zu müde von ihrem langen Tag waren.

Katharina wünschte Elisabeth einen guten Morgen und hielt dann inne, als Elisabeth den Gruß mit einem strahlenden Lächeln erwiderte.

«Was ist denn mit dir heute los?»

Elisabeth blieb ebenfalls stehen. «Was meinst du? Ich habe dir lediglich einen guten Morgen gewünscht. Was sollte daran ungewöhnlich sein?»

Schwester Katharina musterte sie aufmerksam. «Ich weiß nicht. Irgendetwas ist geschehen. Du wirkst heute anders. So strahlend.»

Elisabeth spürte Wärme in ihre Wangen steigen. Sie schüttelte den Kopf und lachte ein wenig nervös.

«Ich bin lediglich fröhlich, ist daran etwas verkehrt? Der Tag ist schön, die Sonne scheint, und man kann die Vögel im Garten zwitschern hören.»

Katharina erwiderte ihr Lächeln. «Ich freue mich, wenn es dir

371

so gut geht. Unsere Arbeit ist oft nicht dazu angetan, uns zu erfreuen, nicht wahr?»

«Plagen dich deine Patientinnen aus den Gefängnissen wieder?», erkundigte sich Elisabeth. «Soll ich mit dir kommen und sie zur Ordnung rufen?»

Schwester Katharina wehrte ab. «Ich komme schon zurecht, selbst wenn sie oft sehr rüde im Umgang auch untereinander sind. Sie schaffen es allerdings noch immer, Gertrud von einer Verlegenheit in die nächste zu stürzen.»

Elisabeth nickte. «Das kann ich mir vorstellen. Die Salivationsstube ist nur etwas für starke Nerven.»

Schwester Katharina lächelte verschmitzt. «Dann ist unsere Schwester Theresa dort ja gut aufgehoben.»

Elisabeth ging auf den Tonfall ein. «Ja, man muss fast Mitleid mit den Patientinnen haben, die zu der Qual des Quecksilbers auch noch Feldwebel Schwester Theresa ertragen müssen.»

Katharina kicherte. «Wir sollten so nicht reden. Ich muss weiter. Ich bin schon spät dran.»

«Du hast recht. Ich muss mich auch beeilen. Und ich habe nur wenig geschlafen.» Sie spürte, dass sie schon wieder rot wurde, daher machte sie sich schnell auf den Weg.

Später, beim Mittagstisch, schlüpfte sie auf den Stuhl, den Katharina ihr freigehalten hatte.

Oberin Walburga setzte sich zu den Schwestern. «Wir beten!», verkündete sie, und alle Diakonissen falteten gehorsam die Hände. Elisabeth folgte ihrem Beispiel, doch ihre Gedanken schweiften ab und wanderten zurück in die Nacht, zu verbotenen Küssen und Umarmungen. Sie senkte ihren Blick. Ein glückseliges Lächeln umspielte ihre Lippen.

Das Gebet war längst zu Ende, und die Schwestern begannen zu essen, als Elisabeth noch immer abwesend auf ihren Teller starrte. Plötzlich spürte sie Theresas bohrenden Blick. Diese beugte sich ein wenig zu Elisabeth hinüber und raunte: «Du siehst aus wie eine Katze, die am Sahnetopf genascht hat. Sag, was hast du ausgefressen?»

Elisabeth straffte den Rücken. «Nichts!»

Aber so schnell ließ sich Theresa nicht abspeisen. Nachdenklich schob sie sich eine graue Strähne unter die Haube, ohne Elisabeth aus den Augen zu lassen. «Was hast du gemacht?», bohrte sie weiter.

«Nichts, was dich etwas angehen würde», gab Elisabeth kühl zurück.

Theresa verschränkte die Arme vor ihrem stattlichen Busen und beugte sich zu Elisabeth hinüber. «Ist es nicht unsere Aufgabe, unsere Mitschwestern zu gutem Verhalten anzuhalten?», sagte sie so leise, dass es die Oberin nicht hören konnte.

Elisabeth stieß ein abfälliges Geräusch aus. «Kehre du lieber vor deiner eigenen Tür und versuche, freundlich zu deinen Patientinnen zu sein.»

«Du bist anders heute. So abwesend und dennoch seltsam heiter. Ich kann die Sünde riechen!»

«Was du riechst, ist der verkochte Kohl auf deinem Teller», widersprach Elisabeth und richtete ihre Aufmerksamkeit auf ihr Essen.

Theresa griff ebenfalls zur Gabel, doch sie zischte: «Ich lasse dich nicht aus den Augen und werde herausfinden, was du Verbotenes treibst.»

«Schweigen ist eine Tugend!», meldete sich die Oberin mit strenger Stimme zu Wort. «Das gilt auch für dich, Theresa!»

Theresa verstummte.

Elisabeth war froh, dass sie nicht mit Theresa im selben Gebäude arbeitete. Tagsüber liefen sie sich kaum über den Weg. Und wenn Alexander sie in ihrem Zimmer besuchen wollte, würden sie sehr vorsichtig sein müssen.

KAPITEL 24

Schieloperation

Ich weiß nicht, wie ich sie noch länger ertragen soll! Sie hat sich hier seit G.s Beerdigung im Palais eingenistet und will nicht wieder abreisen. Eine Stütze will sie mir sein, sagt sie. Ha! Kontrollieren will sie mich und mir in Amalies Erziehung reinreden. Ich fürchte, sie wird nicht so schnell an ihren Witwensitz im Havelland zurückkehren. Wir werden sie noch eine ganze Weile ertragen müssen.

Ja, ich habe G. nicht geliebt, und seine eingebildeten Krankheiten haben manches Mal an meinen Nerven gezerrt, aber er ließ mich mein Leben leben und mischte sich nicht in alles ein. Er fragte nicht ständig, was ich zu jeder Stunde des Tages mache, und er übte nur selten Kritik daran. Seine Mutter aber ist wie ein düsterer Schatten, der sich nicht abschütteln lässt. Sie achtet genau darauf, dass ich meine strenge Trauerkleidung nicht lockere und nichts unternehme, an dem die Gesellschaft Anstoß nehmen könnte!

Alles wäre nicht so schlimm, wenn sie sich nicht auch noch in den Kopf gesetzt hätte, Amalie nach ihrem Bild eines würdigen Mitglieds der gräflichen Familie zu erziehen. Es macht mich zornig, wenn sie Amalie ständig mit ihren Vorschriften gängelt! Hat es das Kind nicht schon schwer genug, seinen Vater so früh zu verlieren? Amalie hat G. geliebt, und darüber bin ich froh, auch wenn sie dafür nun um ihn trauert und ihren Vater vermisst.

∽

Ludovica tat ihr Bestes, ihre Tochter vor der strengen Großmutter zu schützen, was nicht einfach war. Sie wollte Amalie nicht ständig Loyalitätskonflikten zwischen Mutter und Großmutter aussetzen, doch als die alte Gräfin der von Ludovica sorgfältig ausgesuchten Hauslehrerin kündigte, die Amalie sehr gerne mochte, stellte sich Ludovica auf die Hinterbeine und ertrug den drei Tage dauernden Streit, bis die Schwiegermutter nachgab. Zumindest teilweise. Fräulein Landau durfte einen Teil des Unterrichts weiterführen. Für Latein und Französisch engagierte die alte Gräfin jedoch einen strengen Pauker, der das kleine Mädchen völlig überforderte. Das war zumindest Ludovicas Eindruck. Alles, was sie machen konnte, war, ihm strikt zu untersagen, das Kind zu züchtigen. Trotzdem verließ das Mädchen mehr als ein Mal in Tränen aufgelöst den Unterricht.

«Sie ist zu weich!», schimpfte die alte Gräfin. «Völlig verzogen! Sie muss mehr Haltung lernen. Das Leben schont keinen von uns. Es ist gnadenlos. Wichtig ist, wie wir Tiefschläge annehmen und stets Contenance bewahren, um der Familie keine Schande zu bereiten.»

«Das ist das Wichtigste für dich, ja?», ereiferte sich Ludovica. «So hast du auch deinen Sohn erzogen, zu einem hypochondrischen, jähzornigen ...»

«Wage es nicht, schlecht über meinen toten Sohn zu sprechen!», sagte die alte Gräfin mit dieser eiskalten Stimme, die Ludovica frösteln ließ. «Du und dieser Arzt habt ihn auf dem Gewissen. Er hat übrigens gestern schon wieder vorgesprochen, als du mit dem Kind draußen warst.»

«Ach, und das sagst du mir erst jetzt?», beschwerte sich Ludovica.

«Er ist sowieso viel zu häufig hier», behauptete die alte Dame. «Was fehlt dir, dass du so oft nach einem Arzt verlangst?»

«Das ist allein meine Sache.»

Die Gräfin starrte sie mit diesem durchdringenden Blick an, unter dem sich Ludovica seltsam entblößt fühlte.

«Wenn ich herausbekomme, dass da etwas Unsittliches läuft,

dann wirst du mich kennenlernen! Du wirst den Namen von Bredow nicht in den Schmutz ziehen!»

Wortlos wandte sich Ludovica ab und verließ das Zimmer. Sie hätte am liebsten die Tür hinter sich zugeknallt, aber den Triumph, sie aus der Fassung gebracht zu haben, wollte sie der Schwiegermutter nicht gönnen.

∽

«Was haben Sie vor?», fragte Dieffenbach, als er Ludovica aus der Kutsche half. Sie hatte darauf bestanden, dass er sich diesen Tag freinahm, um Teil eines historischen Ereignisses zu werden, wie sie großspurig versprach. Man schrieb den 21. September 1838.

Sie stieß ihr helles Lachen aus, das er an ihr so liebte. «Das können auch nur Sie ernsthaft fragen», amüsierte sie sich. «Außer Ihrer Medizin und Ihren Patienten gibt es für Sie nichts auf dieser Welt.»

«Das ist nicht wahr», verteidigte sich Dieffenbach.

«Gut, dann frage ich Sie, mein Freund, wohin stürmen die Potsdamer am heutigen Tag?»

Er starrte sie verdattert an. «Nach Potsdam?»

Ludovica lachte. «Steigen Sie ein, mein Freund, sonst verpassen wir das Abenteuer noch.»

Er half ihr wieder in die Kutsche und machte es sich ihr gegenüber bequem. *Vermutlich hätte er lieber auf dem Kutschbock Platz genommen*, dachte Ludovica, die seine Leidenschaft für feurige Pferde kannte. Ihr Zug aus vier wunderschönen Füchsen gehörte sicher zu der Art von Herausforderungen, die er zu gerne angenommen hätte. Sie wusste, dass ihm selbst an den Wochenenden zumeist die Zeit für einen Ausritt im Tiergarten fehlte, so war ihm wenigstens sein Rappengespann, mit dem er zu seinen Patienten fuhr, eine tägliche Freude.

«Es ist eine Sünde, diese Pferde derart zurückzuhalten», sagte er, als sie in langsamem Trab auf das Stadttor zustrebten. Doch kaum hatten sie die Landstraße erreicht, ließ der Kutscher die Pferde ausgreifen. Er verstand etwas von seinem Handwerk, sie flogen nur so an Bauernkarren und zweispännigen Kutschen vorbei – und Dieffenbach lächelte zufrieden.

Sie erreichten ihr Ziel rechtzeitig vor der Mittagsstunde. Man sah bereits, dass der Bahnhof ein eindrucksvolles Gebäude werden würde, doch noch war er nicht fertiggestellt, sodass für den heutigen Tag ein provisorisches Nebengebäude mit einem schönen Salon für die hohen Gäste errichtet worden war. Ludovica führte Dieffenbach vergnügt zu dem mit Kränzen, Blumengebinden und Fahnen versehenen Bau. Hunderte Menschen waren bereits zusammengeströmt, um das historische Ereignis mitzuerleben. Vor allem Väter und Söhne umrundeten die beiden Lokomotiven *Adler* und *Pegasus*, die die Wagen ziehen würden. Die Dampfmaschinen mit ihren hohen, eisernen Speichenrädern waren beeindruckend. Aus den aufragenden Schornsteinen stieg dichter Qualm.

Als der Aufruf kam, die Ehrengäste mögen sich in die Waggons begeben, wurde die Menschenmenge noch dichter. Mehr als dreihundert Gäste nahmen an dieser ersten Fahrt teil. Ludovica führte Dieffenbach zu ihren Plätzen. Musiker sammelten sich auf dem ersten Wagen und hoben ihre Hörner und Trompeten. Punkt zwölf wurden einige Böller abgeschossen, die Lokomotiven pfiffen schrill, die Schornsteine schnauften wie alte Rösser, dann ruckten die Räder und begannen, langsam über die schnurgeraden Schienen zu rollen, die in der Sonne glänzten. Unter dem ohrenbetäubenden Klang der Hörner und Posaunen fuhr der Zug aus dem Bahnhof. Noch lange bekränzten Tausende winkende Schaulustige die Strecke, die durch Gärten, Wiesen und Felder aus Potsdam heraus in Richtung Berlin führte. Ein wagemutiger Reiter versuchte, auf dem parallel verlaufenden Weg mit der Eisenbahn mitzuhalten, musste aber ob der unglaublichen Geschwindigkeit bald aufgeben.

«Ist es nicht aufregend?», fragte die Gräfin, die an sich halten musste, nicht wie ein Kind ihre Nase an der Fensterscheibe platt zu drücken.

Dieffenbach lächelte. «In der Tat, es ist erstaunlich, was die Menschen alles erfinden. Und ich danke Ihnen, Ludovica, dass Sie darauf bestanden haben, dass ich heute dabei bin!» Und dann sprach der Mediziner aus ihm, als er hinzufügte: «Aber man wird abwarten müssen, ob diese Geschwindigkeit nicht dem Körper schadet.»

«Haben Sie etwa Angst?», neckte sie.

«Nein, nicht mit einer solch mutigen und fortschrittlichen Frau an meiner Seite», gab er charmant zurück.

Sie sah ihm an, dass er sie jetzt gern geküsst hätte, doch es waren zu viele Menschen um sie herum, die die verwitwete Gräfin oder den berühmten Arzt der Charité kannten.

Der Zug mit seinen sechzehn Wagen benötigte genau zweiundzwanzig Minuten für die Strecke von vierzehneinhalb Kilometern nach Zehlendorf, am Stadtrand von Berlin. Von dort waren es weitere fast zwölf Kilometer bis zum Bahnhof in der Stadt, der schon bald viermal am Tag regelmäßig angefahren werden würde.

Mit einem fröhlichen Pfiff fuhr der Zug in den Bahnhof von Zehlendorf ein und wurde von unzähligen begeisterten Menschen empfangen. Hier würde er eine halbe Stunde Aufenthalt haben und umrangieren, um dann seine Rückfahrt nach Potsdam anzutreten. Ludovica und Dieffenbach dagegen verließen ihr Abteil, um mit der Kutsche in die Stadt zurückzufahren. Sie saßen dicht nebeneinander, sodass sie die Körperwärme des anderen spüren konnten. Ludovica schob ihre Hand in die seine. Er umschloss sie und hielt sie fest, während die Kutsche durch die Berliner Straßen rollte.

«Danke für diesen außergewöhnlichen Ausflug», sagte Dieffenbach, als sie sich ihrem Ziel näherten.

«Danke, dass Sie mit mir gefahren sind, mein lieber Freund», gab sie zurück.

Die Kutsche hielt vor dem Zeughaus an. Noch immer waren ihre Finger ineinander verschlungen. Ihre Gesichter wandten sich einander zu. Sie waren sich so nah. Ihr Atem teilte dieselbe Luft. Ihre Lippen berührten sich. Sie küssten sich zärtlich.

Ach, müssten sie sich doch niemals trennen, dachte Ludovica mit Wehmut. Doch er gehörte nicht ihr und würde es niemals tun. Hier war sein Heim. Hier warteten seine Frau und die beiden Töchter auf ihn. Sie hatte kein Anrecht auf diesen Mann, konnte sich nur ab und an einen Moment der Glückseligkeit rauben.

«Lassen Sie mich rufen, wenn Sie mich brauchen», unterbrach er ihre Gedanken.

Ludovica ließ seine Hand los und sah ihm nach, bis er die Haustür hinter sich zuzog.

Sie wartete noch einen Augenblick, um sich zu sammeln, dann beugte sie sich nach vorne und klopfte gegen die Wand, um dem Kutscher das Signal zur Abfahrt zu geben.

Ihr Blick war noch immer auf die geschlossene Tür gerichtet, auf die gerade eine Frau zuging, ein kleines Mädchen an der Hand, welches ihre und Dieffenbachs Gesichtszüge trug. Emilie blieb stehen und sah die Kutsche an. Sie erkannte das Wappen, kein Zweifel. Die Augen weit aufgerissen, die Miene erstarrt, stand sie mit hängenden Armen da und strahlte so viel Traurigkeit aus, dass Ludovica den Blick abwenden musste. Der glückliche Augenblick verwehte. Stattdessen meldete sich ihr Gewissen und quälte sie mit Schuldgefühlen. Tränen liefen ihr über die Wangen, während der Kutscher den Wagen zurück zum Palais von Bredow lenkte.

∞

Im Frühling 1839 – einige Monate später – suchte Dieffenbach das Totenhaus auf. Er traf auf Dr. Froriep, der mit Martha Vogelsang an einer Leiche arbeitete.

Dr. Froriep begrüßte den Kollegen. «Kann ich Ihnen helfen?»

«Darf ich mir Frau Vogelsang für ein Experiment ausleihen?»

Der Prosektor nickte. «Bitte. Wir sind hier bald fertig.»

Dieffenbach richtete seinen Blick auf die Totenfrau. Sie wirkte älter, als sie vermutlich war, abgearbeitet und mit faltigem Gesicht, eingefallenen Wangen und einem mageren Körper, der in einem abgetragenen grauen Kleid steckte, das ihr längst zu weit war. Er sah die schwarze Wachstuchschürze, die sie sich umgebunden hatte, die langen Manschetten aus demselben Material, die sie sich über die Ärmel geschoben hatte. Einige ergraute Strähnen hingen unordentlich aus ihrer Haube.

Dr. Froriep hatte derweil den Brustkorb des Toten geöffnet und zeigte mit dem Skalpell auf die gelbliche Flüssigkeit, die sich auf der rechten Seite des Rippenfells gebildet hatte. «Wie ich vermutet habe», sagte er.

«Ein Toter aus der Lateinischen Klinik?», erkundigte sich Dieffenbach.

Der Prosektor nickte. «Die Herren Doktoren haben Frau Vogelsang ausgelacht, als sie ihnen sagte, ein mächtiger eitriger Abszess habe den Tod verursacht. Aber sie hatte recht.»

«Ist keiner der Ärzte aus der Inneren Abteilung gekommen, um mit Ihnen gemeinsam die Leiche zu sezieren?», hakte Dieffenbach nach. Die Abwesenheit der Mediziner war ihm nach wie vor ein Ärgernis.

«Ich habe den Doktoren Bescheid gesagt, aber sie halten es wieder einmal nicht für notwendig, selbst nachzusehen, woran ihr Patient verstorben ist», sagte Froriep abfällig.

«Früher waren Ärzte geradezu begierig darauf, Leichen zu sezieren, um das Geheimnis des Todes zu lüften.» Dieffenbach machte keinen Hehl daraus, was er von diesem Versäumnis hielt.

«Was können wir für Sie tun, Herr Professor?», erkundigte sich Frau Vogelsang in diesem Moment.

«Ich hatte doch gestern diese Frau mit dem Geschwür an der Leber auf dem Tisch», sagte Dieffenbach.

«Ja, sie ist bei der Operation gestorben», bemerkte Martha.

«Das stimmt, Frau Vogelsang, doch da war nichts zu machen. Ich hatte gehofft, an den Knoten heranzukommen, ohne das Bauchfell öffnen zu müssen. Das ist noch fast immer ein Todesurteil. Leider musste ich feststellen, dass der Tumor mit der Leber fest verwachsen war. Sie ist mir während der Operation verblutet. Tragisch, die Frau hinterlässt einen Mann und fünf unmündige Kinder.»

«Und was haben Sie jetzt vor?», erkundigte sich Froriep. «Soll Frau Vogelsang ein Feuchtpräparat der Leber anlegen?»

Dieffenbach schüttelte den Kopf. «Nein, ich möchte etwas anderes versuchen. Sie erinnern sich doch an meine Operationen an schiefen Hälsen und Klumpfüßen.»

«Die ganze Stadt spricht voller Ehrfurcht davon», behauptete Froriep.

«Mir ist aufgefallen, dass die Frau auf dem linken Auge stark schielte. Ich denke, dass es sich auch beim Schielen um die Verkürzung eines Muskels handelt. Er zieht das Auge zu stark in eine Richtung und hält es so fest, dass es nicht mehr korrekt ausgerichtet werden kann. Wenn ich also diesen Muskel freilege und zerschneide, müsste sich das Auge wieder korrekt ausrichten.»

«Oder es wird zur anderen Seite gezogen», gab Froriep zu bedenken.

«Das behauptet von Graefe auch», gab Dieffenbach mit einer Grimasse zu. «Genau das muss ich herausfinden, bevor ich mich an eine Operation bei einem meiner Patienten wage», fuhr er fort.

«Frau Vogelsang, Sie können Dr. Dieffenbach gerne zur Hand gehen», sagte Dr. Froriep. «Ich mache diesen Fall hier fertig.»

Dieffenbach zog das Tuch vom Kopf der Verstorbenen und schob das Augenlid hoch. Die Pupille war noch immer zum Augenwinkel ausgerichtet. Er nahm ein schmales Messer mit einer scharfen Klinge und begann, den inneren Muskel, der am Augapfel befestigt war, freizulegen. Martha sah ihm interessiert zu.

«Ich bin überzeugt, dass es funktioniert», sagte er begeistert und demonstrierte ihr, wie einfach sich der Augapfel nun in seine richtige Position schieben ließ.

«Melden Sie mir alle schielenden Toten, die Sie reinbekommen», wies er sie an.

Martha nickte, schnitt aber eine Grimasse. Dieffenbach fiel erst jetzt wieder auf, dass auch die Herrin der Toten leicht schielte.

«Verzeihung, Frau Vogelsang, ich wollte Sie nicht, ich meine …» Er brach ab.

Martha lächelte ihn an. «Schon gut, Herr Doktor. Das liegt bei uns halt in der Familie. Meinen armen August hat es viel schlimmer getroffen. Er muss nicht nur den Spott der anderen Kinder ertragen. Er wurde aus seiner Schule geworfen, nur weil er nicht sieht, was auf der Tafel geschrieben steht.»

Dieffenbach murmelte etwas Mitfühlendes, doch er war mit seinen Gedanken wieder bei den Augen der Toten. Er präparierte auch noch das andere Auge und untersuchte die verschiedenen Muskelstränge, die die Beweglichkeit des Augapfels steuerten. Endlich war er zufrieden und begann mit der üblichen Sektion der Toten.

Frau Vogelsang half ihm und notierte, was er ihr diktierte. Eine Stunde später waren die Organe wieder in dem aufgeschnittenen Körper verstaut und die Schnitte vernäht. Martha breitete das Tuch über die Tote und schob sie an den Platz der für die Beerdigung freigegebenen Leichen.

«Ich halte nach Schielenden Ausschau», versprach sie.

Dieffenbach nickte ihr zum Abschied noch einmal zu, verabschiedete sich von Dr. Froriep und rauschte zu seinen Patienten davon, die sicher bereits auf ihn warteten.

∽

«Was schleichst du denn hier so herum?», verlangte Martha zu wissen. Es kam nicht oft vor, dass Elisabeth sie im Haus der Toten besuchte.

«Was machst du da?», erkundigte sich die junge Diakonisse geflissentlich.

«Ich sammle Schielende für Dr. Dieffenbach», gab Martha gnädig Auskunft, fügte aber gleich hinzu: «Du brauchst gar nicht abzulenken. Raus mit der Sprache! Wo drückt der Schuh?»

Elisabeth begann herumzustottern, mied aber noch immer das eigentliche Thema, bis Martha die Leiche zudeckte und ihr einen Hocker hinschob. «Setz dich!»

Sie gehorchte. Martha nahm ihr gegenüber Platz.

«So, jetzt noch mal von vorn. Alles, was ich bisher mitbekommen hab, ist, dass es irgendwie mit Dr. Heydecker zu tun hat.»

«Er ist ein guter Arzt und so umgänglich und freundlich ...» Unter Marthas anklagendem Blick verstummte Elisabeth.

«Ich weiß, dass du einen Narren an ihm gefressen hast, und ich will auch nichts Schlechtes über ihn sagen, aber im Gegensatz zu dir weiß ich viel über Männer und kann dich nur warnen! So schnell kannst du gar nicht gucken, wie sie dich ins Unglück gestürzt haben.»

Elisabeth spürte, wie ihre Wangen glühten. Sie schwieg, weil sie nicht wusste, wie sie ihre Bitte formulieren sollte.

Martha stieß einen Seufzer aus. «Geh ich recht in der Annahme, dass bereits mehr zwischen euch ist als *wir finden uns nett*?»

Elisabeth senkte den Blick. «Er ist nicht so wie die Männer, die du kennst. Er liebt mich.»

«Das bezweifle ich ja nicht», behauptete Martha. «Aber das macht keinen Unterschied, wenn – oh nein, deshalb bist du gekommen! Du bist bereits in Schwierigkeiten und willst, dass ich dir raushelfe?»

«Nein!», rief Elisabeth und fügte dann leise hinzu: «Aber ich will auch nicht hineingeraten. Wir haben so viele Patientinnen in Direktor Kluges Abteilung, die, ohne es zu wollen, auf der Straße gelandet sind.»

«Ja, weil sie die Beine für 'nen Kerl breit gemacht haben, der nachher nichts mehr von ihnen wissen wollte», sagte Martha brutal offen.

Elisabeth stöhnte. «Du hast die richtige Liebe nie kennengelernt, sonst könntest du so nicht reden.»

Martha erhob sich und legte den Arm um sie. «Ach, mein Schätzchen, vielleicht hast du recht. Es ist nicht leicht zu widerstehen, doch für dich wäre es gesünder, glaub mir. Von den Regeln deiner Schwesternschaft mal ganz abgesehen. Ich denke, deine Mutter Oberin wäre nicht entzückt, wenn sie davon wüsste.»

«Sie würde mich nach Kaiserswerth verbannen», vermutete Elisabeth. «Aber wir haben nicht vor, uns erwischen zu lassen!», fügte sie trotzig hinzu.

Martha setzte sich wieder und überlegte. «Du bist also nicht bereit, von ihm zu lassen, willst aber, dass es keine Folgen für dich hat.»

Elisabeth nickte kleinlaut.

«Das stellst du dir einfacher vor, als es ist», erklärte die ehemalige Hebamme. «Natürlich gibt es Kräuter, die die Empfängnis behindern, absolut sicher ist das aber nicht. Und zu hohe Gaben können großen Schaden anrichten.»

«Aber es ist dann sicherer», beharrte Elisabeth, die einfach daran glauben wollte.

Martha stöhnte. «Ich wollte damit nie wieder was zu tun haben. Deshalb bin ich zu den Toten gegangen.»

Elisabeth flehte sie an, im Namen ihrer Freundschaft eine Ausnahme zu machen, bis Martha nachgab.

«Ich helf dir, doch es kann trotzdem schiefgehen. Werde dir vor allem klar darüber, was du willst: Diakonisse sein oder das Liebchen eines Arztes oder gar die Ehefrau und Mutter seiner Kinder, falls er überhaupt darauf aus ist. Das solltest du in Erfahrung bringen, bevor du dich entscheidest!»

Elisabeth dankte und versprach, vorsichtig zu sein.

Martha schnaubte abfällig. «Das hab ich schon zu oft in meinem Leben gehört, als dass es mich beruhigen könnte.»

Bedrückt schlich Elisabeth zur Tür, während sich Martha wieder ihrem Toten zuwandte.

«Suchen Sie mir einen Kandidaten für die erste Schieloperation», ordnete Dieffenbach bei der morgendlichen Besprechung mit den jüngeren Ärzten und Subchirurgen an, nachdem Professor Rust seine Ansprache beendet hatte. Er schien mit jedem Monat greiser zu werden, sein Rücken wurde runder, die Hände wurden zittriger, von seinem schwindenden Augenlicht gar nicht erst zu sprechen. Weder Dr. Jüngken, der die Augenabteilung der Charité leitete, noch der Leiter der Universitätsklinik, Professor von Graefe, konnten sein Leiden mildern.

Wenigstens nahm er kein Skalpell mehr in die Hand, was für seine Assistenzärzte und natürlich für die Patienten ein Segen war. Doch noch immer war er nicht bereit, für einen Jüngeren seinen Platz zu räumen.

Natürlich bekam von Graefe von der Suche Dieffenbachs nach einem Schielenden Wind und ließ dem Kollegen ausrichten, dass seine Versuche niemals von Erfolg gekrönt werden würden. Und auch Dr. Jüngken, zu dem Dieffenbach eigentlich ein gutes Verhältnis hatte, sagte etwas herablassend: «Wenn es möglich wäre, dann hätten wir es bereits getan.»

Dieffenbach schäumte innerlich. Von Graefe hatte an seinen Schüler Jüngken offensichtlich auch seine Arroganz weitergegeben. Was nicht von ihnen stammte, das konnte in ihren Augen anscheinend nichts taugen.

«Ich werde Ihnen einen Kandidaten besorgen», empfahl sich der junge Kollege Heydecker, der bei der Besprechung anwesend war. Dieffenbach nickte ihm freundlich zu.

Doch es war noch schlimmer als bei den Klumpfüßen. Es schien in ganz Berlin niemanden zu geben, der sich freiwillig von Dieffenbach mit einem Skalpell einen Augenmuskel durchtrennen lassen wollte.

Alexander musste einige Tage später seine Niederlage eingestehen. Zornig und frustriert stürmte Dieffenbach wieder einmal zum Leichenhaus hinüber, um jeden Schritt der Operation noch einmal an einem Toten zu üben.

«Es ist zum Verrücktwerden», schimpfte er. «Ich bin mir sicher, dass ich unzähligen Menschen mit dieser Methode helfen kann, aber man lässt es mich nicht beweisen.»

«Herr Professor, ich könnte Ihnen helfen», sagte Martha Vogelsang und reckte sich selbstbewusst.

Dieffenbach sah sie an. «Stört Sie Ihr Schielen?», erkundigte er sich. «Es ist nicht sehr auffällig. Ich denke, es beeinträchtigt Sie nicht.»

Martha stimmte ihm zu. «Ich spreche auch nicht von mir. Ich denke an meinen August.»

«An Ihren Sohn?» Dieffenbach konnte sich dunkel an einen schmächtigen Jungen erinnern. Richtig, der Junge schielte stark. Es war die Pupille des linken Auges, die fest im inneren Augenwinkel stand. «Das würden Sie tun, Frau Vogelsang?»

«Ich habe Sie hier so oft gesehen», sagte sie. «Wie Sie Dutzende schielende Tote operiert haben. Ich vertraue Ihnen, Herr Dr. Dieffenbach!»

Dieffenbach spürte, wie er zu strahlen begann. «Ich kann mir vorstellen, dass Ihr Sohn Ihr größter Schatz ist, und ich schätze

Ihren Mut, liebe Frau Vogelsang. Wenn ich ihm helfen kann, dann tue ich das von Herzen gern.»

Auch Martha strahlte. Und als sei ein Damm gebrochen, strömte es aus ihr heraus: «Wissen Sie, Herr Doktor, mein August könnte schon sein drittes Jahr zur Schule gehen, aber der Schulmeister hat ihn vergangenen Sommer weggeschickt, weil er meinte, August könne dem Unterricht nicht folgen. Dabei ist er nicht dumm. Er kann nur nicht erkennen, was an der Tafel steht. Deshalb bemühen Schwester Elisabeth und ich uns, ihm mehr als nur Lesen und Schreiben beizubringen. Und wir bezahlen einen Pépin, der mit ihm das Rechnen übt.»

«Dann will auch ich meinen Teil dazu beitragen, um Ihrem Sohn den Weg in eine bessere Zukunft zu ebnen!»

«Sie wollen tatsächlich meinem August helfen? Noch ist es nicht zu spät, ihn wieder auf eine Schule zu schicken, wenn er denn richtig sehen kann ...»

Feierlich reichte Dieffenbach ihr die Hand. «Liebe Frau Vogelsang, Sie können sich auf mich verlassen!»

«Du wirst mich doch begleiten», sagte August plötzlich ein wenig schüchtern, nachdem er kurz zuvor noch behauptet hatte, überhaupt keine Angst vor der Operation zu haben.

«Der Doktor schneidet mir da – ritsch, ratsch – einen Muskel durch, und schon kann ich richtig sehen!», hatte er Elisabeth freudestrahlend erklärt, doch nun schien er verzagt und wollte wissen, ob man dem Doktor Dieffenbach auch trauen könne.

«Aber klar», versicherte ihm Elisabeth. «Sonst würde deine Mutter das doch nicht zulassen.»

«Ich werde nicht weinen!», behauptete August. «Ich bin ja kein Waschlappen.»

Elisabeth nahm ihn in die Arme. «Das wissen wir doch. Und ich denke, dass Dr. Dieffenbach nichts dagegen haben wird, wenn ich während der Operation morgen bei dir bleibe.»

Sie musste nicht lange darum bitten. Dr. Dieffenbach hatte ja erlebt, was für eine Wirkung Elisabeth auf Patienten hatte. Er wollte keine Komplikationen bei dem Jungen, daher war ihm alles recht, was die Lage entspannen konnte. Und auch Martha durfte bei ihrem Sohn bleiben und führte ihn selbst in den Operationssaal.

Der Junge sah sich mit großen Augen um. Die im Halbrund aufsteigenden Bänke waren bis zum letzten Platz belegt. Natürlich hatte es sich in Windeseile herumgesprochen, dass sich Professor Dieffenbach wieder einmal an einer bahnbrechenden Operation versuchte – das wollte keiner der Medizinstudenten versäumen. Zudem standen ganze sieben Ärzte um den Operationstisch herum. Neben Alexander Heydecker waren alle Stabsärzte der Chirurgie anwesend.

Dieffenbach stellte sich vor August und reichte ihm die Hand. «Junger Mann, was hältst du von einem goldenen Taler, wenn du tapfer bist und nicht weinst?»

«Gemacht, Herr Doktor!», gab August zurück. «Nicht wegen dem Gold. Ich will nur, dass nie mehr einer Schielewipp zu mir sagt.»

Dr. Dieffenbach sah in die Runde. «Fangen wir an!»

Offensichtlich hatte jeder zuvor seine Anweisungen empfangen und begab sich nun auf seinen Posten. Alexander stellte sich hinter das schräg aufgestellte Kopfteil des Operationstisches und legte einen Arm über Schulter und Brust des Knaben, den anderen um seine Stirn, um seinen Kopf wie in einem Schraubstock zu fixieren. Elisabeth hielt die Hand des jungen Patienten. Martha stellte sich an seine andere Seite.

«Augenlider», sagte Dieffenbach leise und griff nach einem spitzen Haken.

Stabsarzt Großheim und sein Kollege Eck setzten die kleinen, stumpfen Haken an die Lider und zogen sie auseinander. Ohne zu zögern, stach Dieffenbach dicht am inneren Augenwinkel flach durch die Bindehaut.

«Halten!»

Er übergab seinen Haken einem weiteren Assistenten und ließ sich das von ihm selbst entwickelte Doppelhäkchen reichen, das er tief in die Bindehaut bohrte. Mit einer Schere schnitt er in die Bindehautfalte. Elisabeth musste sich bemühen, nicht zusammenzuzucken, als der Schnitt aufklaffte und sie sah, wie Dieffenbach die Schere hineinführte. Dort unten musste der verkürzte Muskel nun freiliegen.

Der Junge hielt sich musterhaft. Nur seine fest zusammengepressten Lippen und der Druck auf Elisabeths Hand zeigten seine Pein.

Plötzlich zögerte Dieffenbach. Kamen ihm Zweifel? Dachte er an die Worte Jüngkens und von Graefes? Nein, es war zu spät zu zaudern. Jetzt musste er es wagen!

Die Schere klackte dreimal. Die Pupille schnellte nach rechts und verschwand dann fast hinter dem äußeren Augenwinkel. Elisabeth hörte die Ärzte unisono aufseufzen. Sie sah in Dieffenbachs erstarrtes Gesicht.

«Nur ein Krampf», behauptete er. «Das wird gleich vorbei sein.»

Und wirklich! Der Augapfel begann, langsam zurückzuwandern, und blieb dann in der Mitte stehen.

Dieffenbach trat ein wenig zurück und betrachtete seinen Patienten. Dann wandte er sich dem Publikum zu: «Sehen Sie, meine Herren. Es gibt keinen Unterschied mehr zwischen den beiden Augen.»

Die Haken verschwanden, und der Junge blinzelte ungläubig in die Runde.

«Ist alles in Ordnung mit meinen Augen, Herr Professor? Schiele ich jetzt nicht mehr?», wollte er wissen.

«Ja, August, es ist alles in Ordnung. Und du warst ungeheuer tapfer.» Dieffenbach griff in seinen grünen Rocks und holte eine Münze aus der Tasche, die so golden schimmerte wie seine Knöpfe. Er hielt sie in einiger Entfernung in die Höhe. «Was habe ich hier in meiner Hand?»

«Das ist mein goldener Vogel!», rief der Junge.

Dr. Dieffenbach hielt ihm das gesunde Auge zu. «Und was siehst du jetzt?»

«Immer noch meinen Goldtaler!»

Dieffenbach drehte den Taler in der Hand. «Adler oder König?», wollte er wissen.

«Der König!», juchzte August.

Die Erleichterung im Operationssaal war fast zum Greifen nah. Von den Rängen brandete Applaus auf, doch Dieffenbach war nicht da, um sich feiern zu lassen. Er drängte, den Jungen rasch in eine der Kammern unters Dach bringen zu lassen, die nur ein kleines Fenster hatte, das man leicht verhängen konnte. Er schärfte Elisabeth ein, der Junge müsse im Dunkeln liegen und dürfe das Bett nicht verlassen, bis er sicher sein könne, dass kein Wundbrand das Auge zerstöre.

«Er darf nur dünne Suppe zu sich nehmen und bekommt alle paar Stunden einen kühlen Umschlag auf das operierte Auge. Wir müssen darauf achten, dass das Salz der Tränen keine Entzündung hervorruft.»

Elisabeth nickte. Zusammen mit Martha führte sie August in sein Krankenzimmer. Sie schärfte ihm noch einmal ein, wie wichtig es sei, alle Anweisungen des Arztes zu befolgen, ehe sie Mutter und Sohn alleine ließ.

KAPITEL 25

Feste

Das Jahr 1839 neigte sich bereits seinem Ende zu, als eine gold-geränderte Einladungskarte für Dr. Dieffenbach abgegeben wurde.

«Soll ich sie öffnen?», fragte Emilie, als er sich zur Suppe niederließ.

«Hat das nicht Zeit bis nach dem Essen?», winkte er ab. Er kannte diese Art von Einladungen. Dinner und Salons, deren Gastgeberinnen sich mit der Anwesenheit des Arztes schmücken wollten, über den ganz Berlin sprach, doch Emilie wollte nicht warten. Sie schnitt den Umschlag auf und zog die Karte heraus.

«Von Gräfin von Bredow», sagte sie tonlos. Ihr Lächeln wirkte plötzlich gequält. Sie reichte ihrem Mann die Einladung. «Für dich», sagte sie.

Dieffenbach überflog den Text. «Wir sind beide eingeladen», sagte er. «Ein Dinner nächsten Freitag. Möchtest du teilnehmen?»

Emilie überhörte die Frage. «Du wirst auf alle Fälle zusagen», vermutete sie, doch ihr Mann schüttelte den Kopf.

«Wir sind zusammen eingeladen, also gehen wir auch beide oder keiner. Du entscheidest, meine Liebe.»

Emilie drehte die Karte in ihren Händen. Dieffenbach glaubte, den Widerstreit hinter ihrer Stirn lesen zu können. Einerseits war das eine schmeichelhafte Einladung, es würde ein prunkvoller Abend mit erlesenen Gästen werden. Andererseits, so vermutete er, lehnte Emilie die Gräfin aus naheliegenden Gründen ab. In Gedanken versunken, leerte sie ihren Suppenteller, dann sah sie auf.

«Wir gehen hin», sagte sie. «Aber ich brauche ein neues Kleid. Es werden wichtige Menschen da sein, und da wäre es für deinen Ruf nicht von Vorteil, wenn deine Gattin in einem abgewetzten, unmodernen Kleid auftauchen würde.»

Dieffenbach lachte herzlich. «Ich denke, dass *abgewetzt* auf keines deiner Kleider zutrifft, aber ja, gerne, lass dir schneidern, wonach dir der Sinn steht. Ich lasse mich überraschen.»

Sie stand auf, kam um den Tisch und küsste ihn. «Solch ein Freibrief ist gefährlich», sagte sie in neckendem Ton. «Weißt du das denn nicht? Ich könnte dich ruinieren.»

«Mit einem Kleid? Wohl kaum», widersprach er. «Wenn, dann bin ich der Verschwender. Ich habe da eine wunderschöne Schimmelstute gesehen, die ich gerne hätte ...»

∼

Emilie hatte sich ein prächtiges Kleid aus kupferfarbenem Seidentaft schneidern lassen, das ihr Haar besonders gut zur Geltung brachte, und ihr Hausmädchen mühte sich stundenlang um eine ansprechende Frisur. Schließlich war die Hausherrin zufrieden und ließ sich mit einem huldvollen Lächeln in die Kutsche helfen.

Das Palais von Bredow war hell erleuchtet, und es waren bereits einige Gäste im Salon anwesend, als das Ehepaar Dieffenbach gemeldet wurde.

Die Gräfin sah umwerfend aus. Das Licht der Kristalllüster entfachte einen rötlichen Schimmer in ihren blonden Locken, der wie kleine Flammen loderte. Das strenge Trauerjahr war vorüber, und so trug sie ein verschwenderisch dekoriertes Seidenkleid in einem dunklen Lilaton. Sie begrüßte die Neuankömmlinge mit strahlendem Lächeln und stellte sie den wenigen Personen vor, die Professor Dieffenbach noch nicht kannten.

Die Kinderfrau kam die Treppe herunter, um Amalie Friedericke die Gelegenheit zu geben, all die wichtigen Menschen zu begrüßen. Das Mädchen war ebenso wie seine Mutter herausgeputzt und sah mit seiner zarten Haut und den goldblonden Locken sehr hübsch aus. Höflich reichte es jedem Gast die Hand und murmelte seinen Namen.

Dieffenbach betrachtete das Kind nachdenklich. Acht Jahre war es nun alt. Ein hübsches Mädchen mit feinen Gesichtszügen. Niemand hätte an seiner gräflichen Herkunft Zweifel angemeldet, und doch war es die Tochter einer armen Frau vom Kanal und eines einfachen toten Soldaten. Er dachte kurz über den Anspruch der Könige und des Adels nach, die ihre Position von Gottes Gnaden und dem Privileg ihrer hohen Geburt ableiteten. War ihr Blut wirklich reiner? Was machte den Menschen tatsächlich aus?

Nachdem das Kind seine Runde beendet hatte, folgte es, ohne zu murren, der Kinderfrau wieder nach oben. Dieffenbach und seine Frau gingen hinüber in den blauen Salon, in dem sich weitere Gäste aufhielten.

Vor dem Kamin standen zwei Männer. Der eine war Dieffenbachs alter Freund Heinrich Heine, der aus Paris zu einem Besuch nach Berlin gekommen war. Die beiden umarmten sich herzlich, nachdem sich Heine vor Emilie verbeugt und ihr die Hand geküsst hatte.

«Wie schön, dass wir uns hier treffen. Ich bin heute erst angekommen und wollte dich die nächsten Tage in deinem Haus aufsuchen.»

«Du bist uns jederzeit willkommen!»

Der andere Mann begrüßte die Dieffenbachs ebenfalls mit einem freundlichen Lächeln. Bis zum Tod seines Bruders Wilhelm war Professor Dieffenbach der Hausarzt gewesen. Erfreut drückte dieser dem berühmten Weltreisenden Alexander von Humboldt die Hand.

Emilie strahlte ihren Mann an. Was für eine Überraschung!

Sie hatten zu Hause des Öfteren über ihn gesprochen, jetzt zeigte sie sich begeistert, den großen Forscher zu treffen. Wie ihr Mann wusste, hatte sie als junges Mädchen sogar davon geträumt, selbst durch die Urwälder Südamerikas zu streifen, die Vulkanberge der Anden oder das ferne Sibirien zu erforschen.

«Setzen wir uns doch», forderte Alexander von Humboldt das Ehepaar Dieffenbach auf. «Ich habe schon viel von Ihnen gehört, Herr Professor.»

«Wir sprachen gerade von Weimar», sagte Heine.

«Das waren spannende Zeiten, als ich viele Tage und Nächte mit Goethe verbrachte und wir nicht müde wurden, über Vulkane, Zoologie, Chemie oder Galvanismus zu sprechen», schwärmte von Humboldt. «Wir haben Experimente zur tierischen Elektrizität durchgeführt. An Froschbeinen ...» Er brach ein wenig verlegen ab. «Verzeihen Sie, verehrte Frau Dieffenbach, das ist kein appetitliches Thema.»

Emilie winkte ab. «Ich stamme aus einem Medizinerhaushalt, mich schaudert nicht so schnell. Sprechen Sie bitte weiter, Herr von Humboldt.»

«Ich habe auch an mir selbst zahlreiche Experimente mit allen möglichen Metallen und Chemikalien durchgeführt, um die Stärke der Elektrizität zu messen und zu vergleichen. Leider haben sich viele der Wunden entzündet, sodass ich an manchen Tagen mit meinen blutgefüllten Beulen wie einer der Landstreicher vor den Toren der Stadt aussah. Auch wenn es oft schmerzhaft war, fand ich diese Experimente großartig und sehr erhellend. Sie haben mich zu der Unterscheidung von organischer und anorganischer Materie geführt», erzählte der Forscher begeistert.

Dieffenbach musste sich ein Lächeln verkneifen, als er sah, wie Emilie entgeistert den Kopf schüttelte. Das war selbst für die Arzttochter zu viel.

«Erzählen Sie uns doch von Südamerika, Herr von Humboldt»,

bat sie stattdessen. «Ich habe alle Ihrer eindrucksvollen Berichte gelesen.»

Alexander von Humboldt war nur allzu gerne bereit. Diese Reisen waren die Sternstunden seines Lebens gewesen, und er würde nichts lieber tun, als sofort wieder zu einer Expedition aufzubrechen, wie er sagte. Sein Leben in Berlin im Dienste des Königs empfand er als einengend und langweilig.

«Der Chimborazo!», rief er aus. «Dieser Vulkan hat mich erleuchtet. Ich habe endlich die Zusammenhänge verstanden, die der Natur auf der ganzen Welt innewohnen. Alles ist mit allem mit tausend unsichtbaren Fäden verbunden. Kennen Sie mein Naturgemälde des Chimborazos?», erkundigte er sich.

Emilie nickte begeistert.

«Die Natur ist global. Die Klimazonen in den verschiedenen Ländern oder auf den ansteigenden Höhen gleichen einander.»

In diesem Augenblick rief die Gräfin zum Dinner, und so mussten sie die interessante Unterhaltung leider unterbrechen. Zu Emilies Bedauern saß der Naturforscher am anderen Ende des Tisches. Erst als der letzte Gang abgetragen war und sich die Gäste wieder im Salon versammelten, ergab sich eine zweite Gelegenheit, sich ihm zu nähern. Er sprach über die Kolonialpolitik der Spanier und verurteilte die Sklavenhaltung scharf. Noch mehr beeindruckten Emilie die Zusammenhänge zwischen der Politik der Spanier in der Neuen Welt und der Zerstörung der Umwelt, die Alexander von Humboldt beschrieb.

«In Kuba wird fast ausschließlich Zuckerrohr für den Export nach Spanien angebaut. Dadurch leiden die Einheimischen Hunger. Außerdem führt die Abholzung der Wälder zum Zusammenbruch des ganzen Natursystems. Starke Regenfälle spülen die Erde weg, die nun nicht mehr von Wurzeln gehalten wird. Die schlammigen Ströme graben steile Rinnen in die Felder, die Flussufer brechen in sich zusammen, der Boden wird innerhalb weniger Jahre ausgelaugt und unfruchtbar. Zurück bleibt eine rote Kraterlandschaft, auf der nichts mehr wächst.»

Dieffenbach stand mit Ludovica ein wenig abseits der Gruppe und lauschte den klugen Fragen, die Emilie stellte, und den Antworten des Weltreisenden.

«Sie haben Glück, mein Freund. Sie ist eine wundervolle Gefährtin», sagte die Gräfin leise.

Er nickte. «Ja, sie ist ein strahlend heller Stern an meinem Firmament.»

Ludovica versuchte, die Traurigkeit zu verbergen, doch er spürte, was in ihr vorging, und hätte sie gerne berührt.

«Sie darf keinen Schaden nehmen», sagte Ludovica nach einer Weile. «Und doch kann und will ich nicht ganz auf Sie verzichten. Mein Leben wäre ohne Sie so still und leer.»

«Sie haben Amalie Friedericke», erinnerte Dieffenbach.

«Ja, ein liebes Kind, und doch sehne ich mich ab und zu nach einem Mann an meiner Seite. Nach Ihnen, mein Freund!»

Er nickte nur stumm und gesellte sich wieder zu der Gruppe um den Forscher.

Für Emilies Geschmack war der Abend viel zu schnell zu Ende. Noch auf der Heimfahrt wiederholte sie all die interessanten Dinge, die Alexander von Humboldt an diesem Abend gesagt hatte.

∾

«Sehen wir uns heute noch?», raunte Alexander Elisabeth zu, als sie mit einem großen Tablett voller Schalen und Becher in den Händen auf die Tür zum großen Frauensaal der Äußeren Abteilung zuschritt.

«Wir sehen uns jetzt», gab sie mit einer Unschuldsmiene zurück, die er nicht recht einschätzen konnte.

«Du weißt, was ich meine!», gab er ein wenig ungeduldig zurück. «Du hast nie Zeit! Immer sind dir deine Patientinnen wichtiger.»

«Das Leben ist ungerecht», sagte sie mit noch immer ernster Miene.

«Was willst du? Dass ich dich anflehe? Dass ich dich auf Knien bitte, mir deine Tür zu öffnen?»

Erschrocken sah Elisabeth den Gang hinunter, von wo sich gerade zwei der Stabsärzte näherten, die in ein angeregtes Gespräch vertieft waren.

«Nein, den Kniefall solltest du im Moment lieber unterlassen. Aber du kannst mir die Tür öffnen, damit ich das Abendessen austeilen kann.»

Alexander öffnete die Tür. Er sah ihr zu, wie sie Kräuteraufgüsse, warmes Bier und dicke Fleischsuppe an die Patientinnen verteilte. Die Männer wurden von Wärter Martin versorgt, der als einer der Ersten die Krankenwartschule von Dr. Dieffenbach erfolgreich abgeschlossen hatte und seitdem in der Chirurgischen Abteilung arbeitete. Im Gegensatz zu so vielen der früheren Wärter gehörte er zu den zuverlässigen Pflegern. Er war ein kräftiger Mann, der keine Arbeit scheute und sich bemühte, stets höflich zu sein.

«Elisabeth», versuchte es Alexander noch einmal, als sie an ihm vorbei aus der Tür schlüpfte. «Ich liebe dich, und ich vermisse unsere gemeinsamen Stunden.»

Sie hielt inne. Ihre Hand streifte wie unabsichtlich die seine. «Ich vermisse dich auch. Komm heute Nacht zu mir, aber pass auf, dass dich keiner sieht. Ich habe das Gefühl, Schwester Theresa spioniert mir nach. Sie würde mich ganz sicher nur allzu gern bei der Oberin anschwärzen.»

Sie sahen einander in die Augen. Noch immer schaffte sie es mit ihrem Blick, sein Herz zum Stolpern zu bringen. Er spürte die Wärme in seinem Leib, das Verlangen, das in Wellen in ihm aufbrandete. Rasch wandte er den Blick ab, ehe er noch die Beherrschung verlor und hier auf der Stelle ihren Körper an sich zog, dessen Wärme und Duft ihn wie ein Versprechen umgaben.

«Dann bis später, Herr Dr. Heydecker», sagte sie mit einem letzten Lächeln, ehe sie in die Küche zurückeilte, um die nächsten Portionen zu holen. Als sie mit dem vollen Tablett zurückkehrte, kam ihr Schwester Katharina entgegen.

«Was tust du denn hier?», wollte Elisabeth wissen, als ihr Blick auf deren Hand fiel, um die sie ein blutiges Tuch gewickelt hatte.

Elisabeth stellte das Tablett ab. Vorsichtig löste sie das Tuch und sah auf die Schnittwunde, aus der noch immer Blut floss.

«Wie ist das denn passiert, Katharina?», erkundigte sie sich besorgt.

Sie verzog das Gesicht. «Eine meiner Patientinnen hat ihre Schale zu Boden fallen lassen, und ich war zu ungeschickt beim Einsammeln der Scherben.»

«Das sollte sich einer der Ärzte ansehen, ehe ich es verbinde», sagte Elisabeth. «Warte, ich verteile schnell das restliche Essen, dann begleite ich dich. Dr. Heydecker müsste noch drüben im Männersaal sein.»

Gemeinsam suchten sie Alexander auf, der den Schnitt untersuchte. Er entfernte die winzigen Tonsplitter, die noch in der Wunde steckten, und wusch sie dann mit einer Kräuterlösung aus. Elisabeth legte Katharina einen straffen Verband an.

«Du darfst die nächsten Tage auf keinen Fall den Boden oder die Treppe wischen», sagte sie streng.

Katharina seufzte. «Sag das lieber der Mutter Oberin. Wie könnte ich mich verweigern, wenn sie mir eine Arbeit zuteilt.»

«Dann soll sie diese eben jemand anderem auftragen.» Elisabeth blieb hart.

«Es stimmt, Sie sollten Ihre Hand schonen», mischte sich Heydecker ein. «Ich spreche gerne mit Ihrer Oberin. Schließlich wollen wir keinen Wundbrand riskieren.»

Katharina nickte dankbar. Und auch wenn sich Oberin Walburga nicht begeistert zeigte, versprach sie doch, Katharina zu schonen, bis ihre Hand vollständig verheilt sei.

KAPITEL 26

Abschied und Neuanfang

Gräfin Ida Hahn hat mich aufgesucht», berichtete Dieffenbach seiner Frau an einem Abend im April 1840 und wunderte sich, dass sich die Wangen seiner Gattin zart röteten.

«Kennst du sie etwa?», fragte er ein wenig verwundert.

«Wer kennt sie nicht!», rief Emilie aus. «Ich meine, ich wurde ihr nicht vorgestellt, aber ganz Berlin spricht über die wilde, reiche Gräfin, die sich von ihrem Mann hat scheiden lassen und alleine durch Arabien gereist ist. Sie hat in Beduinenzelten geschlafen! Alle Männer liegen ihr zu Füßen.»

Dieffenbach schüttelte den Kopf. «Nicht alle, meine Liebste, wobei ich weiß, dass ihr Minister von Humboldt zu seinen Lebzeiten sehr zugetan war.»

«Das glaube ich gern. Selbst Fürst Pückler umschwirrt sie wie eine Motte das Licht», fuhr Emilie fort. «Aber warum war sie bei dir – wenn du darüber sprechen darfst?»

«Ja, ich denke schon», sagte Dieffenbach. «Gräfin von Hahn hat schon seit Jahren, sagen wir, einen Silberblick, doch jetzt wird das Schielen immer schlimmer, sodass sie sich für eine Operation entschieden hat. Ich werde sie nächsten Montag im Palais des Grafen von Stolberg durchführen, bei dem sie zurzeit wohnt.»

Erwartungsgemäß verlief der Eingriff ohne Zwischenfälle. Seit der Operation von August Vogelsangs Auge hatte Dieffenbach vielen schielenden Augen zu einem klaren Blick verholfen. Auch das operierte Auge der Gräfin nahm nach dem Muskelschnitt seine gesunde Stellung ein. Und wie immer schärfte Dieffenbach auch dieser Patientin ein, im verdunkelten Zimmer das Bett zu hüten, dazu kalte Umschläge zu machen und eine leichte Diät zu halten. Doch am nächsten Morgen riss ein Diener des Grafen von Stolberg Dieffenbach aus dem Schlaf. Im gräflichen Palais fand der Arzt die Gräfin mit rot verschwollenen Augen vor. Das operierte Auge zeigte erste Anzeichen einer Entzündung.

Dieffenbach unterdrückte ein Stöhnen. «Was ist nur geschehen?», wollte er wissen.

«Ich war gestern Abend so voller Unruhe», begann die Gräfin stockend zu erzählen. «Da habe ich mich in meinem Nachtgewand an den Sekretär gesetzt, um einen Brief zu schreiben. Nur ganz kurz, einige wenige Zeilen.»

Dieffenbach sah zum Sekretär. Zwei in ihren Haltern fast völlig niedergebrannte Kerzen und zahlreiche zerknüllte Briefbögen im Papierkorb straften das *nur ganz kurz* sichtlich Lügen.

«Was gab es denn so Wichtiges, dass Sie es ausgerechnet in dieser Nacht nach der Operation zu Papier bringen mussten?», fragte er mit mühsam unterdrücktem Zorn.

«Das geht Sie nun wirklich nichts an», entgegnete die Gräfin entrüstet.

Da stürmte Freiherr von Bystram, der vermutlich nicht nur ihr Reisegefährte war, ins Zimmer und schrie den Arzt an: «Wie konnten Sie solch eine verantwortungslose Operation durchführen? Profilieren wollten Sie sich! Sich auf Kosten der Gräfin von Hahn einen Namen machen!»

Dieffenbach musste an sich halten, bevor er so ruhig und kühl wie möglich antwortete: «Wenn ich mich nicht dem Heilen verschrieben hätte, dann würde ich jetzt Genugtuung von Ihnen verlangen. Verlassen Sie diesen Raum! Ich muss sehen, wie ich das Augenlicht der Gräfin retten kann.»

Tagelang versuchte er es mit Blutegeln und abführenden Salzen, doch im Augenwinkel setzte sich eine klebrige Flüssigkeit ab.

Er kämpfte vergebens. Eine Wundrose breitete sich am Augenlid und an der Schläfe aus. Als die Entzündung endlich zurückging, sah er, dass sich die Hornhaut zu trüben begann.

Natürlich sprach sich dieser Misserfolg in ganz Berlin schnell herum, schließlich war die abenteuerlustige Gräfin von Hahn in aller Munde.

Von Graefes Hohn, den er in falsches Mitgefühl verpackte, traf Dieffenbach besonders hart. Weder Emilies aufmunternde Worte noch Ludovicas Zorn konnten ihm helfen.

∽

Fast zwei Jahre waren seit Professor Bartels' Tod vergangen. Neben seiner Stelle als zweiter dirigierender Chirurg der Charité, der Privatpraxis und seiner Vorlesung in Operationskunde als außerordentlicher Professor war Dieffenbach – zusammen mit dem Kollegen Wolff – auch noch kommissarisch für die Leitung der noch immer verwaisten Lateinischen Klinik zuständig.

Im Mai 1840 traf endlich der Nachfolger in Berlin ein, und die Entscheidung war tatsächlich zugunsten des von Dieffenbach favorisierten Kandidaten gefallen. Professor Johann Lukas Schönlein wurde Leiter der Inneren Universitätsklinik an der Charité, und mit ihm zog der erhoffte frische Wind durch die alten Säle. Dieffenbach freute sich sehr, seinen Lehrer wiederzusehen, und besuchte des Öfteren die Innere Abteilung, um staunend Schönleins neue Methoden zu studieren.

«Fieber ist ein Symptom und keine eigenständige Krankheit», erklärte dieser. «Es muss uns gelingen, die unterschiedlichen Gesichter eines Leidens zu erfassen und die Krankheiten voneinander abzugrenzen. Dazu eignen sich nach meiner Erfahrung verschiedene Methoden.»

Beide schätzten diesen Austausch gleichermaßen. Dieffenbach

war nicht mehr sein Schüler, sondern ebenfalls Professor, und so war es ein Gespräch auf Augenhöhe.

«Sehen Sie, Herr Kollege, beispielsweise die Perkussion, das Abklopfen der Brust und des Rückens eines Patienten. Der Klang kann uns viel über den Zustand der Lunge verraten.» Schönlein zeigte Dieffenbach seinen Perkussionshammer. «Und ebenso wichtig ist die Auskultation. Wie ich erfahren habe, war es hier in der Charité bislang nicht üblich, den Patienten mit einem Stethoskop abzuhorchen.»

Dieffenbach nahm die ihm unbekannten Instrumente in die Hand und betrachtete sie nachdenklich. Warum sollte nicht beides auch in der Chirurgie hilfreich sein?

Der Operationshörsaal der Charité war überfüllt, obwohl kein Patient auf dem Tisch lag. Dennoch waren alle Studenten gekommen. Es hatte sich herumgesprochen, dass Professor Rust sich endlich dazu durchgerungen hatte, von der Charité Abschied zu nehmen. Neben den Studenten waren auch einige Ärzte anwesend, und alle warteten nur auf das eine: dass er seinen Nachfolger als Leiter der Chirurgischen Klinik benennen würde. Auch Ludovica war gekommen und hatte in der letzten Bankreihe Platz genommen. Seit sie als Unterstützerin der Charité und der Krankenwartschule jedem der Ärzte bekannt war, wurde ihre Anwesenheit akzeptiert.

Professor Rust schlurfte in die Mitte des Saals und ließ seine getrübten Augen über die Ränge schweifen. Wie viel er dort noch erkennen mochte, konnte keiner sagen. Weitschweifig wiederholte er einige seiner Lieblingsmerksätze, die er den Studenten stets mit auf den Weg gegeben hatte. Es schien, als versuche er, das Unvermeidliche hinauszuschieben, so lange es ging. Irgendwann wurden die Zuhörenden unruhig und scharrten mit den Füßen, doch noch immer nannte Rust keinen Namen. Sagte nicht, wie es weitergehen sollte, nur dass er sich wünsche, einer seiner Schüler möge in seine Fußstapfen treten.

Da erklang zum ersten Mal der Name: «Dieffenbach!»

Mehrere Studenten fielen in den Ruf ein: «Dieffenbach, Dieffenbach», skandierten sie.

Ohne ein weiteres Wort verließ Professor Rust zum letzten Mal die Arena, in der er Jahr für Jahr vor so vielen Studenten operiert und gesprochen hatte.

Ludovica beugte sich ein wenig nach vorn. Sie konnte Dieffenbachs Zorn spüren, und es überraschte sie nicht, als er sich ebenfalls erhob und wortlos verschwand, so schnell, dass sie keine Gelegenheit mehr hatte, ihn zu sprechen. Enttäuscht fuhr sie nach Hause.

Ein paar Tage später las sie im *Stadtanzeiger*, dass der außerordentliche Professor Dr. Dieffenbach vorübergehend Professor Rusts Vorlesungen übernehme, bis die Nachfolge geregelt sein würde. Mit einer Ausrede bestellte sie ihn zu sich. Amalie Friedericke fieberte leicht und hustete ab und zu.

«Verzeihen Sie die Sorge einer Mutter, lieber Freund», begrüßte sie ihn. «Allerorts sterben Kinder an Diphtherie. Bitte beruhigen Sie mich und sagen Sie mir, dass es nur ein harmloser Schnupfen ist.»

Dieffenbach untersuchte Amalie, die mit ihren achteinhalb Jahren zu einem aufgeweckten, hübschen Mädchen herangewachsen war.

«Es ist nichts Schlimmes», bestätigte er und schrieb Ludovica ein Rezept für den Apotheker auf. «Nur eine leichte Influenza. Sie sollte allerdings ein wenig ruhen und bei diesem Regenwetter nicht hinausgehen», riet er.

Ludovica ließ Kaffee und Gebäck kommen und lud den Arzt in den Salon ein.

«Wie fühlen Sie sich?», erkundigte sie sich, als der Diener die

Tür wieder geschlossen hatte. «Ich habe den Artikel im *Stadtanzeiger* gelesen», gab sie zu.

In Dieffenbachs Miene trat ein wilder Ausdruck. «Ich fühle mich wie vor den Kopf geschlagen. So viele Studenten und Kollegen, ja die Menschen in Berlin, wollen mich auf diesem Posten sehen, doch Rust wird, solange er lebt, genau das verhindern, und er hat noch immer Einfluss beim König. Gerade jetzt, wo der König immer wieder mit Fieber und Schwäche darniederliegt und nach seinem Hofarzt verlangt, wird er keine Entscheidung gegen den Willen des Geheimrats fällen.»

Ludovica schüttelte traurig den Kopf. «Lieber Freund, ich empfinde mit Ihnen. Ich habe den Eindruck, dass Sie ein Opfer dieser beiden alten Männer sind, die sich gegen Sie verschworen haben.»

«Die Chirurgie muss vorangebracht werden. Ich habe so viel geforscht, neue Operationstechniken ausgearbeitet und bin vielen Leiden auf den Grund gegangen. Wie viele Tage und Nächte habe ich am Tiermedizinischen Institut verbracht und in Versuchen die Möglichkeiten und Risiken von Transfusionen erforscht? Und nun stellt man mich hin, als sei ich nicht mehr als ein Wundarzt, der geschickt mit dem Skalpell umgehen kann.»

Sie erhob sich und legte ihren Arm um seine Schulter. «Ich verstehe Ihre Enttäuschung. Es ist nicht gerecht, aber noch ist kein Nachfolger benannt. Ich könnte mit Kronprinzessin Elisabeth sprechen. Sie hat nicht vergessen, was sie Ihnen verdankt, mein Freund.»

Doch das schien nicht nach seinem Geschmack. Er erhob sich steif und wich zurück. «Ich danke Ihnen für Ihren Zuspruch, verehrte Ludovica, aber das soll nicht Ihr Problem sein.»

Er wandte sich zum Gehen. Sie hielt ihn fest und zwang ihn, sich ihr zuzuwenden.

«Bitte, verzweifeln Sie nicht. Der Tag wird kommen, an dem auch der letzte Verblendete Ihre Leistung anerkennt.»

Sie beugte sich vor und küsste ihn auf den Mund. Seine Lippen waren hart und abweisend, doch sie gab nicht auf, bis das Feuer zu ihm übersprang und er sie in seine Arme zog. Sie küssten sich mit zunehmender Leidenschaft, ihr Atem ging in kurzen Stößen. Beide verlangten nach mehr, aber es war Dieffenbach, der zuerst zur Vernunft zurückkehrte und sich von ihr löste.

«Ich muss gehen, ehe wir etwas tun, das wir beide bitterlich bereuen werden.» Er verbeugte sich und hauchte einen Kuss auf ihre Finger. Dann verließ er fluchtartig das Palais.

∽

Heute stand Alexander der Sinn offensichtlich nicht nach Zärtlichkeiten. Sein Gesicht war vor Eifer gerötet, als er fast eine Stunde zu spät zu ihrem Treffen erschien. Elisabeth versuchte, keinen Ärger zu empfinden, war ihre gemeinsame Zeit doch eng begrenzt.

Alexander zögerte nicht, ihr ausführlich davon zu berichten, was ihn aufgehalten hatte, und ihr Ärger schmolz angesichts seiner Begeisterung. Gemeinsam spazierten sie zum Haupttor und verließen das Charitégelände.

«Professor Schönlein ist phantastisch», schwärmte er. «Man hat den Eindruck, nun kann die Wissenschaft nichts mehr aufhalten. In ein paar Jahren können wir alle Krankheiten erkennen und heilen», behauptete Alexander aus tiefer Überzeugung. «Der Muff der alten Griechen ist endgültig ausgekehrt. Alles wird jetzt genau untersucht: Urin, Blut, Auswurf. Sie werden mit chemischen Mitteln behandelt und unterschieden, verglichen und protokolliert. Im Müller'schen Institut – du weißt, unser Professor für Anatomie – hat sich eine Gruppe von Studenten und jungen Wissenschaftlern zusammengefunden, die erstaunliche Entdeckungen gemacht haben. Du solltest sie kennenlernen», schwärmte er. «Robert Remark, Emil du Bois-Reymond, Rudolf Virchow. Gerade Virchow, obgleich noch Student, ist ein exzellenter Kopf. Gemeinsam ist das Team wie eine frische Brise, die durch die Wissenschaft fährt.»

Elisabeth lächelte belustigt.

«Nein, das meine ich ernst», rief Alexander lebhaft. «Sie untersuchen krankes und gesundes Gewebe unter dem Mikroskop. Virchow ist davon überzeugt, dass die Zelle der Grundbaustein alles Lebendigen ist. Sie entscheidet über Krankheit oder Gesundheit. Wenn die Zelle sich krankhaft verändert, dann wird der ganze Körper krank. Man spricht von der *Pathologie der Zelle*. Ich habe mir die verschiedenen Zellen des Blutes unter dem Mikroskop angesehen. Unser ganzer Körper besteht aus Zellen, sei es nun ein Haar oder ein Stück von einem Fingernagel. Es ist erstaunlich! Ach, ich wünschte, ich könnte dich zu diesen Forschungsabenden mitnehmen.»

Elisabeth sah in sein verklärtes Gesicht. Für einen Moment stellte sie sich vor, wie es sein würde, könnte eine Frau ganz selbstverständlich an der Universität oder in Müllers Anatomieinstitut auftauchen, um zusammen mit den männlichen Studenten und Wissenschaftlern zu forschen.

Was für ein schöner Traum. Vielleicht würde eine Zeit kommen, in der so etwas wahr werden würde. In der Frauen ebenfalls Medizin studieren, Ärztin werden und sich gar habilitieren könnten. Wie viele Jahrzehnte oder Jahrhunderte mussten dafür noch vergehen? Elisabeth wusste es nicht. Aber sie ahnte, dass sie diese Zeit nicht mehr erleben würde.

«Remark forscht übrigens zusammen mit Dieffenbach und dem Direktor der Gebärstation an Embryonen, die, bevor sie lebensfähig sind, ausgetrieben wurden», fuhr Alexander fort.

Elisabeth schauderte es, doch sie versuchte, sich ihr ungutes Gefühl nicht anmerken zu lassen. *Ungeborenes Leben.* Durfte es im Namen der Wissenschaft einfach zerschnitten und untersucht werden? War das etwas anderes, als einen Körper *nach* seinem Tod zu sezieren, um neue Erkenntnisse zu erhalten? Sie war sich nicht sicher.

Schweigend wandten sie sich nach links und schritten die Luisenstraße entlang auf das Neue Tor zu. Bald erreichten sie den Friedhof, auf dem die vielen Toten der Charité eine letzte Ruhestätte fanden. Draußen vor der Zollmauer, wo es früher nur Felder und Wiesen gegeben hatte, erhob sich nun die königliche Eisengießerei. Tag und Nacht mussten die Feuer in den Öfen brennen, in denen die Arbeiter den begehrten Stahl nicht nur für die nun überall benötigten Eisenbahnschienen gossen.

Von der anderen Seite des Friedhofs her schallte trotz der späten Stunde das Hämmern der riesigen, mit Dampf betriebenen Maschinen der Borsigwerke an der Chausseestraße. Die Nachfrage nach Eisen war so groß, dass nahezu rund um die Uhr in zwei Schichten gearbeitet wurde. Dort kam ein ganzes Heer von Arbeitskräften unter, das noch immer ungebremst aus den ländlichen Gebieten Preußens nach Berlin zog. An den Rändern entstanden neue Bahnhöfe und Strecken, die die preußische Hauptstadt in alle Himmelsrichtungen mit der Provinz und den Nachbarländern verbanden.

Alexander schwärmte weiter von den jungen Forschern und den neuen Möglichkeiten der Medizin, während Elisabeth der Toten auf dem Friedhof der Charité gedachte, die keiner der Ärzte hatte retten können.

KAPITEL 27

Der König ist tot, es lebe der König

Es war ein schöner, sonniger Sonntag Anfang Juni 1840, als Dieffenbach vor dem Brandenburger Tor auf Ludovica traf. Er saß im Sattel seiner erst vor kurzem erstandenen Schimmelstute, sie ritt einen beeindruckenden Rapphengst, dessen Fell in der Sonne glänzte. Er tänzelte übermütig und zeigte sein vermutlich nicht einfach zu zügelndes Temperament, doch die Gräfin saß tadellos im Sattel. Ihr Reitkleid saß so perfekt, dass es aussah, als habe der Schneider seine Trägerin darin eingenäht. Dieffenbach ließ seinen Blick bewundernd von ihrem kecken Federhütchen bis zu ihren blitzblank polierten Reitstiefeln wandern.

Emilie war leider keine gute Reiterin und fürchtete sich vor ungestümen Pferden, doch er schätzte einen wilden Galopp.

Sie ritten in gepflegtem Tempo ein Stück die Allee entlang, die nach Charlottenburg führte, und bogen dann nach Süden ab. Auf einem schmalen Weg durch den Wald konnten sie den ersten Galopp wagen, bis sie die Brücke über den Floßgraben erreichten. Dahinter endete der Wald, und es breiteten sich die Wiesen des Hopfenbruchs bis zum Horizont aus. In den Senken waren sie feucht und häufig überflutet, es gab jedoch einige Pfade, die geradezu zu einem schnellen Galopp einluden. Dieffenbach ließ die Zügel nach, und schon schoss seine Stute vorwärts. Sie hatte ein gutes Tempo, doch falls er geglaubt hatte, Ludovica hinter sich lassen zu können, so täuschte er sich. Ihr Hengst blieb ihm dicht auf den Fersen, und sie nutzte die erste Gelegenheit, die sich bot, um die Schimmelstute zu überholen.

War das nicht herrlich! Ludovica jauchzte vor Freude, und auch Dieffenbach ging das Herz auf. Er hätte den ganzen Tag so reiten mögen! Leider wartete daheim die Arbeit auf ihn. Das nächste Kapitel in seinem zweiten Band der *Operativen Chirurgie* musste angegangen, und einige Briefe mussten beantwortet werden.

Als die Pferde von sich aus langsamer wurden, parierten sie durch, ließen die beiden eine Weile im Schritt verschnaufen und trabten dann zum Tiergarten zurück.

Schon von weitem konnten sie die Glocken hören. Erst nur verhalten, doch je näher sie dem Brandenburger Tor kamen, desto lauter wurde ihr Klang. Es schien, als würde jede Glocke in ganz Berlin geläutet.

Dieffenbach und Ludovica sahen einander an. «Was bedeutet das?», wunderte sich Ludovica, doch dann sahen sie, wie einige Wachleute schwarze Fahnen hissten.

«Der König ist tot», stellte Dieffenbach fest. «Das Fieber hat ihn endgültig besiegt.»

«Der König ist tot, es lebe der König», vervollständigte Ludovica den Satz. «Das ist die Stunde von König Friedrich Wilhelm IV. Ob er den Weg seines Vaters fortführen wird? Oder wird er die Hoffnung, die die Liberalen in ihn setzen, erfüllen? Was meinen Sie, lieber Freund?»

«Preußen eine Verfassung und ein Parlament gewähren, das ihm in seine Regierung hineinreden darf? Nein, niemals. Er ist der Sohn seines Vaters. Vielleicht wird er ein paar Dissidenten freilassen und ein paar Zeitungen von der Verbotsliste streichen, aber er ist kein Bürgerkönig, er wird sich nicht nach den Wünschen der Menschen richten. Er ist von seinem Gottesgnadentum so überzeugt wie sein Vater. Wir sind nicht in Frankreich.»

«Und er ist sehr gläubig», sagte Ludovica. «Ich vermute, die Kirche wird unter ihm wieder an Einfluss gewinnen.»

Dieffenbach nickte. «Das glaube ich auch. Die ganzen bigotten

Speichellecker, die seit Jahren um ihn herumschleichen, werden nun Morgenluft wittern.»

In bedrückter Stimmung ritten sie durch die Stadt, die bereits in hellem Aufruhr war. Noch schienen viele Hoffnung in den neuen König zu setzen.

❧

Elisabeth eilte zum Abtritt und zog rasch die Tür hinter sich zu. Sie hob den Rock hoch und warf einen Blick auf die Einlage, die noch immer reinweiß war. Sie zitterte, als sie den Rock wieder sinken ließ. Sie rechnete mit den Fingern die Tage nach, aber die Hoffnung, sie habe sich verrechnet, hielt nicht lange.

Konnte das sein? Sie hatten doch aufgepasst. Zumindest hatte Alexander ihr geschworen, dass nichts geschehen würde. Und außerdem benutzte sie das kleine Säckchen mit den Kräutern, das Martha ihr gegeben hatte. Also konnte nichts passieren, oder doch?

Wie sie es auch drehte und wendete, ihre Blutung war jetzt vier Tage überfällig.

Als Alexander sie fragte, ob er sie am Abend besuchen dürfe, wehrte sie schroff ab. «Mir ist nicht wohl», sagte sie, was in gewisser Weise stimmte, wenn auch nicht so, wie er es interpretierte.

«Oh ja, stimmt», sagte er und versprach ihr eine Tinktur, die die Krämpfe lösen würde.

Elisabeth sagte nichts dazu. Vermutlich hätte sie es ihm jetzt erzählen müssen, doch da kam einer der Wärter angerannt und rief Dr. Heydecker in den Operationssaal. Ein Mann war mit schweren Verbrennungen und einem zerschmetterten Bein eingeliefert worden.

«Einer der Arbeiter aus dem Feuerland drüben», gab der Wärter Auskunft.

Feuerland, so nannten die Leute die königliche Eisengießerei hinter der Zollmauer auf der anderen Straßenseite, deren Feuerschein vor allem nachts weithin zu sehen war.

«Ich versuche, Dr. Großheim zu finden. Dr. Dieffenbach ist noch nicht im Haus», rief der Wärter und rannte bereits weiter. Auch Alexander eilte davon.

Elisabeth wandte sich wieder ihren Aufgaben zu. Sie wusch eine Patientin, die sich in Fieberträumen in ihrem Bett wälzte, mit kaltem Wasser ab. Charlotte war auf der Straße gestürzt und unter die Hufe eines Pferdes geraten. Das Pferd hatte gescheut und den Reiter beinahe abgeworfen. Es war ihm aber gelungen, sich im Sattel zu halten, Charlotte dagegen lag im Straßendreck mit zertrümmertem Knöchel. Anstatt jedoch abzusteigen und der jungen Frau aufzuhelfen, schlug der vornehme Reiter noch mit der Gerte nach ihr, ehe er unbekümmert weiterritt, so hatte es der Droschkenkutscher erzählt, der alles mit angesehen und Charlotte in die Charité gebracht hatte.

Elisabeth wurde es noch immer heiß vor Zorn, wenn sie an diesen widerlichen Schnösel dachte, der sich einfach davongemacht hatte. Es war gut, zornig zu sein. Das half ihr, eine Weile nicht an ihr eigenes Problem denken zu müssen und auch die Sorgen wegzuschieben, die der Zustand der Patientin ihr bereitete.

Dr. Großheim hatte den Fuß eingerichtet, doch ein Teil des Fußes und einige der kleineren Knöchelchen waren so zerstört, dass da nichts mehr zu machen war. Und nun ging die Farbe an der Stelle, die unter dem Hufeisen zerquetscht worden war, von Lila in Schwarz über. Elisabeth hatte in ihrer Zeit in der Chirurgischen Abteilung solche Erscheinungen schon zu häufig beobachtet, um sich noch falsche Hoffnungen machen zu können. Dies war der Beginn eines feuchten Gangräns. Das Fieber war ein Zeichen dafür, dass es sich bereits ausbreitete. Sie beugte sich über das Bein, um nach den verräterischen rötlichen oder dunklen Linien zu suchen, die der Körpermitte entgegenstrebten, um den Tod zu bringen, sobald sie das Herz erreichten. Nur eine schnelle Amputation konnte das Leben der Patientin retten. Vermutlich würde sie noch heute in den Operationssaal geholt werden.

Elisabeth hoffte, dass sie nicht dabei sein müsste. Sie hatte sich an viele Operationen gewöhnt, schreckte nicht mehr vor den Schreien und dem Blut zurück, aber Amputationen waren immer ein solcher Akt von brutaler Gewalt, dass er sie häufig nachts in ihren Träumen verfolgte.

Als sie am Abend zu ihrem Zimmer zurückkehrte, traf sie auf Katharina.

Die Diakonisse sah sie aufmerksam an. «Was ist los mit dir?»

«Ich fühle mich nicht wohl», gab Elisabeth zu.

«Du bist ja ganz bleich.» Katharina legte ihr die Hand auf die Stirn. «Nein, ich glaube nicht, dass du Fieber hast.»

Elisabeth trat einen Schritt zurück. «Es ist nichts Schlimmes. Wir Frauen müssen da eben durch.»

«Oh», sagte Katharina. «Bei mir ist es auch oft sehr schmerzhaft, und ich weiß am ersten Tag nicht, wie ich mich auf den Beinen halten soll, aber dann wird es besser. Das ist eben Gottes Strafe, und wir müssen es aushalten.»

«Gottes Strafe? Strafe für was? Etwa für Evas Verfehlung mit dem Apfel?». Sie schnaubte abfällig. «Was ist das für ein Gott, der uns Frauen dafür mit regelmäßig wiederkehrenden Schmerzen schlägt?»

Katharina schüttelte den Kopf. «Elisabeth, das dürftest du so offen niemals vor den anderen Diakonissen sagen. Oberin Walburga würde dich ganz schön ins Gebet nehmen. Und denke nur an Gertrud, die findet immer eine Stelle in der Bibel, die ihre Argumente stützt.»

Elisabeth winkte müde ab.

Da machte Katharina einen Schritt auf sie zu und umarmte sie. «Du Arme, ich wünsche dir gute Besserung.»

Elisabeth musste an sich halten, um nicht in Tränen auszubrechen. «Du bist so lieb, Katharina», sagte sie mit erstickter Stimme.

In ihrer Kammer ließ sie sich aufs Bett fallen. Noch immer kein Blut und keine Bauchschmerzen. Was sollte sie nun tun? Noch einmal Martha um Hilfe bitten? Sie war schon von ihrer letzten Bitte nach den Kräutern nicht angetan gewesen, die, so wie es aussah, auch versagt hatten. Eindringlich hatte Martha immer wieder gewarnt: Wer sich in Lust hingab, konnte ungewollt schwanger werden.

Ach, Martha, dachte Elisabeth, *du hast leicht reden. Ich liebe Alexander. Und ich liebe meine Arbeit. Warum kann ich nicht beides haben?*

Und wie würde Alexander reagieren?

Doch ganz gleich, was er sagen würde, er konnte sie nicht aus ihrer Lage retten. Eine schwangere Diakonisse durfte es nicht geben. Vermutlich würde sie im Mutterhaus hinter dicken Mauern verschwinden, bis man sie und ihr skandalöses Verhalten vergessen haben würde. Vor ihrem inneren Auge tauchten mittelalterliche Klostermauern mit dunklen Verliesen auf.

Sie schüttelte sich. Es ging nicht, sie musste etwas tun! Kurzerhand warf sie sich einen Umhang über und machte sich auf den Weg zur Gebärabteilung. Da gab es einen Lehrraum, in dem die Hebammenschülerinnen unterrichtet wurden. Und ein Regal mit Büchern.

Tatsächlich fand Elisabeth eine Abhandlung über Kräuter und deren Auswirkungen auf die Leibesfrucht. Ihr Finger glitt über eine Liste mit Pflanzen und deren Öle, die nach dem Ausbleiben der Blutung den natürlichen Rhythmus wieder herbeiführen würden. Über Arnika las sie, dass es zu einem schnellen Abort führen könne. Es sei aber so giftig, dass es nicht selten den Tod der Schwangeren zur Folge habe. Auch Engelwurz führe in höheren Dosierungen zu einer Vergiftung ...

Elisabeth hatte genug. Sie löschte das Licht. Tief in Gedanken kehrte sie in ihr Zimmer zurück und legte sich hin. Es war weit nach Mitternacht, bis sie endlich einschlief.

Am Morgen riss ein scharfer Schmerz sie aus ihrem Schlummer. Sie fuhr hoch und presste sich die Hände gegen den Leib, als der nächste Schub sie peinigte. Rasch warf sie die Decke beiseite und starrte auf den frischen Blutfleck, der sich auf ihrem Nachtgewand ausbreitete.

Noch nie hatte sie den monatlichen Schmerz so freudig begrüßt. Sie sprang aus dem Bett und zog sich ihr Nachthemd über den Kopf. Notdürftig versuchte sie, mit dem Wasser ihrer Waschschüssel das Blut aus Bett und Hemd zu reiben, was nicht recht von Erfolg gekrönt war. Sie würde das Bett frisch beziehen und alles in die Wäscherei geben müssen. Wieder kam der Schmerz. Dieses Mal war er so stark, dass sie aufstöhnte. Und doch empfand sie ihn wie einen Segen. Alles war gut.

Sollte sie Gott dafür danken, dass er ihre Sünde noch immer ungestraft ließ? Sie entschied sich dagegen, schlüpfte stattdessen in ihr Monatshöschen und stopfte es ordentlich mit ein paar alten Leinenlappen und ein wenig Scharpie aus. Sie blutete stärker als sonst. War sie doch schwanger gewesen, und hatte allein der Gedanke, die Frucht austreiben zu wollen, genau das bewirkt?

Elisabeth versuchte, diesen Gedanken zu verdrängen. Sie zog ihr Kleid an, band sich Haube und Schürze um und machte sich auf den Weg in die Chirurgische Abteilung.

Vor dem Wachzimmer traf sie auf Martha. Ein junger Mann war in der Nacht seinem Wundfieber erlegen, und Martha war gekommen, ihn ins Totenhaus bringen zu lassen. Alexander, dessen Patient der Mann gewesen war, würde ihn mit ihr und Dr. Froriep zusammen sezieren.

«Was ist denn mit dir los?», erkundigte sich Martha, als sie Elisabeth sah.

«Warum?»

«Du bist weiß wie eine Wand.»

«Ach, es sind nur meine Tage, die dieses Mal recht schmerzhaft ausfallen.»

«Soll ich dir etwas geben, das die Krämpfe beruhigt?», bot Martha an.

Elisabeth biss die Zähne zusammen. «Nein danke», sagte sie und dachte: *Ich habe sie verdient und werde sie in Demut ertragen.*

Martha musterte sie weiter aufmerksam. Wie so oft kam es Elisabeth vor, als könne die Totenfrau Gedanken lesen.

«Was ist mit dir los?», bohrte sie nach.

Elisabeth hob die Schultern und senkte den Blick. Martha griff nach ihrem Arm. «Das schlechte Gewissen springt dir geradezu aus dem Gesicht. Was hast du genommen?»

«Nichts!»

«Sag es mir! Es gibt viele Mittel, die Blutungen auslösen, aber fast alle sind sehr gefährlich. Sie können dich umbringen.»

«Ich habe nichts genommen!», beharrte Elisabeth. «Ich habe nur daran gedacht, als meine Blutung auf sich warten ließ, und etwas darüber gelesen.»

Martha ließ sie los. «Dann ist es ein natürlicher Abgang. Aber auch das müssen wir beobachten. Geh zu Direktor Kluge und lass dich untersuchen. Du darfst nicht zu viel Blut verlieren.»

«Ja, später, vielleicht, wenn ich Zeit habe», sagte Elisabeth. Es gab zwei Neuzugänge: eine Frau mit offenen Geschwüren am Bein und ein junges Mädchen, das sich den Oberschenkel gebrochen hatte. Sie war dankbar für die Ablenkung und widmete sich den Kranken noch intensiver als sonst.

∽

Kaum einen Monat später gab es in Berlin noch einen Todesfall, mit dem allerdings keiner gerechnet hätte.

Es war Alexander, der die Neuigkeit in die Charité trug. «Von Graefe ist tot!», rief er, als er Elisabeth ganz in Gedanken auf den Stufen vor dem Eingangsportal traf.

«Wer?», fragte sie.

«Professor Karl von Graefe, der Direktor der Chirurgischen Klinik der Universität in der Ziegelstraße.»

«War er denn schon so alt?»

Alexander schüttelte den Kopf. «Eben nicht. Er war gerade mal fünfzig und hatte noch so viel vor. Vielleicht tritt sein Sohn Albrecht irgendwann in seine Fußstapfen. Er studiert Medizin hier in Berlin. Ich habe ihn bei Professor Müller in der Anatomie getroffen. Im Gegensatz zu seinem Vater ist er ein glühender Bewunderer unseres Dr. Dieffenbach.»

«Wer wird denn sein Nachfolger? Hast du darüber schon etwas gehört?»

Alexander setzte eine gewichtige Miene auf. «Das ist genau die Frage, die sich jeder stellt. Wir haben hier einen brillanten Chirurgen an der Charité, der nicht nur in der Plastischen Chirurgie und bei subkutanen Schnitten glänzt. Er ist auch bekannt für seine erfolgreichen Fistelschnitte.»

«Meinst du Professor Dieffenbach?», fragte Elisabeth. «Fändest du es gut, wenn er den Posten bekäme?»

Alexander wiegte den Kopf hin und her. «Einerseits würde ich es ihm von Herzen gönnen. Er wäre der rechte Mann für die Chirurgische Universitätsklinik. Andererseits wäre es für die Charité ein herber Verlust. Und für mich», fügte er hinzu. «Ich bewundere ihn und lerne jedes Mal etwas dazu, wenn er mich in den Operationsaal ruft. Und außerdem ist er ein feiner Mensch.»

Elisabeth nickte. «Ich verstehe dich, Alexander. Und ich würde ihn mit Sicherheit auch vermissen.»

Emilie begrüßte ihren Gatten mit einem strahlenden Lächeln, als er nach Hause kam. «Jetzt muss der König dir einen Direktorenposten geben!»

«Ich sehe, du vergehst vor Trauer wegen von Graefes unerwartetem Ableben», entgegnete Dieffenbach amüsiert.

Emilie zog einen Schmollmund. «Er hat nicht gut über dich gesprochen, deshalb mochte ich ihn nicht. Er war so ein Angeber.»

«Aber er war ein guter Chirurg», erinnerte sie Dieffenbach.

«Er konnte dich nicht leiden, und, was noch schlimmer ist, er wollte dein Ansehen in Berlin ruinieren.»

Ihr Mann nickte. «Ja, er ist mächtig auf jedem kleinsten Fehlschlag rumgeritten.»

«Ach, ich freue mich so für dich», rief Emilie aus und umarmte ihn stürmisch. «Wir werden schon bald deine Beförderung feiern.»

Dieffenbach bremste ihren Überschwang. «Warten wir es ab. Natürlich wäre das schön, selbst wenn ich es lieber sähe, dass auch die Chirurgie der Universität unter dem Dach der Charité angesiedelt würde.»

«Nun werde nicht sentimental, mein Lieber. Du musst an deine Karriere denken.»

«Ich werde nicht nein sagen, wenn das Direktorium mir den Posten anbietet», versprach er ihr mit einem Lachen.

∾

Doch so schnell ging es nicht. Zwei Monate verstrichen. Es wurde viel geredet und Dieffenbach kommissarisch auch noch für die Chirurgie der Universität eingesetzt. Mit der Ernennung eines Nachfolgers dagegen ließen sich die Verantwortlichen Zeit.

«Wie soll ich das denn machen?», beschwerte sich Dieffenbach. «Ich bin verantwortlich für die Chirurgie der Universität und die der Charité, doch ohne weitere Konsequenzen. Weder bekomme ich die dazugehörige Reputation noch das Geld, noch einen festen Posten. Ich bin lediglich der Lückenbüßer.»

Emilie litt wie immer mit ihm. Sie drückte ihn fest an sich. «Ich verstehe deine Enttäuschung und deinen Zorn.»

Dieffenbach löste sich von seiner Frau und trat zurück. Er räusperte sich. «Nun, ich habe mich entschlossen zu handeln. Ich werde dem König und dem Direktorium ein wenig Zeit zum Überlegen geben. Wir werden verreisen.»

Emilie starrte ihn aus weit aufgerissenen Augen an. «Verreisen? Wann? Wohin? Wie lange?»

Dieffenbach lachte. «So viele Fragen? Wir werden nach Wien fahren. Du und die Mädchen werden mich begleiten. Ich wurde eingeladen und soll den Sohn eines Fabrikanten von seinem Schiefhals kurieren. Danach werden wir das schöne Wien genießen. Ich könnte mir durchaus vorstellen, an einer anderen Universität zu lehren und zu arbeiten, die mein Wissen und meine Erfahrung schätzt.»

Emilie sah ihn erschrocken an. «Du denkst daran, Berlin für immer zu verlassen?»

«Nur, wenn man mich hier nicht haben will.»

Emilie ergriff seine Hände. «Überlege dir diesen Schritt gut. Natürlich folge ich dir, wo immer du auch hingehst, aber ich gebe zu, es würde mir nicht leichtfallen, Berlin für immer zu verlassen.»

«Darüber können wir zu gegebener Zeit nachdenken. Jetzt freuen wir uns erst einmal auf unsere gemeinsame Reise nach Wien.»

Emilie strahlte ihn an. «Ich will die Hofburg sehen und mit dir in die Oper gehen, und in den Prater!»

Dieffenbach küsste sie herzlich. «Ich sehe schon, mir wird keine Zeit für irgendwelche Operationen bleiben, wenn ich dir unsere Reiseplanung überlasse.»

Elisabeth hätte nicht gedacht, dass auch ihr ständig bewusst sein würde, dass Professor Dieffenbach nicht da war. Alle Ärzte taten ihren Dienst, und auch Alexander war immer zur Stelle und bekam nun bei der ein oder anderen schwierigen Operation die Chance, sich zu beweisen, was er am Abend stets voller Stolz berichtete, oder in tiefer Niedergeschlagenheit, wenn etwas nicht geklappt hatte. Doch Alexander sagte auch immer wieder, wie sehr er den Rat Dieffenbachs bei schwierigen Fragen vermisse. Professor Jüngken von der Augenabteilung nebenan sprang in der Chirurgie mehrmals ein, wenn noch ein guter Operateur gebraucht wurde. Vielleicht würde am Ende er die vakante Position besetzen, mutmaßte Alexander.

༼ঌ

Schon seit einigen Tagen hatte er sie nicht mehr besucht. Spürte er, dass er mehr gefordert wurde?

Elisabeth war traurig, und gleichzeitig tat es ihr gut durchzuschlafen. Ihr Dienst war anstrengend und lang, und die Nächte mit Alexander – so wunderbar sie auch waren – laugten sie aus.

In diesen Tagen starb auch noch sein Vater, den er sehr verehrt hatte. Alexander nahm sich ein paar Tage frei, um die Beisetzung zu organisieren, zumal seine Schwester Emilie in Wien weilte. Elisabeth hätte ihm in diesen schweren Stunden gerne zur Seite gestanden, doch wie hätte gerade sie zur Beerdigung gehen können?

An einem Abend stand sie vor dem Fenster in ihrer Kammer und sah über das Gelände hinaus. Ihr Blick strich die Gärten bis hin zum alten Charitébau entlang. Ein paar Gestalten waren noch unterwegs. Sie konnte die hellen, grau-weiß gestreiften Kleider der Wärterinnen erkennen und einen Mann im dunklen Anzug. Ein kühler Abendwind drang durch die zu kleine Fensteröffnung und mischte sich unter die aufgeheizte Luft, die sich im Sommer unter dem Dach staute.

Sie dachte über die Jahre nach, die sie nun schon hier verbracht hatte. Ihre verstorbene Schwester kam ihr in den Sinn und ihre Nichte, die sie nicht so nennen durfte. Wie schnell die Zeit verflog. Die Tage waren so angefüllt mit Arbeit und Entscheidungen. Sie lief treppauf, treppab, trug Essen hin und her, schleppte Wasser, wechselte Verbände und wusch Patienten. Sie half bei Operationen und wachte bei Sterbenden, erlebte Schmerz und Trauer, Verzweiflung, aber auch Glück und Erleichterung. Kein Tag war wie der andere, und dennoch verblassten die Erinnerungen an einzelne Gesichter und Schicksale.

War es wirklich das, was sie sich damals gewünscht hatte? War dies ihre Vorstellung von einem erfüllten Leben gewesen? Sie hatte sich bewusst entschieden, sie wollte Wärterin sein und später Diakonisse.

Woher kam also diese innere Unruhe, als ob ihr etwas fehlte?

Was erstrebte sie noch für ihr Leben?

Die Sehnsucht durchflutete sie. Nach Alexander, nach ihrer Liebe und ihrer Lust. Auch dies gehörte zu ihr. Und doch, wie lange konnte das noch gutgehen? Wie oft wollte sie noch Angst haben, ungewollt schwanger zu werden? Wie lange wollte sie dieses verbotene Leben im Verborgenen führen? Und Alexander? Sehnte er sich nicht nach einer Frau, die er stolz vorzeigen konnte? Die er heiraten und zur Mutter seiner Kinder machen konnte? War es nicht jetzt schon erstaunlich, dass er so lange an ihr festhielt?

Bilder aus ihren nächtlichen Träumen huschten durch ihren Geist und ließen sich nicht verjagen. Elisabeth seufzte. Sie *musste* sich diesen Fragen stellen!

Und musste sie nicht auch mit ihm darüber sprechen?

Endlich Klarheit gewinnen?

Mein lieber Freund,

schrieb Dieffenbach im September aus Wien an Professor Stromeyer,

> *ich bin mit meiner Familie nun seit drei Wochen hier und kam heute*
> *zum ersten Mal dazu, das schöne Wien zu bewundern. Ich habe*
> *inzwischen eine ganze Zahl an Operationen durchgeführt. Sie wissen*
> *ja am besten, wie es um die Chirurgie in Wien steht. Und ich darf*
> *sagen, ich bin das Gespräch des Tages, was mich glücklich macht.*
> *Ganz ohne Eitelkeit. Diese Reise ist der höchste Triumph, der umso*
> *größer ist, als die Preußen bei den Wienern die verhassteste Nation*
> *der Welt sind.*
> *Von Berlin habe ich keine Nachrichten, wie es um die Graefe'sche*
> *Stelle steht, doch man erzählte mir, Sie seien vom Senat vorgeschla-*
> *gen worden. Ich selbst habe es abgelehnt, die Klinik interimistisch zu*
> *führen. Ich schrieb dem Ministerium, dass ich sie nur übernehmen*
> *würde, wenn ich sie auch behielte. Das mag wohl nicht gefallen*
> *haben, jedenfalls lässt man mich weiter ohne Antwort im Dunkeln.*
> *Aber ich sage Ihnen, mein Freund: Erhalte ich keine der beiden*
> *Kliniken in Berlin, gehe ich Ostern nächsten Jahres ganz nach Wien.*
> *Die glänzende Kaiserstadt versteht es zu bezaubern und könnte mich*
> *zufriedenstellen, wenn mein Vaterland fortfährt, mich so undankbar*
> *zu behandeln.*

ᴓ

Ludovica setzte sich an ihren Toilettentisch und zog ihr Tagebuch
heraus. Wie viele Träume, Wünsche, Gedanken hatte sie schon
auf diesen unlinierten Seiten festgehalten – ehrlich und un-
geschminkt, wie sie es vor niemandem laut in Worte fassen durfte.
Liebevoll strich sie über den ledernen Einband, dann schraubte sie
das Tintenfass auf und tauchte die Feder ein.

Er hat mir aus Wien geschrieben. Er ist kein eitler Mensch, doch ich lese zwischen den Zeilen, dass sein Aufenthalt einem Triumphzug gleicht. Sie lieben ihn und werden versuchen, ihn zu halten. Die Wiener sind nicht so einfältig und dumm wie Preußens Minister und die Mitglieder der Universität, die ihn lieber ziehen lassen würden, als endlich zu entscheiden.

Ach, mein Freund, ich vermisse Sie so sehr. Sie fehlen mir jeden Tag, und bei Nacht wird mir die Leere in meinem Bett zur Qual. Ja, ich weiß, es darf nicht sein. Doch ich kann Sie einfach nicht vergessen! Allein die Vorstellung schmerzt zu sehr. Wenn ich nur Ihr geliebtes Gesicht recht bald wiedersehen und Ihre Hände berühren dürfte. Sie vielleicht einmal in meine Arme schließen. Von einem Kuss wage ich kaum zu träumen.

KAPITEL 28

Direktorenroulette

S ie sind wieder da. Welch große Freude!»
Elisabeth ließ sich zu dem spontanen Ausruf hinreißen, als sie Mitte Oktober vor dem Operationssaal fast mit Professor Dieffenbach zusammenstieß. «Wie schön! Wir freuen uns alle, Sie wieder hier zu haben.»

Er lächelte ob der enthusiastischen Begrüßung der Diakonisse.

«Hat das Ministerium sich denn nun endlich entschieden?», erkundigte sich Elisabeth und entschuldigte sich schnell ihrer Neugier wegen. «Verzeihen Sie, aber das Haus spricht über kaum etwas anderes. Sie wissen sicher, dass Professor Rust vergangene Woche gestorben ist?»

Dieffenbach nickte. «Die Entscheidung muss jetzt fallen, da haben Sie recht, Schwester Elisabeth.»

«Dann werde ich dafür beten, dass Sie unser Direktor werden. Nichts Besseres könnten wir uns hier wünschen!»

Er wirkte fast ein wenig verlegen, als er sich bedankte und dann durch die Tür in den Operationssaal verschwand.

Zwei Wochen später begann das Wintersemester.

«Es ist entschieden», berichtete Dieffenbach Emilie, als er nach Hause kam. «Kollege Jüngken übernimmt zu seiner Augenklinik die gesamte Chirurgie der Charité. Er ist eine gute Wahl für die Klinik und für die Patienten», fügte er hinzu und hoffte, Emilie würde seine tiefe Enttäuschung nicht spüren. Doch seine Frau wusste nur zu gut, wie sehr er sich diesen Posten gewünscht hatte. Sie sah ihn aufmerksam an, dann sprang sie plötzlich auf.

«Für dich ist ein Brief aus dem Ministerium gekommen», sagte sie und eilte davon, um das wichtig aussehende Kuvert mit dem Siegel des Ministers zu holen. Neugierig stellte sie sich auf die Zehenspitzen, um mitlesen zu können. Als sie begriff, was das Schreiben zu bedeuten hatte, stieß sie einen Freudenschrei aus.

«Professor und Direktor Dieffenbach!», jubelte sie. «Leiter der Universitätsklinik in der Ziegelstraße. Das ist phantastisch! Kommen Sie in meine Arme, Herr Direktor, und lassen Sie sich küssen!»

Das tat er dann auch. Noch zweimal las er das Schreiben des Ministers, bis er es endlich glauben konnte. Er war zum Nachfolger von Graefes berufen worden. Er wurde nun ordentlicher Professor der Friedrich-Wilhelms-Universität von Berlin, und er leitete sein eigenes chirurgisches Krankenhaus!

«Von Graefe wird sich im Grabe umdrehen!», sagte Emilie mit einem Kichern.

Dieffenbach sah sie mit gespielter Strenge an. «Über so etwas treibt man keine Scherze!» Doch dann fiel er in ihr Gelächter ein.

∽

Professor Dieffenbach ließ alle zu sich rufen. Nicht nur die Ärzte und Subchirurgen, mit denen er zusammengearbeitet hatte, auch die Schwestern, die Wärterinnen und Wärter, die unter ihm für das Wohl der Patienten gesorgt hatten.

Elisabeth stand ganz hinten an der Wand und sah zu dem Arzt nach vorne, der, seit sie in der Charité angefangen hatte, einfach hierhergehörte. Da stand er in seinem grünen Frack mit den goldenen Knöpfen, ein letztes Mal, ehe er zu seinen Patienten in die Ziegelstraße eilen würde. Ruhe kehrte ein, als er den Kopf hob und den Blick schweifen ließ. Alle wollten hören, was er zum Abschied zu sagen hatte.

«So freudig ich dieser höheren Berufung Folge leiste», begann er seine Rede, «so schmerzlich ist mir doch der Abschied von dieser Heilanstalt, in der ich so viel gelernt habe. Von Herzen danke ich meinen Kollegen und Vorgesetzten und Ihnen, den Herren Assistenzärzten und Subchirurgen, aber auch allen anderen, die mich Tag für Tag bei der Arbeit so freundlich unterstützt haben. Ich scheide nur sehr ungern von Ihnen allen und wünsche, dass Professor Jüngken in Ihnen ebenso wertvollen Rückhalt erhält. Zum Wohle aller Patienten.»

Als sich die Ärzte und Wärter verstreuten, trat Alexander neben Elisabeth. «Es wird nicht mehr dieselbe Klinik ohne ihn sein», sagte er mit tiefer Traurigkeit in der Stimme. «Ich wünschte, ich könnte mit ihm gehen.»

Elisabeth starrte ihn an. «Weg von der Charité? Wirklich?»

Er lachte etwas unsicher. «Die Ziegelstraße ist nicht aus der Welt, oder?»

Elisabeth beeilte sich zu nicken. «Ja, natürlich, kein Problem.»

Sie würden dann nicht mehr zusammenarbeiten. Sie würden sich noch seltener sehen. Er würde sich eine Wohnung jenseits der Mauern suchen müssen. Wie würde es dann weitergehen mit ihnen? Oder sollte sie der Gedanke trösten, dass er überhaupt in Berlin bleiben wollte und sich nicht wieder an irgendeinen fernen Garnisonsstandort versetzen ließ?

Doch das Gefühl von Erleichterung wollte sich nicht so recht einstellen. Sie erwischte sich bei der Hoffnung, dass es an der Universitätsklinik keinen Platz für Militärärzte gäbe. Sicher würde Dieffenbach zivilen Chirurgen den Vorzug geben, und Alexander würde bei ihr an der Charité bleiben.

❧

Natürlich kannte Dieffenbach die Universitätsklinik in der Ziegelstraße. Das Gebäude erinnerte noch an den Fabrikbau, aus dem es entstanden war. Schon von außen machte es keinen besonders guten Eindruck. Der Putz bröckelte von den Fassaden, das Waschhaus und das Sektionsgebäude waren eher Ruinen zu nennen, die neben dem eingesunkenen Zaun zwischen einigen Schutthügeln im verwilderten Garten aufragten. Dieffenbach unterdrückte einen Seufzer. Er umrundete die Gebäude, die fast bis ans Ufer der Spree reichten, und trat dann durch das Haupttor.

«Du scheinst nicht gerade glücklich», bemerkte Emilie am Abend, als sie ihm einen Teller Schweinebraten mit Klößen und Kraut brachte.

Ihr Mann stöhnte. «Du kannst es dir nicht vorstellen. Das Haus gleicht noch immer eher einer Fabrik denn einem Universitätsklinikum. Die Korridore und das Treppenhaus sind düster, die alten Kamine rußgeschwärzt. Die Stufen so ausgetreten, dass ich fürchten muss, dass meine Patienten stürzen werden. Nur der Bereich der Augenklinik ist in gutem Zustand. Dort müsste man lediglich die Böden erneuern. Der ganze Hausrat, die Wäsche, die Matratzen – alles wirkt abgenutzt und schäbig. Man müsste das alles austauschen.»

«Wie viele Betten sind es denn?»

«Achtundzwanzig. Sieben für Patienten der ersten Klasse, neun für die zweite Klasse und zwölf für Patienten, die unentgeltlich behandelt werden.»

Er aß eine Weile schweigend, dann brach es wieder aus ihm heraus. «Der Operationssaal ist eine Zumutung, Emilie. Das kannst du dir nicht vorstellen! Es gibt keine Bänke oder Tische für die Studenten, die der Demonstration beiwohnen. Sie können sich lediglich auf die ansteigenden Stufen stellen, die sich um den Operationstisch erheben.»

Sie zog ihn an sich. «Du wirst das schon schaffen und deine Klinik in ein Vorzeigekrankenhaus verwandeln! Ich habe das größte Vertrauen in deine Vorstellungskraft und dein Durchsetzungsvermögen.»

«*Vermögen* ist das rechte Stichwort. Man müsste einiges investieren, um daraus eine echte Klinik zu machen. Ich werde auf alle Fälle eine Entlüftungsanlage einbauen, um die schlechten Dünste abziehen zu lassen, denn diese sind vermutlich an der Verbreitung des Wundbrands schuld. Und wir brauchen neue Abtritte und Bäder.»

Emilie setzte sich wieder auf ihren Platz und nickte energisch. «Gut, dann fange damit an.»

Dieffenbach betrachtete sie voller Zärtlichkeit. «Du zweifelst wahrlich niemals an mir, oder? In deinen Augen kann ich alles schaffen.»

Sie lächelte ihn schelmisch an. «Aber natürlich, Herr Direktor Dieffenbach.»

Bei Cognac und Kaffee sprach er über seine Ideen, wie er die Lehre für seine Medizinstudenten gestalten wollte.

«Ich werde auf alle Fälle praktische klinische Übungen abhalten. Das ist sehr wichtig. Außerdem plane ich eine Vorlesung zur Allgemeinen und eine zur Speziellen Chirurgie. Und natürlich weiterhin die Operationslehre. Die Studenten müssen früh das Rüstzeug für chirurgische Eingriffe erhalten.»

«Und nebenbei wirst du operieren, deine Praxis führen und an deinem Buch weiterschreiben», fügte Emilie an.

«Natürlich! Das habe ich ja bisher auch getan. Daran wird sich nichts ändern. Ich habe zwar Kollegen und Assistenten an meiner Seite, doch ich strebe an, die meisten Operationen selbst durchzuführen.»

«Ich bezweifle nicht, dass du das schaffst. Ich hoffe nur, wir bekommen dich auch noch zu sehen. Nicht, dass Frieda und Sophie mich eines Tages fragen, wer der Mann im grünen Frack ist, der uns ab und zu besucht.»

«Es tut mir leid, Emilie, wenn ich euch vernachlässige, aber ich muss mich nun als Direktor der Universitätsklinik bewähren, nachdem ich den Minister gedrängt habe, mir den Posten zu geben.»

«Das weiß ich doch, dennoch sehne ich mich manches Mal danach, dass du mit uns einfach in den Wald oder zum Baden rausfährst.»

Er gelobte Besserung, obgleich er tief in sich wusste, dass sich nichts ändern würde. Aber wenigstens heute Abend machte er eine Ausnahme. Er blieb bei Emilie und genoss ihr trautes Zusammensein vor dem prasselnden Kaminfeuer.

Wie Elisabeth gehofft hatte, gab es für Alexander keine Möglichkeit, Professor Dieffenbach in die Universitätsklinik zu folgen, doch anscheinend wollte er auch nicht in der Chirurgie der Charité bleiben. Sie wusste nicht, woher seine Unzufriedenheit rührte. Lag es an Direktor Jüngken? Der Ton in der Chirurgie war förmlicher und unpersönlicher geworden. War es das, was Alexander zu schaffen machte?

Immer wenn sie ihn darauf ansprach, wich er aus und behauptete gar, er sei dort, wo er sich befinde, ganz und gar glücklich. Schließlich gab sie es auf und konzentrierte sich erneut auf ihre eigene Arbeit.

Auch diese hatte sich mit Professor Dieffenbachs Weggang verändert. Erst jetzt fiel Elisabeth auf, mit wie vielen Aufgaben er sie betraut hatte, die die anderen Schwestern oder Wärterinnen nicht machen durften. Plötzlich war ihre Arbeit auf die normalen Tätigkeiten einer Diakonisse beschränkt. Es ging um Sauberkeit, Körperpflege der Patientinnen, Essen und Trinken, Wasserschleppen und Putzen. Zwar wechselte sie ab und zu noch die Verbände, aber sie durfte nicht mehr beim Anlegen von Schienen helfen und auch nicht die komplizierte Apparatur nach einer Klumpfußoperation bedienen. Überhaupt Operationen. Sie durfte keine ihrer Patientinnen mehr zu den Operationen begleiten, um ihnen während des Eingriffs die Hand zu halten und eine seelische Stütze zu sein.

Professor Dieffenbach hatte ihr stets das Gefühl gegeben, dazuzugehören und wichtig zu sein. Nun fühlte sie sich wieder wie zu Beginn ihrer Arbeit, als wäre sie eine der Wärterinnen, eine Person aus einer niederen Klasse, die weit unter den Ärzten und Subchirurgen stand. So trübsinnig waren ihre Gedanken, als sie nach zehn Stunden Arbeit noch den Flur nass aufwischte.

Sie hörte die Schritte, die sich näherten, doch sie war zu müde, um hinzusehen. Erst als die Stiefel des Militärarztes neben ihr stehen blieben, blickte sie auf. Es war Alexander, der sie mit gerunzelter Stirn betrachtete.

«Ist das denn wirklich nötig?» Seine Stimme klang verärgert.

«Den Flur säubern? Ich denke, ja», gab Elisabeth schroff zurück.

«Ich meine, dass ausgerechnet du das machst. Du bist eine gut ausgebildete Krankenschwester. Kann das keine der neuen Wärterinnen tun?»

Mit einem Aufseufzen ließ sich Elisabeth auf die unterste Treppenstufe sinken. Ihr Rücken und ihre Beine schmerzten. «Es gibt keine Unterschiede mehr zwischen Wärterinnen und Schwestern. Die Arbeit wird gerecht aufgeteilt, sagt Direktor Jüngken.»

«Das ist nicht gerecht, das ist Verschwendung», entgegnete Alexander und setzte sich neben sie.

Erschöpft lehnte Elisabeth ihren Kopf an seine Schulter. Er nahm ihre Hand in die seine.

«Ha, hab ich's doch gewusst», ertönte eine Stimme hinter ihnen, die sie beide kannten. «Das ist der Beweis! Jetzt kommst du nicht mehr davon!»

Elisabeth fuhr hoch und wandte sich zu der Frau um, die das gleiche schwarze Kleid trug wie sie selbst.

«Gar nichts weißt du!», fauchte sie.

«Oh doch, und ich werde es der Mutter Oberin melden. Dann kannst du deine Sachen packen und ins Mutterhaus fahren. Oder sie schmeißen dich gleich raus.»

«Ach ja?», mischte sich Alexander ein. «Aus welchem Grund sollte die Oberin das tun? Ganz gleich, was Sie sich einbilden, gesehen zu haben, es ist hier nichts Unrechtes passiert, außer dass eine qualifizierte Schwester zu später Stunde den Flur wischen muss und erschöpft ist!»

«Ich weiß, was ich gesehen habe», behauptete Schwester Theresa.

«Gut, dann gehen wir am besten gleich alle zusammen zu Ihrer Oberin. Was, glauben Sie, wird sie tun, wenn ich ihr versichere, dass es außer einer müden Schwester und einem besorgten Arzt nichts zu sehen gab? Ich könnte Ihrer Oberin natürlich auch berichten, dass Sie unliebsamen Patientinnen die ihnen zustehende Fürsorge verweigern, kein Waschwasser bringen oder die Abtrittseimer nicht leeren. Meinen Sie, das würde Oberin Walburga erfreuen?»

«Sie haben keine Beweise für Ihre Behauptung», rief Theresa schrill.

«Wollen Sie es darauf ankommen lassen?», erwiderte Alexander mit so kalter Stimme, dass er ein wenig wie Professor Jüngken klang.

Elisabeth fragte sich, ob ihm Patientinnen davon erzählt hatten oder ob er allein ihrem Wort vertraute. Jedenfalls hatte er es geschafft, Theresa zu verunsichern. Sie stampfte mit dem Fuß auf und drohte: «Ich werde dich nicht aus den Augen lassen, Elisabeth! Und wenn du etwas Unzüchtiges tust, werde ich dich dabei erwischen und dafür sorgen, dass du fliegst.»

Die Ballsaison war vorüber, der Frühling nicht mehr weit. Es gelang Ludovica, Dieffenbach zu einem Theaterabend zu überreden. Emilie behauptete, sie habe nichts dagegen, dass er die Gräfin ins Theater begleitete, aber er spürte, dass es sie kränkte.

Dieffenbach bot an, die Gräfin abzuholen, doch sie wehrte ab: «Dann sitzen Sie auf dem Kutschbock und kümmern sich um Ihre beiden Rappen statt um mich. Nein, nein, mein Freund. Wir fahren mit meiner Kutsche. Sie leisten mir Gesellschaft, und mein Kutscher bringt uns zum Theater.»

Als er sich neben sie in die Polster sinken ließ, schien er noch immer unzufrieden mit diesem Arrangement.

Ludovica neckte ihn. «Wer weiß, in was für einem Höllentempo Sie mich durch Berlin kutschieren würden.» Er wies jeden Verdacht weit von sich, aber sie lachte ihn aus. «Behaupten Sie nun ja nicht, Sie würden nie zu schnell fahren. Es gibt Vorschriften. Wie ich hörte, hatten Sie deswegen gar Ärger mit der Polizei?»

Dieffenbach schnaubte. «Ich wurde am Sonntag vor drei Wochen zu einem Patienten gerufen. Es war dringend, ich musste mich beeilen.»

«Und so fuhren Sie im Trab während des Gottesdienstes an der Neuen Kirche vorbei», fuhr Ludovica in gespielt tadelndem Ton fort. Sie konnte sich das Lachen kaum verbeißen.

«Ein Schutzmann versuchte, mich aufzuhalten», schimpfte Dieffenbach. «Da stand er vor mir mit seiner arroganten Miene unter seiner Pickelhaube und behauptete, die Ungestörtheit des Gottesdienstes sei wichtiger als ein Menschenleben!»

«Sie hätten ihm nicht mit der Peitsche drohen sollen, mein Freund. Da kennen unsere Ordnungshüter kein Pardon.»

«Der König hat mich zu vier Wochen Gefängnis verurteilt!»

«Er hat sicher nicht die Absicht, seinen berühmtesten Arzt für solch eine Lappalie wegzusperren», wandte Ludovica ein. «Alles, was er will, ist eine Entschuldigung.»

«Wenn der König denkt, ich krieche zu Kreuze und schicke ihm demütig ein Gnadengesuch, dann täuscht er sich. Eher gehe ich ins Gefängnis und sitze meine Strafe ab! Und dann verlasse ich Berlin und gehe nach Stockholm. Ich habe ein sehr schmeichelhaftes Angebot erhalten.»

Ludovica versuchte, sich ihren Schrecken nicht anmerken zu lassen. «Das würden Sie wirklich tun? Nach allem, was Sie nun in Berlin erreicht haben?»

Dieffenbach nickte. «Ja. Ich muss mein Leben nicht hier verbringen.»

«Dann hoffe ich, dass der König Gnade vor Recht ergehen lässt. Aber seien Sie vorsichtig, mein Freund, der König ist nicht wie sein Vater. Er nimmt solche Kränkungen allzu persönlich und ist in seinem Wesen nachtragend.»

«Ich lasse mich nicht einschüchtern, verehrte Freundin!»

Nach dem Theater fuhren sie zum Palais von Bredow zurück.

Ludovica war in aufgekratzter Stimmung. «Ach, kommen Sie doch noch auf einen Kaffee oder einen Cognac mit hinein», bat sie. «Die Nacht ist noch jung.»

«Es ist spät», widersprach Dieffenbach. «Und morgen warten meine Patienten und meine Klinik auf mich.»

«Seien Sie nicht so ein Spielverderber. Wahrscheinlich würden Sie jetzt eh noch nicht zu Bett gehen, sondern sich in Ihrem Studierzimmer auf Ihr Buchmanuskript stürzen.»

Er widersprach nicht weiter und folgte ihr in den Salon. Sie scheuchte den Diener davon, schenkte Dieffenbach reichlich Cognac ein und füllte auch ihr eigenes Glas. Sie ließen die Gläser erklingen und tranken dann in kleinen Schlucken. Der Weinbrand wärmte ihren Magen und ihre Seele. Ludovica wusste, dass es nicht gut war, trotzdem schenkte sie noch einmal nach. Dabei hatten sie bereits im Theater eine Flasche Champagner geleert.

Ein Kichern stieg in ihr auf, das sie nicht unterdrücken konnte.

«Was ist?», fragte er.

«Sie sind immer so ernst, mein Freund. Lachen Sie denn nie? Suchen Sie die heiteren Seiten des Lebens und erfreuen Sie sich daran.»

«Ich sollte jetzt wirklich gehen», sagte er stattdessen.

«Nein!», protestierte sie und stellte ihr Glas so hart ab, dass es klirrte. «Sie dürfen mich nicht verlassen. Die Nächte sind lang und finster. So schrecklich finster und kalt», sagte sie.

Ihre Füße trugen sie auf ihn zu, bis ihre Körper sich fast berührten. Er roch nach Cognac, vermischt mit einem herb männlichen Duft, der sie bis in den Schlaf verfolgte. Sie drückte sich gegen seine Brust und schlang ihre Arme um seinen Leib.

«Lieben Sie mich, mein Freund, nur ein einziges Mal. Ich ertrage dieses Leben sonst nicht mehr.»

«Sie sind betrunken, Ludovica», rügte er, und doch erwiderte er ihre Umarmung und begann, sie zu küssen: ihre Stirn, ihre Wangen und dann ihren Mund. Sie öffnete die Lippen und drückte ihren Körper leidenschaftlich an den seinen. Sie konnte spüren, dass er sie ebenso sehr begehrte wie sie ihn.

Mit einem Ruck löste sie sich von ihm, ergriff seine Hand und führte ihn hinauf in ihr Schlafgemach. «Lieben Sie mich! Mein Körper verdorrt ohne Zärtlichkeit.»

Dieffenbach sah sie mit ernster Miene an, doch dann begann er, die Bänder und Haken zu lösen. Er schälte sie aus ihrem zart schimmernden Kleid, löste die Unterröcke und dann die Bänder des Reifrockungetüms. Geübt öffnete er das Korsett, das ihren so mädchenhaften Körper in noch zierlichere Formen zwang. Nur noch mit einem dünnen Leibchen und einer bis zu den Knien reichenden Unterhose bekleidet, stand sie vor ihm.

Er strich über ihren Rücken, bis seine Hände auf ihrem Hinterm lagen. Dann begann er, sie wieder zu küssen, jedes Fleckchen Haut, das ihre Unterwäsche freiließ. Gemeinsam taumelten sie zu ihrem riesigen Himmelbett, in dem sie alleine so verloren war. Ludovica sank in die Kissen und ließ sich noch von der letzten Schicht Stoff befreien. Sie streckte sich aus und schloss die Augen. Spürte mit allen Sinnen seine Fingerspitzen, die sanft über ihren Körper glitten. Dann beugte er sich über sie und ließ seine Lippen den Pfaden seiner Hände folgen. Wohlige Schauder rannen über ihren Körper. Ein Schluchzen stieg in ihrer Kehle auf, geboren aus dem Glück, diese Lust zu spüren, und aus dem Leid, solche Zärtlichkeit ihr Leben lang vermisst zu haben. Es war eine verbotene Frucht, in Heimlichkeit gestohlen, doch sie war zu köstlich, um darauf zu verzichten oder ihrem Gewissen die Oberhand zu überlassen.

Seine Küsse umkreisten ihre Brüste und saugten sich für einen Moment an den kleinen, runden Knospen fest. Sie zog sein Gesicht zu sich hoch und drückte ihren Körper an ihn. Sie löste seine Halsbinde und knöpfte sein Hemd auf. Endlich presste sich seine heiße Haut gegen die ihre. Noch nie in ihrem Leben hatte sie den Akt der Vereinigung so sehr herbeigesehnt!

«Nein, das dürfen wir nicht», rief er.

«Ich liebe Sie!», beharrte Ludovica. «Und ich weiß, dass auch Sie etwas für mich empfinden. Bitte, und wenn es nur dieses eine Mal ist. Ich werde mich für den Rest meines Lebens daran festhalten.»

Doch er ließ sich vom Bett gleiten und griff nach seinen Kleidern. Er knöpfte sich das Hemd zu und schlang die Binde locker um seinen Hals, ehe er noch einmal zurückkehrte.

«Ja, ich liebe Sie und begehre Sie», sagte er und küsste ein letztes Mal ihren Mund. «Ich werde Sie immer lieben, Ludovica, doch das, was wir begehren, ist falsch und würde uns allen schaden. Ihnen, mir und Emilie, der ich am Altar Liebe und Treue versprochen habe. Vielleicht sollten wir uns eine Weile nicht sehen, bis der Aufruhr unserer Herzen abgeklungen ist.»

Dann ging er. Er drehte sich einfach um und verließ sie. Die Tür klickte hinter ihm zu, seine Schritte verhallten auf der Treppe.

Sie wollte nicht weinen. Sie hasste es, schwach zu sein, doch irgendwann war ihre Kraft verbraucht, und die Starre, die sie ergriffen hatte, löste sich in einem Zittern auf, das ihren ganzen Körper ergriff. Tränen rannen über ihre Wangen.

Sie hatte alles zerstört. Sie hätte es wissen müssen. Er war zu sehr Ehrenmann, um sich auf solch ein Verhältnis einzulassen. Sie selbst war schuld daran, dass sie ihn für immer verloren hatte.

☙

In düsterer Stimmung kehrte Dieffenbach nach Hause zurück. Im einen Moment nannte er sich einen Narren, dass er sich so weit darauf eingelassen hatte, und dann schimpfte er mit sich, weil er sie in dieser Lage verlassen und zurückgewiesen hatte. Hatte er nicht immer wieder genau davon geträumt? Hatten sie es nicht beide herbeigesehnt? Der Graf war tot. Ihn konnte sie nicht mehr betrügen – und er sie nicht mehr aus Eifersucht schlagen.

Aber Emilie. Sie war eine so wundervolle, aufrichtige Frau. Ihr Leid zuzufügen ertrug er nicht länger, das hatte sie nicht verdient. Er und Ludovica waren viel zu weit gegangen. Sein später Rückzug machte die Sache nicht besser.

Er war froh, dass in seiner Wohnung kein Licht mehr brannte. Er zog seine Schuhe aus und schlich zum Schlafzimmer. Im Dunkeln entkleidete er sich und zog sein Nachtgewand über. Emilie murmelte im Schlaf, als er zu ihr unter die Decke schlüpfte. Sie ergriff seine Hand und hielt sie fest.

«Ich liebe dich», murmelte sie und kuschelte sich an ihn.

Und er hatte das Gefühl, an seiner Schuld ersticken zu müssen.

Veränderungen

Sie lag in seinem Arm. Zufrieden drückte sie ihren schlanken nackten Körper an den seinen. Er gab ein leises, schmatzendes Geräusch wie ein gesättigter Säugling von sich. Elisabeth musste lachen.

«Was ist?», erkundigte sich Alexander schläfrig.

Sie presste sich die Hand vor den Mund, um das Kichern zu ersticken. Nicht auszudenken, wenn Theresa draußen herumschlich und spionierte.

«Du solltest jetzt gehen», sagte sie, als sie sich wieder beruhigt hatte.

Er brummte, rührte sich aber nicht.

«Ich muss jetzt schlafen», beharrte Elisabeth. «Ich bin morgen sonst so müde, dass mir womöglich ein Fehler unterläuft. Und du solltest für deine Operationen auch ausgeschlafen sein. Ich weiß gar nicht, wer morgen alles dran ist.»

Alexander gähnte. «Du hast ja recht, aber ich hasse es, wenn du mich aus deinem Bett wirfst. Kann ich nicht einfach bei dir schlafen und morgen früh gehen?»

Elisabeth richtete sich auf und sah ihn strafend an. «Das hatten wir doch schon öfters. Was, wenn wir nicht rechtzeitig wach werden und eine von den Schwestern oder gar die Mutter Oberin dich hier in diesem Flügel erwischt? Dann kann ich gleich meine Sachen packen.»

«Es ist eben ein Kreuz, dass du dich für diese Diakonissensache entschieden hast», maulte er. «Du glaubst doch eh nicht an diesen

Unsinn. Als Wärterin wärst du keiner Oberin Rechenschaft schuldig.»

«Aber ich würde noch immer mit drei anderen die Kammer teilen, und du könntest mich gar nicht besuchen!»

Alexander gab auf, schlug die Decke zurück und angelte nach seinen Kleidern. Ein wenig umständlich begann er, sich anzuziehen. Elisabeth dagegen zog sich die Bettdecke bis zum Kinn.

«Wir sehen uns in ein paar Stunden», sagte sie, doch zu ihrer Überraschung schüttelte er den Kopf.

«Nicht in der Chirurgischen Abteilung», sagte er.

Elisabeth setzte sich mit einem Ruck auf. «Was willst du damit sagen? Du gehst doch nicht etwa zu Professor Dieffenbach in die Ziegelstraße? Das kann ich nicht glauben.»

Alexander zog eine Grimasse. «Nein, du weißt, dass er mich als Militärarzt dort nicht nehmen würde. Ich habe mit Direktor Kluge gesprochen. Er braucht noch einen Arzt für seine Gebärstation. Dort werde ich heute Nachmittag anfangen. Zuerst muss ich aber noch den Toten von gestern sezieren.»

Elisabeth sah ihn eine Weile schweigend an, ehe sie fragte: «Seit wann weißt du davon?»

«Seit ein paar Tagen», wehrte Alexander ab.

«Und wann hast du nach dieser Stelle gefragt?»

Er wand sich. «Kurz nachdem Professor Dieffenbach uns verlassen hat», gab er widerstrebend zu.

«Und wann wolltest du mir sagen, dass wir in Zukunft nicht mehr zusammenarbeiten? Oder wolltest du, dass ich es selbst herausfinde, wenn ich dich in der Abteilung nicht finden kann oder andere mir davon berichten?» Die Enttäuschung stach wie ein heißer Schmerz in ihrem Innern.

«Ich habe es dir doch rechtzeitig gesagt», verteidigte sich Alexander, wirkte aber ein wenig schuldbewusst. «Du könntest Direktor Kluge fragen, ob du nicht auch dorthin wechseln kannst», schlug er eifrig vor. «Dann wären wir wieder zusammen. Wäre das nicht schön? Neues Leben auf die Welt zu bringen, statt brandige Beine abzusägen?»

«Darüber muss ich erst nachdenken.»

«Ja, bitte, überlege es dir.» Er schlüpfte in seine Jacke und trat noch einmal ans Bett.

«Willst du das überhaupt?», wollte Elisabeth wissen.

«Natürlich!» Er sah sie überrascht an. «Wir haben doch eh zu wenig Zeit füreinander. Da wäre es schön, wenn wir uns auch weiterhin bei unserer Arbeit sehen könnten.» Er beugte sich herab und drückte ihr einen Kuss auf die Lippen. Dann ging er, und es schien, als würde er all die Wärme aus dem Zimmer mitnehmen.

Fröstelnd zog Elisabeth unter der Decke die Knie bis an die Brust und schlang die Arme um ihre Beine. Die unerwartete Ankündigung wirbelte ihre Gedanken durcheinander. Warum hatte er nicht von Anfang an mit ihr darüber gesprochen? Warum hatte er nicht mit ihr zusammen neue Pläne geschmiedet? Wenn es ihm denn wirklich so wichtig war, mit ihr gemeinsam zu arbeiten. Und war nicht genau dieses Verhalten der Männer der Grund, warum sie ihren Weg als Diakonisse gewählt hatte? Damit sie eben nicht abhängig war von einem Mann, der über ihren Kopf hinweg über ihr Leben entschied?

Nachdenklich kaute Elisabeth auf ihrer Lippe. Gab es für eine Frau überhaupt einen Weg, auf dem sie wirklich frei war?

Nein, vermutlich nicht. Jedenfalls würde sie sich von Alexander zu nichts drängen lassen. Und sie würde darauf achten, dass die Oberin keinen Anlass hatte, sie gegen ihren Willen fortzuschicken.

∾

Es war noch früh am Morgen. Die Sonne hatte sich kaum erhoben und warf lange Schatten über die Gärten zwischen den Charitégebäuden. Martha hatte August sein Frühstücksmus gekocht und ihn auf seinen Weg zur Schule geschickt. Er machte sich gut, und sie fühlte jeden Tag neu tiefe Dankbarkeit.

Professor Dieffenbach hatte August nicht nur mit seiner Operation ein neues Leben geschenkt. Aus heiterem Himmel hatte er versprochen, dafür zu sorgen, dass sein erster Schielpatient auch eine gute Schulbildung erhalten sollte. Er selbst hatte August in einer Schule in der Friedrichstadt angemeldet, in der viele wohlhabende Bürgersöhne unterrichtet wurden. Mit ihnen durfte ihr August nun zusammen lernen. Martha konnte es noch immer nicht fassen. Diese Schule eröffnete ihm die unglaubliche Chance auf ein Leben weit jenseits dessen, was sie ihm jemals hätte bieten können. Neuerdings interessierte er sich für Optik und sprach davon, später einmal ganz neuartige Brillen anzufertigen, mit denen er allen Menschen helfen wollte, deren eingeschränktes Sehvermögen nicht mit einer Operation geheilt werden konnte.

Martha ließ ihn träumen. Vielleicht schaffte er es ja. Vieles, was sie nie für möglich gehalten hatte, war dennoch so gekommen. Warum also sollte ihr Sohn später nicht einmal Optiker werden? Er war ein schlaues Bürschchen und brachte glänzende Zensuren nach Hause.

Sie schloss das Leichenhaus auf und schob den Tisch mit dem Toten in den Sezierraum. Sie hatte gerade das Tuch entfernt, als die Tür aufging und Dr. Heydecker hereinkam.

«Meine letzte Sektion für die Chirurgie», sagte er zur Begrüßung.

Martha, die Elisabeth heute schon über den Weg gelaufen war und sich ihre Klagen angehört hatte, nickte wissend.

«Sie arbeiten nun für Direktor Kluge in der Gebärstation, wie ich höre.»

Alexander griff nach einem der Messer, die auf dem Tablett bereitlagen. Er sah dem Verstorbenen noch einmal ins Gesicht, dann schnitt er den Leib mit drei energischen Schnitten auf und schlug die in der Bauchgegend mit weißem Fett unterfütterten Hautlappen zurück.

Er machte sich auf die Suche nach der eitrigen Entzündung im Bauchraum, die dem jungen Mann von kaum zwanzig Jahren das Leben gekostet hatte. Fast das ganze Bauchfell war von Eiter bedeckt, und auch zwischen den rot entzündeten Darmschlingen schimmerte es gelb. Der Verursacher war schnell gefunden: Der Wurmfortsatz war so aufgetrieben, dass er schließlich geplatzt war und seine tödlichen Säfte in den Bauchraum entleert hatte.

«Er hatte keine Chance», sagte Martha, die Dr. Heydecker nach und nach die Instrumente reichte, die er brauchte.

Der Arzt nickte. «Ja, er hat sich viel zu spät in die Charité bringen lassen. Der Appendix war vermutlich schon durchgebrochen, sodass er nur noch wenige Stunden zu leben hatte. Er war schon tot, als Professor Jüngken gestern Nachmittag in die Charité kam.»

«Aber selbst wenn er früher gekommen wäre, hätten seine Chancen nicht gut gestanden», stellte Martha fest.

Die Tür ging auf, und Dr. Froriep kam herein, um die Sektion weiterzuführen. Etwas halbherzig wandte er sich den anderen Organen zu, die, wie erwartet, keine ungewöhnlichen Veränderungen aufzeigten. Es kam in letzter Zeit häufig vor, dass er zu spät oder an manchen Tagen gar nicht zur Sektion erschien. Martha hatte den Eindruck, er habe jedes Interesse an seiner Arbeit verloren und suche nach einem Grund, die Aufgabe an einen Nachfolger zu übergeben. Vermutlich waren die Streitereien zwischen der Universität und der Akademie schuld, die immer wieder Dr. Frorieps Autorität in Frage stellten. Er wollte über seine Leichen selbst entscheiden!

«Sie können ihn wieder zunähen und zur Bestattung freigeben», sagte Froriep jetzt zu Martha. Er wischte sich die Hände an der Schürze ab und hängte diese dann an einen Haken.

Dr. Heydecker zog sich ebenfalls seine Schürze aus. «Ich muss mich beeilen. Ich will Direktor Kluge nicht warten lassen. Er will mir die Gebärabteilung zeigen und mich mit ein paar interessanten Fällen vertraut machen, bei denen mit Schwierigkeiten zu rechnen ist.»

Die Begeisterung in seiner Stimme ließ Martha missmutig schnauben. «Was für Sie und die anderen Ärzte *interessante* Fälle sind, bedeutet für jede der Schwangeren Angst um ihr Leben oder das des Kindes und meist eine lange, überaus schmerzhafte Geburt mit ungewissem Ausgang.»

Alexander hielt inne und sah Martha mit zerknirschter Miene an. «Sie haben recht, Frau Vogelsang. Ich habe nur an den medizinischen Aspekt gedacht und die Patientinnen dabei vergessen. Natürlich wünsche ich ihnen allen eine leichte Geburt und gesunde Kinder. Sie sollen die Charité glücklich verlassen. In der Chirurgie sind wir Ärzte oft so machtlos.»

Er zeigte auf den Toten, dem Martha mit einem dicken Faden den Leib wieder verschloss.

«Bei allen Krankheiten und Geschwüren in der Bauchhöhle sind wir machtlos. Das Bauchfell zu durchschneiden kommt fast immer einem Todesurteil gleich. Ich weiß nur von einer Handvoll Blinddarmoperationen, bei denen der Patient überlebt hat. Professor Dieffenbach hat es ein paarmal geschafft. Und denken Sie an die vielen Arme und Beine, die wir noch immer amputieren müssen, oder die zahllosen Menschen, die nach Brüchen und offenen Wunden am Gangrän oder anderen Arten des Wundbrands versterben. Es ist manches Mal schwer zu ertragen.»

Martha sah den jungen Arzt aufmerksam an. «Ich weiß, Herr Dr. Heydecker. Und ich wünsche Ihnen, dass Sie in Direktor Kluges Abteilung finden, wonach Sie suchen.»

∾

Er kommt nicht. Er gibt kein Lebenszeichen von sich, und ich wage nicht, ihn zu mir zu rufen. Er hat sich entschieden. Ich habe mich ihm zu Füßen geworfen, und er hat mich weggestoßen.

Weil er ein Ehrenmann ist!

Weil er mich nicht liebt oder seine Frau mehr liebt als mich.

Natürlich ist er mir gerade deshalb wertvoll, weil er ein Mann mit hohen Prinzipien ist, und doch wünschte ich aus ganzem Herzen, er hätte sie ein Mal über Bord geworfen. Ich darf nicht daran denken, sonst spüre ich wieder seine Hände auf meiner ausgehungerten Haut, seine Lippen auf meinem Körper. Ach, ich vergehe vor Sehnsucht, doch es wird niemanden mehr geben, der mich so liebt und mir solche Zärtlichkeit schenkt.

Ich hätte mich zurückhalten müssen. Hätte ihn nicht bedrängen dürfen. Ich selbst habe zerstört, was mir das Liebste war. Es hätte so weitergehen können wie zuvor. Wir wären ausgeritten oder ins Theater gegangen. Wir hätten uns manch verbotenen Kuss geschenkt und uns an den Händen gehalten.

Es war mir nicht genug.

Und nun? Nun habe ich all meine Hoffnung zerstört. Ich spüre die Tränen hinter meinen Lidern brennen, doch ich kann sie nicht weinen. Ich bin zu verzweifelt, um Erleichterung herbeizusehnen.

Am liebsten würde ich ihm ein Billett schicken. Einen Notruf, einen dringenden Appell, an mein Krankenlager zu eilen. Er würde kommen. Ich weiß es. Niemals würde er mich im Stich lassen. Doch was würde er sagen, wenn er mich genauso wenig krank vorfinden würde wie G. bei jedem seiner Hilferufe?

Würde er Enttäuschung empfinden oder gar Verachtung?

Oh nein, das könnte ich nicht ertragen. Niemals! So tief werde ich nicht sinken. Ich werde warten und einen Funken von Hoffnung in meinem Herzen tragen, dass er es irgendwann über sich bringt, diese Schwelle von sich aus noch einmal zu überschreiten. Ich werde auf ihn warten, so lange mein Leben dauert.

Kindbettfieber

E s gibt wieder einen Fall», berichtete Alexander, als er Elisabeth nach seiner Arbeit in ihrem Zimmer aufsuchte.

«Kindbettfieber?», vergewisserte sie sich, obgleich sie die Antwort ahnte.

Er nickte. Seine Miene war verschlossen. «Es ist wie verhext. Die Frau mit den Zwillingen war die Erste, die daran erkrankte. Drei Tage nach der Geburt ist sie gestorben.»

«Sie war die erste Frau, die du in deiner neuen Abteilung untersucht hast, nicht wahr?»

«Was willst du damit sagen?»

Sie hob die Schultern. «Nichts. Ich gebe niemandem die Schuld. Ich stelle nur fest, dass nach einer Zeit mit wenigen Fällen sie sich jetzt wieder häufen. Jede Gebärklinik fürchtet sich vor diesen Epidemien, die immer wieder auftreten und innerhalb kürzester Zeit bis zur Hälfte der frisch Niedergekommenen dahinraffen.»

«Und keiner kann sich erklären, woher diese tückische Entzündung kommt», fügte Alexander ratlos hinzu. «Aber ich werde nicht aufgeben. Ich werde morgen in aller Frühe die beiden Toten von heute sezieren.»

«Du musst mir anschließend alles genau berichten», drängte sie.

Er sah sie verwundert an.

«Es sind jetzt auch meine Fälle», erklärte Elisabeth. «Ich habe mit Direktor Kluge gesprochen. Er hat Professor Jüngken gefragt, und der hat nichts dagegen, dass ich auf die Gebärstation wechsle.»

Alexander nahm sie in den Arm und küsste sie. «Elisabeth, was für gute Nachrichten. Endlich werden wir wieder etwas mehr Zeit miteinander verbringen! Und wer weiß, vielleicht kommen wir dem Geheimnis der tückischen Entzündungen irgendwann gemeinsam auf die Spur.»

∽

Alexander traf Martha im Totenhaus. Sie hatte die beiden Frauen, die gestern in der Gebärstation gestorben waren, bereits gewaschen und für die Sektion vorbereitet.

«Was ist mit den Kindern?», wollte sie wissen.

Alexander deutete auf die blonde Frau mit einer Narbe im Gesicht. Ihre Nase war schief. Vielleicht hatte sie sich diese bei einer Auseinandersetzung auf der Straße gebrochen. Alexander vermutete, dass es sich bei der Toten um eine Straßendirne handelte.

«Ihr Sohn kam tot zur Welt. Wir haben den Verdacht, dass sie mit irgendwelchen giftigen Kräutern versucht hat, das Kind auszutreiben. Sie wurde mit schweren Krämpfen in die Charité eingeliefert. Vermutlich hätte man sie zu einer Gefängnisstrafe verurteilt, wäre sie nicht gestorben. Die andere Frau hieß Katherina und war die Frau eines Webers.»

Die Tote wirkte vermutlich wesentlich älter, als sie geworden war. Ihr Körper schien ausgelaugt zu sein, als habe sie über Jahre zu wenig gegessen. Ihre Haut war schlaff und faltig, das Gesicht eingefallen und mit dunklen Ringen unter den Augen.

«Sie hat eine Tochter bekommen, die wohlauf ist. Schon ihr zwölftes Kind. Sieben leben noch daheim beim Vater, der nicht begeistert war, einen weiteren hungrigen Mund dazuzubekommen.»

Martha sah ihn fragend an, und als Alexander nickte, schnitt sie den Leib der Dirne auf und legte den Bauchraum und die Gebärmutter frei. Alexander beugte sich über die Tote.

«Es ist wie bei den anderen. Die Gebärmutter sieht völlig normal aus. Sie ist bereits auf dem Weg, sich wieder zusammenzuziehen. Aber hier hat sich im ganzen Bauchraum Eiter angesammelt.» Er fasste in den offenen Bauch und schob die Gedärme beiseite. «Sehen Sie, Frau Vogelsang, das Bauchnetz: lauter Eiterklumpen!»

Bei der anderen Frau fanden sie das gleiche Bild. Alexander stöhnte.

Dr. Froriep betrat den Sektionsraum und betrachtete die beiden aufgeschnittenen Leichen. «Kindbettfieber», sagte er, und es klang nach einem unterdrückten Seufzer. «Es werden nicht die Letzten sein.»

Alexander nickte gequält. «Es ist wirklich zum Verzweifeln, aber ich muss in meine Abteilung zurück. Könnten Sie bitte die Sektionen beenden?»

Dr. Froriep nickte und gab die Bitte an Martha weiter, die sich sogleich ans Werk machte, während der Prosektor ihr dabei zusah.

∾

Als Erstes an diesem Morgen überprüfte Dieffenbach die fast abgeschlossenen Handwerksarbeiten für die Entlüftungsanlage. Leider ging alles nur sehr langsam voran. Die Gelder, die man ihm bewilligt hatte, reichten hinten und vorne nicht für all seine großen Pläne. Er träumte davon, seine Klinik würde die erste werden, in der Wundbrand kein Thema mehr sein müsste. Die krankmachenden Dämpfe würden ausgeleitet und die Zimmer mit frischer, unverdorbener Luft versorgt werden. Als erster wurde der Operationssaal mit dieser neuartigen Anlage versehen. Was für Mängel er auch sonst aufwies, in dieser Angelegenheit würde er revolutionär modern ausgestattet sein.

Der zweite Gang führte Dieffenbach zu seinen Patienten. Ein paar Studenten hatten sich eingefunden und folgten ihm in den

Krankensaal der ersten Klasse. Die jungen Männer rückten so nah wie möglich an das Bett heran, dass ihnen auch nichts von dem entging, was der Professor besprach und demonstrierte.

Abends blieb er jetzt lange in seinem Studierzimmer und arbeitete an seiner Schrift: *Über die Durchschneidung der Sehnen und Muskeln.* Er war unermüdlich. Dutzende Schielende, Klumpfüße und Schiefhälse hatte er inzwischen operiert. Vor allem seit er Direktor der Universitätsklinik war, nahm er, wenn möglich, jede Operation selbst vor. Während seiner Arbeit war er stets auf das konzentriert, was er gerade tat. Am Abend jedoch, an seinem Schreibtisch, stieg immer wieder eine unerfüllte Sehnsucht in ihm auf, die ihn wie eine Krankheit begleitete. Er sah Ludovica vor seinem inneren Auge, wie sie nackt vor ihm lag, und es fiel ihm schwer, dieses Bild zu verscheuchen und sich auf durchschnittene Sehnen zu konzentrieren.

Er hatte gerade eine Seite beendet, als er einen Blick im Nacken zu spüren glaubte. Rasch wandte er sich um. Emilie stand in der Tür. Sie trug ihr Nachtgewand und hatte sich ein Wolltuch um die Schulter gelegt. Stumm sah sie ihn an.

Noch nie hatte sie ihn gedrängt oder sich in seine Arbeitszeiten eingemischt, und auch jetzt sah sie ihn nur an, und doch konnte er die unausgesprochene Frage hören.

Er schob die beschriebenen Blätter beiseite, schraubte das Tintenfass zu und erhob sich dann. «Du hast recht, Liebes, es ist spät. Wir sollten zu Bett gehen. Ich habe morgen wieder einige Operationen, bei denen ich ausgeschlafen sein sollte und eine ruhige Hand benötige.»

Er ging zur Tür, doch Emilie trat nicht zur Seite, um ihn vorbeizulassen. Stattdessen streckte sie ihre Arme nach ihm aus und legte ihre Wange an seine Brust.

«Was ist es, das dich so quält?», fragte sie schließlich.

Dieffenbach wehrte ab und löste sich aus ihrer Umarmung.

447

Jetzt trat sie doch zur Seite und folgte ihm ins Schlafzimmer. Sie sah ihm zu, wie er sich entkleidete und dann unter die Decke an seiner Seite des Bettes schlüpfte. Sie ließ sich auf der ihren nieder, blieb aber aufrecht sitzen.

«Wir haben immer über alles gesprochen», sagte sie, ohne ihn anzusehen. «Über Probleme mit den Patienten, den Ärzten der Charité, den Neidern, die schlecht über dich redeten oder schrieben, die Schwierigkeiten mit dem Ministerium, dem König oder den Geldmangel, der die notwendigen Neuerungen aufhält. Doch jetzt kannst oder willst du nicht mit mir sprechen.»

Dieffenbach brummte nur.

«Nein, sag nicht, es sei nichts! Ich sehe und fühle, dass du dich quälst. Ich denke mir, wenn du nicht mit mir darüber sprechen kannst, dann geht es um sie, nicht wahr?»

Er musste nicht fragen, wen Emilie meinte. Sie wussten es beide. Es war, als würde Ludovicas Geist durch ihre Wohnung streichen.

«Du warst eine Weile nicht mehr dort, oder hast du es mir nur nicht erzählt?»

«Nein, und ich werde sie auch in nächster Zeit nicht sehen», sage er widerstrebend.

Emilie löschte das Licht und schlüpfte ebenfalls unter die Decke. «Wirst du es mir irgendwann sagen?»

Er schwieg. Er wusste die Antwort nicht, doch seine Hand tastete unter der Decke nach der ihren. «Ich liebe dich, Emilie, das ist die Wahrheit, und ich werde immer für dich und die Kinder da sein.»

Es war ihnen beiden klar, dass das nur ein Teil der Wahrheit war, aber vielleicht war es besser, zumindest heute das Thema fallenzulassen und so zu tun, als sei man zu müde für eine weitere Unterhaltung.

Es sollte an sich die schönste Abteilung der Charité sein. Hier wurde neues Leben geschenkt. Hier sollten glückliche Mütter mit ihren Kindern zu finden sein.

Nun gut, unter den Frauen waren auch einige, die sich nicht auf ihr Kind freuten, sei es, weil die Schwangerschaft das Ergebnis ihrer Arbeit auf der Straße war, es aus anderen Gründen keinen Vater und Ernährer gab. Oder weil daheim bereits zu viele Mäuler zu stopfen waren. Aber es gab auch viele Mütter, die vor Glück strahlten, wenn man ihnen ihr Neugeborenes in den Arm legte.

Doch in diesen Tagen war das Glück rasch verweht. Die Angst schlich durch die Gebärstation der Charité, und jede Frau war froh, wenn sie diesen Ort so schnell wie möglich verlassen konnte.

Elisabeth drehte ihre Runde, half den erschöpften Müttern, etwas zu essen und sich zu waschen, und bettete ihnen ihre hungrigen Säuglinge an die Brust. Aufmerksam betrachtete sie jede der Frauen, legte die Hand an ihre Stirn oder fragte nach Schmerzen, wenn ihr etwas ungewöhnlich vorkam.

«Es hat vor ein paar Stunden angefangen», sagte Anne, die Frau eines Bäckers, die vor vier Tagen ihr erstes Kind geboren hatte.

Alexander hatte sie danach zweimal untersucht und alles in Ordnung vorgefunden, doch jetzt klagte sie über Schmerzen. Es hatte im Becken angefangen und war dann zu den Rippen aufgestiegen. Am nächsten Tag war der Leib aufgetrieben, die Schmerzen wurden unerträglich, und das Fieber schien die Frauen zu verbrennen.

Sie alle wussten, dass sie in diesem Zustand bereits halb im Grab standen. Wimmernd ließen sich die Mütter dann noch einmal ihr Kind geben, bevor sie zu schwach wurden, die Kleinen weiter zu füttern. Es dauerte meist noch ein oder zwei Tage, bis der nächste weiß verhüllte Leichnam von der Gebärstation zum Totenhaus getragen wurde, wo Martha die toten Frauen empfing.

Die Kinder überlebten ebenfalls nur selten. Nur wenn ihre Familie sie abholte und eine Amme besorgte, hatten sie eine Chance.

Die Kleinen, die Elisabeth zu Dr. Barez in die Kinderklinik brachte, starben meist nur wenige Tage später an Koliken und Durchfall. Die Milch, die die Wärterinnen den Würmchen fütterten, vertrugen nur wenige.

«Ich hätte nicht gedacht, dass es hier so schrecklich werden könnte», gestand Elisabeth. «Ich dachte, in der Chirurgie verlieren wir die meisten Patienten.»

Doch in diesen Wochen stach die Gebärstation mit einem traurigen Rekord heraus. Frustriert kehrte Elisabeth jeden Abend in ihr Zimmer zurück.

∿

Martha half Dr. Heydecker bei der Arbeit. Mit zusammengebissenen Zähnen sezierte er eine der Frauen, die gestern am Kindbettfieber gestorben waren. Wieder das gleiche Bild. Er schnitt Eiterknoten heraus und sammelte Proben, um sie von Professor Jüngkens Laborassistenten untersuchen zu lassen, der Urin, Blut und weitere Proben unter dem Mikroskop betrachtete und andere Experimente durchführte, um krankhafte Veränderungen zu entdecken und vergleichbar zu machen.

Schon vor Jahrzehnten hatte ein Chemiker den gelblich grünen Brei aus dem Unterleib einer am Kindbettfieber Verstorbenen untersucht und angeblich zweifelsfrei als *alkalisch versetzte Muttermilch* identifiziert. Doch Alexander zweifelte an dieser These.

Verbissen führte er die Sektion zu Ende und wandte sich dann der nächsten Toten zu. Seit er hereingekommen war, hatte er, außer einem knappen Gruß, noch kein Wort mit Martha gesprochen, geschweige denn gelächelt. Martha spürte, wie sehr ihn die vielen Toten seiner Abteilung belasteten.

∿

«Amalie, bist du fertig?», rief Ludovica die Treppe hinauf.

«Ja, Mama», erklang ihre Stimme. Sie kam wie ein Wirbelwind mit gerafften Röcken die Stufen heruntergestürmt, taub für die Ermahnungen ihrer Kinderfrau, die sie wie immer rügte, dass dies kein angemessenes Verhalten für eine junge Dame von zehn Jahren sei.

Mutter und Tochter verließen das Haus, um Einkäufe zu erledigen. Cornelia folgte in einigem Abstand, um ihre Gespräche nicht zu stören und später die Pakete heimzutragen.

Sie überquerten die Fahrbahn für Kutschen und reihten sich unter die Flanierenden zwischen den Baumreihen. Der Duft der Lindenblüten hüllte sie ein. Plötzlich hatte Ludovica das Gefühl, beobachtet zu werden.

Dieffenbach, dachte sie und wandte sich mit klopfendem Herzen um. Ihr Blick huschte umher, doch sie konnte den geliebten Mann unter den Passanten, die das schöne Sommerwetter nutzten, nicht entdecken. Dafür sah sie eine andere Person, die ihren Blick fest auf sie und Amalie gerichtet hielt.

Ludovica kannte diese Frau. Was sie war, verrieten ihr schwarzes Kleid und das altmodische Häubchen, das so gar nicht zu einer jungen Frau passte.

Ludovica suchte in ihrem Gedächtnis nach dem Namen. Elisabeth? Ja, so hieß sie. Aber warum stand sie hier und beobachtete das Palais des Grafen oder, besser gesagt, seine Bewohnerinnen?

Mal sehen, was ich für eine Ausrede zu hören bekomme, dachte Ludovica, ehe sie mit forschen Schritten auf die Diakonisse zuging und sie ansprach. Sie sah, wie Elisabeth zusammenzuckte und zurückschreckte.

«Kann ich Ihnen helfen, Schwester Elisabeth?», erkundigte sich die Gräfin in diesem Tonfall, den der alte Adel so perfekt beherrschte, um das einfache Volk in seine Schranken zu verweisen.

Elisabeth deutete einen Knicks an. «Oh nein, Verzeihung, ich wollte Sie nicht anstarren, Gräfin von Bredow. Ich sah nur Ihre Tochter und dachte, was für eine wundervolle junge Dame sie geworden ist.»

Ludovica folgte ihrem Blick zu Amalie, die bei Cornelia stehen geblieben war. «Amalie? Ja, aber wie kommen Sie darauf? Kennen Sie meine Tochter?»

Elisabeth schüttelte den Kopf. «Nein, nicht wirklich. Ich habe aus Zufall vor Jahren ein paar Worte mit ihr gewechselt, aber ich bin seit vielen Jahren mit Frau Vogelsang befreundet, die damals Ihre Tochter auf die Welt geholt hat. Ich weiß, es war eine sehr schwierige Geburt. Und die letzte von Frau Vogelsang als Hebamme, ehe sie in der Charité im Totenhaus angefangen hat.»

Die Gräfin runzelte die Stirn. «Das wissen Sie noch?»

«Ich habe mich daran erinnert, als ich Sie aus dem Haus kommen sah», sagte die Diakonisse schnell.

Etwas war seltsam, dachte Ludovica, doch Elisabeth sprach schon weiter.

«Außerdem habe ich großen Respekt vor Ihnen, Frau Gräfin.»

«Vor mir? Aber warum denn? Bestimmt nicht, weil ich meine Tochter die vergangenen Jahre ohne Vater aufgezogen habe. Das ist in unseren Kreisen kein Verdienst, das erwähnenswert wäre. Bewundern Sie lieber Frau Vogelsang. Ihr Junge scheint sich ja gut zu machen.»

«Sie kennen August?» Nun war es an Elisabeth, die Augen vor Erstaunen aufzureißen.

«Flüchtig», wehrte Ludovica ab. «Ich kenne seine Krankengeschichte. Professor Dieffenbach hat mir von vielen seiner wichtigen Operationen erzählt. Und der junge August hat zur Anerkennung der Schieloperationen geführt.»

«Sehen Sie, das meine ich», sagte Schwester Elisabeth und war selbst überrascht, wie leicht ihr die Worte über die Lippen kamen. «Sie sind eine außergewöhnliche Frau. Die gesamte Charité summte wie ein Bienenhaus, als Sie zum ersten Mal gewagt hatten, einer Operation bei Professor Rust beizuwohnen.»

Ludovica war ein wenig überrascht, dass ihr damaliger Besuch so einen Widerhall gefunden hatte. Noch bevor sie der jungen Diakonisse für ihr Kompliment danken konnte, fuhr diese schon fort.

«Verehrte Gräfin, bitte nehmen Sie mir meine Offenheit nicht übel. Ich bewundere seit langem Ihr Interesse an der Medizin. Und ich weiß auch, dass Sie die Krankenwartschule unterstützen, die der Charité einige wertvolle Pfleger beschert hat.»

«Das stimmt. Ich bin sehr froh, dass ich dank meiner Stellung den medizinischen Fortschritt und die Ausbildung fördern kann. Doch wissen Sie, Schwester Elisabeth, mein Interesse geht sehr viel weiter. Ich lese die neuesten medizinischen Bücher und Zeitschriften und besuche die eine oder andere Vorlesung. In Wahrheit hätte ich selbst gerne Medizin an der Universität studiert. Oder es zumindest anderen Frauen, egal, welcher Herkunft, ermöglicht. Aber da sind auch meine Hände gebunden.»

«Es ist so ungerecht!», stieß Schwester Elisabeth aus. «Ich arbeite seit vielen Jahren in der Charité, zunächst als Wärterin, dann als Diakonisse. Und doch kann ich niemals mehr werden als eine Pflegerin, die jeder Anweisung eines Arztes Folge zu leisten hat, ganz gleich, wie jung und unerfahren er ist.»

Ludovica nickte unwillkürlich. Sie kamen aus so unterschiedlichen Welten und würden sicher nie miteinander sprechen, wäre nicht die Medizin ein Bindeglied zwischen ihnen. Sie sah Elisabeth aufmerksam an, deren Wangen vor Eifer gerötet waren, und plötzlich hatte sie das Bedürfnis, sie näher kennenzulernen, um sich mit ihr über die Charité und ihre Arbeit dort auszutauschen.

«Wollen wir uns an einem gemütlicheren Ort noch ein wenig unterhalten?», schlug sie vor. «Gehen wir dort drüben ins Kaffeehaus. Die Schokoladentörtchen sollen sehr gut sein.»

Elisabeth starrte die Gräfin an, dann nickte sie. «Ich danke

Ihnen, Frau Gräfin. Ich habe noch Ausgang bis zum Abendbrot», sagte sie und folgte Ludovica ins Kaffeehaus, während Amalie mit der Zofe aufbrach, um bei ihrer bevorzugten Putzmacherin Bänder und Federn zu kaufen.

∽

Gräfin Ludovica war bei der zweiten Tasse Kaffee angelangt und sah Elisabeth mit einem merkwürdigen Blick an.

Diese wunderte sich, wie vertraut sie mit der Person, die so weit über ihr stand, sprechen konnte. Manche ihrer Sätze schienen gar ihre eigenen Sehnsüchte zusammenzufassen. «Nichts würde ich lieber tun, als Medizin zu studieren», sagte sie gerade. «Warum nur gibt es für Frauen keine Möglichkeit, zu studieren und Ärztin zu werden?»

Gräfin Ludovica schüttelte traurig den Kopf. Dann reckte sie sich ein wenig. «Es gibt sie noch nicht, aber ich habe Hoffnung, dass die Frauen auch hier in Preußen ihre Stimme erheben werden. Ich weiß, dass es in Amerika eine Universität gibt, an der sich Frauen einschreiben können. Irgendwann wird auch die Alte Welt bereit sein, dem weiblichen Geschlecht eine Chance zu geben.»

«Meinen Sie, dass wir das noch erleben?»

«Nur, wenn jemand den Anfang macht!», sagte die Gräfin kämpferisch. «Wir müssen mutig sein und Tatsachen schaffen.»

«Aber wie?», fragte Elisabeth. «Wir können doch nicht einfach die Hörsäle stürmen. Unsereins würden die Saaldiener einfach hinauswerfen. Hebammen sind als einzige Frauen bei Anatomievorlesungen oder Operationen geduldet.»

Ludovica wiegte den Kopf. «Nein, stürmen geht vermutlich nicht. Ich habe über dieses Thema schon viel nachgedacht. Sehen Sie, Frauen haben bereits heute ein umfangreiches medizinisches Wissen, und ich denke, viele Patientinnen würden sich bei delikaten Problemen lieber von einer Geschlechtsgenossin untersuchen lassen. Man müsste eine Klinik eröffnen – nur für Frauen und Kinder, die geführt wird von Heilerinnen und Hebammen. Es bedarf nur einiger weniger Frauen, die einen Anfang wagen. Und dann, daran glaube ich fest, wird es eines Tages auch bei uns Ärztinnen geben!»

«Daran möchte ich auch glauben, Gräfin!», rief Elisabeth aus. «Und was die besondere Klinik angeht, von der Sie sprachen, die lässt sich vielleicht schon früher einrichten. Aber es braucht natürlich Geld für Räume und die medizinische Ausrüstung», gab sie zu bedenken.

«Das wäre die Aufgabe einer Stifterin, die sich um die Organisation kümmert. Einer Frau wie ich!», sagte Ludovica.

Elisabeth seufzte. «Was für ein schöner Gedanke! Was gäbe ich darum, dabei sein zu können.»

KAPITEL 30

Der Antrag

Auf ihrem Weg zum Speisesaal nahm Martha Elisabeth zur Seite. «Du gefällst mir nicht», sagte sie. «Was ist mit dir los?»

«Nichts», gab Elisabeth zurück.

Martha sah die Freundin aufmerksam an. «Irgendwas an dir hat sich verändert. Wann hattest du zum letzten Mal deine Tage?»

«Was?» Elisabeth zog die Stirn in Falten. Sie wollte gerade sagen, dass dies Martha gar nichts anginge, als ihr einfiel, dass sie zwei Tage überfällig war.

«Zwei Tage?» Martha schüttelte den Kopf. «Und wie war deine letzte Blutung? So wie immer?»

«Was soll das, Martha?»

«Wie immer?», wiederholte diese beharrlich.

«Nein», blaffte Elisabeth. «Sie war zum Glück nicht so schmerzhaft, und es kam kaum Blut.»

Martha trat näher und starrte Elisabeth ins Gesicht. Dann griff sie ihr unvermittelt an die Brüste.

«He! Was soll das?» Elisabeth wich entsetzt vor der Totenfrau zurück.

«Deine Brüste schmerzen, nicht wahr?»

«Es zieht ein wenig in den Brustwarzen, aber das ist bestimmt das erste Anzeichen, dass sich meine unreinen Tage einstellen.» Sie sah den Ernst in Marthas Gesicht, und plötzlich durchfuhr sie die Angst. Ihr Bauch krampfte sich zusammen, und sie ahnte, dass dies nicht der Vorbote der gewohnten Blutung war. «Du meinst doch nicht etwa, ich bin schwanger?», keuchte sie.

Martha legte den einen Arm um ihre Taille und eine Hand auf ihren Bauch. «Doch, genau das meine ich. Ich kann dir nicht sagen, woher ich es meist schon so früh weiß, aber bei Frauen, die mir vertraut sind, sehe ich die Veränderungen und deute die Zeichen manches Mal, noch ehe sie es selbst wissen.»

«Du musst dich irren», beschwor Elisabeth, deren Gedanken wild durcheinanderwirbelten. «Das ist nicht möglich!»

«Ist es nicht?»

Elisabeth schloss die Augen und stöhnte gequält. «Ach, Martha, ich will doch nur damit sagen, dass es nicht sein darf! Ich bin Diakonisse. Ich habe ein Versprechen gegeben.»

«Ja, dass du keusch lebst», bohrte Martha weiter. «Aber dieses Versprechen hast du schon seit längerem gebrochen. Deine Schwangerschaft macht das jetzt nur für jeden sichtbar.»

Elisabeth presste sich die Hände an die Ohren. «Ich will das nicht hören. Ich liebe ihn doch, und er liebt mich. Ich kann ihn nicht von mir stoßen und uns beide unglücklich machen.»

Martha ließ sich nicht beirren. «Dann musst du mit den Folgen leben, Elisabeth. So oder so.»

«Du meinst, ich soll das Kind einfach austragen? Was wird Oberin Walburga sagen? Was wird Pfarrer Fliedner tun, wenn er davon erfährt? Werden sie mir das Kind wegnehmen? Oder mich nach Kaiserswerth verbannen?»

Martha zuckte mit den Achseln. «Das weiß ich nicht, ich kenne mich nicht so aus mit den Regeln dieses Ordens. Doch ich weiß, dass du nun an einem Scheidepunkt stehst und eine Entscheidung für dein Leben treffen musst.»

«Ich kann das nicht», rief Elisabeth und umklammerte Marthas Hände. «Du musst mir etwas geben. Du weißt, wie das geht und wie viel man von welchen Kräutern nehmen muss, um die Frucht auszutreiben. Bitte, du kannst nicht einfach zusehen, wie mein Leben zerstört wird.»

Martha befreite sich aus ihrem Griff. «Elisabeth, wird dein Leben wirklich zerstört? Es liegt in deiner Hand. Ich werde auf jeden Fall nicht zulassen, dass du eine solche Entscheidung sofort und ohne darüber nachzudenken triffst. Und willst du nicht zuallererst Dr. Heydecker informieren und hören, wie er darüber denkt?»

«Himmel, nein, das kann ich nicht!»

«Warum denn nicht? Schließlich war er daran beteiligt und teilt seit vielen Monaten dein Bett. Auch er muss sich seiner Verantwortung stellen.»

«Nein, ich kann ihn nicht damit belasten.» Elisabeths Schultern zuckten, und heiße Tränen standen ihr in den Augen

«Warum nicht? Fürchtest du, er würde dich im Stich lassen? Er würde eure Beziehung beenden und sich ein anderes Bett suchen?»

«Nein! Was hältst du von ihm?», empörte sich Elisabeth. «Er ist ein Ehrenmann.»

Martha legte den Kopf schief. «Ach ja? Wovor hast du dann Angst? Dass er dich und das Kind will?»

«Martha, du weißt genau, dass das nicht ginge. Ich habe eine Entscheidung getroffen, die ein Leben lang gültig ist.»

«Das stimmt nicht ganz», widersprach Martha. «Ist es nicht so, dass ihr Diakonissen euer Versprechen gegenüber Pfarrer Fliedner von Zeit zu Zeit erneuern müsst? Also könntest du dich auch anders entscheiden und deinen Weg als Diakonisse beenden. Keiner kann dich zwingen, Elisabeth!»

Diese schüttelte den Kopf. Die Tränen rannen ihr jetzt über die Wangen und tropften auf ihr schwarzes Kleid. «Bitte, hilf mir, Martha!»

«Du gehst jetzt und denkst in aller Ruhe über alle Möglichkeiten nach», entgegnete die Totenfrau. «Dann kommst du zu mir, und wir werden sehen, was zu tun ist.»

Elisabeth wandte sich ab und ging davon. Der Appetit aufs Abendessen war ihr gründlich vergangen.

᠗

Als Martha am anderen Tag mit Dr. Froriep und Dr. Heydecker eine weitere Tote sezierte, fiel ihr auf, dass der junge Arzt ungewöhnlich still und unkonzentriert war. Das war gar nicht seine Art. Ob das mit Elisabeth zusammenhing? Sie wollte so gerne helfen, doch wie konnte sie das heikle Thema ansprechen, ohne ihm zu nahe zu treten? Schließlich hatten er und Elisabeth alles dafür getan, um ihre verbotene Liebe geheim zu halten. Dennoch, sie wollte es versuchen. Als die Sektion beendet und Dr. Froriep gegangen war, nahm sie sich ein Herz.

«Sie wirken heute ungewöhnlich bedrückt», begann sie vorsichtig. «Ich habe den Eindruck, dass das nicht nur an Ihren Fällen von Kindbettfieber liegt.»

Heydecker hob die Brauen und warf ihr einen warnenden Blick zu. Seine Botschaft war klar: Er wollte nichts Privates mit der Frau aus dem Totenhaus besprechen, aber Martha ließ sich nicht abschrecken.

«Ich weiß, Sie denken, ich solle mich nicht einmischen, aber ich fühle mich Elisabeth freundschaftlich verbunden und, nun ja, ich genieße ihr Vertrauen, und ich achte Sie, Herr Dr. Heydecker, sehr und wünsche Ihnen nur Gutes. Was andere für Regeln aufstellen, um Menschen in ihren Gefühlen einzuschränken, ist mir gleichgültig.»

«Ach ja?», gab er zurück. «Ich dachte bisher auch, dass Elisabeth sich nicht darum kümmert, doch anscheinend hat sie ihre Meinung geändert.»

Nun war Martha irritiert. «Was hat sie denn zu Ihnen gesagt?»

«Das geht Sie nichts an, Frau Vogelsang! Ich kann Ihnen jedenfalls versichern, dass alles in bester Ordnung ist und nicht einmal die Diakonie Anstoß an ihrem Verhalten nehmen könnte.»

«Wollen Sie damit sagen, dass Elisabeth die Beziehung zu Ihnen beendet hat?»

«Ich dachte, Sie seien befreundet und so gut informiert!», konterte er mit ätzendem Unterton.

«Ja, das dachte ich auch», gab Martha verblüfft zurück. «Aber ... aber welchen Grund hat sie für diesen Schritt genannt?»

«Frau Vogelsang, Sie gehen wirklich zu weit!»

Martha wurde rot und biss sich auf die Lippen. Er hatte ja recht, was mischte sie sich ein. Und dann hörte sie, wie er leise sagte: «Sie will nur noch ihrem Pfarrer und ihrem Gelübde gegenüber treu ergeben sein! Und ich habe wahrlich andere Probleme, um die ich mich kümmern muss.» Damit drehte er sich um und verließ das Totenhaus.

Martha aber nahm sich vor, Elisabeth zur Rede zu stellen, sobald sie mit ihrer Arbeit fertig sein würde.

∽

Elisabeth hatte einen schlimmen Tag hinter sich. Nun zeigte auch noch das nette junge Mädchen in dem Bett an der Wand hinten im Saal, das unter großen Schmerzen Zwillinge zur Welt gebracht hatte, erste Anzeichen dieser unheimlichen Mütterseuche. Sie hatte das Mädchen von Anfang an ins Herz geschlossen und Alexander bei der zähen Geburt assistiert. Die ganze Nacht hatten sie um das Leben der jungen Mutter und ihrer Kinder gekämpft – und nun das! Sie wollte gerade Feierabend machen, als der Vater sie vor der Tür abpasste. Was sollte sie ihm sagen? Dass seine Frau vermutlich in den nächsten Tagen elendiglich sterben würde?

Sie brachte es nicht übers Herz und sprach nur von den beiden Jungen, die sich gut von den Strapazen der Geburt erholt hatten.

Endlich ließ der Mann von ihr ab und machte sich in seiner unschuldigen Freude auf den Heimweg. Elisabeth drückte das Gewissen, doch vielleicht brauchte er die wenigen glücklichen Stunden. Die Trauer würde ihn schnell genug einholen.

Sie wandte sich ab und bog in den Weg zur Neuen Charité ein, als sich ihr Martha in den Weg stellte und sie finster anstarrte.

«Du hast ihm nicht gesagt, dass du schwanger bist!»

«Das geht dich nichts an!»

«Das habe ich heute schon einmal gehört», beschwerte sich Martha, «und selbst wenn: Ich werde nicht zusehen, wie du in dein Unglück läufst. Du hast ihn mit dieser billigen Lüge weggeschickt, Elisabeth! Hast ihm vielleicht auch noch weisgemacht, dass du ihn gar nicht liebst, statt ihm zu sagen, dass du sein Kind in dir trägst. Und ihr gemeinsam nach einer Lösung suchen müsst.»

«Ach ja? Und was sollte er deiner Meinung nach tun? Auf die Knie fallen und mir einen Heiratsantrag machen?»

«Du könntest es zumindest darauf ankommen lassen. Du liebst ihn doch, ist es nicht so?»

Elisabeth hatte schon eine deftige Erwiderung auf der Zunge, doch sie spürte, wie sich erneut Tränen in ihren Augen sammelten. «Ja, ich liebe ihn! Wie sehr, ist mir erst jetzt klargeworden, wo ich ihn von mir gestoßen habe. Ich hatte mich so daran gewöhnt, dass er zu meinem Leben gehört. Ich kann es mir gar nicht vorstellen, wie es nun sein wird. Kalt und einsam jedenfalls, aber das habe ich mir selbst zuzuschreiben. Ich zerstöre alles. Nicht nur unsere Liebe, auch das Kind in mir.»

«Also hast du immer noch vor, das Kind abzutreiben.»

Elisabeth zwinkerte die Tränen weg. «Ja, und ich bitte dich aus tiefstem Herzen darum, mir zu helfen. Tust du das nicht, werde ich einen anderen Weg finden.»

Martha legte ihre Hand auf Elisabeths Leib. «Dadrin wächst ein Kind. Euer Kind, ein Kind der Liebe! Und du willst es töten? Bist du dir ganz sicher? Wirst du dir das jemals verzeihen können? Denke gut darüber nach, denn nachher gibt es kein Zurück mehr.»

Nun ließen sich die Tränen nicht mehr zurückhalten. «Martha, natürlich wäre es mir lieber, wenn ich das Kind behalten könnte. Sein Kind! Aber wie sollte ich das machen? Ich würde doch nicht nur meine Arbeit hier verlieren. Ich würde verstoßen werden oder Schlimmeres.»

«Wenn du es willst, wird es einen Weg geben. Sieh mich an, Elisabeth! Ich habe es auch geschafft, August aufzuziehen und zu einem prächtigen Jungen gedeihen zu lassen. Jetzt geht er gar auf eine gute Schule und wird danach eine Lehre anfangen können. Er wird ein besseres Leben führen als ich oder sein Vater zuvor.»

«Ja, du hattest Glück», sagte Elisabeth.

Martha schüttelte sie. «Nein, nicht nur Glück. Ich habe gekämpft und niemals aufgegeben, und das solltest du auch nicht.»

«Du willst mir also nicht helfen?»

«Auf alle Fälle nicht sofort. Ich will, dass du nicht einfach vor der ersten Schwierigkeit davonrennst, die das Leben dir bereitet.»

«Ha!», rief Elisabeth. «Das ist nicht fair. Auch ich habe schon gekämpft. Und das weißt du, Martha!»

«Gut, dann kämpfe noch ein Stück weiter, damit du dir auch später noch mit Achtung begegnen kannst. Werde dir klar darüber, was du wirklich willst. Was ist *dein* Weg, Elisabeth?»

«Ach, lass mich doch in Ruhe», fuhr Elisabeth die Totenfrau an, wandte sich ab und lief mit gerafftem Rock davon. Sie rannte die Treppe hinauf und den Korridor entlang, schlüpfte in ihre Kammer und schlug die Tür hinter sich zu. Weinend warf sie sich auf ihr Bett. Was sollte sie nur tun?

∽

Die geheimnisvolle Epidemie von Kindbettfieberfällen ebbte wieder ab, obgleich Dr. Heydecker und zwei Assistenzärzte abberufen worden waren, um wegen einiger Krankheitsfälle unter Kollegen eine Weile in anderen Abteilungen auszuhelfen. Inzwischen blieben die Gebärenden in der Obhut der Hebammen.

Martha fragte sich, ob es sich hierbei wirklich um einen Zufall handelte oder ob vielleicht genau das der Grund war. Hatte sie nicht während ihrer Arbeit als Hebamme über Jahre nur ganz vereinzelt mit Fällen von Kindbettfieber zu tun gehabt, und das meist bei sehr armen Familien, die in schmutzig-beengten Verhältnissen lebten? Oft hatte ein anderes Familienmitglied um die Zeit der Geburt unter fiebrigen Krankheiten oder eitrigen Verletzungen gelitten.

Nachdenklich sah sie auf die Frau herab, deren sezierten Körper sie gerade wieder zunähte. An ihren Händen klebte noch der Leichensaft. Martha ging zum Waschbecken und scheuerte sich gründlich die Hände, während ihre Gedanken dem Verlauf der Krankheitsfälle folgten.

Dr. Heydecker kam herein und schloss die Tür. Von Dr. Froriep war noch nichts zu sehen. Das war Martha gerade recht, denn sie spürte, dass er nach wie vor litt. Also hatte Elisabeth noch immer nicht mit ihm gesprochen. Oder hatte sie ihm gesagt, dass sie schwanger war, und er drückte sich vor der Verantwortung?

Martha kniff die Augen zusammen. Konnte das sein? Dann musste sie sich sehr in ihm täuschen. Andererseits stammte Elisabeth aus einer einfachen Familie, und Heydeckers Schwester war mit dem berühmten Professor Dieffenbach verheiratet.

«Was sehen Sie mich so an?», wollte er wissen. «Oh nein, Sie haben schon wieder vor, sich in mein Privatleben einzumischen!»

«Ich will nur helfen!»

Heydecker stöhnte. «Ja, das sagen Sie immer, wenn Sie Ihre Neugier befriedigen wollen.»

463

«Das denken Sie von mir? Dass ich neugierig oder auf Sensationen aus bin?»

Er wand sich. «Nein, das denke ich nicht. Aber ich möchte nicht mit Ihnen darüber sprechen. Elisabeth hat eine Entscheidung getroffen, und ich habe das zu respektieren. Ich kann sie nicht zwingen, mich zu lieben, wenn sie meiner überdrüssig geworden ist, oder?»

«Sehen Sie, und genau das ist das Problem. Sie kennen die Wahrheit nicht. Elisabeth liebt Sie, aber sie hat eine falsche Entscheidung getroffen, aus der sie nun keinen Ausweg mehr findet.»

«Frau Vogelsang, wovon sprechen Sie?»

«Davon, dass Elisabeth schwanger ist, aber vermutlich zu stolz, es Ihnen zu sagen, weil sie fürchtet, zurückgewiesen zu werden. Deshalb entscheidet sie sich lieber gegen das Kind. Und gegen Sie, Herr Dr. Heydecker. Denn solange sie diese verbotene Beziehung mit Ihnen weiterführt, kann es jederzeit wieder geschehen. Deshalb hat sie sich von Ihnen getrennt.»

Er starrte Martha an. Dann wich er zurück und ließ sich auf einen Hocker sinken. «Schwanger», hauchte er. Die unterschiedlichsten Gefühle huschten über sein Gesicht.

Martha schwieg und ließ ihn mit seinen Gedanken in Ruhe.

«Ich habe längst befürchtet, dass es irgendwann passiert», sagte er nach einer Weile.

«Und?», wollte Martha wissen. «Haben Sie sich auch überlegt, was Sie dann machen wollen?»

Ein wenig verlegen hob er die Schultern. «Es liegt ja auch an Elisabeths Entscheidung, oder?»

Sie trat näher und sah ihn direkt an. «Sicher, aber ich würde gerne wissen, wie Sie entscheiden würden.»

«Wenn es nach mir ginge, dann würde sie dieses schreckliche Diakonissengewand ablegen und mich heiraten. Natürlich würde ich mich über ein Kind freuen. Unser Kind!»

Martha spürte, wie es leicht um ihr Herz wurde. «Dann gehen Sie hin und sagen Sie ihr genau das, ehe eine Entscheidung, die nicht zurückgenommen werden kann, Ihrer aller Leben zerstört!»

∼

Alexander passte sie am nächsten Abend ab, als sie müde und ausgelaugt von ihrer Arbeit kam. Immerhin war heute niemand gestorben. Insofern war es ein guter Tag gewesen.

Elisabeth erschrak, als er in der Dämmerung plötzlich hinter einem Strauch hervortrat und sich ihr in den Weg stellte.

Sie blieb stehen und verschränkte die Arme hinter dem Rücken. Nur nicht weich werden und dem Impuls nachgeben, sich an seine Brust zu pressen und ihn an sich zu ziehen.

«Was willst du?», fragte sie so abweisend wie möglich. «Ich habe dir meine Gründe dargelegt. Es gibt nichts mehr zwischen uns.»

Er sah sie an. Diese verflucht blauen Augen! Sie musste blinzeln, um nicht zu weinen. Es fiel ihr so schwer, doch das war der einzige Ausweg.

Alexander kam nicht näher, sein Blick aber blieb auf ihr Gesicht gerichtet. «Ich denke, es gibt sehr wohl etwas, das uns verbindet, nicht wahr?» Sein Blick wanderte tiefer zu ihrem Bauch, dem man noch nichts ansah. «Warum hast du es mir nicht gesagt, Elisabeth? Warum meinst du, alles alleine mit dir selbst ausmachen zu müssen?»

Sie fragte nicht, wie er davon wissen konnte. «Martha!», knurrte sie stattdessen.

«Ja, Martha. Ich hätte es lieber von dir erfahren. Geht es mich denn gar nichts an?»

«Du kannst da nichts machen», wehrte sie ab. «Es ist mein Leben, und ich habe eine Entscheidung getroffen. Ich werde das in

Ordnung bringen, aber ich werde nicht riskieren, noch einmal in solch eine Lage zu geraten.»

Er schüttelte den Kopf. «Gar nichts wirst du auf diese Weise in Ordnung bringen. Du würdest damit alles zerstören, was schön und liebenswert ist.»

«Hör auf!», schrie sie. «Was soll ich denn sonst tun?» Tränen quollen aus ihren Augen und rannen über ihre Wangen.

«Heirate mich!», stieß Alexander hervor. Plötzlich stand er vor ihr. Seine Arme legten sich um sie, und er zog sie an sich. «Bitte, heirate mich und lass unser Kind leben. Du glaubst doch gar nicht an das, was dieser Pastor sagt. Du willst einfach eine gute Pflegerin sein, und das bist du auch. Aber kannst du das nicht auch sein, wenn wir zusammenbleiben? Wenn wir eine Familie sind?»

Wenn er sich nur nicht so vertraut anfühlen würde! Elisabeth zwang sich, sich aus seiner Umarmung zu befreien. Sie wich zwei Schritte zurück.

«Du weißt selbst, dass das nicht geht. Ich würde genau das Leben führen, gegen das ich mich vor Jahren entschieden habe. Ich wäre nicht anders als meine Schwester. Ich wäre eine abhängige Ehefrau, deren Platz hinter dem Herd und bei den Kindern ist. Aber ich liebe meine Arbeit! Ich will Menschen helfen und sie heilen – genau wie du, Alexander.»

«Elisabeth, ich wäre dir ein besserer Ehemann! Ich würde nicht über dich bestimmen, nicht trinken oder dich schlagen. Das weißt du doch! Und ja, du kannst weiterarbeiten und helfen, wenn du das willst. Ich weiß, dass du am liebsten Ärztin werden würdest, aber das ist nicht möglich. In Preußen nicht und vermutlich auch sonst nirgendwo. Ich werde noch in diesem Monat zum Regimentsarzt befördert und darf von nun an außerhalb der Charité praktizieren. Ich habe die ganze Nacht darüber nachgedacht.» Er holte tief Luft, dann fuhr er fort: «Du und ich, wir könnten zusammen eine Praxis eröffnen. Du weißt schon so viel, und was du noch nicht kannst, werde ich dir beibringen. Wir führen die Praxis gemeinsam. Du kannst die Frauen behandeln. Ich könnte mir vorstellen, dass viele lieber dir ihr Vertrauen schenken und sich von dir untersuchen und behandeln lassen wollen, vor allem, wenn es um intime Probleme geht.»

Ungeachtet des morastigen Bodens, sank er auf die Knie. Er zog den Ring, den er von seinem Vater geerbt hatte, vom Finger und hielt ihn Elisabeth hin. «Ich bitte dich, Elisabeth, lass mich nicht im Stich. Ich liebe dich, und ich möchte dich bei meiner Arbeit an meiner Seite haben und nicht am Herd!»

«Und das Kind? Es wird mich ins Haus zwingen.»

Er hob die Augenbrauen und reckte das Kinn. «Unsere Praxis wird gut gehen, und wir werden viel Geld verdienen. Du wirst dir ein Hausmädchen und eine Kinderfrau leisten können. Schließlich wirst du in der Praxis mehr als genug Arbeit haben. Kannst du dir das nicht vorstellen? Ich sehe uns beide schon vor mir: Herr und Frau Doktor Heydecker. Vielleicht können Professor Dieffenbach und meine Schwester Emilie ihren Einfluss nutzen, um für uns zu werben.»

Noch immer zögerte Elisabeth.

«Bitte, nimm jetzt den Ring und sag ja. Meine Hose ist schon völlig durchnässt, und ich würde gerne wieder aufstehen und dich küssen.»

Was konnte sie da anderes tun, als ihn aus seiner misslichen Lage zu befreien und in ihre Arme zu schließen?

«Mit dir hat man es nicht leicht», brummte er zwischen zwei Küssen.

«Ja, gewöhn dich schon mal dran», warnte sie ihn.

KAPITEL 31

Liebe und Tod

Amalie war in der Schule und würde erst am späten Nachmittag heimkommen. Es war eine ungewöhnliche Entscheidung gewesen, doch Ludovica hatte beschlossen, Amalie für ihre restliche Schulzeit an eine Schule für höhere Töchter zu schicken, statt sie weiterhin von diversen Hauslehrern unterrichten zu lassen. Es war eine Lehranstalt, in der die Mädchen nicht nur in praktischer Haushaltsführung, Zeichnen und Musik unterwiesen wurden. Auch Französisch und Latein sowie Naturwissenschaften standen auf dem Lehrplan. Ludovica merkte schnell, dass sich ihre Tochter gerade für Biologie und Geographie interessierte, und so schleppte sie alles an Büchern heran, was sie finden konnte. Allen voran die Veröffentlichungen Dieffenbachs und die Reisereportagen Alexander von Humboldts. Vielleicht waren die medizinischen Details für das junge Mädchen noch ein wenig zu kompliziert, die Reisebeschreibungen über das wilde Südamerika las sie aber bereits mit Begeisterung.

Es hatte wegen Amalie einen heftigen Streit mit ihrer Schwiegermutter gegeben, doch Ludovica hatte sich durchgesetzt, und die alte Gräfin war empört abgereist und an ihren Witwensitz zurückgekehrt.

An diesem Morgen, als Amalie noch in der Schule war, beschloss Ludovica, wieder einmal auszureiten. Ein Reitknecht folgte ihr stumm in einigem Abstand.

Wie langweilig das war, dachte sie und musste an ihre Ausritte mit Dieffenbach denken, die sie heftig vermisste. Ach, wenn sie wenigstens wieder miteinander sprechen und sich über seine Forschungen austauschen könnten. Sie zügelte die Stute, als das Pferd plötzlich stolperte und zu lahmen begann. Ludovica hielt an und ließ sich aus dem Sattel gleiten.

«Ich glaube, sie hat sich einen Stein eingetreten», sagte sie und hob den Hinterhuf des Pferdes, ehe der Diener absteigen und ihr helfen konnte.

«Ah ja!», rief sie und wollte den Stein entfernen, als irgendwo ein Schuss fiel. Die junge Stute erschrak und riss Ludovica den Huf aus der Hand, sodass die Gräfin das Gleichgewicht verlor. Das Tier dachte nur noch an Flucht. Es sprang in die Luft und trat gleichzeitig nach hinten aus. Ludovica, noch damit beschäftigt, ihre Balance wiederzufinden, kam nicht rechtzeitig aus der Gefahrenzone. Ein Huf traf sie knapp über dem Knie und warf sie auf den Rücken. Der Diener war sogleich bei ihr, doch da war das Unglück bereits geschehen.

«Ich komme zurecht», knurrte sie mit zusammengebissenen Zähnen, als er ihr auf die Beine half. «Sehen Sie zu, dass Sie meine Stute einfangen.»

Er tat, wie ihm geheißen, und brachte das Tier schon bald zurück. Ludovica ließ sich in den Sattel helfen, und im Schritt kehrten sie zum Palais zurück.

«Herr im Himmel», rief die Zofe, als sie der Gräfin aus ihrem Reitkostüm half. Der Bereich über dem Knie war in Größe des Hufes dick angeschwollen und blutunterlaufen. Dort, wo sie die Hufkante als Erstes getroffen hatte, war eine längliche Wunde entstanden, aus der Blut floss, das ihr die Wade heruntertroff.

«Wir müssen Professor Dieffenbach rufen», verlangte Cornelia, doch Ludovica wehrte ab.

«Das ist nicht so schlimm», fuhr Ludovica ihre Zofe ungewöhnlich schroff an. «Glauben Sie, ich habe mich noch nie beim Reiten verletzt? Bei uns daheim hat sich unser Stallbursche um die Blessuren gekümmert und nicht so ein Theater gemacht. Die Wunde ist nicht tief. Legen Sie mir einen Verband an, dann wird das schon wieder.»

Cornelia versuchte es noch einmal, aber die Gräfin blieb hart. Also besorgte sie unten in der Küche die geheimnisvolle Salbe der Köchin und strich damit die Wunde ein. Es war eine graugrüne, äußerst zähe Paste, die recht übel roch, doch schon am nächsten Tag hatte sich die Wunde wieder geschlossen. Natürlich schmerzte die Prellung, und Ludovica vermied es, aus dem Haus zu gehen. Aber die Heilung schien voranzuschreiten. Sie richtete sich in ihrem kleinen Salon ein und ließ dort auch für sich und Amalie die Mahlzeiten servieren, um keine Treppen steigen zu müssen.

∽

«Er hat dich also gefragt», stellt Martha fest, nachdem sie einen Blick auf Elisabeth geworden hatte. Es ging ein Strahlen von ihr aus, das Martha schon lange nicht mehr an ihr bemerkt hatte. Der Druck, der auf ihr gelastet hatte, schien sich aufgelöst zu haben. «Und du hast ja gesagt», fügte sie hinzu.

«Dann brauche ich dir ja nichts mehr zu erzählen.» Elisabeth zog einen Schmollmund. «Ich dachte, du willst es wissen und freust dich für mich.»

Martha nahm sie herzlich in die Arme. «Ich freue mich, sehr sogar, für dich und das Kind und für deinen Doktor.» Sie kicherte. «Der noch nicht weiß, dass harte Zeiten auf ihn zukommen.»

Elisabeth machte sich von ihr los und sah sie entrüstet an. «Was willst du damit sagen?»

«Dass er noch merken wird, dass er sich keine demütige Hausfrau geangelt hat. Und ich vermute einmal, dass du auch nicht vorhast, dich in eine solche zu verwandeln.»

«Natürlich nicht, und das weiß Alexander auch!»

«Sicher?» Martha ließ nicht locker. «Männer versprechen einem gerne das Blaue vom Himmel …»

«Hör auf, Martha! Du wolltest doch, dass ich seinen Antrag annehme.»

«Ja, denn ich glaube, er ist ein guter Mann, und er wird dich glücklich machen. Wahrscheinlich ist nicht alles möglich, wovon du träumst, aber ihr werdet zusammen einen Weg finden.»

«Amen», sagte Elisabeth und lächelte noch, als sie den Rückweg zur Gebärstation antrat. Auf den Stufen zur Alten Charité kam ihr Alexander entgegen. Er umfasste ihre Taille und küsste sie.

«Ha!»

Eine erboste Stimme ließ sie herumfahren. Hinter ihnen stand Schwester Theresa und zeigte auf die beiden Liebenden. Ihr Gesicht war vor Empörung gerötet. «Jetzt bist du dran. Du kommst sofort mit zur Oberin! Du bist eine Schande für die Schwesternschaft.»

Alexander holte Luft, um etwas zu erwidern, doch Elisabeth stellte sich vor ihn und bat ihn zu gehen. «Lass mich das machen!», flüsterte sie. Mit einem trügerischen Lächeln drehte sie sich dann zu Theresa um. «Ja, lass uns zur Oberin gehen. Es wird Zeit, dass einige Dinge endgültig geklärt werden.»

Die Diakonisse starrte sie verblüfft an. Elisabeth hatte sie etwas aus dem Konzept gebracht, aber sie fing sich rasch wieder. Sie griff nach ihrem Arm, um sie wie eine Sünderin zum Zimmer der Oberin zu zerren, doch Elisabeth machte sich los.

«Das ist nicht nötig. Ich komme freiwillig mit.»

«Sie wird dich aus der Schwesternschaft ausschließen und dich wegschicken», prophezeite Theresa.

Elisabeth nickte noch immer lächelnd. «Ja, vermutlich.»

Theresa wurde noch zorniger. «Du machst es dir ja einfach. Missbrauchst Pfarrer Fliedners Güte, solange es dir in den Kram passt, und dann wirfst du dich in die Arme eines Mannes, wenn dir danach ist. Aber glaub mir, du wirst es bereuen! Du denkst doch nicht etwa, dass ein Regimentsarzt so eine wie dich heiraten würde? Ich weiß, aus was für einem Stall du stammst, und er ganz sicher auch.»

Elisabeth blieb stehen. «Lehrt uns Pastor Fliedner nicht Nächstenliebe und Barmherzigkeit? Wenn es danach geht, bist du in dieser Schwesternschaft genauso falsch wie ich.»

Theresa schnaubte nur und stapfte vor Elisabeth her zum Zimmer der Oberin. Diese trat gerade auf den Gang, als die beiden ankamen.

«Nun, was gibt es?» Fragend sah sie von einer Diakonisse zur anderen.

«Ich hab es immer gewusst», schnaubte Theresa. «Diese Person ist eine Schande für uns und tritt unsere Regeln mit Füßen. Ich hab sie erwischt …»

Oberin Walburga unterbrach sie. «Möchten Sie mir nicht selbst erzählen, was vorgefallen ist, Schwester Elisabeth?»

Empört verschränkte Theresa die Arme vor der Brust, wagte aber nicht weiterzusprechen.

Elisabeth knickste. «Ich bitte Sie, Mutter Oberin, und auch Pfarrer Fliedner, mich von meinen Pflichten zu entbinden. Ich werde mein Versprechen der Schwesternschaft gegenüber nicht erneuern. Dr. Heydecker hat mich um meine Hand gebeten, und ich habe eingewilligt.»

Die Oberin starrte Elisabeth überrascht an. «Sie haben uns allen ein Versprechen gegeben», sagte sie. «Ich bin enttäuscht von Ihnen.»

«Ich habe der Schwesternschaft fast fünf Jahre lang gedient», entgegnete Elisabeth. «Es sind nur noch ein paar Monate, bis ich meinen Schwur erneuern müsste. Das werde ich nicht tun, aber ich danke Ihnen für die Zeit, in der ich ein Teil der Schwesternschaft sein durfte.»

Die Oberin seufzte. «Ich sehe, Sie haben sich entschieden. Und wir werden Sie nicht aufhalten. Ich werde Pfarrer Fliedner schreiben.» Plötzlich wurde die grimmige Miene der Oberin sanft. Sie trat vor und küsste Elisabeth auf die Stirn. «Dann bleibt mir nichts anderes übrig, als Ihnen alles Gute zu wünschen, Schwester Elisabeth. Die Patienten und Ihre Mitschwestern werden Sie vermissen.»

«Danke, Mutter Oberin. Ich habe sehr gern als Schwester in der Charité gearbeitet, und ich werde vieles vermissen.»

«Gibt es sonst noch etwas?», erkundigte sich die Oberin mit hochgezogenen Augenbrauen an Theresa gewandt.

«Nein, ich gehe wieder an meine Arbeit», sagte diese steif, wandte sich um und machte sich auf den Weg.

«Nicht allen von uns ist Barmherzigkeit gegeben», sagte die Mutter Oberin. «Gleichzeitig ist Strenge vonnöten, um die Disziplin aufrechtzuerhalten!»

Elisabeth lächelte. «So ist es wohl, Mutter Oberin. Es ist nicht einfach, gerecht und gütig zugleich zu führen.»

«Nein, das ist es nicht. Aber nun gehen Sie an Ihre Arbeit, oder wollen Sie uns heute schon verlassen?»

Elisabeth schüttelte den Kopf. «Nein, natürlich nicht. Ich bin schon unterwegs!»

Die Nachricht sprach sich schnell rum. Als Elisabeth zum Mittagstisch kam, stürmte Katharina auf sie zu und umarmte sie.

«Ich gratuliere dir von ganzem Herzen und freue mich so für dich, auch wenn es mich sehr traurig stimmt, dich als Mitschwester zu verlieren. Ich werde dich sehr vermissen.»

Elisabeth erwiderte die Umarmung. «Ich dich auch, Katharina! Aber ich gehe ja nicht von Berlin fort. Wir werden uns bestimmt wiedersehen.»

Auch Gertrud und Josepha gratulierten Elisabeth sowie einige der Wärterinnen. Margret schloss sich den Glückwünschen an, und sogar Wärterin Christina kam herüber und schüttelte ihr kräftig die Hand.

～

Ludovica litt. Sie hatte Amalie weggeschickt, das Mädchen sollte seine Mutter nicht in diesem unwürdigen Zustand sehen, aber sie wusste, dass ihre Tochter fast jede Stunde herunterkam und sich bei Cornelia nach ihrem Zustand erkundigte.

«Sie müssen endlich einen Arzt rufen», beharrte die Zofe, die der Gräfin die Stirn mit kaltem Wasser abtupfte.

Seit zwei Tagen nun hatte sie Fieber, das in der Nacht bedenklich gestiegen war. Ludovica hatte das Gefühl zu verglühen. Dann wieder zitterte sie vor Kälte. Ihr Bein pochte unablässig, und ein heißer Schmerz zog inzwischen bis in ihre Leiste hinauf. Das Atmen fiel ihr zunehmend schwer.

«Aber nicht Professor Dieffenbach!», beharrte sie. Er durfte sie in diesem Zustand nicht sehen. Sie wollte nicht sein Mitleid, sie wollte seine Liebe, und die war er nicht bereit zu geben.

Cornelia stöhnte. «Er ist aber der Beste, das wissen Sie.»

«Nicht Professor Dieffenbach!», wiederholte Ludovica.

Die Zofe verließ das Gemach, um neues Wasser zu holen und noch einmal mit Amalie wegen des Arztes zu sprechen.

Ludovica spürte, wie ihr Tränen in die Augen stiegen. Der Schmerz war so allumfassend. Ihr Körper bestand nur noch aus Pein, Hitze und Kälte. Wie gern würde sie Dieffenbach noch ein letztes Mal sehen. Seine Hand halten und ihm sagen, was er ihr bedeutete. Aber nein, er durfte sie nicht in diesem Zustand erleben. Er sollte sie als stolze, schöne, intelligente Frau in Erinnerung behalten. Nicht als dieses Wrack, dessen Haare fettig in alle Richtungen abstanden, dessen Körper scharf nach Schweiß und dessen Wunde nach Verwesung stank.

Ludovica weinte. Tränen rollten ihr über die fieberheißen Wangen, und sie schluchzte, dass ihr Körper bebte.

Als Cornelia zurückkehrte, rief sie die Zofe zu sich. «Was denken Sie, werde ich sterben?»

Die Zofe zögerte einen Moment zu lange, ehe sie ihrer Herrin versicherte, dass alles wieder gut werden würde.

«Ich möchte, dass Sie einen Boten zu Gräfin Sophia schicken. Amalie sollte nicht alleine sein, wenn ...» Sie zögerte. «Wenn das Schlimmste eintritt.»

Der Gedanke, Amalie in der Obhut ihrer Schwiegermutter zurücklassen zu müssen, quälte sie mehr als die Schmerzen in ihrem Bein.

Cornelia ergriff die Hand ihrer Herrin. Noch nie hatte sich die Zofe zu solch einer Vertraulichkeit hinreißen lassen. Dies zeigte Ludovica am deutlichsten, wie schlimm es um sie stand.

«Bitte, helfen Sie mir, mich aufzurichten, und bringen Sie mir Papier, Feder und Tinte. Ich muss meinen Letzten Willen niederschreiben!»

Cornelia protestierte nicht. Sie schob der Gräfin ein dickes Kissen in den Rücken, legte ihr ein Tablett auf den Schoß und brachte das Gewünschte.

∽

«Du bist eine wunderschöne Braut», versicherte ihr Martha, «und der Herr Doktor kann sich glücklich schätzen, dass eine Frau von deiner Intelligenz seinen Antrag angenommen hat.»

«Intelligenz kann man nicht in Münzen verwandeln», widersprach Elisabeth. «Ich denke, seine Familie würde lieber eine Frau mit Mitgift an seiner Seite sehen.»

«Unsinn!», behauptete Martha. «Seine Mutter ist schon lange tot, und sein Vater ist nun auch schon fast ein Jahr unter der Erde und kann nichts mehr sagen. Und ich weiß, dass seine Schwester Emilie entzückt von dir ist.»

«Ja, das sagt sie», gab Elisabeth etwas lahm zu.

«Das meint sie auch so! Und es ist doch ganz reizend von ihr und dem Herrn Professor, dass ihr eure Hochzeit in Dieffenbachs Wohnung feiern dürft.»

Elisabeth nickte, doch ihr Blick, dem sie im Spiegel begegnete, war noch immer skeptisch. «Ich hatte nicht einmal genug Geld, um mir ein angemessenes Hochzeitskleid schneidern zu lassen. Ich meine, seiner Familie angemessen. Meine Schwester hat in einem alten Kleid geheiratet, an das wir lediglich einen neuen weißen Kragen angenäht hatten. Es waren nur eine Handvoll Gäste in der Kirche, und schon am frühen Abend hat sich der Herr Bräutigam zu seinen Zechkumpanen in seine Stammkneipe zurückgezogen und kam dann völlig betrunken nach Hause, um meiner Schwester eine schreckliche Hochzeitsnacht zu bereiten. Man kann von Glück sagen, dass er zu betrunken war, um seinen ehelichen Pflichten überhaupt noch nachzukommen!»

Tränen standen ihr in den Augen. Martha zog sie in ihre Arme. «Du bekommst kalte Füße? Das ist völlig normal. Jede Braut ist ein wenig ängstlich vor dem großen Moment. Aber eines kann ich dir versichern: Dein Alexander ist ein feiner Mann. Du wirst eine glückliche Braut sein, wenn du es nur zulässt. Und du siehst ganz zauberhaft aus!»

Elisabeth strich sanft über ihren Bauch, der sich zum Glück noch unter dem Gewand verbergen ließ. Martha streckte sich und befestigte den Kranz mit dem Schleier in ihrem Haar.

Professor Dieffenbach fuhr persönlich mit seinem Rappengespann an der Charité vor, um Elisabeth abzuholen. Martha hatte sich lange geziert, doch dann hatte sie eingewilligt, Elisabeths Trauzeugin zu sein. Sie trug ihr einziges gutes Kleid, und auch ihr August sah in seiner Schulkleidung passabel aus.

Sie fuhren zur Alten Garnisonskirche, und da Elisabeth keinen Brautvater hatte, der sie zum Altar hätte führen können, reichte ihr Professor Dieffenbach den Arm und geleitete sie ins Kirchenschiff, wo sie von brausender Orgelmusik empfangen wurden.

Alexander stand bereits vor dem Altar. Er sah wundervoll aus in seiner Paradeuniform. Die Knöpfe schimmerten golden im Licht der Leuchter. Ein Glücksgefühl durchrieselte Elisabeth, als er den Blick hob und sie anlächelte. Ja, ihr würde es besser ergehen als den anderen Frauen ihrer Familie. Sie hatte die richtige Wahl getroffen, und schon morgen würden sie zusammen die ersten Praxisräume besichtigen, die in Frage kommen könnten. Ein neues Leben stand ihr bevor. Sie war nur noch wenige Augenblicke davon entfernt.

Im Takt der Musik schritt sie an Dieffenbachs Arm den Gang entlang. Die Menschen zu beiden Seiten erhoben sich aus ihren Bänken. Für einen Moment fürchtete Elisabeth, sie könne straucheln, oder irgendetwas Schreckliches müsse passieren, um ihr Glück im letzten Augenblick zu verhindern, aber dann stand sie neben Alexander, er reichte ihr die Hand und sagte: «Ja, ich will, mit Gottes Hilfe.»

Elisabeth wiederholte die Worte und ließ sich den Ring an den Finger stecken. Wie im Traum hörte sie die Predigt des Priesters an sich vorbeirauschen, und schon waren sie auf dem Weg zur Wohnung am Zeughaus. Man hatte ein wenig improvisieren müssen, um an der Tafel Platz für alle Gäste zu schaffen, doch das Essen war erlesen, und alle schienen sich zu amüsieren. Neben einigen Ärzten, die Alexander eingeladen hatte, hatte Elisabeth außer Martha und August auch Schwester Katharina gebeten zu kommen.

Emilie machte Elisabeth Komplimente, und Alexander hielt eine Rede auf die Tugenden seiner Braut, die sie verlegen machte und ihr schmeichelte. Sie freute sich, dass er weniger ihre Schönheit und ihre weiblichen Tugenden betonte als ihren medizinischen Verstand, ihre Wissbegierde und ihre Arbeit mit den Patienten.

«Liebe Freunde», sprach er weiter. «Wir beide sind der Charité sehr verbunden und haben viele schöne Jahre unseres Lebens dort verbracht. Doch nun wollen wir Neues wagen. Ein Experiment, bei dem wir angesehene Bürger Berlins brauchen, die über uns sprechen und uns empfehlen, denn wir werden gemeinsam eine Praxis eröffnen, in der sich Patientinnen auch von Elisabeth behandeln lassen können. Gräfin Ludovica von Bredow hat uns geschrieben und ihre Unterstützung zugesagt. Wir sind überglücklich und dankbar, dass wir schon bald unsere eigene Praxis eröffnen können.»

Die meisten der Gäste applaudierten, einige steckten die Köpfe zusammen und flüsterten miteinander, doch die Mienen, die Elisabeth rund um den Tisch sah, waren offen und freundlich. Es sah so aus, als würde ihr Traum endlich in Erfüllung gehen, selbst wenn sie sich nicht Ärztin nennen durfte.

∽

Noch mehr Gäste zu so später Stunde? Dieffenbach sah das Hausmädchen fragend an. Am liebsten hätte er sich in sein Studierzimmer zurückgezogen und die Tür geschlossen, doch das hatte ihm Emilie in weiser Voraussicht streng untersagt. Es war die Hochzeit ihres Bruders, und da musste er sich als perfekter Gastgeber präsentieren – bis zum bitteren Ende.

«Ein Mädchen möchte Sie sprechen. Sie wollte ihren Namen nicht nennen, sagte aber, es sei sehr dringend», richtete das Hausmädchen aus. «Genauer gesagt lauteten ihre Worte: *Es geht um Leben oder Tod.*»

Verwundert schüttelte Dieffenbach den Kopf. Das klang nicht nach einem späten Hochzeitsgast. Ging es um eine Patientin? Er hatte doch extra ein Schild an der Tür anbringen lassen, dass sich alle in dringenden Fällen an seinen Kollegen am Kupfergraben oder direkt an die Charité wenden sollten. Ein Hauch von Ärger stieg in ihm auf. *Leben oder Tod!* Die meisten seiner wohlhabenden Patienten verfügten über das Talent der Übertreibung. Andererseits war er auch neugierig und wollte sich eh ein wenig vom Trubel der Feiernden zurückziehen. Also stieg er die Treppe hinunter.

Er erkannte das junge Mädchen sofort. «Amalie», stieß er aus. «Was ist geschehen? Sind Sie verletzt?»

Amalie schüttelte den Kopf. «Meiner Mutter geht es schlecht. Sehr schlecht! Sie müssen sofort kommen, sonst stirbt sie.» Tränen schossen in ihre Augen.

Dieffenbach starrte sie entsetzt an. Gräfin Ludovica im Sterben? Das gehörte zum Schlimmsten, was er sich vorstellen konnte. Nein, er konnte es sich gar nicht vorstellen. Diese stolze, vor Leben sprühende Frau konnte nicht sterben. Nicht jetzt. Nicht so jung. «Was ist geschehen?»

«Vor zwei Wochen, bei einem Ausritt, hat ihre Stute sie getreten. Sie hatte eine Prellung und eine Wunde über dem Knie, aber sie sagte, es wäre nicht weiter schlimm. Unsere Köchin rührt sich immer eine Salbe an, die hat Cornelia auf die Wunde gestrichen und das Bein verbunden.»

Dieffenbach schnaubte. Er hatte Erfahrungen mit diesen selbst gebrauten Salben und Tinkturen, die meist mehr Schaden anrichteten, als zu helfen. «Hat Ihre Mutter Fieber? Hohes Fieber?»

«Ich denke schon», sagte Amalie unsicher. «Sie lässt mich seit Tagen nicht mehr in ihr Schlafzimmer. Ich soll sie nicht in diesem Zustand sehen.»

Angst ergriff sein Herz. «Wir dürfen keine Zeit verlieren. Steigen Sie wieder in die Kutsche. Ich hole nur rasch meine Tasche.»

Cornelia erwartete sie bereits und eilte mit gerafftem Rock, Dieffenbach voran, die Treppe hinauf. Sie klopfte ans Gemach ihrer Herrin, erhielt aber keine Antwort. Wortlos öffnete sie ihm die Tür.

Ein wenig zögerlich trat Dieffenbach ein. Er erwartete Protest, war er doch gegen ihren Willen gekommen, doch sie sah ihn nur aus glasigen Augen an.

«Sie sind zu früh, mein Freund», sagte sie. «Ich bin mir sicher, der Ball ist erst morgen. Lassen Sie mich schlafen. Ich bin so müde.»

Er wusste nicht, was er erwartet hatte, doch dass es schlimm um sie stand, war ihm sofort klar. Er eilte an ihr Bett und legte seine Hände an ihre Wangen und ihre Stirn. Sie glühte, doch die Haut war trocken. Das Fieber stieg noch weiter an.

«Sie haben so kalte Hände», sagte sie. «Schneit es draußen?»

«Es ist Sommer, Ludovica», erinnerte er sie. «Und Sie sind sehr krank.»

Die Gräfin riss die Augen auf und starrte ihn an. «Haben Sie mir Flieder mitgebracht? Ich liebe Flieder! Ich kann ihn riechen.»

«Nein, ich bin gekommen, um mir Ihr Bein anzusehen.»

Sie ließ sich in ihre Kissen zurücksinken, während er die Bettdecke beiseiteschob und den Verband abwickelte. Der Gestank, der ihm entgegenschlug, war ihm mehr als bekannt. Die Wunde war aufgedunsen mit bläulichen Rändern. Es sickerte nur wenig Eiter zwischen den Krusten hervor, doch die schwammige Erhebung, die sich rund um die Prellung gebildet hatte, verriet ihm, dass sich der Eiter unter der Haut angesammelt hatte. Ein Gangrän, das sie von innen heraus verzehrte. Vermutlich hatte das Gift schon auf andere Organe übergegriffen.

Er legte seine Finger an ihren Hals. Ihr Herz raste, und es fiel ihr schwer zu atmen. Dieffenbach ahnte, dass der tödliche Schock, den er bei seinen Patienten in der Charité schon so häufig hatte erleben müssen, kurz bevorstand. Es gab nichts mehr, was er für sie tun konnte.

Er legte seine Hände an ihre Oberarme. «Ludovica, können Sie mich hören?»

Der verschleierte Blick klärte sich. «Sie sind gekommen, mein

Freund», sagte sie und lächelte gar. «Ich wollte nicht, dass Sie mich so sehen, doch so kann ich wenigstens Abschied von Ihnen nehmen.»

Er hätte so gern widersprochen, doch nur noch ein Wunder könnte sie retten, und seinen Glauben an göttliche Wunder hatte er schon längst verloren. Er ließ Amalie rufen, damit auch sie sich von ihrer Mutter verabschieden konnte.

Als Cornelia das weinende Mädchen hinausgebracht hatte, beugte er sich über die Sterbende. «Ich muss Ihnen etwas beichten, das seit vielen Jahren mein Gewissen bedrückt.»

Noch immer schien die Gräfin klar im Kopf zu sein. «Was ist es? Reden Sie es sich von der Seele, solange ich noch bei Ihnen bin.»

Er nahm allen Mut zusammen. «Es hat sich in jener Nacht zugetragen, als Sie Ihr Kind geboren haben. Sie erinnern sich? Ich sagte, Ihr Becken sei für eine normale Geburt zu eng.»

Ludovica lächelte unter Schmerzen. «Ja, ich erinnere mich. Dem Herrn sei gedankt, dass Sie sich ein einziges Mal in Ihrem Leben geirrt haben.»

Er schüttelte den Kopf. «Ich hatte mich nicht geirrt.»

Sie riss die Augen auf. «Das kann nicht sein! Amalie lebt, das wissen Sie doch.»

«Amalie Friedericke ist nicht Ihre Tochter, liebe Freundin. Ihr Kind ist in dieser Nacht gestorben. Frau Vogelsang legte Ihnen stattdessen ein kleines Mädchen in die Arme, das in der Nacht zuvor geboren worden und dessen Mutter bei der Geburt gestorben war.»

Ludovica starrte ihn an. «Das ist ganz unmöglich! Amalie soll nicht mein Kind sein?»

«Es war ein Akt der Barmherzigkeit, zu dem sich Martha Vogelsang entschieden hatte. Und ich brachte es nicht übers Herz, Ihnen die Wahrheit zu sagen und Ihr Glück zu zerstören.»

«Wessen Kind ist sie?», wollte Ludovica wissen.

«Ihre Mutter hieß Maria und war Elisabeth Heydeckers Schwester. Sie und Alexander haben heute geheiratet.»

Ludovica schüttelte den Kopf. Plötzlich griff sie nach seiner Hand und umklammerte sie so fest, dass es schmerzte. «Sie darf es nie erfahren! Hören Sie, mein Freund. Amalie ist meine Tochter, ganz gleich, wer sie geboren hat, und sie wird mein Erbe und das ihres Vaters antreten. Es dürfen niemals Zweifel an ihrer Rechtmäßigkeit aufkommen, schwören Sie mir das!»

«Ich schwöre es, Ludovica, und ich verspreche Ihnen auch, dass ich mich immer um sie kümmern werde.»

Ludovica nahm ein beschriebenes Blatt, das neben ihrem Kopfkissen gelegen hatte, und reichte es ihm. «Ich habe meinen Letzten Willen notiert. Gehen Sie zu meinem Anwalt und sehen Sie zu, dass er durchgesetzt wird. Ich warne Sie vor meiner Schwiegermutter, aber der Anwalt wird Ihnen helfen.»

Dieffenbach drückte ihre Hand. «Ich werde Sie nicht enttäuschen! Nicht noch einmal.»

«Das haben Sie nicht. Sie sind ein Ehrenmann, und gerade deshalb liebe ich Sie so sehr.»

Er beugte sich herab und küsste sie sanft auf den Mund. «Ich liebe Sie auch, das wissen Sie.»

«Ja, ich weiß, aber nicht nur mich.»

Dieffenbach spürte einen Blick in seinem Rücken. Für einen Moment fürchtete er, Amalie Friedericke sei zurückgekommen und habe alles gehört. Er fuhr herum, doch zu seiner Überraschung stand Emilie in der Tür. Er formte lautlos die Frage, doch sie schüttelte den Kopf und trat leise näher. Sie setzte sich auf die andere Seite des Bettes und ergriff die suchende Hand der Sterbenden.

So saßen sie da und bewachten Gräfin Ludovicas letzte Stunde. Ihr Blick trübte sich ein, und ihr Geist fiel in seine Nacht zurück. Sie sprach nur noch ein paar wirre Sätze. Dann bäumte sich ihr Herz noch einmal gegen das Gift auf und klopfte zum Zerspringen, doch es versagte unter der Last und hörte endgültig auf zu schlagen. Ihr letzter Blick galt dem Freund, der ihre Augen für immer schloss.

Lange saßen sie noch da und hielten schweigend bei der Toten Wache. Der Morgen dämmerte bereits herauf, als sich die Zofe wieder in das Gemach wagte. «Ich muss Gräfin Sophia informieren und Amalie, wenn sie erwacht», sagte Cornelia unter Tränen.

Dieffenbach erhob sich. Emilie folgte seinem Beispiel und trat an die Seite ihres Mannes. «Wenn ich bei den Vorbereitungen zur Beisetzung helfen kann, sagen Sie Bescheid, Cornelia», sagte er mit belegter Stimme.

«Ich danke Ihnen», erwiderte die Zofe. «Sie haben viel für meine Herrin getan, doch nun gehen Sie. Fahren Sie heim.»

Emilie griff nach seiner Hand. Warm und beruhigend lag sie in der seinen. Sie führte ihn die Treppe hinunter. Der Diener bot an, die Kutsche vorfahren zu lassen, aber Dieffenbach wehrte ab. Zusammen traten sie auf die Allee hinaus.

«Ich liebe dich, Emilie», sagte er. «Du bist die beste Frau, die mir widerfahren konnte. Kannst du mir jemals verzeihen?»

Emilie blieb stehen und küsste seine Hand. «Es gibt nichts zu verzeihen. Sie war eine reiche und doch auch so arme Frau. Du hast richtig gehandelt, ihr wenigstens das Kind zu lassen. Und nun lass uns nach Hause gehen, zu unserer Familie.»

Hand in Hand schritten sie durch das nächtliche Berlin, dessen Himmel sich langsam aufklarte. Die Dunkelheit wich im Osten einem gläsernen Schimmer, der sich zartrosa einfärbte.

Sieg über den Schmerz

Das Streben, Schmerzen zu bekämpfen, ist so alt wie die Menschheitsgeschichte. Der entscheidende Durchbruch für eine schmerzfreie Operation war einem Zufall geschuldet. In Amerika wurden in jener Zeit Partys auf Jahrmärkten veranstaltet, bei denen Lachgas eingeatmet wurde, ein Gas mit dem wissenschaftlichen Namen Stickoxydul, welches die Menschen in einen euphorischen Zustand versetzte, in dem sie herumalberten und torkelten, umfielen und wieder aufstanden, aber selbst bei bösen Zusammenstößen keinen Schmerz zu empfinden schienen.

Es war der Zahnarzt Horace Wells, der 1844 bei solch einer Veranstaltung die schmerzbetäubende Wirkung erkannte und das Gas erfolgreich am anderen Tag an sich ausprobierte. Er ließ sich von einem Kollegen einen Zahn ziehen und empfand dabei keinerlei Schmerz.

Es dauerte eine Weile, bis der dem Lachgas ähnlich wirkende Äther nach Europa kam und dort 1847 das erste Mal für schmerzfreie Operationen eingesetzt wurde. Nun verbreiteten sich die Nachrichten über dieses Wundergas in den medizinischen Fachzeitschriften.

Auch Dieffenbach las die Berichte der ersten Operationen in England und Frankreich, doch noch zögerte er. Er musste erst sicher sein, dass seinen Patienten bei dieser Anwendung kein Schaden entstand. Obgleich in anderen Ländern eine Äthereuphorie ausbrach, blieb er sachlich und vorsichtig.

So war es sein ehemaliger Assistent Wolf Berend, der 1847 in

Berlin die erste Äthernarkose anwandte und Dieffenbach anschließend von seinen Erfahrungen berichtete. Nun wagte sich auch Dieffenbach aus der Deckung und operierte zum ersten Mal einen Patienten, der über eine neu entwickelte Apparatur das Gas eingeatmet hatte. Der Patient sank in tiefen Schlaf! Zum ersten Mal in seinem Leben brauchte der Chirurg keine starken Männer, um den Patienten auf den Operationstisch niederzudrücken, damit er zu einem sauberen Schnitt ansetzen konnte. Er musste nicht mehr seine Ohren gegen die gellenden Schmerzensschreie verschließen, und er konnte die Hast fallen lassen, mit der jeder chirurgische Eingriff seit jeher durchgeführt werden musste. Man konnte sich nun besser auf jeden Schnitt konzentrieren, das Skalpell ruhiger führen und Schicht für Schicht nacheinander durchtrennen. Man konnte sich während einer Operation um die Blutstillung kümmern und durchtrennte Gefäße nähen. Man konnte viel besser sehen, was man mit seinem Skalpell durchtrennte.

Der Äther revolutionierte die Arbeit des Chirurgen, dessen wichtigste Anforderungen bislang Beherztheit und Schnelligkeit gewesen waren.

Dieffenbach legte seinen zweiten Band der *Operativen Chirurgie* vorerst beiseite und schrieb als erster Arzt im deutschsprachigen Raum eine Abhandlung über das neue Verfahren: *Der Äther gegen den Schmerz.*

Der schöne Traum, dass der Schmerz von uns genommen wird, ist Wirklichkeit geworden, schrieb er, blieb aber dennoch kritisch und verdammte die Ärzte, die nun jeden noch so kleinen Eingriff unter Narkose vornahmen, denn dass der Äther auch Risiken mit sich brachte, stellte sich schnell heraus, und so sprach sich Dieffenbach energisch gegen seinen leichtfertigen Einsatz aus.

Er schrieb an diesem Sonntag einige Stunden, legte dann aber vor dem Dunkelwerden die Feder aus der Hand und ließ seine Kutsche vorfahren. Er lenkte die beiden Rappen zum Friedhof hinaus und schritt zum Mausoleum des Grafen von Bredow, an dessen Seite Ludovica ruhte. Wieder einmal legte er einen Strauß Rosen unter ihren Namen. Er kniete nicht nieder, aber er berichtete ihr in Gedanken von seinen Erfahrungen mit dem Äther und von all den neuen interessanten Fällen in seiner Klinik.

Im Frühling erzählte er von den Hungeraufständen in Preußen, nachdem im Vorjahr die Ernten überall schlecht gewesen waren. «Kartoffelrevolte», schrieben die Journalisten, als die Berliner nach unverschämten Preiserhöhungen die Kartoffelstände auf dem Markt plünderten. Im Osten und Norden Preußens litten die Menschen Hunger.

Er berichtete von dem, was ihn bewegte, doch die, an die er seine Worte richtete, blieb stumm. Sie unterbrach ihn nicht mehr, reizte ihn nicht, brachte keine klugen Kommentare ein. Vielleicht war dort unten wirklich nur noch ihr Körper, einst so schön und strahlend, der nun in seinem Sarg verweste. Vielleicht waren ihr Geist und ihre Seele mit ihm verlorengegangen. Er wusste es nicht. Nur eines fühlte er:

Sie fehlen mir so, meine Freundin, dachte er und spürte wieder den scharfen Schmerz in seinem Herzen. *Unsere Gespräche, Ihr Lachen, unsere gestohlene Zeit. Wir sind zu sorglos damit umgegangen. Wir haben nicht verstanden, das Wertvolle, das uns verband, zu bewahren.* Er seufzte tief und versuchte, seine Gedanken auf andere Pfade zu lenken.

Liebe Freundin, was Sie noch interessieren wird, ist, dass halb Berlin von Ihrem Schützling spricht. Sie nennen sie die barmherzige Schwester Elisabeth, obgleich sie dem Orden den Rücken gekehrt hat. Anfangs behandelte sie nur die Frauen, welche die Beamten der Sittenpolizei bei Nacht aufgegriffen hatten. Ihr Sachverstand und ihre Güte sprachen sich immer mehr herum, und nun rennen ihr nicht nur die leichten Damen das Behandlungszimmer ein. Dank Ihrer großzügigen Unterstützung ist sie nicht darauf angewiesen, von den armen Frauen Geld zu verlangen, und ich habe gehört, dass sich nun auch die ersten schwangeren Bürgerfrauen bei ihr und Martha Vogelsang einfinden.

Ja, Frau Vogelsang hat sich überreden lassen, die Charité ebenfalls zu verlassen und Elisabeth als Assistentin zur Hand zu gehen. Sie wohnt jetzt mit ihrem Sohn August in den beiden Kammern über der Praxis. August hat inzwischen eine Lehrstelle bei einem Optikermeister gefunden und tut sich jetzt schon mit Neuerungen in der Fertigung von Linsen hervor. Ich habe ihn schon mehr als ein Mal in meine Klinik bestellt. Er kann helfen, meine optischen Geräte zu verbessern.

Eine Weile schwieg er, dann wandte er sich wieder der Medizin zu.

Aber es gibt auch immer noch schlechte Nachrichten. Der Wundbrand wütet weiter in den Spitälern, und wir kommen seiner Ursache nicht näher.

Er sah sich um, hörte die Vogelstimmen, sog die frische Abendluft ein und atmete tief durch. Die Trauer um die Verstorbene übermannte ihn erneut.

Ludovica, warum sind Sie nicht früher zu mir gekommen! Es war doch anfangs nur eine einfache Wunde. Sie wäre verheilt. Sie könnten noch hier sein, meine Freundin. Sie könnten noch leben!

Er seufzte tief, ehe er fortfuhr.

Was könnte Sie noch interessieren? In Wien hat Dr. Semmelweis einen Zusammenhang zwischen dem massenhaft auftretenden Kindbettfieber und den Studenten hergestellt, die irgendein Gift von den Verstorbenen, die sie sezierten, auf die werdenden Mütter übertragen haben sollen. Er tritt dafür ein, dass sich alle Ärzte und Studenten vor jeder Untersuchung ihre Hände mit Chlorkalk reinigen. Viele Ärzte verlachen ihn, doch ich habe gehört, dass in seiner Abteilung die Sterblichkeit der Frauen zurückgeht. Was, wenn er recht hat? Könnten wir mit solch einfachen Mitteln auch den Wundbrand aus der Chirurgie verbannen? Es muss noch viel geforscht werden, aber ich spüre, wir stehen kurz vor großen und wichtigen Entdeckungen, die die ganze Medizin verändern werden.

Für Sie, meine liebe Freundin, kommen diese Erkenntnisse zu spät. Nichts und niemand wird Sie aus Ihrem Grab befreien können. Ich fühle mich an Ihnen schuldig, dass ich Sie nicht retten konnte.

Dieffenbach schwieg und sah auf die goldenen Lettern ihres Namens und die frisch knospenden Rosen hinab.

Die Zeit verrinnt, meine Freundin, ich muss zurück. Ich werde erwartet, aber ich komme bald wieder, um Ihnen weiter zu berichten.

Er wandte sich ab und fuhr zurück zu den Lebenden, die auf ihn warteten: Emilie und die Kinder, Elisabeth, Alexander und die junge Gräfin Amalie Friedericke, die im Hause Dieffenbach eine zweite Heimat gefunden hatte.

Dichtung und Wahrheit

Professor Dr. Dieffenbach war ein berühmter Arzt, erst in der Charité und dann als Direktor der Chirurgischen Universitätsklinik in der Ziegelstraße, die er bis zu seinem frühen Tod im November 1847 leitete. Er wurde nur fünfundfünfzig Jahre alt.

Die meisten Informationen über sein Leben stammen aus der Biographie von Wolfgang Genschorek *Wegbereiter der Chirurgie*. Ich habe mich bei den Beschreibungen der Charité, ihrer verschiedenen Abteilungen mit ihren Ärzten und deren Eigenheiten eng an die Quellen gehalten, die es über die Charité gibt, wie das Buch *Die Charité, ein Krankenhaus in Berlin 1710 bis heute* von Ernst Peter Fischer oder *Die Charité, Geschichte(n) eines Krankenhauses* von Johanna Blecker.

Die meisten Ärzte, die in meinem Roman auftauchen – Direktor Kluge, die Professoren Rust, Wolff, Bartels, von Graefe, Schönlein, Jüngken, Horn, Ideler, Barez und Müller –, sind mit ihren Posten und ihren Eigenheiten überliefert. Und natürlich auch der Prosektor Froriep und sein berühmter Nachfolger Rudolf Virchow, der mit seiner umfangreichen Sammlung von Trocken- und Feuchtpräparaten den Grundstein zum Medizinhistorischen Museum der Charité gelegt hat. Auch heute sind noch zahlreiche dieser Sammlungsstücke dort zu sehen.

Um mir die Operationen und Sektionen besser vorstellen zu können, habe ich das Buch *Die Sektionstechnik im Leichenhaus der Charité* von Rudolf Virchow benutzt und auch *Die Operative Chirurgie* von Johann Friedrich Dieffenbach.

Weitere Quellen waren im Medizinhistorischen Museum zu

finden: *Charité, Who cares – Geschichte und Alltag der Krankenpflege* und vor allem der umfangreiche Ausstellungskatalog über die Dauerausstellung *Dem Leben auf der Spur*.

Empfehlenswert ist auch *Das medizinische Berlin* von Eva Brinkschulte und Thomas Knuth. Darin enthalten ist zum Beispiel ein Kapitel über Frauen in der Medizin. Es wird von den Diakonissen berichtet, die allerdings erst 1843 in die Charité kamen, und von der ersten Poliklinik von Frauen für Frauen in Berlin, die Emilie Lehmus und Franziska Tiburtius 1877 in Berlin eröffneten. Sie hatten in Zürich Medizin studiert, durften sich aber in Preußen nicht Ärztinnen nennen.

Eine Quelle unzähliger Anekdoten war mir das Buch *Die Charité* von Gerhard Jaeckel, in dem unter anderem die Geschichte vom Mädchen mit der goldenen Maske erzählt wird, der Verlauf der großen Choleraepidemie 1831, die Schieloperationen an August Vogelsang und an der Gräfin Ida von Hahn. Auch Martha Vogelsang als Herrin des Totenhauses taucht bei Jaeckel auf, die Missgeschicke von Professor Rust werden berichtet und Dieffenbachs Rettung der Kronprinzessin Elisabeth Ludovika bei ihrem Bauchbruch.

Leider lebt der Autor nicht mehr. Ich hätte mich zu gerne mit ihm über viele dieser Episoden unterhalten. So bleibt mir nur der Dank an ihn für seine lebhaften Erzählungen, welche die Geschichte der Charité lebendig machen.

Elisabeth ist in dieser Gestalt als Diakonisse nicht überliefert, sie und auch die Gräfin Ludovica habe ich erfunden. Dieffenbach hat nach seiner Scheidung von Johanna noch im gleichen Jahr Emilie Heydecker geheiratet und eine glückliche Ehe mit ihr geführt, aus der drei Kinder hervorgegangen sind. In den Quellen werden zwei unterschiedliche Daten für das Jahr der zweiten Eheschließung genannt: 1831 und 1833.

Emilies Bruder Alexander Heydecker gab es ebenfalls nicht. Er ist ein Beispiel für die jungen Ärzte, die über die Medizinisch-Chirurgische Akademie für das Militär ihre Laufbahn begannen. Dafür habe ich Emilies Mutter unterschlagen, die später bei den Dieffenbachs im Haushalt gelebt und die Familie auch auf die Reise nach Wien begleitet hat.

Ulrike Schweikert

Danksagung

Zum Entstehen dieses Romans haben viele mitgeholfen. Während der Recherche durfte ich mich mit Professor Dr. Hans-Peter Schmiedebach in Berlin treffen. Sein Spezialthema ist die Charité als historischer Ort. Er hat mich über das Gelände geführt, mir auch einen der historischen Hörsäle gezeigt und mir geduldig unzählige Fragen beantwortet. Herzlichen Dank!

Dank an Professor Dr. Thomas Schnalke, Leiter des Medizinhistorischen Museums der Charité, in dem auch ein Teil der Sammlung von Rudolf Virchow zu sehen ist. Er und Dr. Petra Lennig haben mir ebenfalls einige wichtige Antworten geliefert.

Vielen Dank auch an Grusche Juncker, die als Programmleiterin vom Rowohlt Verlag das Projekt aus der Taufe gehoben hat, und an ihre Nachfolgerin Katharina Dornhöfer. An meine Lektorin Heike Brillmann-Ede herzlichen Dank für ihre Mühe und ihren Einsatz.

Danken möchte ich meinem Agenten Thomas Montasser, der seit so vielen Jahren treu an meiner Seite steht und sich sehr um die Verwirklichung dieses Romans bemüht hat. Und ganz lieben Dank auch an meinen Mann Peter Speemann, der es während der Entstehung solch eines Buches nicht immer leicht mit mir hat.